Clásicos del pensamiento universal resumidos

Clásicos del pensamiento universal resumidos

Rafael Méndez

intermedio

Una realización de la Gerencia de Contenido de la CEET

Editor general: Gustavo Mauricio García Arenas
Editora asistente: Mónica Roesel M.
Producción: Ricardo Iván Zuluaga C.
Diseño y diagramación: Claudia Margarita Vélez G.
Diseño de carátula: Harvey Rodríguez S.
Corrección: Jesús E. Delgado

Licencia de Editorial Printer Latinoamericana Ltda.
para Círculo de Lectores S.A.
Avenida Eldorado No. 79-34
Santafé de Bogotá, Colombia

Impreso y encuadernado en Colombia por
Editorial Nomos S. A.

ISBN: 958-28-1126-9
    D E F G H I J

CONTENIDO

Del autor 9

Fragmentos
Heráclito 13

Fragmentos
Jenófanes 17

Fragmentos
Parménides 21

La República
Platón 27

Ética a Nicómaco
Aristóteles 41

Tratado de la república
Marco Tulio Cicerón 50

Cuestiones naturales
Lucio Anneo Séneca 57

El asno de oro
Apuleyo de Madaura 63

Confesiones
San Agustín 68

Suma teológica
Tomás de Aquino 76

De la causa, del principio y del uno
Giordano Bruno 84

Nuevo órgano
Francis Bacon 92

Elogio de la locura
Erasmo de Rotterdam 103

El Príncipe
Nicolás Maquiavelo 108

El Discurso del método
Renato Descartes 119

Leviatán
Tomás Hobbes 130

Ensayo sobre el gobierno civil
John Locke 138

Monadología
G. W. Leibniz 146

Pensamientos
Blas Pascal 152

El contrato social
J. J. Rousseau 163

Manifiesto del partido comunista
Carlos Marx, Federico Engels 178

Crítica de la razón pura
Emmanuel Kant 197

Ética
Baruch Spinoza 211

Así habló Zaratustra
Federico Nietzsche 223

El origen de las especies por medio de la selección natural
Carlos Darwin 237

Fenomenología del espíritu
J. G. F. Hegel 250

Introducción al psicoanálisis
Sigmund Freud 264

Curso de filosofía positiva
Augusto Comte 280

Naturaleza y causa de la riqueza de las naciones
Adam Smith 292

Teoría general del empleo, el interés y el dinero
J. M. Keynes 301

La evolución creadora
Henri Bergson 308

Ser y tiempo
Martin Heidegger 322

Mi lucha
Adolfo Hitler 338

La rebelión de las masas
José Ortega y Gasset 352

Tractatus logico-philosophicus
Ludwig Wittgenstein 366

Epistemología genética
Jean Piaget 376

Las estructuras elementales del parentesco
Claude Lévi-Strauss 385

El hombre unidimensional
Herbert Marcuse 397

Las palabras y las cosas
Michel Foucault 406

DEL AUTOR

Los textos aquí reseñados constituyen una selección de las contribuciones más significativas a la historia del pensamiento occidental. En modo alguno aspira a ser exhaustiva y, por supuesto, incurre en las inevitables omisiones producto de su misma condición. No obstante, en cada caso se trató de equilibrar la importancia implícita de la obra, la dimensión del autor y su significación histórica en nuestra tradición. Por otra parte, y esto reviste la mayor importancia, el intento de comprimir en unas pocas páginas la complejidad intelectual de las más grandes personalidades históricas de Occidente es, cuando menos, desmedido. Y, sin embargo, la condición concreta de nuestra propia tradición, en la cual el contacto con los grandes textos del pensamiento universal es cada vez más problemático y superficial, nos llevó a incurrir en unos riesgos que esperamos sean comprendidos.

Las páginas que siguen están, por lo tanto, destinadas primordialmente a quienes, en razón de su juventud, por vicios de formación o por circunstancias vitales específicas, enfrentan alguna dificultad al encarar los textos originales. Paradójicamente, aquellos pensamientos que por su misma naturaleza deberían estar más emparentados con cualquier ser humano, en la medida en que refieren problemas y reflexiones que le corresponden por su condición inmediata, son los que ofrecen mayores obstáculos de comprensión. Ciertos giros del lenguaje, las constantes referencias culturales, el "tono" expresivo pero, sobre todo, los calificativos de "incomprensible", "abstruso" e "inútil" con los que nuestra deficiente tradición educativa ha marcado al pensamiento filosófico, han conseguido que la gran comunidad se distancie y desconozca una de las herramientas más preciosas para afrontar la construcción de un mejor destino. Pretendemos, entonces, que la lectura de este trabajo consiga persuadir de la inmediatez de la reflexión intelectual, de su pertinencia y de sus ocultas, pero sensibles, dimensiones emocionales y estéticas. Así, un lector que ante la fuerza del prejuicio se haya colocado a insalvable distancia del texto original, podría acercarse a él y abordar su lectura directa con lucidez, entusiasmo y valor.

La redacción concreta de las reseñas que siguen ha supuesto un criterio fundamental: hemos tratado de clarificar en cada caso el problema básico que intenta resolver el autor. No en vano se afirma que la vocación esencial del pensamiento humano estriba en la pura determinación de problematicidades. Ya en ellas, en su simple de-velación y formulación, se hallan implícitas las respuestas deseadas. Respuestas que, en la mayoría de los casos, son mucho menos estimulantes y lúcidas que la misma construcción y presentación del enigma. Del conocimiento, por ejemplo, se han intentado infinitas resoluciones, algunas aquí mencionadas y, sin embargo, aún en nuestra época hipertecnologizada y presuntuosa, el problema sigue tan irresoluto como en los primeros atisbos de la racionalidad. De esta manera, nos hemos centrado en determinar, con la máxima precisión posible, las motivaciones básicas que han generado grandes construcciones intelectuales. Como es obvio, en todos los casos pretendemos sintetizar las resoluciones que cada pensador intenta desde su perspectiva particular pero, sobre todo, nos hemos propuesto señalar cómo, en contra de las apariencias, los enigmas acerca de las posibilidades de socialización, de conocimiento, de acción justa, etc., competen directamente a nuestra cotidianidad. Hay algo que nos emparenta con el lejano hombre griego que hace 25 siglos trataba de resolver una serie de enigmas. Como a él, nos agobian el desconocimiento y la incertidumbre, y como él, intuimos que sólo en la construcción deliberada de precisiones podemos encontrar ese mínimo de dignidad que haga posible y deseable la preservación de la vida.

1

❋

FRAGMENTOS[1]
Heráclito

Aunque se desconoce la estructura original de su obra, a partir de la tradición y en particular de las afirmaciones del filósofo e historiador de la filosofía Diógenes de Laercio, se acepta que esta se dividía en tres grandes bloques o discursos: "Sobre el universo", "Sobre la política" y "Sobre la teología". La naturaleza de sus fragmentos que, en efecto, giran alrededor de estas tres grandes preocupaciones, confirma tal clasificación. Dueño de un estilo expresivo altamente poético, sus textos discurren plenos de misterio y evocación. Ya en su tiempo, las dificultades prácticas que suponía enfrentarse a sus palabras le ganaron el mote de 'El oscuro', calificación que, sin embargo, no le implicó rechazo o discriminación alguna.

La tradición occidental más reciente, que ha derivado buena parte de su vitalidad al reconstruir las relaciones que la unen con su origen, vale decir con la filosofía presocrática, ha convenido en señalar dos tópicos esenciales en el pensamiento de Heráclito: el movimiento y la contradicción. Inclusive cuando alude a temas aparentemente ajenos a tales principios, termina por referirlos.

---

[1] El pensamiento occidental más antiguo, que se identifica con las primeras reflexiones correspondientes a esa manera de confrontar la realidad denominada filosofía, implica, sin embargo, la casi total ausencia de textos. Sólo fragmentos han llegado a nuestras manos. Trozos de documentos que pudieran haber sido totalidades mucho mayores, o –y esta es una muy plausible posibilidad– elementos extraídos de un conjunto de axiomas, aforismos o pensamientos, que en su conjunto conforman una unicidad, pero que tienen a la vez, dentro de su brevedad, una plena

La guerra es el padre de todas las cosas y el rey de todas las cosas a unos declara dioses y a otros hombres; a unos hace esclavos y a otros libres. […] Los hombres no comprenden cómo lo que difiere está de acuerdo consigo mismo; es una armonía de tensiones opuestas, como la del arco y la lira. Lo contrario es lo que conviene. […] La armonía oculta es mejor que la manifiesta.

Su aseveración se reafirma cuando toca directamente la condición determinante del cambio y del movimiento como sustento de toda manifestación: "Nadie puede entrar dos veces en el mismo río".

Y esta condición de mutabilidad, de transcurso, de modificación consustancial a todo lo existente, se confirma con claridad en fragmentos donde Heráclito, como cualquier otro pensador de su tiempo, se aventura alrededor del principio constitutivo del mundo, el *arké*.

Este mundo, el mismo para todos, ningún dios ni hombre lo hizo, sino que fue siempre, es, y será, fuego siempre vivo, que se enciende según medidas y se apaga según medidas. El fuego se cambia por todas las cosas y todas las cosas por el fuego, lo mismo que el oro por las mercancías, y las mercancías por el oro.

Las transformaciones del fuego son: primero, el mar; y la mitad del mar, tierra, y la otra mitad torbellino.

Vive el fuego la muerte de la tierra, y el aire vive la muerte del fuego; el agua vive la muerte del aire; la tierra la del agua.

Así, considerando, como todos los pensadores antiguos, que el hombre se encuentra inmerso en un mundo que ya "es", sin más, desde siempre, y que se halla animado con una serie de potencialidades o fuerzas activas que el filósofo ha de esforzarse en

---

autonomía individual y una incuestionable completud. En estos textos se reúnen, entonces, los elementos precursores de la disciplina intelectual que mejor representa los anhelos y ansiedades de la versión occidental del mundo. Disciplina que se sostiene sobre una determinada concepción, desde la cual es posible concebir el cosmos como un todo ordenado y predecible. Esta totalidad, a simple vista inabarcable, discurre, sin embargo, alrededor de principios constitutivos que la naturaleza humana sería capaz de aprehender y manipular. Quienes ordenaron

comprender, la enorme diversidad de la experiencia se ordena a partir de un principio esencial. Diversidad, prolijidad, contradicción y cambio se asientan, pues, sobre aquello que las cosas son verdaderamente y para siempre. Presente y actuante, este principio, pese a escabullirse a los ojos de los hombres, es razón y causa de todo lo existente.

Prestando oídos no a mí, sino a la palabra, es sabio declarar unánimemente que todas las cosas son uno.

Aunque esta palabra es siempre, los hombres son tan incapaces de comprenderla cuando la oyen por primera vez como antes de haberla oído. En efecto, a pesar de que todas las cosas suceden según esta palabra, los hombres parecen no tener experiencia de ella cuando ponen a prueba palabras y hechos como los que yo expongo separando cada cosa según su naturaleza y explicando cómo es. Pero los hombres no se dan cuenta de lo que hacen despiertos, del mismo modo que olvidan lo que hacen en sueños.

De todos aquellos cuyas palabras he oído, ninguno llega a conocer que lo sabio está separado de todas las cosas.

Lo sabio es una cosa: conocer la razón que dirige todas las cosas a través de todas las cosas.

Muchos otros asuntos son motivo de reflexión en la obra de Heráclito de Éfeso, entre ellos la reacción tensa e intransigente contra las obras maestras de la poesía tradicional, en particular las de Hesiodo, cuyas palabras considera nefastas para la conciencia del hombre individual y para la salud de la ciudad; la necesidad de acordar términos dignos para referirse a la divinidad; la búsqueda de lo común, sustento de cada circunstancia en la medida en que se articula, en última instancia, sobre la ley divina; la especulación críptica y poética sobre la muerte, el sueño y la vida, y el escepticismo

---

sus vidas alrededor de tal posibilidad elaboraron un núcleo objetivo de reflexión evidente en los fragmentos que nos ha legado la historia, pero sobre todo, establecieron las bases determinantes de una actitud: el esfuerzo filosófico. En efecto, más allá de los lineamientos parciales y las particulares visiones de la realidad (refutadas en el tiempo, por supuesto), esta disposición se mantiene hasta nuestros días en toda su plenitud. Los trozos literarios de que disponemos son la mejor manifestación de tal espíritu.

sobre la posibilidad real del conocimiento humano. Frente a todos ellos, los textos desconciertan, asombran e iluminan. Imposibles de sintetizar por su brevedad, concisión y naturaleza fragmentaria, no existe recurso más viable y placentero que enfrentarlos directamente. Pese a los siglos que nos separan de ellos y a las enormes distancias culturales, hay algo en su enorme poder evocativo, en su cortedad, en su expansión poética, capaz de impactar el vértigo pragmático de los tiempos postindustriales que vivimos.

El autor y la obra

Heráclito nació en la ciudad de Éfeso, población de Asia Menor, en la segunda mitad del siglo VI a.C. Su época de *akmé*, florecimiento o madurez, se sitúa a finales de siglo, de manera que su obra se realiza en las primeras décadas del siglo V a. C., en tiempos de eclosión de la democracia griega.

Miembro de una familia real y por tanto destinado al ejercicio del poder, Heráclito, seguro de su vocación, determinó abdicar sus dignidades en favor de su hermano, a fin de poder dedicarse con exclusividad al ejercicio filosófico. En tiempos en los cuales el experimento griego se consolidaba, y en el entorno cultural de los grandes protagonistas del pensamiento naciente como Jenófanes, Pitágoras y los sofistas, Heráclito desarrolló un talante autónomo y severo. Afecto a la soledad y en contravía de las experiencias masificadoras de la naciente democracia, su personalidad gozó, sin embargo, de gran prestigio y popularidad entre sus contemporáneos. Los autores sistemáticos, Platón y Aristóteles, muy próximos a figurar en el panorama de la filosofía, lo tuvieron en gran estima. También la modernidad encontró en él —la filosofía dialéctica de Hegel y sus epígonos— un bastión seguro para sostener sus estructuras de pensamiento más consolidadas y determinantes.

2

FRAGMENTOS
Jenófanes

Entre los diversos fragmentos que recogen la obra de Jenófanes de Colofón, y que se refieren, como era usual entonces, a multitud de asuntos, hay algunos que se acercan de cierta manera al concepto de construcción sistemática. Se trata de los recogidos en el célebre "Poema de Jenófanes", objeto de atención de críticos y especialistas. A pesar de su condición fragmentaria, permite apreciar con claridad una preocupación central, reseñada en su momento por los contemporáneos del autor y por los historiadores más cercanos a su tiempo.

Jenófanes se ocupa de la opinión, del saber referido a la condición del sujeto que sabe y que es, por lo tanto, provisional, y sobre todo, del conocimiento de la naturaleza divina. Haciendo eco de una de las preocupaciones más generalizadas entre los filósofos presocráticos y que va a tener gran influencia en la sistematización socrática y platónica, Jenófanes juzga e inculpa con crudeza la obra de los poetas imitativos. Homero y Hesiodo han compuesto en sus ficciones una imagen de la realidad y, sobre todo, una versión de lo divino, a su juicio deplorable y peligrosa. No existe preocupación semejante en dignidad y hondura, que la referida a los principios definitorios de todo lo existente. Dios es asunto, a sus ojos, de la mayor importancia, y los versos que lo suponen humanizado y trivial no pueden ser respetados. Y como las versiones de los poetas, en las cuales la divinidad se manifiesta capaz de la injuria, la concupiscencia, la ira, la envidia y el error son de aceptación popular, los esfuerzos de purificación y purga revisten la mayor importancia.

Mas los mortales piensan que, cual ellos, los dioses se engendraron; que los dioses, cual ellos, voz y traza y sentidos poseen. Pero si bueyes o leones manos tuvieran y el pintar con ellas, y hacer las obras que los hombres hacen, caballos a caballos, bueyes a bueyes, pintaran parecidas ideas de los dioses y darían a cuerpos de dioses formas tales que a las de ellos resultaran semejantes.

Homero, Hesiodo atribuyeron a los dioses todo lo que es reprensible y sin decoro; y contaron sus lances nefarios infinitos: robar, adulterar y el recíproco engaño.

Falacias tan graves que aquejan a las versiones poéticas y populares de la divinidad, surgen de una fuente primordial: la *doxa*, la opinión que cada cual traza de las cosas y que, en síntesis, tiene que ver más con el sujeto que se la ha formado que con las cosas objeto de atención. Al hablar de Dios, los hombres hablan realmente de sí mismos, como las bestias, si pudieran, hablarían de ellas refiriéndose a Dios. Pero más allá de esta mera proyección, de esta imagen subjetiva e impropia, la realidad divina reside en toda su limpidez y su brillo. Pero ¿dónde?, ¿cómo?, ¿quién podrá encontrar esa verdad?

Jamás nació ni nacerá varón alguno que conozca de vista cierta lo que yo digo sobre los dioses y sobre las cosas todas; porque, aunque acierte a declarar las cosas de la más perfecta manera, él, en verdad, nada sabe de vista. Todas las cosas ya por el contrario con opinión están prendidas.

Todos tienen, pues, formada únicamente una opinión, y la verdad reside en algún lugar alejado de las opiniones.

Jenófanes, que construyó toda su especulación alrededor de la cuestión de Dios, única que en principio le importaba, vio de repente una inmensidad problemática abierta por sus reflexiones. Lo que se puede decir respecto del conocimiento humano sobre lo divino, ¿por qué no referirlo a cualquier otro conocimiento? El saber sobre la naturaleza, sobre la sociedad, sobre el cosmos, sobre el alma individual, sobre la técnica y sobre cualquier otra cosa, ¿no estará, a su vez, contaminado por el mismo subjetivismo, por la misma "opinión"? Nos acomodamos con gran solvencia sobre las versiones humanas de la realidad, pero esas versiones, ¿qué tanta verdad poseen? Puesto que existen tantas maneras de experimentar la humanidad y, por ende, múltiples versiones de las cosas, ¿cómo podemos preferir unas a otras? ¿El mundo no puede ser, al fin de cuentas, según la medida de quien lo percibe? ¿Qué tanto sentido tiene, entonces, hablar de verdad? Todas estas preocupaciones, que de inmediato enraizaron en el cuerpo general de la inteligencia griega, manifiestan con claridad una de las más grandes preocupaciones de la filosofía universal. Alrededor de ella se han tejido y construido cosmovisiones enteras, sistemas de organización epistemológica, teorías de la intimidad, de la belleza, del bien, de la organización política y del sentido de la historia. Los sofistas, antagonistas ilustres de la filosofía socrática, recogerán las preocupaciones de Jenófanes y sobre ellas construirán una de las teorías filosóficas de mayor aliento en la historia de Occidente: la verdad no existe y en caso de existir, no nos es posible alcanzarla. Sólo nos resta la opinión y la opinión es particular, efímera, imperfecta y contingente. Lo otro, la aspiración a versiones universales, es únicamente una alucinación emanada de la ansiedad por el poder.

Jenófanes, al parecer consciente de las enormes implicaciones de sus palabras, intentó mesurarlas y hallarles salida:

> No enseñaron los dioses al mortal todas las cosas ya desde el principio
> mas si se dan en la búsqueda tiempo
> cosas mejores cada vez irán hallando.

> Es esto lo que me ha parecido ser más verosímil con lo verdadero.

En nuestra condición de humanos, mortales e innecesarios, no nos es posible el contacto real con las cosas mismas. Y, sin embargo, en la medida de nuestra avidez, voluntad, persistencia y templanza, es posible construir versiones menos imperfectas. Es factible, pues, el progreso. Y aún así, nada distinto nos corresponde, mientras ocupemos nuestro lugar sobre la Tierra, que la construcción de versiones aproximadas y plausibles. La noción de lo verosímil ha de sustituir, por lo tanto, a la de lo verdadero. La probabilidad se ha de imponer, con toda evidencia, sobre la certeza.

Pocos pensamientos revisten mayor actualidad para la condición contemporánea que este del filósofo de Colofón. A la luz de los más recientes avances de las ciencias físicas y matemáticas, después de la relatividad einsteniana y de la eclosión de las ciencias sociales, el concepto mismo de verdad ha sido desterrado de las reflexiones que pretenden seriedad. Y en pocas oportunidades como esta, es notorio cómo, a la luz de enfrentarse a la realidad con una "actitud filosófica", cualquier principio es válido. Hondamente religioso, Jenófanes generó una acción intelectual a partir de sus preocupaciones más genuinas. Y tal actuar, en la medida de su solvencia y honestidad, lo refirió a universos cada vez más amplios, que previsiblemente superaron todas las expectativas originales del pensador. La noción de verosimilitud y sus implicaciones en los ámbitos epistemológicos y metafísicos, son asuntos capaces de referir el complejo mundo postindustrializado.

◁ El autor y la obra

Jenófanes nació en la ciudad de Colofón, Asia Menor. Las fechas, muy imprecisas, indican que su larga vida —superó los 92 años de edad— se extendió desde la mitad del siglo VI a. C. hasta la mitad del V a. C. Fue muy popular en su época, pues desde los 25 años de edad se convirtió en un "sabio vagabundo" que erró por toda la Hélade conversando, participando en festines, banquetes y ceremonias y recitando sus poemas. Su influencia sobre la gente fue muy notoria, pues a diferencia de otros filósofos ilustres, como Heráclito, que preferían la soledad y despreciaban al hombre común desde la altura de sus conocimientos, Jenófanes estuvo siempre en el centro de las actividades sociales. Pero su actitud no fue condescendiente o falta de crítica. Todo lo contrario, asumiendo una labor eminentemente pedagógica, juzgó y propuso alrededor de los temas candentes de su tiempo, desde las sátiras más vehementes contra los poetas, pasando sobre las creencias y supersticiones populares, hasta enfrentar a los prototipos más respetados de la época. En efecto, en otro de sus fragmentos más conocidos, el "Panegírico de la sabiduría", enfrenta la idolatría popular hacia los atletas y héroes olímpicos, oponiendo a la ruda fortaleza de aquellos la verdad de su sabiduría:

> ... aunque de una vez alcance todo esto su dignidad no es pareja
> a la mía;
> que es mi sabiduría más excelsa que el vigor de los mejores hombres,
> que de los mejores caballos la fuerza.

3

FRAGMENTOS
Parménides

La obra conocida de Parménides de Elea, el poema filosófico "*Peri physeos*" o "Sobre la naturaleza", ha sido conservada fragmentariamente por la tradición. No obstante, tal condición no ha impedido su reconstrucción más o menos cabal, que ha dado claridad alrededor de la estructura general del poema. Compuesto por una introducción o proemio y dos partes principales: el poema ontológico, o "vía de la verdad", y el poema fenomenológico o "vía de la opinión", el texto de Parménides es considerado piedra angular de la reflexión filosófica griega posterior y, en general, de todo el pensamiento metafísico occidental.

Conducido por las yeguas que halan su carruaje, un joven alcanza los límites máximos a los que su deseo lo ha podido llevar. Y entonces, en las fronteras del más allá, lo internan en un sendero desconocido que lo pondrá delante de la diosa. Muy pronto, con el ánimo de conducir al viajero y de allanar su camino, unas doncellas ígneas, las Hijas del Sol, se ponen a su lado y lo confortan con su presencia. En aquella senda completamente desconocida que conduce al hombre sabio a través de todas las cosas, ellas se ocuparán de conducirlo a la luz.

Chirría el eje
de sus cubos en los cojinetes;
y apenas lo incitan a apresurarse,
arde;
que lo avivan un par de ruedas,
ruedas-remolino,
cada rueda en cada parte.

Ya se encuentra al frente de la morada divina. Las sólidamente selladas puertas de la noche y del día, con dintel y umbral de piedra, son guardadas por la "justicia vengadora" que detenta las "llaves de uso ambiguo". Pero la providencia de las doncellas le basta y de repente las puertas se abren y el carro es conducido por un amplio sendero ante la diosa. Frente a ella, las palabras divinas lo confortan. Su presencia allí, lejos de ser inducida por malignidad o inquina, obedece a la más pura intención.

> Doncel, de guías inmortales compañero,
> que, por tales yeguas conducido,
> a nuestro propio palacio llegas.
> ¡Salve!
> Que mal hado no ha sido
> quien a seguir te indujo este camino
> tan otro de las sendas trilladas
> donde pasan los mortales.
> La firmeza fue más bien, y la justicia.

En efecto, visitante de lugares impensables para el hombre común, cuya rudeza e inmovilidad lo restringen al monótono trasegar de las mismas huellas y caminos, él, privilegiado entre los mortales, se encuentra allí con el propósito de escuchar las palabras de la diosa y aprender de ellas "todas las cosas".

> ... tanto el inconmovible corazón de la bien redondeada verdad,
> como las opiniones de los hombres,
> en las cuales no hay convicción verdadera.

Atento, pues, a distinguir la verdad del error; instruido por la diosa en la necesidad de apartarse de los hábitos que conducen a mirar sin ver, a oír sin escuchar y a decir voces vacías, el viajero se prepara en el ejercicio de la razón, único instrumento capaz de conducirlo lejos de la apariencia, por la senda del "camino verdadero".

Alcanzada la presencia de la diosa y en contacto con sus palabras y con el sentido de sus afirmaciones, el discípulo se dispone a entrar en materia: "¿Cuáles son las únicas sendas investigables para el pensar?"

"Que el ente es; y que no hay manera de que el ente no sea: es senda de confianza, seguida por verdad", y a esta certeza definitiva e irrefutable de la condición de ser de lo que es, se sigue la otra vía, el error, la imposibilidad: "Que el no-ente es; y que hay manera de que el ente no sea…" Senda impracticable y absurda, pues lo que no es, no soporta conocimiento alguno y sobre tal cosa no es posible expresar nada.

"Porque ni el propiamente no-ente conocieras, / que a él no hay cosa que tienda, / ni nada de él dirías / que son una misma cosa el pensar y el ser", pues el pensamiento supone que lo pensado sea, sin remedio.

Así, el discípulo es amonestado en la necesidad de separar la vía verdadera de la falsa y de esforzarse por desdeñar el error y la confusión. "Porque del ente es propio ser; y no ser, del no-ente". También, en posesión de tal distinción definitiva, se apartará de las opiniones de los hombres, que "arrastrados como ciegos y sordos, llenos de estupor, son de acá para allá llevados…"

> Para ellos, la misma cosa y no la misma cosa parecen el ser y el no ser.
> Mas este es, entre todos los senderos,
> como ninguno retorcido y revertiente.

Advertido del error y en capacidad de evitar los halagos del extravío, el discípulo se enfrenta ahora con las determinaciones esenciales al ser del ente. A sabiendas de que el no-ser es incapaz de engendrar el ser, puesto que nada puede dar lo que no tiene, en ningún momento el ser ha dejado de ser, ni será hacia el futuro en ningún momento. Aceptar esto supondría aceptar la confusión de ser y no ser que se ha refutado. El antes y el después, es decir, el tiempo, significaría concebir lo que es contaminado con lo que no es. Pues aceptarlo en un origen, en un desarrollo y en un crecimiento, supondría concebirlo originado y acrecentado en algo diferente de él mismo. Proviene, pues, de lo que no fue, y se dirige hacia lo que no es aún. Y siendo el no ser lo único diferente al ser, tal presunción choca con el absurdo.

> Porque, ¿qué origen de él buscarás?
> ¿Cómo y de dónde habrá crecido?

No te dejaré decir ni pensar que de lo que no es,
porque no puede decirse ni pensarse que algo no es.
¿Y qué necesidad le obligó a surgir después o antes,
si tuvo su principio en la nada?
Así, pues, es necesario que sea o que no sea.

El ente es, pues, todo a la vez, uno y continuo. Repugna toda temporalidad, porque "¿cómo sería después lo que es?" Si llega a ser, no fue nunca. Y tampoco lo es si ha de llegar a ser. Pues el ser implica todas las condiciones precisas para ser en acto, de manera que al respecto no son pensables el perfeccionamiento ni la decrepitud. Es imposible al ente ser más que ente, o ser menos. "Así el llegar a ser está extinguido / y la destrucción es incomprensible".

De la comprensión de estas características de unidad, continuidad y totalidad del ser, el aprendiz pasa a comprender su indivisibilidad y su inmovilidad. Cercado por estrechos límites, pues no es compatible con la indefinición, "que no es de algo indigente, que si de algo lo fuera de todo careciera", el ser no depende de nada ajeno a sí mismo. Así las cosas, las múltiples preocupaciones humanas, que refieren el perecer, el llegar a ser, el "desplazarse y cambiar de color", son únicamente voces vacías, palabras carentes de verdad, vías erráticas.

En poder el aprendiz de las palabras con que la diosa encarna la vía de la verdad, el camino del ser, el principio ontológico, resta ahora, y no es menos importante, mencionar la otra vía: la opinión y el error. En este sendero de "lo que parece según lo que aparece", el asunto central sobre el que se sostiene la falacia consiste en "nombrar dos formas". Al considerarlas opuestas, a cada una se le asignan señales y determinaciones que las separan y distinguen, i.e. la luz y la sombra, que se consideran iguales y separadas entre sí.

Por una parte el fuego etéreo, llameante, que es suave, muy ligero, en todas partes idéntico a sí mismo, pero no idéntico a lo otro; por otra parte, aquello que le es, de por sí, contrario; la noche oscura, cuerpo compacto y pesado…

Estos dos principios rectores, asimilables en la vía ontológica a los conceptos del ser y del no-ser, operan como motores suficientes y autónomos, distribuyéndose de una manera u otra en cada realidad particular. Así, en la cotidianidad concreta de la historia, como en las esferas cósmicas y primigenias, junto con los principios de "parto terrible" y de "mezcla", que rigen en todas partes, determinan la naturaleza profunda de la realidad natural y de la humana. La avidez por engendrar, el impredecible y siempre distinto resultado de la mezcla de las dos naturalezas fundamentales que da como resultado el carácter de los hombres y su talante espiritual más significativo.

Así se comportan según la *doxa*, la simple opinión, el puro sentido común, las cosas y los hombres. Sometidos a perfeccionamiento y a decrepitud, se precipitan del nacimiento a la muerte y reciben nombres que en su itinerario se les asignan y de los cuales penden, como insignias o gallardetes.

El autor y la obra

Según Platón, filósofo que apreció en alto grado a Parménides y su obra, este nació en la ciudad de Elea hacia el año 515 a. C. y murió a mediados del siglo V a. C. Elea había sido fundada por una colonia focense en los territorios de la Magna Grecia, pocos años antes de su nacimiento. Existe cierto consenso que considera a Parménides como el filósofo presocrático de mayor importancia. La visita que realizó a la ciudad de Atenas en el 450, en donde "Parménides el Grande" fue objeto de toda clase de homenajes, marcó profundamente el sentido de la especulación filosófica griega. Su formulación de problemas que hasta entonces habían sido apenas esbozados abrió el camino a la tradición de reflexiones acerca del fenómeno del ser, o metafísica. Desde Platón, autor que le dedicó una de sus obras de mayor significación, el diálogo *Parménides o del ser*, hasta la contemporaneidad ontológica del siglo XX, el conjunto de problemas que se desprende del poema filosófico, pese a su condición fragmentaria, constituye punto de referencia obligatorio.

El poema filosófico *"Peri physeos"*, cuyos fragmentos fueron recopilados y conservados por Simplicio, fue escrito en hexámetros.

A pesar de no conocerse en su totalidad, los trozos conservados y, sobre todo, el trabajo pedagógico que Parménides desempeñó en Elea, centro filosófico preponderante de la época, permiten reconstruir con solvencia su pensamiento. Algunos de sus más importantes discípulos, Zenón de Elea y Meliso, entre otros, conservaron y revitalizaron su actitud y, en especial, el tono que desde entonces caracteriza a las especulaciones filosóficas de mayor envergadura.

Parménides

4

LA REPÚBLICA
Platón

En la residencia de Polemarco, notable ciudadano ateniense, se reunieron en cierta oportunidad personajes de gran valía. Estaban allí Cephalo, padre del anfitrión, y sus amigos Glaucón y Adimanto, el sofista Trasímaco, Clitphon y Sócrates. Como era usual, la conversación de los concurrentes giró alrededor de temas cotidianos más o menos intrascendentes, hasta que pronto derivó hacia cuestiones más profundas y fundamentales.

Las afirmaciones de los dos invitados de mayor edad, Sócrates y su amigo Cephalo, desataron la polémica. Coincidían los dos, desde su condición de hombres maduros y experimentados, en considerar la vejez del hombre sabio como la mayor gracia posible sobre la Tierra. Lejos de las ansiedades de la juventud y sus excesos, sostenido sobre el más firme desprecio por las riquezas y en plena capacidad de comportarse en cada asunto con la mayor justicia, el hombre podía afrontar la inminencia de la muerte con toda serenidad. Y, sin embargo, precisamente en relación con la capacidad de distinguir lo justo de lo injusto y de comportarse en concordancia, las dificultades no se hicieron esperar. Aun la condición de hombre provecto, tan respetada entonces, no era garantía suficiente para determinar con claridad los límites y calidades de menesteres tan elusivos. Por supuesto que en capacidad de superar el ansia de riqueza y de comprender cada cosa a la luz de una inequívoca equidad, la vida de un hombre no podía ser más grata. Pero, ¿quién podía evitar el error y la imprecisión a la hora de juzgar un hecho o conducta? ¿Cuáles son los límites? En última instancia, ¿qué se expresa al decir "justicia"?

La voz común, el parecer general, la opinión, la *doxa*, se había manifestado al respecto. A la hora de buscar fundamentos desde los cuales construir un saber adecuado, en este y en cualquier otro asunto, el primer paso era consultar ese conocimiento colectivo. Y la comunidad de ciudadanos había consolidado una no despreciable versión según la cual la justicia era, en fin de cuentas, un comportamiento. Se trataba de decir la verdad y de restituir a cada uno según lo de él recibido. Si no miento y devuelvo gracias por gracias y ofensas por ofensas, me puedo considerar un hombre justo. Y, sin embargo, ¿de qué manera conciliar la idea de justicia y el acto de tornar maldades por maldades? ¿Es propio de un hombre excelente, sabio y justo, ofender a sus semejantes? Incluso en el caso de que dicho hombre hubiese sido víctima de la iniquidad, un comportamiento tal difícilmente podría sostenerse sobre la justicia y, más aún, ser su pilar y generador. El sabio sólo produce obras sabias, y la venganza dista mucho de serlo. Lo justo no puede engendrar lo injusto. Pero en determinadas ocasiones, dicho proceder no puede menos que aprobarse y aplaudirse. En condiciones de confrontación, cuando el hombre se aboca a la crudeza de la guerra, única instancia desde la cual le es posible la defensa de su proyecto de vida y de su posibilidad de subsistencia física, no tiene otra alternativa. Mal podría pedírsele que, en aras de la justicia, no responda al golpe mortal que lo amenaza. Pero en condiciones de civilidad, pretendiendo ser justo, no puede responder con maldad al enemigo.

Avanzaba la discusión cuando Trasímaco, el sofista, tomó la palabra. Consistente con sus presupuestos filosóficos y ante la presencia de Sócrates, su mayor adversario, expuso con cuidado sus argumentos. Tan grande confusión, semejantes extremos argumentativos que conducían inevitablemente a la inmovilidad, eran otras tantas consideraciones a favor de su perspectiva. En última instancia, y contra el sentido común que abogaba por una versión operacional de la justicia, el asunto se remitía a la subjetividad más absoluta. Lo justo no tenía que ver con los actos o comportamientos en sí mismos, sino con el sujeto actuante a través de ellos. Para un individuo distinguido respecto de sus semejantes, más fuerte e inteligente y, por tanto, en posición de control, poder y dominio, la justicia se confundiría con su voluntad. Aquello que le convenga y le reporte bienestar sería justo. En cambio, por encima de cualquier otra consideración, aquello que no le convenga y que por definición beneficie al súbdito, al subordinado, sería injusto. Así las cosas, su arbitrio, vale decir, su justicia, sería profundamente injusta para el débil, que sin tener más remedio que soportarla, se encontraría en incapacidad de responder efectivamente ante ella. Y esa condición de impunidad, de control irrefutable sería, en sus términos, la mejor demostración de su legitimidad. Por supuesto, estas palabras de Trasímaco produjeron gran animosidad. Sus argumentos descarnados y pragmáticos, ajenos a toda consideración moralista, aunque provocaban repugnancia llenaban de admiración. La historia de los hombres se inclinaba con toda evidencia a su favor. Parecía, en contra de lo esperado, que sus razones eran irrebatibles, pero Sócrates, mediante esa apretada urdimbre de preguntas y contrapreguntas que tan bien manejaba, empezó a inclinar la balanza a su favor. La evidencia histórica apuntaba tan sólo a la comprobación del errático sendero humano y a la necesidad de transformar las estructuras organizadoras de la intimidad y de la vida pública. Siendo incompatible el mal de muchos con el bien de la comunidad en general y a partir de la necesidad de construir una felicidad concreta, señal inequívoca de lo justo, el asunto debía ser reformulado. El gobernante, que debería ser el mejor, más fuerte y más sabio —tópico que no discutió a Trasímaco— no convendría con una justicia que significara el deterioro de las mayorías de la república. Por el contrario, persuadido, en la misma medida de su saber y superioridad, de que una comunidad no tolera bienestares parciales y, por ende, padecimientos inevitables, su esfuerzo se dirigirá más que a su propio beneficio, al beneficio colectivo. Sabiendo que su condición individual incluye íntegramente a la totalidad social, de manera que resulta imposible comprender la una sin la otra, es consciente del absurdo que supone desarrollarse desproporcionadamente. Si un solo órgano afectado pone en aprietos a todo el cuerpo, qué decir si la gran mayoría de los órganos se debate inútilmente ante las arbitrariedades de unos cuantos. Lo injusto no genera justicia. Un comportamiento diferente significaría ignorancia y torpeza, incompatibles con la condición superior del dirigente. Así, los hombres sabios, poseedores de la *areté*, la excelencia humana, que los despoja de la ansiedad de riquezas o reconocimientos, son los llamados a gobernar la ciudad y a distinguir en cada caso lo justo de lo injusto. Muchos de ellos, por supuesto, y en la medida de sus condiciones íntimas, manifestarán una evidente repugnancia ante la posibilidad de enfrentar los destinos colectivos y ejercer el poder. A ellos se les debe obligar a formar parte del gobierno, a lo cual finalmente accederán ante la certidumbre de que en su ausencia, ellos mismos y la totalidad del cuerpo social serán dirigidos por individuos de baja naturaleza, incapaces de comprender las implicaciones de su ejercicio y, por ende, propagadores del atraso, la pobreza y la infelicidad.

Sin embargo, los argumentos de Sócrates, que parecieron satisfacer a sus interlocutores, no impidieron nuevas y más acuciantes inquietudes. Sus razones, orquestadas desde el ámbito de lo deseable, tropezaban con la obstinada realidad. Glaucón y Adimanto requirieron que el filósofo confirmara sus palabras ante la ineludible evidencia cotidiana de que los hombres, más que menos, prefieren ser tomados por justos a serlo cabalmente. ¿Por qué, si la justicia es virtud que determina la verdadera felicidad, basta acaparar una adecuada reputación para alcanzar éxito y reconocimiento? La gran mayoría de los hombres, sin preocuparse por la virtud en sí misma, procura conseguir de otros el mero reconocimiento, cuya posesión es suficiente para hacerse a las ventajas y privilegios que recompensan al depositario. Abundan, inclusive, casos en los cuales hombres genuinamente justos, pero que no son tomados por tales, se ven irrespetados y avasallados por otros que, simplemente, se han construido una imagen pública adecuada. De esta manera, las persuasivas palabras de Sócrates no tendrían más vigencia que la de su buena intención. La realidad concreta sería distinta y, al cabo, la crudeza del sofista resultaría vencedora.

Sócrates comprende perfectamente las inquietudes de sus contertulios. Luego de razonamientos, argumentos y refutaciones, el asunto pareciera no avanzar. ¿En dónde está el criterio que permita, en fin de cuentas, distinguir lo justo de lo injusto? ¿Cómo evitar el engaño y el error? ¿De qué valerse para reconocer lo que es y separarlo de lo que parece ser? Confundidas en hechos, circunstancias e individualidades, las protagonistas reales del asunto, es decir, la justicia y la injusticia, se diluyen sin remedio. ¿De qué se trata, entonces? Sócrates no se inmuta. La conversación se encuentra exactamente en el punto deseado. Más allá de los accidentes y las mutaciones, por encima del tiempo, de sus contingencias y multiplicidades, el indagador, el amante del conocimiento, el filósofo, ha de enfrentar la idea en sí. Se trata de la justicia y de la injusticia consideradas por fuera de la historia, en cuyo contacto se hacen tan inaprehensibles y confusas, tan contaminadas. Puras y autosuficientes, consideradas en su unicidad, en su más elemental naturaleza, el verdadero sabio podrá encontrarlas, contemplarlas y aprehenderlas, de manera que otra vez en la ruda materialidad que es su destino y su prueba, se hallará en capacidad de distinguir y calificar. Sabiendo lo que es en sí mismo, podrá reconocerlo en la diversidad de las cosas materiales y múltiples y, por consiguiente, estará en posición de juzgar y decidir.

Ya en camino, se trata, sin embargo, de tomar una decisión. Su necesidad de aprehender la esencia de la justicia y de la injusticia ha de suscribirse forzosamente a un ámbito particular. La idea es única, autosuficiente e idéntica a sí misma, pero el vehículo para remontarse a su unicidad sufre la condición histórica y es objeto de escogencia. Puede ser un hombre específico, o una ciudad. Tras breve divagación, Sócrates concluye que, en el caso de la polis, las proporciones y caracteres, más grandes y rotundos, harían más fructífera la indagación, por lo cual, con el asentimiento de sus contertulios, da comienzo a la búsqueda. ¿Cómo nacen, pues, en el cuerpo estatal, la justicia y la injusticia? Se impone un procedimiento lógico y un punto de partida: al sondear elementos de origen dentro de una determinada realidad, hay que remitirse a la génesis de la realidad cuestionada. ¿Cuál es, entonces, el principio de la sociedad humana? ¿Cómo, desde este origen, se articulan las nociones de justicia e injusticia? El pensamiento socrático no se detiene demasiado. Finalmente, sin excesivas consideraciones, termina por declarar cómo la comunidad de hombres que posibilita la instauración de una determinada organización es producto de la necesidad. Un individuo aislado se encuentra incapacitado para responder a los desafíos de la naturaleza y de sus propias ansiedades. No podría alimentarse, protegerse, abrigarse o vestirse con eficacia y se encontraría al borde de la extinción. Pero ese mismo individuo, tan frágil en su soledad, una vez recurra a sus congéneres y entre en convivencia con ellos, consolidará su posición y conseguirá dominar a la naturaleza. Entre muchos será posible atender con solvencia a sus múltiples necesidades y la vida será satisfactoria y gratificante. Se trata, por supuesto, de que cada cual, en consonancia con sus habilidades y vocaciones, ocupe su lugar, desarrolle sus funciones y no ceda a la tentación de invadir espacios y fueros ajenos. La paz social, la armonía, el contento y el bienestar de los sujetos en particular y de la comunidad en general, dependerán del grado de respeto que se muestre por el lugar y condición de cada cual. Pero esta ciudad ideal, en donde la correspondencia de los anhelos y necesidades de los individuos con sus logros y realizaciones articularía una idea de justicia, dará paso muy pronto a la ciudad real, enferma y conflictiva, en donde la cotidiana invasión, suplantación e irrespeto del lugar ajeno abrirán espacio a la injusticia, como entidad suprema y mayoritaria. El abuso de la fuerza, la ansiedad de posesiones, riquezas y reconocimientos; el anhelo de poder, satisfacción y placer, fortalecerán hasta el delirio el imperio de la injusticia y de la iniquidad. La naturaleza humana, en fin, imperfecta y atroz, implantará en el sitio de la sencilla conformidad con la naturaleza íntima y cósmica, el atropello, el resentimiento y la guerra.

Pero esta situación tan anómala y deplorable no puede ser eterna. En medio de la masa de hombres que han olvidado por completo su naturaleza más luminosa, se hallan unos pocos cuyas almas, más livianas, se han hundido menos en la brutalidad y son, por ende, llamados a conducir el Estado. Y habrá otros cuya proximidad con el origen perfecto no sea tan grande pero que tampoco se hallen tan alejados de él como las grandes mayorías. Estos son los gendarmes, guerreros custodios del Estado. Los primeros, los conductores, son los magistrados, depositarios de la virtud, de la sabiduría y de la justicia. Así las cosas, frente a frente con la ciudad real y con su innegable proclividad al mal y a la injusticia, se hace indispensable la acción definida y certera de magistrados y custodios, que tendrán a su costa y riesgo la enorme responsabilidad de conducir las cosas públicas, de hacer posible la restauración del bien común y, por lo tanto, de la justicia sobre toda otra consideración.

Ahora bien, de la condición concreta del custodio y del magistrado se desprenden tantas obligaciones como privilegios, de manera que en el momento de aspirar a ocupar sus lugares, no se hallará con facilidad quién no desee hacerlo. Y como una sociedad no puede sufrir mayor mal que el derivado, precisamente, del ejercicio inicuo de tales dignidades, ante la necesidad de escoger a los dignatarios las dificultades arrecian y los criterios de selección han de ser incuestionables. La propia naturaleza de las almas, más o menos cercanas a su origen primordial, es el único rasero objetivo. Y el único momento en el cual dicha calidad puede ser apreciada en su verdadera dimensión, por encima de inconsistencias y manipulaciones, es la infancia. En su república ideal, en donde la justicia campeará a sus anchas sobre la historia, Sócrates adjudica un espacio privilegiado a evaluar y comprender a los niños. Y una vez la discriminación se haya realizado y se sepa, a despecho de sus orígenes más o menos ilustres, que unos cuantos reúnen las condiciones exquisitas del magistrado y el filósofo, y que otros, menos afortunados, cuentan con lo necesario para hacerse custodios de la república, y que los más son simple rudeza y materialidad, se impone la estrategia de mayor importancia: la educación. El custodio, finamente seleccionado, será objeto de una formación especializada que moldeará su carácter. Se trata de aprovechar al máximo las condiciones inherentes de su alma y de convertirlo en un verdadero defensor de la sociedad. Habrá de ser sensitivo, agudo, ligero, fuerte y valiente. Tendrá que cultivar el conocimiento, la belleza del cuerpo, la dulzura del trato y la proporción musical y oratoria. Tan pronto estén en capacidad, tanto hombres como mujeres, de sobrevivir lejos del regazo materno, el Estado se ocupará de su formación: fábulas y narraciones para moldear su incipiente carácter; luego el gimnasio, en donde su cuerpo se entrenará en la férrea disciplina que ha de consolidarlo. Y, por supuesto, un gran cuidado con aquellas fabulaciones perniciosas de los poetas, que como Hesiodo y Homero, engañan al espíritu con la relación de hechos vergonzosos y mezquinos. La fragilidad del espíritu infantil cobra gran daño de tales quimeras que presentan el carácter divino agobiado por pasiones y entregado a todo tipo de fechorías y maledicencias. La idea de Dios no es compatible con la lujuria, la ira, los celos o la envidia. Sus atributos le alejan de la traición o la mentira y le identifican, en cambio, con la verdad y el bien. Los relatos que ilustren las mentes infantiles han de presentar un Dios inobjetable y pulcro y unos héroes que desconozcan el miedo, que afronten la adversidad y la muerte y que rechacen la sensiblería y el sentimentalismo. Así formados, el período de instrucción gimnástica, con su rudeza y sobriedad, los preparará con miras a las exigencias de la defensa y el ataque. En su madurez, en pleno ejercicio de sus funciones, los custodios no habrán de poseer cosa alguna. Sus servicios no serán recompensados materialmente y no estarán autorizados para manipular oro ni plata, ni ningún otro metal o piedra preciosa. No les será permitido portar sobre sus vestiduras adorno alguno ni cosa de valía, y sus necesidades serán solventadas por la comunidad, que les asegurará una existencia digna y sobria. Así mismo, viviendo en comunidad, sus mujeres, formadas como ellos desde la infancia y escogidas para tal propósito, serán compartidas por todos. No se permitirá, pues, entre los guerreros la cohabitación de pareja permanente y los niños nacidos en sus tratos serán hijos de todos, de manera que "ni los padres conozcan a sus hijos, ni los hijos conozcan a sus padres".

La intervención de Sócrates, pese a sus sólidas razones y a la vehemencia de la exposición, provocó reproches inmediatos. Adimanto lo acusó de cargar con excesivas responsabilidades a hombres de gran importancia para el desarrollo de la ciudad. Buena parte de la armonía y de la felicidad común dependía de ellos, pero bajo condiciones tan extremas era más que improbable su satisfacción, de modo que todo ello resultaría en un gran despropósito. ¿Cómo sostener que la desdicha de un grupo de ciudadanos cimentara la felicidad de los otros? ¿Qué clase de justicia sería esa? Pues hombres y mujeres sometidos a rigores semejantes no podían ser en modo alguno felices. La respuesta de Sócrates no se hizo esperar. Tal acusación se sostenía sobre una idea espuria de la felicidad: acumular y ostentar riquezas, alcanzar celebridad y reconocimiento, distinguirse en la comunidad a causa del poder y la opulencia. Esos atributos, corrientes en la cotidianidad elemental, no resistían

ningún examen. Precisamente, en medio de la opulencia y la riqueza se asentaba la corrupción, y con ella la injusticia. A todo hombre
se le debía enseñar, desde su primera infancia, a distinguir lo real
de lo aparente, de manera que llegado el momento pudiera optar
con sabiduría entre lo que le reportara felicidad genuina y aquello
de lo cual sólo dimanaría una creciente ansiedad y un insípido
contento. Y si la necesidad de implantar dicha condición es más
que necesaria en el hombre común, ¿qué no decir respecto del custodio, sobre cuya cabeza recaen responsabilidades sin cuento? Por
otra parte, aun en el supuesto caso de que tales extremos de disciplina y rigor fueran objeto de resentimiento por parte de los guerreros, al hablar de justicia se está hablando de un Estado que
cobije a toda la nación y no a una clase especial de ciudadanos. Pues
la justicia es el mayor bien al que puede aspirar una nación y todos
los esfuerzos que requiera siempre serán pocos.

De nuevo enfrentado al asunto capital de su discurso, Sócrates considera en tal punto consolidada la ciudad y se dispone a señalar en ella el lugar en donde se originan la justicia y la injusticia.
Así como en el alma individual es posible distinguir tres potencias
sustanciales y su correspondiente orden, de la misma manera en la
república se distinguen con claridad tres grandes sectores fundamentales. Del respeto de ese ordenamiento y jerarquía depende la
justicia. Una parte minoritaria del Estado, la más apreciable de todas, constituida por los individuos privilegiados que tienen la
posibilidad de ver en lo circunstancial lo eterno, se ocupará de la
conducción de la república. Ellos, que en el alma individual ocupan el lugar de la razón, han mostrado desde la primera infancia un
carácter templado y exento de codicia. Siendo niños no manifesta-
ron temor alguno ante la muerte, mostraron una evidente vocación
por el conocimiento y la verdad, una memoria a toda prueba y una
especial sensibilidad hacia la esencia de las cosas. Dotados de una
salud excelente, aprovecharon las instrucciones gimnásticas y ma-
nifestaron gran talento para las matemáticas, el cálculo, la geometría y la astronomía. Vendrían luego la música, la dialéctica y la
erótica, y al fin, luego de laboriosos procesos en los cuales educación, experiencia y dotes naturales se entrelazan y aúnan, su alma
estará dispuesta a dar el gran salto. Contemplarán la idea suprema

del bien puro, faro indiscutible que ordena la existencia plena de las cosas. Su alma estará tan liviana como para intentar saltar con éxito el abismo que la separa de la contemplación final. A este individuo, "señor de sí mismo", visionario de la idea suprema del bien y de la esencia inmutable de las cosas, filósofo en fin, se encomendará la dirección del Estado. Las decisiones emanadas de su experiencia trascendental serán por principio justas. La justicia será su hacer y la templanza y la prudencia orientarán todas sus determinaciones. La segunda parte de la república, aquella que en el alma individual corresponde a la potencia de la ira, la conforman los ya mencionados custodios, destinados a la protección de la ciudad. Y la tercera, la mayoritaria y más baja de todas, que encuentra equivalencia en el apetito sensitivo individual, es conformada por el grueso de la población, artesanos, comerciantes y demás, que forzosamente orientarán sus vidas en concordancia con las determinaciones de los magistrados y, en caso necesario, serán controlados y castigados por los custodios. La justicia, como se dijo, emana de la acción del rey-filósofo, cuyas experiencias esenciales le permitirán legislar sobre los apetitos y pasiones de la multitud y cuidar que cada uno conserve los límites de su deber, sin inmiscuirse en territorios ajenos. La injusticia dependerá de la confusión y la mezcla de las tres clases, de cuya promiscuidad sólo derivarán para la ciudad infortunios y desastres.

Frente a construcción intelectual tan sólida y estructurada, Sócrates no puede menos que reparar en la historia de los hombres y de sus organizaciones sociales. Los diversos modelos de gobierno acuñados por la tradición son examinados con severidad a la luz de sus afirmaciones. La tiranía, la oligarquía, la democracia y la aristocracia son puestas en la balanza y juzgados sus méritos y desventajas. Considerando su peculiar concepción del ser humano, de su procedencia y destino, corresponde el mejor lugar al gobierno de los *aristos*, los mejores. De aquellos cuya alma, más ligera, no se ha hundido demasiado en las oscuridades de la materialidad y se presta al recuerdo, al conocimiento y a la contemplación. El *aristos*, degradado o malformado, puede caer en tiranía y sus decisiones, arbitrarias y desproporcionadas, llevan a la injusticia y la orfandad. En la oligarquía, los ricos, fuertes y capaces, pero ignorantes y persuadidos de que la felicidad consiste en la posesión de bienes y reconocimientos, impondrán su visión miope y extremista a la comunidad. Y en fin, la peor de todas, la democracia, constituida por el gobierno de los menos dotados. El bajo pueblo, que instaura su voluntad e impone el libertinaje como regla y patrón. Por último, y luego de argumentar y defender los beneficios de las acciones justas y las inconveniencias de las injustas, Sócrates, de nuevo inquieto con las perniciosas consecuencias de la poesía imitativa, arremete contra Homero y determina cómo, en su república ideal, un fabulista como él, afecto a exageraciones, farsas y mentiras, no tendría lugar alguno. Sería expulsado de la ciudad, pues su influencia "despierta y adula a la parte insensata y frívola del alma…", abonando el terreno que luego sería aprovechado por la desmesura, la inconsistencia y, en fin, la injusticia.

El autor y la obra

A partir del siglo V a. C., la ciudad de Atenas se erigió como el principal centro griego de producción filosófica. La obra de Anaxágoras, primer pensador auténtico que se estableció en la ciudad, aún hostil a la libertad de pensamiento, supuso un punto de referencia inmediato. A partir de allí, y no obstante la suerte final del pensador, que obligado por una incesante persecución se vio precisado a exiliarse de la ciudad, la reflexión filosófica adquirió una inusitada vitalidad. Sócrates fue el primer pensador nacido en Atenas, y partir de su trabajo puede observarse el florecimiento de una fisonomía propiamente ateniense en el pensamiento filosófico. Centro de un importante movimiento intelectual, Sócrates distinguió entre sus numerosos discípulos al joven Platón, quien habría de convertirse en su principal defensor y en el continuador de su trabajo.

Platón nació en Atenas en el año 427 a. C. y murió en 347 a. C. Miembro de la más alta nobleza, por vocación y tradición se vio siempre profundamente interesado en los asuntos públicos de la ciudad. Sin embargo, cuando los ciudadanos atenienses condenaron a muerte a su maestro Sócrates, el "más excelente de los hombres", Platón decidió marginarse de los asuntos políticos de su ciudad. La gran reticencia que en su madurez filosófica mostraría ante la democracia pudo haberse engendrado en esta decisión colectiva de dar muerte a uno de los hombres más ilustres de la historia griega. Así las cosas, aunque de manera directa no ejerciera acción alguna en torno a los asuntos públicos de Atenas, en su constante labor intelectual el tema político siempre tuvo importancia primordial. Es más, en ámbitos históricos no atenienses, en particular en la provincia de Siracusa, madurada ya la teoría política que expuso en el diálogo *La República o de lo justo*, trató de ponerla en práctica, aunque infructuosamente. Los resultados de este intento, que le significaron la cárcel y la esclavitud y estuvieron a punto de costarle la vida, lo indujeron a regresar a la ciudad de Atenas, en donde se dedicó preferentemente al ejercicio teórico.

El ambiente intelectual y político que vivió Platón fue compartido por unos personajes de gran celebridad, que protagonizaron en gran medida la actividad pública de la época: los llamados "sofistas", hábiles retóricos y filósofos del escepticismo, que pronto se convertirían en sus principales contrincantes intelectuales y políticos. Buena parte de la componenda que terminaría en la condenación de Sócrates se debería, según el joven y exaltado Platón de la época, a los retorcidos argumentos de estos "maestros del engaño", que a través de la perfecta utilización de los recursos dialécticos y argumentativos llevarían al filósofo a una situación insostenible. Depositarios en buena medida de la posición crítica y desencantada de Jenófanes, quien puso en tela de juicio la posibilidad real de todo conocimiento, los sofistas instituyeron una disciplina de argumentación en torno a la inexistencia de la verdad. Siendo por fuerza toda afirmación parcial e incompleta, se trataba de imponer una sobre otras y, en síntesis, de construir una verdad provisional, fruto del consenso. Es esta "vía de la opinión", refrendada por el trabajo monumental del más ilustre metafísico de la época, Parménides, blanco del desmesurado trabajo filosófico de Sócrates y, por supuesto, de su discípulo Platón. A la incompletud, inconsistencia y fragilidad del saber consensual, se oponía la necesidad, universalidad y fortaleza del conocimiento verdadero. La enorme obra filosófica de Platón, una de las más importantes en la historia del pensamiento humano, se constituyó, pues, sobre la necesidad de hallar verdades definitivas con las cuales refutar el relativismo histórico sofista. Desde su particular visión y a partir de la complejidad intelectual desarrollada, el destino de los retóricos estaba decidido.

Pocas denominaciones han sido tan determinantes en la tradición filosófica como la de "sofista". Sinónimo de artificioso, vacuo, mendaz y malintencionado, este epíteto se ha constituido en una verdadera arma de combate intelectual. Y, sin embargo, a la luz de reflexiones contemporáneas y desde la cómoda perspectiva legada por la historia, el hacer filosófico sofista emerge cada vez con mayor respetabilidad y fortaleza. En efecto, en el centro de una de las experiencias políticas más importantes de la humanidad, esta visión particular de la verdad, comprendida y fundamentada, es hoy más útil que nunca. La democracia, el modelo político de equidistancia que combatió Platón y que, sin embargo, se constituye como la vía de organización más expedita y justa de nuestra época, no puede entenderse sino dentro del circuito intelectual trazado por los sofistas. Solamente a partir de una verdad que no es revelada, que no pertenece a nadie en particular, ni aun al más apto y privilegiado y que, por el contrario, se construye en conjunto, puede apoyarse el equilibrio en el poder.

El consenso, origen de la verdad, se sostiene sobre su naturaleza provisional y mutante, y con él la mentalidad democrática, respaldada y generada por y a través de la historia. Por supuesto, se afrontan grandes riesgos, profunda incertidumbre y amenaza de manipulación y mentira. Pero a cambio, emerge la posibilidad de una historia protagonizada por hombres relativamente libres. En la otra orilla, del lado de la certeza, la objetividad y la universalidad, se sitúa ahora, como en los tiempos de Platón, la verdad absoluta, proveniente de fuentes irreprochables e indudables, es decir, generada desde la revelación, por fuera de la historia. Y, por consiguiente, la organización humana derivada de tal objetividad nada tiene en común con los experimentos democráticos. La ciudad ha de ser gobernada por el mejor, por quien tenga alcance y pueda contemplar la verdad, que es única, idéntica a sí misma, irreprochable y perfecta. Muy pocos son merecedores de esa distinción. Los más, pura uniformidad, masa, "vientres y nada más que vientres", han de someterse de grado o fuerza a las disposiciones del príncipe-filósofo.

Platón fundó una célebre escuela de filosofía que se mantuvo vigente hasta el siglo VI de nuestra era. La Academia, erigida cerca del Cefiso, punto del camino que desde Atenas conduce a Eleusis, fue centro de formación intelectual de primer orden. No obstante, su protagonismo real declinó de manera fulminante con la muerte del filósofo. Sus sucesores poco o nada pudieron hacer para mantener su vigencia, y desde entonces hasta el año 529, cuando fue clausurada por orden del emperador Justiniano, su existencia fue mediocre y retardataria. Sin embargo, su fecha de cierre suele considerarse como el último límite temporal que alcanzara el pensamiento filosófico griego.

Platón y Aristóteles, según Rafael Sanzio
(fragmento de La escuela de Atenas)

5

ÉTICA A NICÓMACO
Aristóteles

Una mirada superficial o profunda a las acciones y manifestaciones humanas nos indica con certeza que, pese a su enorme prolijidad, a sus diferencias, jerarquías y calidades, cada una de ellas en particular, y todas en su conjunto, persiguen algo. Se pretende, pues, un fin adecuado a la acción o tarea en que nos hallemos empeñados. En efecto, "el de la medicina es la salud; el de la construcción naval, el barco; el de la estrategia, la victoria; el de la economía, la riqueza". Las actividades se ordenan de una u otra manera hacia la consecución de un propósito. En últimas, podemos afirmar que toda acción y elección tienden hacia un bien y un bien es aquello hacia lo cual todas las cosas tienden.

En muchas oportunidades, los bienes parciales que se persiguen son dirigidos hacia uno más general que los ordena y contiene.

El arte de fabricar los frenos y todo lo demás concerniente a los arreos de los caballos se subordina al arte hípico y este, a su vez, y toda la actividad guerrera, se subordinan a la estrategia, y de la misma manera otras artes a otras.

Pero como estos bienes mayores son perseguidos, a su vez, en busca de otros de mayor relevancia, la pregunta más importante se refiere al fin mayúsculo que nuestros actos persiguen, sin que se contemple la posibilidad de otro de mayor envergadura. De comprender cuál es ese fin primordial que queremos por él mismo, y al cual referimos los otros deseos, depende lo más importante de nuestras vidas. Pues el bien que reside en su consecución será el mejor de todos. ¿Cuál será, entonces, la ciencia o facultad que se ocupe de él? Evidentemente, aquella que reine sobre las demás, las ordene y determine. Por tanto, al observar el conocimiento y las actividades humanas concretas, comprendemos que la disciplina que tiene sobre las demás fuero y superioridad, en la medida en que define si las otras han de cultivarse o no, de qué manera han de hacerlo, cómo y quiénes son los encargados de trabajar en ellas, es la política. Así, el bien que persigue la política es el mayor bien, o el bien del hombre, pues sobre el bien particular que pueda cobijar a sujetos individuales, se ocupa de uno definitivo del cual participan todos. Es el bien mayor, que ha de ser investigado y conquistado.

¿Cuál es, entonces, ese bien que persigue la política y que puede considerarse el mayor y el más fundamental? Ese que es perseguido por sí mismo, sin que refiera a otro que, por encima de él, pueda contenerlo y servirle de motivo para la acción. No existe en este punto mayor dificultad. Tanto las grandes multitudes como los individuos más especializados coinciden en que tal bien tiene un nombre preciso: la felicidad. Poseerla es el bien supremo, y hacia su consecución se ordenan todos los demás bienes parciales. Sabemos con certeza qué es la felicidad y tratamos de alcanzarla, pero cuando se trata de indagar sobre su naturaleza, las dificultades no se hacen esperar. Cada cual, sin importar sus calidades, conocimientos y costumbres, tiene su propia versión de ella. Así pues, unos consideran que es la consecución de placer, dinero y honores; otros, el logro de lo de lo que carecen: salud el enfermo, solvencia el indigente, conocimiento el ignorante, etc. Existen, inclusive, aquellos que por encima de todas las manifestaciones particulares de felicidad y de la ingente acumulación de bienes que supone, consideran un bien sumo que es bueno por sí mismo y del cual participan todos los demás bienes particulares y toman la bondad que los hace deseables.

Así pues, según la naturaleza del espíritu humano que trate de conquistar la felicidad, esta se adorna de tales o cuales características. Sin embargo, en aras de la investigación y el conocimiento, dicha imprecisión es insoportable. Pero como no se trata tampoco de indagar en regiones trascendentales la naturaleza ideal de la felicidad, sino de enfrentar el tiempo y la historia concreta de los hombres, el camino por seguir debe ser otro. Volvemos a la experiencia del bien y de sus múltiples manifestaciones individuales y de cómo de unos dependen otros y de estos otros más y concluimos que, al fin de cuentas, entre los diversos bienes que se persiguen existen unos más perfectos que los demás. Se trata, entonces, de indagar por el más perfecto, puesto que al obtenerlo podemos esperar con razón el hallazgo de la felicidad. ¿Y en qué consiste la perfección de un bien? "Llamamos más perfecto a aquel que se persigue por sí mismo que al que se busca por otra cosa". Existe, pues, una larga serie de bienes, por así decirlo, instrumentales. Se anhela el placer, el reconocimiento o la riqueza, de la misma manera que se desea una flauta. Es decir, no por la flauta misma, sino porque a través de ella y de su correcta ejecución es posible alcanzar los secretos maravillosos de la música. Así, el equivalente de la música en términos del bien, ¿cuál es? No lo sabemos aún, pero sí podemos saber que la felicidad es aquello que no refiere a otro deseo fuera de sí misma.

> La felicidad la elegimos siempre por sí misma y nunca por otra cosa, mientras que los honores, el placer, el entendimiento y toda virtud los preferimos, ciertamente, por sí mismos (pues aunque nada resultara de ellas, desearíamos todas estas cosas); pero también los preferimos en vista de la felicidad, pues creemos que seremos felices por medio de ellos. En cambio, nadie busca la felicidad por estas cosas ni, en general, por ninguna otra.

Por otra parte, a más de la condición ya suficientemente clara de que la felicidad, que es bien perfecto, deriva su perfección de que no se desea por cosa distinta de sí misma, encontramos otra característica que permite orientarnos de mejor manera. Tal condición es la autarquía, vale decir, la cualidad de suficiencia. El bien perfecto no depende de ningún otro. Es suficiente por sí mismo, "aisladamente hace deseable la vida y no necesita nada; y pensamos que es así la felicidad". En fin, la felicidad, que es el más perfecto de los bienes, se busca por sí misma y se basta con autonomía sin requerir de nada que la sostenga. Y, sin embargo, a pesar de esta certidumbre, el asunto aún no parece demasiado claro. Sería deseable captar con más claridad qué cosa es, al fin de cuentas, de qué hablamos cuando mencionamos en concreto la palabra "felicidad".

Tratándose de asuntos menos complejos, un arte, un artífice o un ejecutor, el problema es mucho más sencillo. El bien que se puede predicar de ellos se refiere de inmediato a su obra. Lo bueno y el bien del flautista residen en la ejecución solvente de su instrumento, así como el bien y la bondad del arquitecto residen en la realización adecuada de la casa. Ahora, si dirigimos la atención al ámbito de lo perfectamente bueno, vale decir, aquello propio no del zapatero, del flautista, del estratega, etc., sino del hombre mismo, la pregunta indaga si existe algo que sea obra específica del hombre en general. Si tal cosa es posible, respecto a esa obra podríamos determinar el bien del hombre. ¿Cuál es esa obra? ¿Existe acaso?

Descartamos, por supuesto, todas las actividades, acciones o ejecutorias que el ser humano comparte con los demás seres de la naturaleza. Las funciones nutricionales y de crecimiento, la vida sensorial y traslaticia, no nos corresponden en esencia, puesto que también son compartidas por las plantas y los animales. Pero existe una función que nos es característica y que no encontramos en ningún otro ser vivo: la actividad del alma según la razón. Tal es la obra del hombre, y de su correcta ejecución podemos derivar lo bueno y el bien. Así,

> el bien humano es una actividad del alma conforme a la virtud, y si las virtudes son varias, conforme a la mejor y más perfecta, y además en una vida perfecta.

Coincidimos en que de los múltiples bienes que pueden ser poseídos y que pueden clasificarse como los del alma y los del cuerpo, han de preferirse los del alma, por ser los más perfectos y los que corresponden de mejor manera al hombre en cuanto tal. Por supuesto, se trata de poseerlos de acuerdo con la virtud, así como el bien de un poeta no reside únicamente en componer versos, sino que se extiende a componer buenos versos. Es evidente que dicho bien supremo no puede considerarse como una mera posesión pasiva o automática. No se posee la felicidad como resultado de la inacción o del hábito. Por el contrario, el sumo bien, la virtud en que consiste la felicidad, sólo es posible desde la actividad y la participación. Y la prueba más fehaciente de que tal aserto es verdadero consiste en constatar cómo, a la acción bondadosa, sigue una evidente satisfacción para el amigo de la bondad: "Las acciones conformes a la virtud serán por sí mismas agradables".

Ahora bien, la posesión efectiva de la felicidad, de cuya realidad depende la vida de los hombres, ¿es imputable a un destino inapelable, a una determinación divina, o es posible encontrar en ella regularidades desde las cuales construir un aprendizaje? En principio son muchas las causas inmanejables que coinciden en ella y, sin embargo, en la medida en que no existe una incapacidad radical, muchos pueden alcanzar la felicidad a través del aprendizaje y el estudio. A pesar de todo, la inminencia de factores determinantes, imprevisibles para el hombre y ajenos a sus reales posibilidades de control, arremeten en gran medida contra sus buenas disposiciones y parecen reducir la posesión de la felicidad al ámbito del destino o del azar. Inclusive en casos extremos nos podemos encontrar con la experiencia atroz de alguno que, siendo feliz la mayor parte de su vida y tenido por tal, a puertas del sepulcro sufre en carne propia, y sin poder evitarlo, los más arduos reveses de fortuna. Lo inmanejable se atraviesa en su camino, de tal manera que parecen irrefutables las máximas de Solón cuando reclama que nadie llame a otro feliz o infeliz hasta que este no haya bajado a la tumba. Pues mientras siga vivo, poco importa el camino que haya recorrido, lo bien o mal sustentado de su bienestar y solvencia. Las circunstancias pueden variar de un momento a otro, y el próspero y feliz puede convertirse, de pronto, en el ser más indigente y desamparado. Pero como la felicidad reside en la virtud y en las actividades realizadas conforme a ella, pese a que la vida humana requiere de las vicisitudes de la fortuna y en alta medida depende de ellas, la acción virtuosa se impone sobre todo y se mantiene suficiente y autónoma. La desdicha, que no consiste en sufrir las adversidades de la fortuna sino en actuar vilmente, es imposible para el virtuoso, pues a pesar de todos los desafíos del destino, actuará siempre de acuerdo con el bien y la bondad. Comportándose así,

el que es verdaderamente bueno y prudente soporta dignamente todas las vicisitudes de la fortuna, y obra de la mejor manera en sus

circunstancias, del mismo modo que el buen general saca del ejército de que dispone, el mejor partido posible para la guerra, y que el buen zapatero hace con el cuero que se la da, el mejor calzado posible…

La felicidad es "fin y completamente perfecta en todos sus respectos", no se refiere a nada ajeno a sí misma y hace a quien la posee tan dichoso como es posible serlo.

Se ha convenido, pues, en que la acción del alma ejecutada según la virtud orquesta la felicidad, y que de tal acción, realizada por sí misma, se sigue una satisfacción inmediata, un placer. Sin embargo, sosteniendo un armazón tan delicado y fino, la virtud considerada en su intimidad no ha sido objeto de atención. Nos corresponde, entonces, tratar la virtud en la certeza de que al cabo de tal reflexión se seguirán forzosamente más y mejores condiciones para aprehender el carácter final de la felicidad. Recurriendo a las determinaciones en que nos hemos afirmado, de conocimiento más o menos general, venimos a considerar que el alma humana está constituida por dos naturalezas opuestas y encontradas: la racionalidad y la irracionalidad. Lo irracional, que tiene que ver con lo vegetativo y con lo onírico, instancia en donde los hombres se comportan de modo independiente de su calidad de dicha o desgracia, es un factor que interfiere en las acciones humanas. Pero hasta aquí, asumiendo la irracionalidad como una potencia ajena al control de la voluntad, poco o nada se puede exigir. Y, sin embargo, desde otra perspectiva, hay una segunda acepción de lo irracional sobre la cual el hombre puede oponer su razón y, por ende, afianzar la virtud. El deseo y la pulsión, con ser poderosos y hostigantes, radicalmente opuestos desde su irracionalidad a las potencias ordenadoras, de alguna manera participan de ellas. La virtud consiste en este trabajo de persuasión, mediante el cual las facultades racionales consiguen atraer a su ámbito de acción a las potencias del deseo y del querer. Las fuerzas vegetativas, de nutrición, crecimiento y demás, así como las oníricas, son por completo ajenas al ejercicio de la razón, de manera que en torno de ellas no es posible constituir una acción virtuosa. Pero en cuanto a ese otro tipo de irracionalidad, que se gesta a partir de las pulsiones y deseos, el hombre está en capacidad de persuadir, dirigir y, por consiguiente, ejecutar un acto virtuoso. Esta forma de irracionalidad es sensible a la razón, participa en algún sentido de ella y lo prueba el hecho de que el hombre prudente consigue refrenar sus pulsiones más acuciantes y el verdaderamente virtuoso las domina por completo.

Ahora bien, en gran medida, el trabajo de control de que deriva la virtud en una de sus acepciones (la relacionada con las acciones que poseen virtud en orden a la persuasión y al esfuerzo y no por sí mismas) tiene pertinencia directa con el concepto de placer. Por supuesto, el espíritu humano manifiesta una especial sensibilidad a lo placentero, de manera que lo convierte en uno de sus móviles más apetecidos. Ya se ha dicho que la acción virtuosa genera en sí misma una apreciable satisfacción que no requiere la adición externa del placer. Pero el placer como tal exige una determinación y una atención específicas. En síntesis, el placer genuino se deriva de la realización plena de una acción. De la constatación de su completud definitiva. Por otra parte, en referencia a las acciones terminadas que generan placer, hay unas buenas y otras malas y, por ende, los placeres resultantes de ellas participan de su condición. ¿Cómo, entonces, determinar una acción buena o mala sin acudir a recursos extrahistóricos? La comprobación de las costumbres y los hábitos de los hombres particulares, que al apetecer la bondad generan hechos buenos, es la solución.

Parece que, tratándose de cosas de esta índole, la impresión verdadera es la del hombre que está bien dispuesto; y si esto es cierto, como parece, y la virtud y el hombre bueno, en tanto que bueno, son medida de cada cosa, serán placeres los que se parezcan a él, y agradable aquello en que él se deleite.

Por consiguiente, en la medida en que conocemos que la felicidad consiste en una acción virtuosa autosuficiente y perfecta, concluimos que tal tipo de acción ha de ser forzosamente contemplativa. Las otras actividades, prácticas o técnicas, conducen siempre a un fin que les es ajeno y se consolidan a partir de la ejecución de facultades inferiores. Lo que corresponde al hombre en cuanto tal, es la actividad del entendimiento, de que carecen las otras manifestaciones vitales. La ejecución suficiente de su especificidad redundará, por supuesto, en su felicidad, pues lo propio de cada cosa, por naturaleza, es lo más agradable y excelente para cada cosa; y para el hombre, por consiguiente, la vida según la inteligencia, si el hombre es esto primariamente. Y esta vida es, además, la más feliz.

Queda por mencionar el asunto concreto de la virtud y la consecución del bien supremo, la felicidad, en la historia humana. Pareciera que los razonamientos y las exhortaciones a la conciencia y a la razón son insuficientes cuando se trata de las grandes mayorías. Formada el alma de un hombre en la disonancia y el vicio, no es posible la transformación adecuada a través de la persuasión y el estudio. Así, ha de fomentarse la búsqueda de la felicidad desde la primera infancia y mediante la instrucción pedagógica y el seguimiento de las rectas costumbres.

En general, la pasión no parece ceder ante el razonamiento, sino ante la fuerza. Es preciso, pues, que el carácter sea de antemano adecuado para la virtud, que ame lo bueno y rechace lo vergonzoso.

Todo esto, y la necesaria represión del hecho punible, requieren una adecuada determinación social y un cuerpo de leyes equilibradas, justas y eficaces. Un estudio específico de tales procedimientos y sus fuentes de legitimidad y autoridad es asunto apremiante y en su momento será abordado con la profundidad y el detenimiento merecidos.

&. *El autor y la obra*

Aristóteles nació en la ciudad de Estagira en el año 384 a. C y murió en el 322 a. C. En su juventud fue discípulo de Platón y pronto mostró tales capacidades que su maestro lo distinguió con la mayor deferencia y le encomendó delicadas misiones en representación de la Academia. Los casi 20 años que giró en torno de la influencia de Platón lo llevaron, sin embargo, a un lento y doloroso distanciamiento, que culminaría en la constitución de un pensamiento propio, opuesto al desarrollado por su maestro. En efecto, alrededor de la redacción de diálogos de juventud, como *Sobre las ideas* y *Sobre la filosofía*, el joven discípulo señaló en la doctrina platónica una serie de inconsistencias y dificultades. Por fin, en el inicio de su madurez, y pese a las dificultades emocionales que le significaba su acto de rebelión, se apartó del maestro,

> aunque esta investigación nos resulte difícil por ser amigos nuestros los que han introducido en ella las ideas. Parece, con todo, que es mejor y que debemos, para salvar la verdad, sacrificar incluso lo que nos es propio; sobre todo, siendo filósofos, pues, siéndonos ambas cosas queridas, es justo preferir la verdad.

La diferencia que lo separa del platonismo es clara. Mientras su maestro, abanderado de la "vía de la verdad", busca en referentes indudables un asidero respecto al cual construirla, Aristóteles abandona toda remisión a lo trascendente, inefable y sagrado y se instala en la historia y en el tiempo como territorios básicos de su saber. Las ideas puras y perfectas, bastiones constitutivos del conocimiento y de la acción platónicos son, en perspectiva, recursos propios de la actividad intelectual del hombre; *organum*, instrumento desde el cual es posible ordenar la experiencia y elaborar aproximaciones a la realidad; versiones sin pretensión alguna de totalidad, en la misma medida en que el conocimiento de un ser sometido a las mutaciones temporales ha de ser, a su vez, forzosamente histórico. A partir de este "realismo" metodológico y conceptual, Aristóteles perfecciona una obra monumental, de enorme importancia en la consolidación del pensamiento griego y antiguo, y que luego, en su momento, ha de entreverarse con la mentalidad medieval para constituir los cimientos de la cosmovisión moderna. Algunas de sus obras son: *Organum*, traducido por los medievales con el nombre de *Lógica*, como se le conoce popularmente; *Física*, *De anima*, *Ética a Nicómaco*, *Política*, *Retórica*, *Poética*, *Construcción de Atenas* y *Metafísica*.

Aristóteles se desempeñó como maestro particular del célebre Alejandro Magno, hijo de Filipo II, rey de Macedonia. Finalizada esta instrucción, regresó a la ciudad de Atenas y fundó la escuela peripatética. Hombre de amplísimos alcances, sus aportes en el campo de las ciencias, la zoología, la botánica y la astronomía determinaron la visión más general del mundo hasta los tiempos de la modernidad.

6

TRATADO DE LA REPÚBLICA

Marco Tulio Cicerón

Como era usual en la época, durante tres días seguidos, Escipión Emiliano, Lelio, Tuberón, Escévola y otros amigos se reunieron para conversar en torno a temas de interés común: se habló de astronomía, de botánica, de zoología y luego, como síntesis final, se abordó el asunto más querido por todos: el hombre concreto y su manera de organizarse en comunidad.

Juntos los seres humanos por necesidad de su naturaleza, las cosas que a todos preocupan, que les son comunes y de las cuales derivan la posibilidad o imposibilidad de convivir o de intentar revoluciones y desgobiernos, resultan de máxima importancia. Tales cosas, que todos poseen en comunidad y que le corresponden a cada miembro de la asociación, son la *res pública*, el patrimonio del pueblo. Pero como en este punto podría incurrirse en generalizaciones excesivas, de forma que la simple acumulación de seres humanos pudiera pensarse como la "república", las aclaraciones surgen de inmediato. No basta aglutinar en un mismo espacio una determinada cantidad de hombres. Su sola presencia, carente de vínculos efectivos que los consolide alrededor de un espíritu común, no es suficiente. Al contrario, por encima de la acumulación, la cantidad y el hacinamiento, la república se sostiene sobre la constitución efectiva de un proyecto común. Y aunque no es posible asir dicha exigencia con claridad, y su naturaleza abstracta es obstáculo para la concreción, la sociedad articula su espíritu, su proyecto conjunto, en una organización de leyes determinadas y concretas. Esa conjunción entre una sociedad específica, constituida por seres humanos particulares, y la suma de leyes que los articula y organiza, es lo que merece llamarse "república".

Ahora bien, los hombres, de acuerdo con su naturaleza y circunstancias, han aventurado diversas formas de organización. Las normas que los regulan presentan diferencias en cuanto a su punto de origen, a los modos de consolidación y perfeccionamiento, a su alcance, amplitud y validez. Una cosa es la república ordenada alrededor de las normas emitidas desde la voluntad individual, única y omnipotente de un jerarca, y otra la que surge de las voluntades concertadas del pueblo. Y, por supuesto, otra muy distinta de las anteriores, la que se organiza a partir de leyes emitidas por el consenso de un grupo de particulares distinguidos que se abrogan el derecho de legislar y conducir. Aristocracia, democracia o Estado popular, y monarquía, son, pues, objeto de análisis y estudio, de manera que los participantes en la reunión exponen sus conceptos, preferencias y recomendaciones al respecto.

Se difiere y se antagoniza, pero al cabo, todos los presentes confluyen en un asunto sustancial. Sin importar demasiado el modelo de organización republicana, lo que no puede faltar, puesto que su ausencia implicaría la muerte de la república, es el mantenimiento de la solidaridad social, lazo que sostiene y vigoriza la nacionalidad, el sentido de pertenencia, la certidumbre de formar parte de un modo particular de asociación. Cualquiera de los tres modelos de organización es benéfico, admisible o cuando menos tolerable, si se reconoce esta necesidad fundamental. Aún más, si se renuncia a cualquier vocación de inmovilidad y se atiende a las circunstancias concretas de una sociedad, sería de esperar que su modelo de gobierno variara con el tiempo.

Se podría pasar, pues, de la democracia a la monarquía y de esta a la aristocracia, o viceversa, según las condiciones determinadas de cada oportunidad, con el fin de que el vínculo que sostiene la nacionalidad sea mantenido y, con él, se haga posible y placentera la convivencia entre los hombres. Un buen monarca, una aristocracia lúcida, un pueblo consciente, pueden ser capaces de organizar la república de una manera apropiada, que evite en cada caso las iniquidades, extralimitaciones y torpezas que darían al traste con el proyecto común.

Sin embargo, pese al mediano consenso alcanzado, los presentes terminan por señalar que cada modelo de organización, desde su propia peculiaridad, supone, en esa misma medida, graves riesgos. Al depender de la voluntad de un individuo, que goza de total autonomía como condición necesaria de su dignidad, la república se encuentra imposibilitada. Si es capaz, lúcido, prudente y generoso, los tiempos son igualmente benignos. Pero si por el contrario, el rey inapelable y sagrado deriva hacia la iniquidad, la nación se encontrará inevitablemente perdida. Es muy propio de los hombres particulares, a despecho de su procedencia y linaje, entregarse a los excesos. Crecidos en la abundancia, el lujo y la arbitrariedad, muy pocos son capaces de enfrentar las dificultades y estrecheces propias de una formación espiritual. Estos asuntos se les antojan insoportables e inútiles, y convencidos de que su condición real les sobra y basta, los monarcas terminan por abdicar de la única verdadera realeza que les es indispensable: la capacidad de reinar sobre ellos mismos. Esclavo de su intemperancia y, por supuesto, incapaz de dirigir a los demás, el rey se convierte en tirano.

Algo no muy distinto sucede con el gobierno de los *aristos*. Llamados a la conducción de la república gracias a su condición de "hombres excelentes", su ejercicio del poder, que de hecho significa la imposibilidad absoluta de que las grandes mayorías participen en asuntos comunes, los aboca a una grave tentación: la casta, la parcialidad, el bando, la facción que administra las riquezas comunes atendiendo únicamente a su propio beneficio. Las dignidades espirituales que en un principio les granjearon la denominación de *aristos*, hombres excelentes, ceden ante la posibilidad de acumular riqueza. Y esta misma riqueza acumulada se constituye en trinchera desde la cual ejercen su arbitrio, con total impunidad y sin cuidado alguno de la grave misión para la cual fueron convocados. Entonces, su ejemplo cunde vertiginoso y la sociedad que los observa termina por imitar sus comportamientos. La legitimidad del poder, que en ellos fue, originalmente, su prudencia e integridad, reposa ahora únicamente en la posesión de bienes materiales. Puesto que de eso se trata, de inmediato el pueblo entero, despojado de escrúpulos y normas, se entrega a la ansiedad de enriquecerse a toda costa. Y llega el día en que el valor de los hombres en dicha sociedad termina por depender, únicamente, de la cuantía de sus posesiones.

En fin, tratándose de la tercera modalidad de organización republicana, la democrática, los riesgos son aún más apremiantes. Un poder público que deviene del consenso común está siempre a punto de precipitarse en la anarquía. La opinión pública, tribunal máximo del cual deriva la soberanía, se ha manifestado siempre proclive a la adulación, la manipulación y la farsa. Si el carácter de los privilegiados que han tenido acceso a los beneficios de la educación es fácilmente manipulable, ¿qué decir del de aquellos cuya procedencia les ha impedido el más mínimo refinamiento? De inmediato, los aprovechadores, retóricos y demagogos entran a saco en sus determinaciones, y el rumbo de la república derivará sin control, según los vaivenes de una opinión que reside únicamente en la publicidad.

En medio de panorama tan inquietante, los contertulios se encuentran desconcertados. Pareciera imposible hallar entre las tres alternativas una que se manifieste claramente superior. No obstante, Escipión, haciendo gala de ingenio y serenidad, termina por concluir que entre todos, no obstante sus propias inconsistencias y peligros, el sistema más completo y el menos dañoso para los intereses de la *res pública* es la monarquía ideal de los primeros tiempos de Roma. Ahora bien, si en las manos de un hombre estuviera diseñar un sistema que diera cuenta cabal del destino de la nación y garantizara la concordia y la prosperidad, él, a no dudarlo, delinearía uno en el cual convivieran los elementos más preciosos de los tres modos tradicionales.

Gústame que el Estado tenga algo de majestuoso y real, que los grandes tengan participación en el poder y que queden reservadas algunas cosas al juicio y decisión del pueblo.

Este tipo de organización, además de contar con lo mejor de las tendencias básicas, minimiza en lo posible la eclosión de sus desventajas. Si cada cual ocupa su lugar en uso de sus atribuciones y dignidades, no parece inminente el desenvolvimiento de crisis devastadoras que precipiten la revolución. Por otra parte, el poder, derivado de los tres componentes básicos de la autoridad y, por tanto, sometido a constante control y fiscalización, no será presa fácil de la corrupción y de la decadencia.

La historia del pueblo romano es una palpable demostración de que el mejor modelo de organización de los asuntos públicos es la monarquía. Pese a los riesgos inherentes a la autoridad absoluta, esos hombres rudos "vieron que el rey debía pedirse a la sabiduría y no a la raza". Dotados con tan invaluable actitud, fueron capaces de superar los desafíos de su tiempo y afianzaron la nacionalidad romana, preparándola para nuevas y más peligrosas travesías. Así mismo, y aunque pareciera que el ejercicio del poder y la organización de la sociedad son inseparables de la injusticia, y que la historia misma de Roma y de otras naciones parece confirmarlo, es posible pensar y desear un gobierno asentado sobre lo justo. Por supuesto, la cotidianidad desafía tal pretensión, pues un gobernante, sea el monarca, el grupo o el pueblo, no está en capacidad de velar por la integridad de todo lo que acontece en su territorio. El secreto de la justicia plena reside, más que en un conjunto de leyes apropiadas, en la intimidad de cada uno de los ciudadanos. Y para garantizar la justicia dentro de tal intimidad, de poco o nada sirven reglamentaciones y castigos. Así, con el propósito, que no ha de ser abandonado en ningún caso, de construir una república justa, no les queda otro remedio a legisladores y gobernantes que asegurar a todos los ciudadanos la más cuidadosa educación. Compuesto cada hombre en particular de cuerpo y alma, el desarrollo adecuado de ambas dimensiones garantizaría que en todos anide la justicia y no la iniquidad. Por supuesto, esta exigencia, útil para el hombre del común, lo es en sumo grado para quienes pretendan posiciones de gobierno. Para ellos, en particular, es más que importante aplicar las enseñanzas contenidas en el sueño que Escipión tuvo cuando pernoctó en el palacio de Namisia, rey africano. Esa noche, el durmiente soñó con su antepasado Escipión 'El Africano', quien luego de pronosticarle futuros privilegios y victorias, lo condujo hasta la Vía Láctea, le mostró la plenitud del universo y, entre muchas otras cosas, le dijo:

> La verdadera vida comienza cuando se rompen los lazos del cuerpo que nos mantienen en cautiverio; lo que tú llamas vida es, en verdad, muerte. [...] Eleva los ojos hacia las regiones celestes; desprecia las

cosas humanas… Si pierdes la esperanza de venir a esta morada en la que se encuentran los bienes de las almas grandes, ¿de qué te servirá la gloria humana, que apenas dura algunos días de un solo año? […] Ocupa tu alma en las cosas más elevadas, para que, acostumbrada a ese ejercicio, remonte con mayor facilidad hacia su morada celeste, a la que ascenderá con tanta mayor rapidez cuanto que estará habituada desde la prisión del cuerpo a la contemplación de las cosas sublimes y a desprenderse de los lazos terrestres. Las almas de aquellos que se entregan a los placeres de los sentidos se hacen esclavas del deleite y, arrastradas por las pasiones, violan todas las leyes divinas y humanas, por lo cual, cuando se separan del cuerpo, vagan errantes alrededor de la tierra y no vienen a estas mansiones hasta después de muchos siglos de expiación.

✍ El autor y la obra

Marco Tulio Cicerón nació en el año 106 a. C. en las proximidades de Arpino, y murió en el año 43 a. C. Discípulo de los académicos Filón y Antíoco de Escalón, de los estoicos Diodoto y Posidonio y del epicúreo Zenón, su fisonomía intelectual se nutrió con la influencia directa de sus maestros. No obstante, su curiosidad intelectual lo llevó a mantener contacto con las fuentes de los grandes sistemas filosóficos de la antigüedad, Platón y Aristóteles, de manera que en su pensamiento, que ha sido calificado de diversas maneras, concurren las múltiples influencias de la tradición clásica griega. Durante mucho tiempo considerado filósofo fundamental, para luego ser descalificado y olvidado en razón de su supuesta falta de originalidad, Cicerón, sin embargo, ocupa un puesto indudable en la historia de la tradición filosófica occidental. Hombre de vocación pública y gran orador, sus haceres en las atribuladas condiciones históricas de la Roma que le correspondió vivir cuentan con más celebridad que su trabajo como pensador. Perteneciente a una tradición nacional que derivaba su originalidad más de los asuntos estatales y legislativos que de la especulación filosófica, Cicerón tuvo, no obstante, el mérito de haber contribuido a la creación de un vocabulario filosófico latino, que luego sería de indudable importancia en la constitución del pensamiento medieval y renacentista. Al buscar un equilibrio en las agudas tensiones intelectuales de su época, Cicerón no se manifestó abiertamente favorable al negativismo extremo de los escépticos y aludió, en cambio, razones de índole moral y de conveniencia pública. De la misma manera, su teoría moral, cercana al estoicismo pero curada con prudencia de sus rigores extremos, fundamenta la posibilidad de la tenencia de bienes y desarrolla un mediano realismo.

Sus obras más importantes son: *De natura deorum, De officiis, De amicitia, De gloria, De res pública, De legibus* y *De finibus bonorum et malorum.*

*La retórica y Cicerón
(Fragmento de un cuadro de 1502)*

7

CUESTIONES NATURALES
Lucio Anneo Séneca

Preocupado por la disipación y el reblandecimiento espiritual reinante en su época, así como por el desdén con que era mirada la filosofía, Séneca emprende la redacción de este tratado. El interés central, como su nombre lo indica, apunta a los hechos y fenómenos naturales más inquietantes de que tiene experiencia. Sin embargo, al partir de su circunstancia cultural concreta y del estado de las ciencias físicas del momento, el texto se convierte en una alabanza vehemente de la filosofía.

El saber filosófico consta de dos partes fundamentales, y corresponde al filósofo el cultivo y desarrollo de las dos. Sin embargo, existe entre ellas una clara jerarquía. La primera y la más sustancial se refiere a los dioses; la segunda, importante, por supuesto, pero relativa a la primera, a los hombres. Cada ser humano tiene la necesidad de recorrer los caminos de la vida cotidiana, y entre sus vericuetos, espejismos y falacias, corre el riesgo de extraviarse. Requiere, pues, un saber al cual acudir en procura de orientación y auxilio. Y este saber, práctico, técnico y concreto, es el conocimiento de los hombres y del mundo que han construido. No obstante, para el hombre filosófico, cuya vocación principal es el conocimiento y la comprensión cabal de la realidad de la cual forma parte, tal sabiduría no es suficiente. Su éxito temporal, la capacidad de orientación y manejo de los asuntos inmediatos, no le significan satisfacción total. De alguna manera intuye que dichos tópicos no son los únicos posibles ni los más importantes, y una dimensión superior que anida dentro de él le exige acciones inmediatas. La realidad suprema, que contiene y pone en perspectiva el mundo nebuloso en el que nos debatimos, merece con prioridad su atención. Allí, en contacto con lo inefable y perfecto, puede remontar las tinieblas de sus días y encontrarse con la luz.

Si no pudiera elevarme por el conocimiento de la naturaleza, al del Arquitecto y Conservador del Universo, para nada habría nacido.

En efecto, más allá de lo operacional y evidente, el saber sobre las cosas misteriosas que nos rodean —los seres vegetativos y móviles, los astros y esferas del firmamento, las convulsiones internas de la Tierra— es un conducto claro y directo que nos lleva a Dios. Y ese saber, único genuinamente importante, principio de todos los demás, le da también sentido a la existencia efímera del hombre. Pues si dicha experiencia fundamental no fuera posible,

¿a qué regocijarme por encontrarme en el mundo de los vivos? ¿Por digerir comidas y bebidas? ¿Por tener que cuidar este cuerpo débil y miserable que perece en cuanto dejo de rellenarlo? ¿Por desempeñar toda mi vida el papel de enfermero y temer la muerte para la cual nacemos todos?

El hombre, a pesar de su insignificancia en el contexto universal, tiene la posibilidad de acceder de alguna manera a la contemplación de las cosas divinas. Tal hazaña es posible, y con ella la naturaleza humana, efímera y falible, se hace partícipe de lo perfecto y universal en la medida en que conquiste la necesaria ligereza de alma.

Existen allá arriba espacios sin término, a cuya posesión se admite a nuestra alma con tal que sólo lleve consigo la más pequeña parte de su envoltura material y que, purificada de toda mancha, libre de toda traba, sea bastante ligera y bastante parca en sus deseos para volar hacia ellos.

Ahora bien, esta ansiedad tan sentida por el filósofo, no es fruto de su acaloramiento y precipitación. Existe un síntoma que permite comprobar cómo dentro del hombre duerme una naturaleza divina, vigente a pesar de su fragilidad. En contacto con las cosas divinas, este mismo ser falible experimenta un inequívoco placer. Una satisfacción evidente y concreta, que sería imposible si no participara su alma, aunque en mínima proporción, de esa misma naturaleza perfecta que le emociona. La experiencia de la perfección de la naturaleza y del cosmos lo remite a la suya propia, que habita en los rincones más ignorados de la intimidad. Así, de semejante experiencia el hombre colige la realidad de Dios. El alma del universo. Todo lo visible y lo invisible.

> ... en Dios nada hay que no sea alma. Dios es todo corazón y en los mortales, por el contrario, la ceguera es tanta, que a sus ojos este universo tan bello, tan regular y tan constante en sus leyes, solamente es obra y juguete del acaso, independiente de toda inteligencia y arrastrado por una fuerza inconsciente de lo que hace.

El hombre sabio, pues, el filósofo, cuya vocación es el conocimiento del cosmos y del hombre, no puede menos que concluir, a partir de su propio saber, la evidencia de Dios.

Ahora bien, puesto que comprendemos la verdadera dimensión de nuestros esfuerzos, ¿cuál es la realidad concreta de los fenómenos naturales que más nos inquietan? Séneca, basado en la tradición naturalista de los viejos filósofos griegos Anaxágoras, Metrodoro, Demócrito, Anaximandro y Aristóteles, entre otros, así como en sus propias conclusiones, describe y explica la realidad natural que está a su alcance. Y, sin embargo, el propio Séneca se adelanta con lucidez al criterio de la historia, desde la cual sus aseveraciones y asertos son duramente juzgados, y manifiesta la naturaleza rudimentaria e incipiente de su conocimiento. Presenta disculpas, pues, a las generaciones futuras por la torpeza de su saber, pero así mismo manifiesta rudeza y acritud cuando se trata de las afirmaciones de los antiguos sabios. ¿Cómo pudieron aquellos hombres, cuya reputación de prudencia y sabiduría ha desafiado a los siglos, conformarse con explicaciones mágicas y caprichosas sobre fenómenos de la realidad? El rayo, el trueno, la tormenta, el anochecer, el alba y demás, ¿no eran para ellos otra cosa que el resultado del capricho y la veleidad de los dioses? ¿En dónde quedan, entonces, su prudencia y su profundidad? Y como a sus ojos la tradición antigua, que tanto respetaba, no podía cohonestar semejantes tropelías, no quedaba otro camino posible que considerar dichas explicaciones y otras más como fruto de la estratagema y de la astucia. En efecto, habida cuenta de que en los tiempos griegos, como en los presentes del Imperio romano, el gran vulgo no respeta otra razón que la del miedo y la aparente arbitrariedad y torpeza de Júpiter, su despotismo era un arma de control social.

Aquellos sapientísimos varones consideraron que el miedo era necesario para poner un freno a la ignorancia, y quisieron que el hombre temiera a un ser superior a él... Y para aterrar a aquellos que sólo por temor se abstienen del mal, hicieron cernerse sobre nosotros un Dios vengador y armado constantemente.

De la misma manera, enfrentado a la necesidad urgente de hallar explicación a las catástrofes naturales, como la ocurrida a Pompeya aplastada por el Vesubio, Séneca se niega a considerar razones extraordinarias. Tales sucesos perturbadores y trágicos tienen, por supuesto, causas, pero todas ellas han de buscarse dentro del mismo fenómeno natural que se pretende explicar. La inteligencia de lo natural reside en el seno de la propia naturaleza, que aunque desconocida, es susceptible de conocerse. El entendimiento humano está en capacidad de aprehender las regularidades sobre las cuales descansan eventos tan extraordinarios, que aunque nos sorprenden con su vehemencia y radicalidad, están sujetos a unas determinaciones que las someten. No las conocemos en un momento dado, pero en otro las podremos conocer.

También debemos convencernos de que nada de esto hacen los dioses; que no es su enojo el que conmueve al cielo y la tierra. Estos fenómenos tienen sus causas propias, y sus estragos no dependen de ningún mandato, sino que, como ciertas dolencias en el cuerpo humano, son efecto de algunos vicios desorganizadores, y cuando parece que hacen sufrir, es la materia la que sufre.

Nos conmueve lo extraordinario, lo que se aparta de la regularidad. El espectáculo prodigioso del cosmos, que tenemos frente a nuestros ojos día tras día, no nos afecta ni estremece. Pero cuando tal regularidad portentosa es rota por un mínimo evento, de inmediato reparamos en él y desde nuestra ignorancia lo engrandecemos e idolatramos. Tal desproporción, semejante torpeza que es capaz de ignorar el misterio permanente y de resaltar la ínfima irregularidad, se sostiene precisamente porque desde nuestra ignorancia no contemplamos lo esencial de las cosas.

Porque contemplamos la naturaleza con los ojos y no con la razón; porque pensamos no en lo que puede hacer esta naturaleza sino en lo que ha hecho. Procediendo el temor de la ignorancia, ¿no convendría instruirse para no temer? ¡Cuánto mejor sería investigar las causas y dirigir a esto toda la atención del ánimo!

La razón es, pues, la única facultad capaz de conducirnos a la comprensión del universo y, por supuesto, a la contemplación de Dios. Sin embargo, pese a todos los esfuerzos, aun si el mundo real fuera menos bárbaro y falaz y "le dedicásemos a la filosofía todas nuestras facultades; aunque nuestra juventud se morigerara e hiciera de ella su único estudio", la experiencia de la verdad no le es posible. Otras generaciones van a venir y con ellas la posibilidad de ahondar en la sabiduría:

Tiempos vendrán en que nuestros descendientes se asombren de que hayamos ignorado cosas tan sencillas... ¡Cuántas cosas están reservadas a las edades venideras, cuando no exista ni siquiera nuestra memoria! ¡Cosa mezquina sería el mundo si no encerrase el gran misterio que todos deben investigar...!

Y así, con esta exhortación hacia el futuro y esa fe en las posibilidades de la razón humana, Séneca cierra el ciclo de sus reflexiones.

✒ *El autor y la obra*

Lucio Anneo Séneca nació en la población española de Córdoba en el año 4 y murió en Roma en el año 65. Radicado en la capital del imperio durante muchos años, participó en la corte de los emperadores Calígula, Claudio y Nerón. Esto significa que la mayor parte de su vida coincidió con una de las épocas más convulsas y sórdidas de la historia romana. Finalmente, perdida la predilección y el favor de Nerón, de quien fue preceptor, obedeció sus órdenes y se suicidó.

El pensamiento de Séneca, que sigue el orden del viejo estoicismo, constituye el cuerpo esencial del llamado "estoicismo imperial" o "nuevo estoicismo". La realidad aparecía a sus ojos teñida con el determinismo y el corporalismo propios de los partidarios del fundador Zenón. Su indiferencia ante el placer y el dolor, el control debido a la propia sensibilidad, se matizaban en su caso con una intención claramente práctica, que pretendía hacer acopio de argumentos y recursos capaces de conquistar la resignación. Siendo el saber, "el saber resignarse" y, por ende, alcanzar la tranquilidad, sus estrategias filosóficas rondan las inmediaciones de otras posiciones intelectuales que, por supuesto, tuvieron influjo sobre él. Se ha llegado, incluso, aunque es objeto de especulaciones y polémicas, a considerarle cercano al naciente cristianismo. Las supuestas relaciones epistolares con san Pablo parecerían confirmar tal aserto.

El "bien vivir", objeto de sus preocupaciones intelectuales, es, a sus ojos, alcanzable en la medida en que el espíritu humano no se extravíe en asuntos "externos" y halle dentro de sí, y al alcance de la mano, esa practicidad indispensable. Vivir y hacer vivir el bien, enseñar y aprender la vía que conduce al remedio y al consuelo, son los móviles fundamentales de la filosofía. Cualquier especulación que se aparte de tal horizonte forma parte de aquel "exterior" vulgar y peligroso en donde el ánimo humano puede perderse. Así las cosas, cuando Séneca se ocupa de asuntos referentes al mundo práctico y natural, como en su libro *Cuestiones naturales*, en modo alguno pierde contacto con las cuestiones morales, su preocupación fundamental.

Séneca fue autor prolijo. Escribió tragedias y textos literarios, digresiones naturales y tratados éticos y políticos. Se distinguen las *Apokolokyntosis* sobre el emperador Claudio; las *Naturalium quaestionum libri septem* y el conjunto de reflexiones morales *Dialogorum libri duodecim*. Son muy célebres también sus *124 Epistolae morales a Lucilio*.

8

EL ASNO DE ORO
Apuleyo de Madaura

En el camino que conduce a la ciudad de Tesalia, el joven Lucio traba amistad con un grupo de viajeros. Los rigores del viaje se hacen más tolerables en su compañía y, muy pronto, los recién conocidos se enfrascan en una agradable conversación. Los términos convencionales se superan con presteza y la charla deriva hacia las inmediaciones de lo oscuro y misterioso. Uno de los viajeros, de nombre Aristomenes, da muestras de ser un extraordinario conocedor de tales temas y refiere una portentosa historia de magia que impresiona a su auditorio. Sin embargo, y a pesar de ser todos los presentes hombres de imaginación viva y ánimo sensible, ninguno como Lucio experimentó tan grandes conmociones. En efecto, desde tal punto y hora, el joven viajero, que al partir de su casa no contemplaba otro objeto que el de solucionar algunos asuntos familiares, abrigó la más ardiente necesidad de penetrar el mundo de lo sobrenatural y de convertirse en un verdadero conocedor.

Llegados los viajeros a la población de Ipata, cada cual siguió por su camino. Cuando Lucio decidió buscar un aposento para descansar de las fatigas del viaje, recordó que habitaba en la ciudad una pariente de su madre, Birena, y que las comodidades de su palacio estaban a su disposición. Pero como se había enterado de que en otro sitio de la ciudad, en la casa del rico y avaro Milón, sucedían cosas extraordinarias, decidió llegar a sus puertas. En efecto, Pánfila, mujer de Milón, era una avezada practicante de las artes secretas, y como para entonces el sentido de la vida de Lucio dependía de dichos asuntos, el joven no vaciló. Fue recibido y admitido en la residencia de Milón, y aunque las amonestaciones de Birena le afearon su comportamiento, no dio marcha atrás y se mantuvo firme en su sitio.

Tan pronto se encontró acomodado en sus habitaciones, Lucio manifestó con claridad los motivos que lo habían conducido allí. Indagó, miró y escudriñó, pero para su pesar, la hechicera, que no le había perdido de vista, se mostró reticente y alejada. Aquello molestó mucho al joven, que contaba de antemano con su cooperación, pero una vez superado el primer disgusto, se persuadió de que tal indiferencia podría ocultar alguna razón secreta y tentadora. Así que no abandonó sus propósitos y como la compañía de Pánfila le fuera esquiva, poco a poco, y empeñando en ello todos sus recursos y ardides, se ganó la confianza de Fotide, criada de confianza de la hechicera, quien accedió a colaborarle en la medida de sus fuerzas.

A todas estas, Birena, alarmada por el extraño comportamiento del muchacho, pues consideraba su custodia un deber ineludible en atención al parentesco que la unía con la madre, arreciaba en reproches. Indagando aquí y allá, por persuasión o fuerza, había terminado por comprender los verdaderos motivos del comportamiento de Lucio. Y entonces sí que montó en cólera. Ya no se trataba solamente del menoscabo de su honra o de la posible retaliación de un marido celoso. Aquello constituía un asunto más delicado. Pánfila era mujer poderosa y la impertinente curiosidad del muchacho lo ponía en grave aprieto. Le hizo saber al joven que esto no era cosa de juego y lo amonestó y reprendió, aunque en vano. No obstante, consiguió mantenerlo a su lado el mayor tiempo posible y, con la esperanza de que a fuerza de regalos y distracciones aquella afición insensata menguara un poco, se dedicó a ofrecer en su honor banquetes y agasajos. Una tarde, cuando el joven, completamente ebrio, regresaba del palacio de Birena, frente a las puertas de Milón se encontró con tres personajes. Entonces, sin medir las consecuencias de sus actos y dando por descontado que los sujetos eran antisociales que pretendían robar la residencia, arremetió contra ellos armado de su espada. El incidente no pasó a mayores, pues el estado calamitoso del muchacho le impedía cualquier acción verdaderamente peligrosa. Pero sus ademanes, gritos y exclamaciones no pasaron inadvertidos y al día siguiente, para regocijo de todos los implicados en el asunto y suprema vergüenza de

Lucio, todo se volvió en su contra. Por aquellos días la ciudad de Ipata celebraba la fiesta del dios Risa, de manera que cualquier traspié o equivocación se aprovechaba para escarnecer y embromar. Tan pronto el joven pudo levantarse del lecho, se encontró con que lo estaban esperando. Puesto preso y conducido por sus captores, se halló frente a un severo tribunal que le procesaba bajo el grave cargo de homicidio triple. Supuestamente, como resultado de sus desordenadas acciones de la tarde anterior, los tres personajes que él tomara por ladrones habían muerto. Ahora, abrumado por testimonios y pruebas incontestables, Lucio aguardaba la condena. Así siguieron y se acrecentaron las cosas hastá que al fin, tras los extremos más dramáticos, una enorme carcajada dejó todo en claro. El joven había sido objeto de la más descomunal burla. Avergonzado y disminuido hasta más no poder, el muchacho estuvo a punto de abandonar la ciudad y olvidarse de sus aspiraciones, y así lo hubiera hecho si la joven Fotide, conmovida por su situación, no se hubiera interpuesto. Con el fin de aliviar su vergüenza y estimularlo un poco, se comprometió a permitirle asistir a una sesión de encantamientos de su señora.

De poca monta se le antojó entonces a Lucio el bochorno vivido. Estaba a punto de comprobar los portentos que tanto idealizara. Llegó la hora por fin y en compañía de la muchacha presenció las manipulaciones de Pánfila. En efecto, como lo había imaginado, la mujer era una poderosa hechicera capaz de los mayores prodigios. En esa ocasión, valiéndose de ciertas invocaciones y unturas, consiguió transformarse en un macho cabrío. Así, con la certeza de que aquel mundo no era una invención desproporcionada sino una realidad palpable, el joven no cesó de importunar a su amiga. No le bastaba ya presenciar desde lejos tales maravillas. Él mismo quería experimentarlas y vivir en carne propia las realidades de la transformación. Fotide se negó y resistió cuanto pudo, pero al final, la obstinación del joven la venció y accedió a sus requerimientos.

Penetra, pues, en las habitaciones secretas de la maga y asistido por su cómplice encuentra y abre el arcón de los ungüentos mágicos. Mira y vacila en su elección, pero termina por obedecer el criterio de Fotide. Su deseo es convertirse en pájaro, y a pesar de las últimas prevenciones de la muchacha, aplica sobre su cuerpo la untura escogida. Entonces, para su pasmo y sorpresa, la untura, que efectivamente funcionó, transformó su apariencia humana. Sólo que en lugar del pájaro proyectado, Lucio se vio de un momento a otro convertido en un pollino. Desesperada, Fotide se disculpa sin saber qué hacer. Lucio, desde su condición de asno, incapaz de articular palabra, cree llegado el final de sus días, hasta que al fin, en un rapto de lucidez, la joven cree encontrar la solución.

Se trata simplemente de aguardar. Con las primeras luces del alba la muchacha saldría de la casa y se encaminaría a determinado lugar. Una vez allí, haría acopio de suficiente cantidad de ciertas rosas y se las llevaría al asno. Este comería las flores y de inmediato recobraría la forma humana. Sin más recursos, y pendiente de la esperanza que le daba la joven, Lucio se resignó a esperar. Pero entonces la situación se volvió de nuevo en su contra. De improviso la casa fue objeto del ataque de unos forajidos, que luego de violentar las puertas y reducir a los habitantes, cobraron botín y aprovechando la presencia del burro, lo enjalmaron y cargaron y se dieron a la fuga con él. Los intentos de Lucio por denunciar el atropello resultaron en rebuznos que los delincuentes castigaron a garrotazos. Sin otra alternativa, el asno fue a parar a la guarida de los bandoleros y desde entonces todas sus esperanzas desaparecieron.

A partir de ese momento la vida de Lucio se hizo cada vez más problemática. De amo en amo, se halló en toda clase de situaciones y enfrentamientos. Conoció así en profundidad el verdadero carácter de los hombres, el cual, desde su desahogada posición anterior, le había sido esquivo, y aprendió el significado de la sumisión y la impotencia. Pero un día, siendo propiedad de dos hermanos que trabajaban al servicio de un rico propietario, aprovecha un descuido y en presencia del patrón se sienta a la mesa y consume su comida con toda delicadeza. El hombre, asombrado de los alcances del asno, se encariña con él y lo mantiene como una especie de entretenimiento con el cual agasajar a sus visitas. Y sucede que una de ellas, cierta mujer lasciva, siente deseo inconfesable por el animal y aprovecha la complicidad de la servidumbre para raptarlo y destinarlo a su contento particular. No lo consigue, pues el antiguo dueño la sorprende antes de realizar sus intenciones, pero el hombre, de nuevo sorprendido por las posibilidades secretas del pollino, decide emplearlo en una nueva empresa, y ambicionando jugosa ganancia organiza un sórdido espectáculo. Se trata de que una mujer condenada a las fieras por delito infamante, conserve su vida a cambio de unirse en cópula con el asno, frente a numeroso público en un teatro. La mujer acepta el ofrecimiento que la salva de la muerte y la exhibición se prepara. Pero en vísperas del espectáculo, Lucio, que no puede imaginarse en semejante trance, escapa y alcanza las orillas del mar. Dispuesto a purificarse a toda costa, sumergido en las aguas implora el auxilio de la diosa Isis, quien compadecida de su infortunio, lo instruye a través de un sueño para que al día siguiente asista a la procesión que ha de realizarse en su honor en cierta localidad. Una vez allí, el sacerdote de la diosa, que lo estará esperando, le ofrecerá unos pétalos de rosa que él habrá de comer. Así se conseguirá su transformación. El asno cumple la voluntad divina, participa en la procesión y come las rosas que le ofrece el celebrante. De inmediato, recobra su antigua forma y lleno de experiencia, enriquecido con las palabras del sacerdote y con sus propias reflexiones, sigue su camino y se instala en Roma.

✎ *El autor y la obra*

Lucio Apuleyo, más conocido como Apuleyo de Madaura, nació en dicha población africana en el año 125. Pese a sus trabajos filosóficos y a su participación activa en las digresiones intelectuales de su época, Apuleyo es célebre en la historia de la literatura por su famoso libro *El asno de oro*. Las peripecias desarrolladas en el texto ilustran, sin embargo, sus posturas filosóficas. A pesar de pertenecer a la escuela platónica ecléctica de Gaio, sus apreciaciones parecen ubicarlo más precisamente al lado de la obra del filósofo Albino. Desarrolló un especial interés por el concepto socrático de *daimon*, que orquestó en una totalidad sincrética platonizante, de fuerte carácter místico y poético.

Sus principales obras, además del ya reseñado *Asno de oro*, son: *Sobre el Dios de Sócrates*, *Sobre las opiniones de Platón* y *Sobre el mundo*. El libro *Sobre las opiniones de Platón* contiene dos partes; una que versa sobre la física y otra sobre la ética. Una tercera, que supuestamente desarrollaba la cuestión lógica, no se ha conservado.

9

CONFESIONES
San Agustín

Aunque Agustín fue hijo de pagano y cristiana, Patricio, su padre, aceptó la voluntad materna de Mónica para que el niño recibiera una educación confesional. Y pese a que su memoria no le es del todo fiel y el propio Agustín reconoce su imperfección —"ignoro de dónde vine a esta vida miserable, que más que vida es muerte, y dudo qué nombre le cuadra mejor, si el de vida que muere, o el de muerte que vive"—, en sus *Confesiones* podemos seguir paso a paso la evolución de su carácter y los acontecimientos más significativos de su vida desde temprana edad.

Pero la formación de Agustín en la fe del cristianismo no significó su bautismo. Según la costumbre de la época, se decidió aguardar a la edad madura del joven para que, en plena conciencia de sus ventajas y desventajas, él mismo tomara la decisión. Aprendió, pues, el jovencito a hablar y se dedicó al estudio de las primeras letras. Aunque desde entonces dio muestras de la penetración intelectual que tiempo después lo haría célebre, en aquel momento, dueño de un carácter apasionado y fogoso, sus preferencias lo alejaban notoriamente del estudio. En efecto, pese a que su instructor de Tagaste consiguió afianzar en él los rudimentos del latín y la aritmética, no pudo conseguir que se aplicara al griego. El niño manifestaba gran aversión por dichos estudios y prefería con tal vehemencia las distracciones y el juego, que los esfuerzos del preceptor fueron inútiles. Sin embargo, otra actitud lo acompañaba cuando se trataba de las fábulas poéticas. Entonces no necesitaba ningún esfuerzo y, de la manera casi instantánea como aprendió el latín, su inteligencia se abrió a las narraciones fabulosas de los poemas homéricos.

De donde se infiere que para aprender sirve más una curiosidad voluntaria y natural, que la presión del miedo y el temor de la violencia.

Precisamente en esos momentos surgió en su espíritu una de las preocupaciones fundamentales que habría de acompañarlo buena parte del camino. Lejos de compartir el prejuicio general de considerar la infancia como una suma de todas las virtudes, Agustín, a partir de sus recuerdos, señala desde ya la presencia de la maldad en el alma humana. Trapacerías, mentiras, trampas, violencia y engaños que él y sus allegados vivieron y de las cuales fueron víctimas y victimarios, lo persuadieron de que uno de los grandes enigmas de la naturaleza humana es, precisamente, el origen del mal.

Bien se echa de ver que los frutos de maldad de la edad madura se encuentran ya como germen en las pasiones de la infancia; idéntica es en la raíz la corrupción del niño y la del adulto aunque no es el mismo el objeto ni la responsabilidad.

Hacia el año 365 Agustín se trasladó a la ciudad de Madaura, en donde puso las bases de sus conocimientos de gramática latina y de retórica.

El contacto con la ciudad fue definitivo. Madaura no era la más grande ciudad del momento, pero reunía en su entorno influencias paganizantes que dieron al traste con las enseñanzas cristianas que Mónica, su madre, se esforzaba en transmitirle. Por otra parte, el estudio de los clásicos latinos, con su moral pragmática y su materialismo elegante y refinado, lo predispusieron a la refutación de los principios espirituales de su primera educación. De regreso a Tagaste, durante un año aguardó la posibilidad de trasladarse a Cartago con el ánimo de complementar su formación teórica, mientras se afianzaba en los valores intelectuales del paganismo. La conversión de Patricio, quien muriera por entonces, no le significó modificación alguna, y en cambio, la iniciación en la "iniquidad tenebrosa del amor impuro" fue motivo de ansiedad y una de las causas por las que anhelaba su inmediato traslado a la ciudad de Cartago.

Como estudiante de retórica en una de las ciudades más grandes de la época, Agustín dio rienda suelta a sus apetencias e inclinaciones. No tardó en hallar una amante con la cual convivió durante diez años y de quien tuvo un hijo en el segundo año de estadía en el gran puerto, cuyo modo de vida cosmopolita, sensual y orientalizante lo predispuso a consolidar su visión pagana de la realidad. Afecto a las representaciones teatrales "llenas de imágenes de mis miserias y de incentivos propios para avivar el fuego que en mí ardía" y a las lecturas de los pensadores paganos, en este momento consolidó su primera postura filosófica.

El texto cuya lectura le significó mayores transformaciones fue el *Hortensio*, de Cicerón. Las exhortaciones del pensador latino a la búsqueda y construcción de la sabiduría hicieron mella en su ánimo, y decidido a seguir las recomendaciones del autor, abandonó cualquier otro empeño y dedicó todas sus fuerzas a la conquista de la verdad. Entonces, a la usanza de los pensadores de la antigüedad, que ordenaban sus indagaciones en torno de un problema específico, Agustín escogió entregarse a la reflexión intelectual que le diera luz respecto al problema ya mencionado del origen del mal, cuya existencia era incuestionable. La más superficial observación daba cuenta de sus alcances y de su omnipresencia. En efecto, más allá de la esfera de lo puramente humano, en donde su poder es más que evidente, la naturaleza está penetrada por su influjo. Dolor, enfermedad, catástrofe, corrupción, hablan de la presencia permanente y avasalladora de la maldad en el universo conocido. Así, aquella disposición anómala de carácter que empuja a un individuo particular a la incontinencia, el vicio y el crimen, no lo involucra sólo a él, ni en él se genera o puede controlarse. Es un principio universal, autónomo y poderoso. Contertulio habitual de los círculos intelectuales cartagineses, por aquellos días Agustín dio comienzo a una relación que sería determinante.

Se trataba, pues, de encontrar la verdad en torno del asunto que tanto lo inquietaba. Y, por supuesto, las versiones "bárbaras" e "ilógicas" del cristianismo en nada lo satisfacían. Necesitaba una explicación más universal, más racional, para lo cual la presencia de los seguidores de Manes, o Mani, fue providencial. Aquellos hombres, instruidos en los refinamientos de la argumentación y de la lógica, e imbuidos en el espíritu del pensamiento persa, le ofrecían la explicación que tanto deseaba. Los cristianos le enseñaban que el mundo entero y todo lo contenido en él, sin excepción posible, eran obra de Dios. Ahora bien, Dios es bueno. Absolutamente bueno. ¿Cómo explicar, pues, que en su obra, la cual ha de participar forzosamente de su naturaleza, quepa la maldad? Incomprensible. Los maniqueos, en cambio, mediante una teoría dualista de la realidad, eran más convincentes. Desde su punto de vista, el universo cósmico obedece al poder de dos principios esenciales y opuestos. Un principio positivo, bueno, luminoso, Ormuzd. Y un principio negativo, maléfico, tenebroso, Ahriman. Tales potencias son esenciales y eternas, y su lucha, actuante en el universo conocido, es eterna también. El hombre, escindido como cualquier otro ser del cosmos, vive y padece sin remedio tal enfrentamiento. Su alma, principio luminoso y activo, se opone patéticamente a su cuerpo, principio oscuro, maligno y retardatario. Y en medio de esa confrontación la voluntad humana es impotente, de manera que la responsabilidad efectiva, y con ella la libertad, vienen a ser unas simples palabras. La maldad, pues, no compromete la intimidad de un hombre, sino que se explica por factores externos, universales e inapelables. Por otra parte, la visión maniquea del alma se restringe a la mera determinación de las facultades intelectivas y de percepción. En ningún momento se asoma a regiones trascendentales, espirituales o ajenas a la experiencia comprobable. Y este rudo materialismo, junto con la permisividad consecuente a la negación de la responsabilidad, sedujeron al joven pensador. Por otra parte, los maniqueos practicantes condenaban el comercio sexual y las comidas de carne, y prescribían una práctica ascética. Pero como no veían mal que los oyentes dieran rienda suelta a sus inclinaciones, siendo Agustín uno de ellos, tales rigores no le competían. Satisfecha por el momento su inquietud intelectual, y en libertad de desatar los impulsos de su naturaleza, Agustín se sintió cómodo.

Hacia el año 374 Agustín regresó a Tagaste. Impartió lecciones de gramática y literatura latina y al año tornó a Cartago, en donde fundó una escuela de retórica. Vivió allí con su compañera y con su hijo Adeodato, y mantuvo una actividad intelectual permanente. Redactó una pieza dramática que no se ha conservado y una primera obra en prosa a la cual llamó *De pulchro et apto* (*De lo hermoso y de lo conveniente*). Para entonces, la solución maniquea a sus interrogantes comenzaba a parecerle estrecha y la fortuna le brindó una posibilidad insospechada. Sucedió que uno de los grandes pontífices del maniqueísmo, de nombre Fausto, llegó a la ciudad. Agustín, entusiasmado ante la perspectiva de que sus dudas le fueran solucionadas, acudió a su encuentro. Le preocupaban varias cosas: ¿cuál es la fuente de certeza en el pensamiento humano?, ¿por qué los dos principios constitutivos estaban en eterno enfrentamiento?... Pero entonces, para su gran decepción, pese a que Fausto lo recibió con amabilidad y se esforzó en responder a sus interrogantes, en sus palabras sólo encontró una firme determinación de

> no meterse temerariamente a disputar de aquellas cosas que le habían de poner en aprieto y estrechuras de donde no pudiese salir ni volver atrás.

Así, antes de emprender su viaje a Roma y como resultado de la entrevista con el obispo Fausto, la adhesión de Agustín al maniqueísmo se afectó gravemente.

> Si para otros muchos había sido lazo de muerte, fue, sin quererlo él, ni saberlo, quien comenzó a aflojar el que a mí me tenía cogido y preso.

Los motivos que lo impulsaron a viajar fueron varios. Desesperaba ya de la naturaleza díscola e indisciplinada de los estudiantes cartagineses y abrigaba la esperanza de hallar mejores condiciones de trabajo, además de oportunidades de reconocimiento y riqueza en la capital imperial. Así lo hizo, pero para su sorpresa, el panorama que encontró en Roma no le fue en absoluto benéfico. A más del conflicto permanente con los estudiantes, que si bien eran más manejables que los de Cartago no solían pagar sus servicios, cayó gravemente enfermo y sus dudas intelectuales no lo abandonaron. En estas circunstancias, enterado de que la municipalidad de Milán solicitaba un profesor de retórica, pidió el puesto y lo consiguió. En el 384 abandonó a Roma, desencantado tanto de las oportunidades de la gran ciudad como de la doctrina maniquea.

Optó así por un elegante escepticismo académico, y aunque abjuraba de la mayor parte de los contenidos de su antigua fe, seguía siendo nominalmente maniqueo y conservaba simpatía por algunos de sus preceptos, especialmente el referente al materialismo.

Milán fue un lugar determinante. Su compañera no soportó la perspectiva de que Agustín, empujado por el empecinamiento de su madre, contrajera matrimonio con una joven italiana, y marchó a África. El joven se encontró de repente solo y tomó una amante provisional, pero la compañía de su hijo Adeodato y de una serie de nuevas amistades determinó una transformación de su carácter. Y de nuevo, como en otra oportunidad la lectura del *Hortensio* le fuera definitiva, entonces, el encuentro con las traducciones latinas de las *Enéadas* de Plotino, realizadas por Mario Victorino, lo conmocionó. Se trataba nada menos que de fundamentar desde la racionalidad, y con todo el peso de la abrumadora tradición filosófica griega, la existencia de una realidad inmaterial. El mundo de los fenómenos perceptibles no era, pues, el único posible, y aunque Agustín consideraba tal certidumbre como uno de sus bastiones más preciados, no pudo negarse a considerar las argumentaciones neoplatónicas. Por otra parte, y en relación con el gran problema que había determinado el curso de su evolución, desde las *Enéadas* era posible otra explicación al problema del mal. Plotino no lo consideraba como algo positivo, vale decir, con existencia propia. No era una entidad sustancial, autónoma, idéntica a sí misma, positiva en fin, como pretendían los maniqueos. Era simplemente un fenómeno de privación. Una carencia. Un faltante. La bondad ingénita de la creación no repudiaba que en poder de los hombres, y en medio del tiempo, su naturaleza unitaria fuera objeto de maltrato y privación. Y en la medida en que tal acto de "vandalismo" se intensificara, crecían a su vez la maldad y el sufrimiento. A partir de Plotino, Agustín pudo asomarse a la racionalidad del cristianismo, y sus tradicionales reticencias empezaron a ceder.

Poco después, la conversión de Agustín al cristianismo se precipitó abruptamente. Si las lecturas neoplatónicas de Plotino actuaron como el instrumento intelectual para aceptar que la fe cristiana podía ser algo más que "barbarie" e "ilogicidad", su conversión emocional fue posible por el contacto con el obispo Ambrosio (futuro santo de la Iglesia) y por las palabras de Simpliciano y Ponciano. La lectura atenta del Nuevo Testamento, en particular de san Pablo, fue determinante, precisamente cuando en uno de sus momentos de mayor angustia espiritual escuchó una voz infantil que le decía: "¡*Tolle lege! ¡Tolle lege!*" (Toma y lee).

El primer texto con el que se encontró fue la "Epístola a los romanos", de san Pablo:

> No paséis la vida en banquetes y embriagueces, no en vicios y deshonestidades, no en contiendas y emulaciones, sino revestíos de Nuestro Señor Jesucristo y no empleéis vuestro cuidado en satisfacer los apetitos de la sensualidad.

La conversión ocurrió en el verano de 386. Las partes finales de las *Confesiones* relatan los primeros pasos dados por Agustín y sus amigos en el cristianismo. La muerte de la madre lo marcó dolorosamente y lo motivó a redactar varios capítulos destinados a reseñar las conversaciones mantenidas con ella alrededor de los asuntos más importantes de la fe. Sus últimas reflexiones, moralizadoras en extremo, llegan a considerar el peligro que las bellas artes representan para el alma y los de la curiosidad y el deseo de saber,

> que nos hace andar investigando los misteriosos secretos de la naturaleza, que para nada aprovecha averiguar y que por nada desean los hombres conocer más que para saberlos.

Por último, reflexiona acerca de la creación y se ocupa de tópicos abstractos como el concepto de tiempo, la eternidad, la materia informe y las formas de interpretación, entre otros.

El autor y la obra

Agustín nació en el año 354 en la pequeña ciudad númida de Tagaste, cerca de Cartago, y murió en Hipona, en agosto de 430. Su vida y obra dan testimonio de uno de los momentos más conflictivos de la historia occidental: el punto de unión entre la antigüedad y el cristianismo. Como se describe en una de sus obras más logradas y quizá la más conocida por el público general, las *Confesiones*, él mismo vivió en carne propia la dificultad de hermanar una tradición sensualista, racional y pragmática, con el nuevo mundo espiritual que daba comienzo a la Edad Media. Su legado más importante consiste, precisamente, en la elaboración de un pensamiento teórico racional derivado del paganismo y articulado con la sabiduría cristiana, que por principio supone una mera adhesión emocional. De esta manera, sus aportes, en los cuales no es posible reconocer las sutilezas argumentativas y metodológicas que aparecerán tiempo después, permiten la inclusión del cristianismo en la tradición del pensamiento occidental. Aunque Agustín no elaboró nunca un verdadero sistema filosófico en el sentido tomista de la palabra —y, por supuesto, en el sentido moderno—, su actitud, la inspiración que motivó su trabajo y las ideas básicas que señaló le confieren una gran vitalidad. En efecto, resultó perfectamente posible para sus sucesores y para la tradición cristiana en general, mantenerse fieles al espíritu agustiniano, pese a conservar distancias sobre las palabras que el Agustín histórico aventuró.

La producción intelectual de san Agustín es enorme. Destacamos, sin embargo, las siguientes obras: *Confesiones*, *Ciudad de Dios*, *Contra académicos*, *De la Trinidad* y *De la doctrina cristiana*.

San Agustín

10

SUMA TEOLÓGICA
Tomás de Aquino

Pocas cosas competen más a la humanidad considerada como un todo abstracto y homogéneo, y a los hombres en particular, en medio de sus actos y circunstancias, que el problema de la salvación. Abocado a la experiencia irremediable de la muerte, a la ignorancia, el dolor y la incapacidad de comprender a cabalidad los asuntos fundamentales de la existencia, el hombre se reconoce impotente. Sus recursos no le bastan. Pese a sus refinamientos, ardides y manipulaciones, lo esencialmente fundamental lo elude. Así, ante la inminencia del fracaso y la irracionalidad, se precisa una asistencia extrema.

> Ha sido necesario para la salvación de la humanidad, que hubiese una ciencia basada en la revelación, además de las ciencias filosóficas, basadas en la investigación de la razón humana.

La existencia concreta supone en principio un grave riesgo: una peligrosa inminencia de la muerte, de la ignorancia y del error. No parece exagerado afirmar que la vida resulta una preparación para librarse de tal riesgo, para conjurarlo y reducirlo. De una manera u otra, los hombres han intentado evitar la derrota. Sólo mediante una respuesta adecuada al enigma de la muerte, que evite en cada caso equivocaciones y fracasos, es posible considerar salvado el peligro. Los grandes pensadores, guerreros y sabios han agotado sus esfuerzos en dicha tarea, pero los resultados obtenidos no parecen satisfactorios. En efecto, aquello definitivo en donde reside toda posibilidad de salvación, no es accesible más que a unos pocos, en condiciones de ineficiencia e incompletud y tras largo y doloroso periplo. Todos los demás, innumerables, que no han sido dotados excepcionalmente por la fortuna, el destino o la providencia, se hallan condenados. Incapaces de evadir la amenaza, llevan una existencia llena de enfermedad, torpeza y dolor y se precipitan en una muerte tan inevitable como oscura, enigmática y arbitraria. Para ellos la salvación no existe. Así las cosas, y ante la necesidad de resolver tan gran desafío, se precisa un conocimiento particular e irrefutable. Conocimiento que, a diferencia del racional, tan arrogante y esquivo, está al alcance de todos y cada uno de los seres humanos. Porque si para el indagador es indispensable el arduo uso y manipulación de sus facultades y potencias, para el hombre común se trata solamente de asentir con humildad un regalo divino. Dios, que es la clave desde la cual puede comprenderse cada cosa y acción, que otorga sentido al dolor y a la muerte y que evita cualquier riesgo de error, se otorga a sí mismo, mediante la revelación. Un filósofo puede alcanzar la experiencia divina tras penosísimos esfuerzos, mientras que un hombre corriente puede aspirar a la salvación gracias a una ciencia sacra, conocida por la revelación.

Ahora bien, un conocimiento de tal especie, que se sostiene exclusivamente sobre la autoridad y la manifestación de lo secreto, ¿puede ser ciencia? Esta preocupación reviste la mayor importancia, pues solamente los saberes cobijados bajo tal denominación merecen ser tomados en cuenta. De alguna manera hay que separar el conocimiento genuino de la simple superchería y, en este caso, cuando se trata de aquel de cuya tenencia se deriva la posibilidad de salvación, tal diferenciación es fundamental. Así pues, ¿qué entendemos por ciencia, y qué tipo de ciencias conocemos? Establecemos que entre los múltiples conocimientos humanos, nos es posible distinguir dos tipos esenciales. El primero lo configuran ciencias a las cuales se accede por el ejercicio de la razón. Los problemas característicos que enfrentan son abordados desde la pura inteligencia, sin acudir a otro recurso o procedimiento. La aritmética, la geometría, y otras tantas, descansan sobre sus principios con total autonomía y el hombre que desee aprehenderlas deberá esforzar su entendimiento para captar sus elementos y relaciones fundamentales. El segundo, en cambio, reposa sobre principios que no son autónomos sino que descansan sobre otros, que sí lo son.

Así, el dibujo toma sus principios de la geometría, y la música debe los suyos a la aritmética.

Cada una de estas disciplinas se sostiene, pues, sobre principios de una ciencia que le es superior. Así, la teología no contiene principios autosuficientes y racionalizables a la manera de las matemáticas o la lógica, pero como la música, el dibujo o la construcción, se sostiene sobre otra ciencia suprema que la fundamenta. En las mencionadas ciencias prácticas, tal conocimiento mayúsculo se fundamenta en la geometría o la aritmética, y tratándose de la cuestionada teología, la doctrina sagrada,

procede de principios que nos son conocidos por medio de las luces de una ciencia superior, que es la de Dios y los bienaventurados. Por consiguiente, así como la música acepta los principios que le suministra la aritmética, del mismo modo la enseñanza sagrada acepta los principios que le han sido revelados por Dios.

A la luz de esta autoridad inapelable que funge como garantía y fuente de realidad, forzosamente se desprende una serie de consecuencias. Sabemos que, en fin de cuentas, cuando se trata de conocer algo en concreto, el objetivo esencial es captar los principios supremos que cobijan al asunto en particular y todos sus relacionados.

Se llama sabio en cada género a aquel que considera la causa más elevada de este género.

Hay algo, pues, de lo cual derivan todas las demás manifestaciones, y que surte a cabalidad como su motor, origen y principio eficiente. La multiplicidad, tan inabordable, puede ser aprehendida desde la inteligencia de una causalidad que la contiene, la justifica y la condiciona. Y si esto puede afirmarse de un género de manifestaciones en particular, ¿qué decir cuando ya no me ocupo de los géneros, ni de sus causas eficaces, sino de la totalidad de lo existente? La causa primordial, de la cual derivan las demás causas, es asunto imprescindible y la disciplina que se ocupe de ella, puede ser considerada como la más importante de todas.

Por lo tanto, se llama sabio por excelencia al que considera la causa absolutamente más elevada de todo el universo, que es Dios.

Enfrentado a la necesidad de conocer esa potencia definitiva, el hombre puede optar por dos caminos. De las manifestaciones concretas, que son sus efectos, puede inferir la naturaleza de la causa que los genera. Es decir, en esta primera vía, las criaturas pueden conducir al hombre, mediante el conocimiento, a la experiencia de Dios. Pero en dicho ejercicio no cabe sino una imagen deficiente y fragmentada del principio absoluto. Desde la limitación y la contingencia, mal se puede aprehender lo ilimitado y necesario. Queda mucho, pues, por conocer sobre la naturaleza del principio fundamental, que solamente se conoce él mismo, desde su propia condición y dignidad. Ese conocimiento —y esta constituye la segunda vía— es posible al hombre en la medida en que el propio Dios lo pone al alcance de sus criaturas.

La ciencia sagrada se ocupa muy especialmente de Dios, como de la primera de todas las causas; dándole a conocer, no sólo en lo que puede ser conocido por medio de las criaturas, sino que todavía enseña lo que sólo el mismo Dios conoce de sí mismo y ha comunicado a otros por medio de la revelación. Por consiguiente, la ciencia sagrada debe llamarse sabiduría por excelencia.

Se trata, además, de familiarizarse con un supuesto procedimental o metodológico muy importante. Si el conocimiento racional, en sus vastas consideraciones tradicionales, ha construido su corporeidad sobre principios racionales, tratándose de la ciencia sagrada, tal afirmación es insostenible. Desde la sensibilidad hasta las causas primeras, a lo largo de un complejo proceso de inferencia e inducción, o desde las concepciones abstractas hasta las minucias de la experiencia sensorial, basada en las exigencias deductivas, la ciencia racional ha elaborado sus constructos. En ambos casos, siguiendo las conformaciones intelectuales humanas, la realidad adopta su particular fisonomía y estructura. Pero ahora, cuando el objetivo trasciende lo puramente humano, sus principios de ordenación y análisis deben seguir, forzosamente, el mismo camino. La lógica inductiva o deductiva ha de ceder el paso a otro instrumento, emanado de fuentes ajenas a la racionalidad. No se trata, por supuesto, de principios afectivos, intuitivos o irracionales. Pese a su evidente repudio por los análisis y síntesis filosóficas, tales recursos están profundamente arraigados en lo humano y, desde allí, ejercen su dominio. El propósito es hallar principios que deriven de la revelación y cuenten con la dignidad connatural a semejante origen. Y no existen otros posibles que los artículos de fe, "de los que Dios es el sujeto", el garante, la fuente y la expresión. Ciencia muy concreta esta, que se ocupa de la causa de causas, que refuta la experiencia y el raciocinio y que mediante el reconocimiento y la obsecuencia con los artículos de fe, entra en contacto con la revelación, fuente superior, inapelable y absoluta del conocimiento.

Tomás de Aquino presenta y clarifica los principios intelectuales que han de sostener el desarrollo de la "doctrina sagrada", antes de entrar en materia: abordar, en una sinopsis de la teología, los problemas estructurales de la visión cristiana de la realidad. Determina la naturaleza de sus asuntos y realiza una clasificación expositiva en el texto. Se ocupa primero del "ejemplar", vale decir, del modelo, del arquetipo desde el cual pueden inferirse todas las aproximaciones.

La primera parte de la *Suma teológica* se remite a la existencia de Dios, de su naturaleza y de la naturaleza de las personas divinas, para ocuparse finalmente de la creación. (Se destaca en este apartado el tratamiento que da Tomás de Aquino a las pruebas intelectuales de la existencia de Dios.) Luego, en la segunda parte, presentado todo lo pertinente a "Dios y a cuanto procediera del divino poder según su voluntad", se ocupa de la "imagen", es decir, de la copia, del creado, del hombre. Hombre que es principio actuante de sus obras, en la medida en que participa del libre albedrío y ejerce dominio sobre ellas. Se ocupa, así, de construir una teoría moral que abarque los fines, presupuestos, móviles y calidades de la acción humana. Virtudes, vicios, reglamentaciones y determinaciones de la moralidad que hacen posible la consecución de la felicidad y de la gracia.

Puesto que […] el hombre se dice hecho a imagen de Dios, en cuanto por la imagen se significa lo intelectual y libre en su arbitrio y potestativo por sí mismo, después que hemos tratado hasta aquí del ejemplar, esto es, de Dios y de cuanto procediera del divino poder según su voluntad, réstanos tratar ahora de su imagen, es decir, del hombre en cuanto este es, así mismo, principio de sus obras, puesto que posee libre albedrío y dominio de ellas.

Por último, en el tercer libro, aborda el tema fundamental de la presencia del "Salvador" sobre la tierra, punto de encuentro de la condición histórica, efímera y falible del hombre, con la infinita, unitaria y perfecta de Dios. Jesucristo es redención y camino que conduce a la humanidad, a través de sí mismo y de su sacrificio, al fin primordial y a la salvación definitiva.

Puesto que el Salvador Nuestro Señor Jesucristo, según el testimonio del ángel, salvando a un pueblo de los pecados, nos mostró en sí mismo el camino de la verdad por la que podamos llegar a la bienaventuranza de la vida inmortal, resucitando, es necesario, para la consumación del estudio de la teología entera, que después de haber examinado el último fin del hombre y las virtudes y los vicios, consideremos al salvador mismo del género humano y los beneficios de que nos ha colmado.

El autor y la obra

El último hijo del conde Landolfo de Aquino y Teodora de Teate nació en el castillo de Roccasecca, cerca de Aquino, en inmediaciones de Nápoles, hacia el año 1225. Tomás, como fue llamado por sus padres, pertenecía a una tradición militar que sus hermanos mayores —Reginaldo y Landolfo— prolongaron con lustre al servicio del emperador Federico II. Otra suerte le esperaba al pequeño, quien desde un principio mostró repugnancia por los hechos de armas y una especial vocación hacia el estudio y la meditación, acorde con la decisión paterna de ser entregado a la profesión religiosa.

Aquella disposición intelectual, en todo caso, no estaba hermanada con ninguna fragilidad de espíritu. Por el contrario, el joven

81

muy pronto mostraría férrea voluntad y determinación. En efecto, sus padres, que ambicionaban de él altas dignidades eclesiásticas, lo pusieron en la abadía de Montecassino, al cuidado de los benedictinos. En un lugar así, y bajo la custodia de una de las órdenes religiosas más prestantes de la época, era casi indudable que Tomás alcanzaría la dignidad y el poder anhelados por sus familiares. Pero cuando el joven se aproximaba a los 14 años de edad, en 1239, el emperador Federico II expulsó a los monjes y Tomás se vio precisado a regresar a casa. Pocos meses después se dirigió a la Universidad de Nápoles con el fin de adelantar estudios, pero allí, y para gran contrariedad de sus padres, conoció la orden de los dominicos y en 1244 ingresó a ella. Esta orden de predicadores, fundada 20 años antes y voluntariamente pobre y deslucida, no era la plataforma indicada para alcanzar altas posiciones, de manera que el resentimiento familiar se hizo intolerable. La condesa Teodora se impuso la tarea de recobrar a su hijo y para ello comisionó a sus dos hermanos mayores, quienes partieron hacia la ciudad de Nápoles. Pero el superior dominico, receloso de posibles intromisiones familiares, había encaminado al muchacho hacia Bolonia y los dos militares quedaron frustrados en su afán. Mas no por mucho tiempo, pues le dieron alcance en el camino y lo llevaron prisionero al castillo de Roccasecca.

Sometido durante un año a duras pruebas, al fin la determinación de Tomás se impuso y su familia aceptó permitirle el regreso. En 1245 se encaminó a París, en donde permaneció hasta el verano de 1248, fecha en la cual acompañó a Alberto Magno a Colonia. Durante este período la presencia de san Alberto fue determinante. Dueño de amplia erudición e inagotable curiosidad intelectual, el maestro incentivó en el joven aprendiz una actitud que a la postre rendiría los mayores beneficios. Familiarizado con la obra aristotélica a través del trabajo filosófico de los árabes, Alberto puso en contacto a Tomás con la fuente de la cual derivaría su obra cumbre. En ella emprendió la labor de expresar la ideología cristiana en términos aristotélicos y de relacionar, gracias a los instrumentos de análisis y síntesis filosófica, la teología, o saber revelado, con la filosofía, o saber alcanzado racionalmente por el hombre.

De Colonia regresa a París en 1252 y permanece en esta ciudad dedicado a la docencia en el convento dominico de Saint Jacques. En 1256 obtiene el título de maestro en teología. Continúa enseñando en París hasta 1259. Viaja luego a Italia, en donde se radica hasta 1268 entregado a sus labores docentes e intelectuales. En 1269 se instala en París hasta 1272, cuando es llamado a Nápoles. Dos años después, camino al segundo Concilio de Lyon, lo sorprende la muerte en la abadía cisterciense de Fossanuova, el 7 de marzo de 1274.

La filosofía de Tomás de Aquino, como corresponde a las fuentes aristotélicas de las cuales emanó, es esencialmente realista y concreta. No presupone una noción a partir de la cual haya de deducirse la realidad, sino que toma su punto de partida en el mundo existente. A partir de esta contigüidad con el ser concreto de las cosas, y siendo como era hombre creyente y practicante, el problema central de la filosofía de Tomás fue el de conseguir la convivencia de la filosofía, saber humano y racional, con la teología, saber revelado, sin que se traicionara la esencia del conocimiento fundamental. Escritor prolífico e inagotable, la lista de sus obras es monumental. Entre ellas destacan *De la verdad* (1256-1259), *Suma contra gentiles* (1259-1264), *De la potencia* (1265-1267), *Cuodlibetales* (1265-1267), *Del alma* (1266) y *Suma teológica* (1266-1273).

Suma teológica es su obra por excelencia, y consiste en una síntesis del saber sobre Dios. Consta de tres partes, redactadas a lo largo de siete años y repartidas en 38 tratados, 631 cuestiones y 10.000 objeciones resueltas. En ella, la racionalidad más consistente y concreta se entrelaza con los datos de fe propios de la revelación. Esta obra constituye uno de los sistemas intelectuales más complejos y representativos de la versión cristiana de la realidad.

11

DE LA CAUSA, DEL PRINCIPIO Y DEL UNO

Giordano Bruno

A lo largo de un diálogo en el cual concurren personajes como Teófilo, Dicsono, Gervasio y Polimnio, se discurre alrededor de asuntos de primera importancia: el universo, su condición, naturaleza y características y la relación que mantiene, como entidad integral, con las cosas concretas que aparecen en la experiencia. Durante el debate, las posturas filosóficas de la tradición griega, Pitágoras, Parménides, Platón y Aristóteles, son examinadas, evaluadas y juzgadas.

A través de las palabras de Teófilo, el contertulio más elocuente y sabio, vamos penetrando en el análisis del problema. El universo, el cosmos, la totalidad de todo lo existente, de manera que fuera de él no es nada posible, contiene determinaciones definitivas. Y las cosas particulares, aquellas que dentro del universo nos ofrecen la ilusión de ser autónomas, terminadas, esenciales, mantienen una relación muy particular con el universo y en él se sostienen y corresponden con precisión. "Por tanto, el universo es uno, infinito, inmóvil".

Las categorías aristotélicas, fuertemente asidas a la tradición escolástica, han constituido un universo intelectual de necesaria referencia. Potencia, acto, forma, materia, accidente, movimiento, constituyen conceptos desde los cuales Bruno, a través de Teófilo, aborda la reflexión sobre el universo. Pero en contravía de la opinión de Aristóteles, cristianizada gracias al trabajo filosófico de Alberto Magno y, sobre todo, de Tomás de Aquino, la dirección tomada por Bruno es otra.

Digo que es una la posibilidad absoluta, uno el acto, una la forma o el ánima, una la materia o cuerpo, una la cosa, uno el ente, uno lo máximo y lo óptimo; el cual no debe poder comprenderse; sin embargo, es indefinido e interminable y, por tanto, infinito e interminado y, por consiguiente, inmóvil. No se mueve locamente, porque no tiene nada fuera de sí, a donde se traslade, puesto que él es el todo. No se engendra, porque no hay otro ser que pueda desearlo o esperarlo, puesto que tiene él todo el ser...

Y así respecto a las demás determinaciones o accidentes: al crecimiento o disminución; a la posibilidad de alteración o cambio; a la medida, duración y tamaño. El universo, que es todo y siendo todo es uno, es incompatible con cualquier transformación, pues por mínima que esta sea, y en cualquier orden que pueda suceder, supondría la posibilidad de un otro, de un ajeno, de un distinto ser que lo anteceda o lo suceda, y esa contingencia es inconcebible. Siendo infinito, no puede crecer, pues de lo infinito se sigue que no puede serle añadido nada, ya que nada es posible fuera de él. Y en la medida en que no es tampoco concebible determinarlo como un todo, pues el todo supone una finitud, un límite, tampoco es pensable sustraer algo de él. La disminución, la resta, no es entendible más que desde la concepción de una totalidad a partir de la cual se comprenda una relación con las partes, es decir, una proporcionalidad. Y siendo el infinito condición inequívoca del universo, dicha operación es incomprensible. De la misma manera, ninguna mutación le es posible, ya que no hay nada fuera de él que la provoque o la incentive, o algo hacia lo que el universo tienda. Dentro de sí, el universo contiene todas las contrariedades y todas las inclinaciones, de manera que no puede darse un contrario o un otro que lo altere de alguna forma.

No es mensurable ni mensura. No es comprendido, porque no hay mayor que él. No comprende, porque no hay menor que él. No se iguala, porque no es otro y otro, sino uno y el mismo. Siendo el mismo y uno, no tiene ser y ser, y porque no tiene ser y ser, no tiene parte y parte; y porque no tiene parte y parte, no es compuesto.

En fin, el universo alcanza determinaciones que nos ponen al borde de la imposibilidad de la expresión lingüística.

Este es término, de manera que no es término; y de tal modo forma, que no es forma; y de tal modo materia, que no es materia; y de tal modo alma, que no es alma, porque es indiferentemente el todo y, sin embargo, es uno: el universo es uno.

Ahora bien, corresponde al propósito de indagación comprender o intentar comprender el objeto de estudio a la luz de las disciplinas intelectuales más rigurosas: la geometría y la aritmética. Y si los hechos más nimios de la cotidianidad deben someterse a tal examen, en aras de completud y concreción, ¿cómo no hacerlo tratándose del universo? Es tiempo, pues, de acercar los principios de la geometricidad a nuestro asunto; entre los primeros están la altura, el largo y la profundidad. A partir de lo ya dicho, parecería que al intentar describir gráficamente el universo mediante un cuerpo geometrizado, la esfera sería el más indicado. En ella lo ancho, lo largo y la profundidad son iguales y equivalentes. Lo mismo se podría decir del universo, pero las diferencias son abrumadoras. Porque tratándose de la esfera, la igualdad se refiere a la misma medida o término, mientras que en el universo tal igualdad reside precisamente en la imposibilidad de establecer un término o medida de cualquier tipo. Al carecer de límites, siendo infinitos, lo ancho, lo largo y la profundidad vienen a ser la misma cosa. Y puesto que en la determinación reside la posibilidad misma de la medida, se sigue que tratándose del universo, cualquier medida es inapropiada. Siendo así, no se puede distinguir una parte proporcional, pues la proporción descansa, como es sabido, en la relación del todo con las partes, por lo que la contraposición misma del todo y la parte, se hace completamente inapropiada.

Si no tiene medio, cuadrado y otras medidas, si no hay medida, no hay parte proporcional, ni en absoluto parte que difiera del todo.

Así pues, al decir parte del infinito, se dice el infinito entero. Un solo ser, por lo tanto, concurre en sí con todo el infinito.

Ahora bien, tratándose ya no de las condiciones espaciales estudiadas por la geometría, sino de los conceptos de duración y de extensión, las cosas no se presentan demasiado distintas. Respecto del infinito, condición consustancial del universo, toda duración es equivalente. Poco importa que sea un día, un año, un siglo o un eón. A la luz de la infinitud todos confluyen y se igualan. Y, por otra parte, una décima de milímetro, un kilómetro o una miríada de años luz, respecto de lo inmenso, vienen a ser iguales. El universo constituye una abrupta refutación del tiempo y del espacio.

En la infinita duración no difieren la hora del día, el día del año, el año del siglo, el siglo del momento, porque no son más los momentos y las horas que los siglos, y no tienen menor proporción con la eternidad estos que aquellas. Análogamente, en lo inmenso no difieren el palmo del estadio, el estadio de la parasanga, porque a la proporción de la inmensidad no se llega más con las parasangas que con los palmos.

No son más infinitos siglos que infinitos segundos, ni son más infinitos kilómetros que infinitos milímetros. Y así, respecto del universo y desde otro ámbito, tanto o más polémico que los mencionados, "a la proporción, semejanza, unión e identidad con el infinito" no se acerca preferentemente desde ninguna condición. El microbio, la bacteria, el astro, el sabio, la rata, el traidor, todos son indiferentes respecto al universo y su condición no implica ninguna cercanía diferencial, ningún privilegio o distinción.

Y con todo eso, en el infinito, todas estas cosas son indiferentes. Y lo que digo de estas, lo entiendo de las demás cosas de subsistencia particular.

Negando la particularidad, la diferencia y, por ende, la especie, se llega a la negación del número y a la afirmación de la unidad. Y una unidad, definitiva y concreta, sólo puede comprenderse en un ámbito en el cual las diferencias entre la potencia y el acto sean inexistentes. Lo que puede ser y lo que es coinciden, pues, de manera evidente, de modo que todo lo que en potencia prefigura otra cosa, es ya de hecho aquella cosa que contiene en sí tan sólo como posibilidad. En otras palabras, no es requisito de la potencia el hacerse acto, para ser idéntica a aquel. En el infinito ya lo son, el germen y el fruto, el principio y el fin, lo menos y lo más, lo presente y lo ausente.

Si el punto no difiere del cuerpo, el centro de la circunferencia, el finito de lo infinito, el máximo de lo mínimo, seguramente podemos afirmar que el universo es todo centro, y que el centro del universo está por todo, y que la circunferencia no está en parte alguna, por cuanto es diferente del centro; o bien, que la circunferencia está por todo, pero que el centro no se encuentra en cuanto que es diferente de aquella.

Sin embargo, ¿por qué la experiencia de las cosas nos demuestra que en su materia particular estas cosas, que deberían en principio ser el universo, cambian, se mudan en otras? Al derivar hacia otra forma, ¿no contradicen la unidad y totalidad del universo que son? Por supuesto, la filosofía de Giordano Bruno no fue la primera que reparó en la condición mutable de las cosas del mundo. Aristóteles, su oponente principal, habida cuenta de la transformación incesante de la realidad, desarrolló una teoría de la esencia y de los accidentes, convenientemente clasificados y determinados. Aquellos principios fundativos de la realidad, desde la interpretación que condena Bruno, se comportan como entes diferentes y autónomos, negando la unidad sustancial que este proclama. Así, enfrentado a la experiencia de las mutaciones, pero lejano de la explicación aristotélica, Bruno proclama que las cosas no mutan o buscan otro ser, sino que procuran otro "modo de ser". No se niega la unidad del universo en cada cosa, sino el modo en que cada cosa se manifiesta.

Y esta es la diferencia entre el universo y las cosas del universo; porque aquel comprende todos los seres y todos los modos de ser: de este tiene cada una todo el ser, pero no todos los modos del ser.

El universo comprende todo el ser y todas sus modalidades, pues fuera de él no hay otredad posible. En cambio, las cosas particulares comprenden todo el ser, pero no totalmente, es decir, no en todos sus modos. La mutación consiste simplemente en la procura de otro modo de ser, lo que no refuta la totalidad de ser que en cada cosa es.

Se entiende que todo está en todo, pero no total y omnímodamente en cada cosa. Sin embargo, entiende cómo cada cosa es una, pero no omnímoda.

El hecho de que el ser uno manifieste en la experiencia la multitud, el número, no significa que siendo uno, infinito e inmóvil, contemple a un "otro" que lo determine y, por ende, lo refute en su condición substancial. Sólo quiere decir que el Uno infinito, principio y causa de causas, es "multiforme, multímodo y multifigurado". Todo lo que hace diferencia y número es "puro accidente, y pura figura y pura complexión". Caras, facetas, rostros, diferencias, son, pues, "vanidad, es como nada, así es nulo todo lo que esté fuera de este uno". Tal comprensión aleja el miedo, da certidumbre y prepara para todas las contingencias de la vida.

> Todas las cosas están en el universo, y el universo está en todas las cosas, nosotros en él, él en nosotros; y así todo concurre a una perfecta unidad. He aquí cómo debemos ejercitar nosotros el espíritu, he aquí cómo no hay nada por lo que debamos asustarnos. Porque esta unidad es sola y estable y permanece siempre; este uno es eterno.

Así lo entendieron Pitágoras, "que no teme a la muerte", los llamados filósofos físicos, Salomón y cuantos hombres han encontrado la sabiduría. Y así debemos defenderlo de los lógicos y sus fantasías y en especial de Aristóteles, quien con su incomprensión de la unidad de la substancia y de los accidentes ha precipitado a los espíritus a la confusión, "no tanto por imbecilidad intelectual cuanto por fuerza de la envidia y ambición".

El autor y la obra

Giordano Bruno nació en la población italiana de Nola, inmediaciones de Nápoles, en el año 1548, y murió en 1600. De naturaleza apasionada y vehemente, y hondamente impresionado por la atmósfera renacentista en medio de la cual se desarrolló, Bruno manifestó actitudes y posiciones intelectuales claramente anómalas. Aficionado a las teorías astronómicas de Copérnico y enfrentado diametralmente a la lectura aristotélica de la realidad, antes de los 30 años de edad tuvo que entregarse a una vida de persecuciones y errancias que lo llevarían finalmente a la hoguera.

Bruno tomó los hábitos de santo Domingo, pero muy pronto sus inquietudes intelectuales le granjearon la indisposición de sus superiores jerárquicos. Forzado a huir, residió en Ginebra, en Lyon, en Toulouse y luego en París, como profesor de la Sorbona. De Francia partió hacia Londres, en donde la hospitalidad de la reina Isabel y su corte le permitió adelantar en sus trabajos. Allí, protegido por el favorable ambiente intelectual inglés, compuso buena parte de sus obras, al tiempo que profesó cátedra en Oxford. No obstante, este período de relativo equilibrio resultó efímero y de nuevo, perseguido por sus opiniones, Bruno se vio precisado a regresar a París. Casi inmediatamente escapó hacia Alemania y residió provisionalmente en Marburgo, Würtemberg, Helmstadt y Frankfurt. En 1591 se trasladó a Venecia, pero allí resultó apresado por la Inquisición y enviado prisionero a Roma. Luego de un agitado proceso que duraría siete años, fue considerado culpable de herejía y condenado a la hoguera.

"Sentís más temor vosotros al pronunciar esta sentencia, que yo al recibirla", fueron las palabras con las cuales saludó la decisión de los jueces que lo condenaban a muerte. El 17 de febrero de 1600 fue ejecutado.

La vida y obra de Giordano Bruno son clara manifestación del dramático enfrentamiento que se vivía en la época. En el mundo medieval, teocrático, inmovilista, con pretensiones de conocimiento absoluto frente al cual no tenían los hombres otra opción que la recta interpretación y recta opinión, "la ortodoxia" resistía malamente el advenimiento de una nueva e inquietante postura intelectual. Era la modernidad en ciernes, inaugurada con el Renacimiento, que proponía la realidad, sobre cualquier otra consideración, como rectora del mundo y médula de las ejecutorias espirituales. La palabra revelada y convenientemente interpretada, que durante siglos había bastado para referir el ámbito de la naturaleza y de la sociedad, era incapaz de abarcar el dinamismo propio de unas comunidades que se hacían vertiginosamente mundanas, comerciales y realistas. Y estas fuerzas emergentes, desde las cuales el humanismo y la visión histórica se imponían sobre un ordenamiento trascendente y cerrado, provocaron todo tipo de reacciones. Desde la simple y puramente abstracta censura de opinión, hasta los más ruidosos procesos y condenas. Surgieron héroes de otro tipo, que remplazarían el prolijo santoral cristiano. Mártires también, aunque entregados a una vocación radicalmente distinta.

El conocimiento, la verdad, la libertad, la inteligencia, el progreso, eran los valores propiamente modernos, que con el paso del tiempo constituirían el cuerpo espiritual de otra visión del universo. Copérnico, Galileo, Bruno y otros más, desde la certidumbre de su razón, desafiaron autoritarismos y limitaciones para llegar, en múltiples oportunidades, hasta las últimas consecuencias.

Entre las obras de Giordano Bruno podemos citar *De la mónada, el número y la figura, El triple mínimo, El espacio de la bestia triunfante, De la causa, del principio y del uno, Del infinito, del universo y del mundo.*

12

NUEVO ÓRGANO
Francis Bacon

Frente a frente con el desarrollo real de las ciencias y las artes de su momento, y dejando de lado toda parcialidad emotiva y todo interés particular, Bacon concluye la naturaleza errática y mediocre de su tradición. En efecto, y a pesar de que sus afirmaciones pudieran provocar la irritación de unos y la franca hostilidad de otros, al mirar hacia atrás en la historia de la ciencia y, sobre todo, al revisar con minuciosidad el ejercicio actual y concreto del conocimiento y de su capacidad de manipular la realidad, las conclusiones resultan desalentadoras.

El conocimiento científico del que se enorgullece vanamente una buena parte del mundo conocido, no es más que la vacua repetición de unos pocos principios malamente adquiridos desde los tiempos de la antigüedad clásica. Repetición, malformación, resignación y desatino son las constantes que han conducido el conocimiento de los hombres acerca de la naturaleza y de ellos mismos, a lo largo de una tradición que exige ser renovada desde sus cimientos. Ahora bien, empresa tan descomunal podría ser considerada una pura quimera, de haberse contado en el curso de tal tradición con unos procedimientos adecuados. Pero como ese no es el caso y, por el contrario, los graves errores, las generalizaciones, los prejuicios, las supersticiones y demás inconsistencias del conocimiento son debidos al ejercicio irracional, antimetódico y anquilosado del conocimiento, en la medida en que tal actitud se modifique, las posibilidades de crecimiento y progreso son indudables.

Lo que ha sido causa de grandes males en el pasado, eso mismo debe parecernos principio de prosperidad para el futuro. Pues si vosotros hubieseis cumplido perfectamente cuanto dice relación con vuestro deber y, a pesar de todo, no se hallaran en mejor situación vuestros asuntos, no quedaría siquiera esperanza alguna de que podrían llegar a mejor estado. Pero como las malas circunstancias en que se hallan no dependen de la misma fuerza de las cosas, sino de vuestros propios errores, es de esperar que, una vez suprimidos o corregidos estos, pueda producirse un cambio grande de la situación en sentido más favorable.

Se vive, pues, una situación de error y deficiencia. Es la condición concreta de las ciencias y negarlo resulta imposible. Ha de partirse de allí si se pretende remediar o conjurar la mediocridad y el estancamiento. Pero la mejor noticia consiste en que esas dificultades no derivan necesariamente de la naturaleza misma de las cosas, de la constitución del cosmos o del orden inherente al espíritu humano. Todo lo contrario, tan grandes despilfarros de fuerzas y tan acusado estancamiento no se encuentran residenciados en causas inamovibles o imperecederas. Sólo se trata de un error de procedimiento. De una equivocación en el uso de los instrumentos y de los métodos empleados por el hombre.

Pero si es que el camino emprendido no es el verdadero y, por consiguiente, todos los esfuerzos humanos se han gastado en tareas que nada importaban, deducen que la dificultad no radica en la naturaleza misma de unas cosas que se hallan fuera de nuestros alcances, sino en el entendimiento humano, en el uso y aplicación que de él se hace, todo lo cual admite remedio y mejoría.

Remedio y mejoría que dependen en buena parte de señalar con precisión y claridad los errores cometidos. Una vez conseguida tal determinación, definidos los malentendidos y malformaciones, se procedería a la conformación de un "nuevo órgano" propiamente dicho. De un nuevo instrumento de raciocinio y comportamiento intelectual que regenere a las ciencias,

haciendo que estas arranquen de la experiencia, siguiendo un orden fijo y se construyan de nuevo; lo cual, según creo, nadie ha afirmado que se haya hecho o pensado siquiera.

Ahora bien, la naturaleza de esos errores del pasado, pues "cuantas hayan sido sus causas, tantos serán los fundamentos de esperanza para el futuro", es el asunto central que enfrenta el "nuevo órgano".

El hombre, "ministro e intérprete de la naturaleza", puede optar por dos vías en su afán de conocer y actuar: la vía de la experiencia y la vía de la razón. Ninguna otra alternativa le es posible. Pero las consecuentes opciones programáticas que se desprenden de estas dos opciones, a saber, el empirismo y la dialéctica, adolecen de múltiples defectos. Tales imperfecciones, o "ídolos", que en la práctica son innumerables, pueden ser reducidos, según sus puntos de origen, a cuatro especies: "ídolos de la tribu", "ídolos de la caverna", "ídolos del foro" e "ídolos del teatro". En permanente interrelación y siguiendo sus particulares inclinaciones, estos cuatro escollos dan cuenta del lamentable estado del conocimiento científico y de su incapacidad de renovación y progreso.

Los "ídolos de la tribu" radican en la índole de la propia naturaleza de los hombres, en la misma tribu o especie humana. Se ha alimentado con frecuencia una apreciación que es origen de dicha dificultad: "El hombre es la medida de todas las cosas". Esta aseveración contiene un enorme equívoco, pues en realidad el ser humano y su estructura de percepción y apreciación —que le corresponde exclusivamente a él— es uno entre muchos otros. La realidad, en cambio, lo que se encuentra en frente del sujeto y lo impresiona y afecta, poco o nada tiene que ver con su constitución particular, y mal se hace en pretender exigir de las cosas un comportamiento que compete únicamente al sujeto que pretende conocerlas. Los productos del espíritu humano se interponen, pues, entre el propio hombre y la naturaleza que quiere conocer y aprovechar. Sus construcciones, procedimientos, características y tendencias no hablan del universo, sino del propio ser humano. Y puesto que el hombre es solamente uno entre los múltiples actores que concurren al escenario universal, resulta completamente erróneo suponer que la constitución íntima de los otros protagonistas de la realidad sea la misma de aquel que es solamente uno entre infinitos. Al no poder separar la naturaleza propia de la de las cosas con las que tiene que ver en su acción cotidiana, el entendimiento del hombre enfrenta errores incontables.

El entendimiento humano es a manera de un espejo que no refleja de igual forma los rayos de las cosas, al cual confunde su propia naturaleza con la de las cosas mismas, y de este modo las tuerce y corrompe.

Ahora bien, ¿cuáles son esas estructuras connaturales al espíritu humano que el hombre supone, erróneamente, en las cosas de la naturaleza, que lo llevan a graves generalizaciones?

Las primeras tienen que ver con la "regularidad inherente a la esencia del espíritu humano". En efecto, a partir de su experiencia interior, en donde principios, regularidades, semejanzas y ordenaciones tienen gran importancia, se llega a suponer que la naturaleza se comporta de la misma forma. De la experiencia de cosas que se manifiestan de forma individual, incomparable con otras y en completo aislamiento, se sigue la tendencia a relacionarlas entre sí, a considerarlas paralelas según la intención organizadora del entendimiento. De esta manera se ha llegado a extrapolaciones diversas, como las tejidas alrededor del comportamiento de los cuerpos celestes, que se suponen forzosamente circulares y perfectos, pues para la comprensión humana esas formas revisten la máxima perfección. Así mismo, luego que el entendimiento ha concebido ciertas abstracciones o principios, procura acoplar a ellos todo lo demás, hasta el punto de que aunque la fuerza y número de las exigencias en sentido contrario sean mayores, no las observa, las desestima o recurre a distinciones con el fin de apartarlas y rechazarlas, arrastrado por un grande y dañoso prejuicio en virtud del cual pueda subsistir incólume la autoridad de aquellos primeros principios. Tal el caso de las supersticiones, alentadas por circunstancias más o menos azarosas que parecieran demostrar relaciones de causa-efecto completamente ilusorias.

Los hombres que se complacen en estas especies de quimeras toman nota del resultado cuando la predicción se cumple; y cuando no, que es el caso más frecuente, le desprecian y pasan por alto.

De estas estructuras de ordenación íntima del entendimiento se desprende la presencia de las pasiones, que contaminan con su concurso el flujo de las facultades intelectivas, "lo cual da como resultado una ciencia a su gusto. Pues el hombre se inclina a aceptar como verdadero aquello que quiere lo sea".

En consecuencia, ante la imperiosa necesidad de solucionar un problema, se llega a toda clase de excesos con el fin de hallar respuesta satisfactoria. Se eluden las dificultades, se niegan la sobriedad y los principios más altos de la naturaleza en caso de que limiten la esperanza o se opongan a la superstición; se evaden los datos de la experiencia en aras de la soberbia y la arrogancia y, en fin,

> tratando de evitar la impresión de que la inteligencia se ocupa de cosas despreciables y perecederas, se empapa y contamina de pasión el entendimiento de innumerables maneras, imperceptibles la mayor parte de las veces.

Pero la causa mayúscula de errores tiene que ver con la "torpeza, la incompetencia y la ilusión de los sentidos", de manera que al ser contaminado el intelecto con su inmediatez es sometido en su capacidad de juicio y se abandona a diversas malformaciones y exabruptos. Es evidente que la experiencia inmediata de la realidad descansa sobre la aprehensión sensorial y que sólo a partir de ella es posible la constitución de un método inductivo genuino, pero en principio,

> el sentido es por sí mismo una facultad muy débil y sujeta a error, y los instrumentos destinados a amplificar y a hacer más aguda la operación de los sentidos no valen gran cosa.

De esta manera, al intentar construir un método nuevo, capaz de fundamentar un conocimiento científico solvente, la pulcritud alrededor de las experiencias sensoriales es definitiva.

Finalmente, las construcciones fruto de la abstracción, desde las cuales se articula todo el andamiaje de la dialéctica, pretenden hallar en la realidad una estabilidad que esta se halla muy lejos de compartir. El mundo de las cosas es móvil e impredecible y está sujeto a contradicciones y cambios, mientras que la realidad de las llamadas "formas" de la inteligencia es siempre idéntica a sí misma. Dichas abstracciones, resultado de la inteligencia, es imposible encontrarlas en la realidad matérica del mundo. Y como "lo que hay que considerar sobre todo es la materia, sus estados, sus cambios de estado, sus operaciones fundamentales y la ley de operación o del movimiento", tratándose de las "formas", esas "ficciones del espíritu humano", el cuidado debe ser máximo.

Los ídolos de la tribu son los ídolos propios del hombre, considerado como individuo.

Además de las dificultades connaturales a la condición del entendimiento genérico del hombre —que cada cual contiene dentro de sí, sin cuidado de su particular procedencia o condición— existe en el interior de cada sujeto particular una serie de escollos que se añaden a los muchos que le corresponden en atención a su naturaleza genérica fundamental.

Bien por la índole propia y singular de cada cual, bien por su educación y conversación con los demás, bien por las lecturas de los libros y la autoridad de aquellas personas que cada cual trata y admira,

en todos anida una serie de prejuicios y ansiedades que se interponen en su camino hacia el conocimiento. Existen temperamentos individuales que se afanan por convertir sus propios intereses en los intereses mayúsculos de la ciencia y de la filosofía. Es el caso de Aristóteles, quien seducido por sus predilecciones lógicas, convirtió a la filosofía natural en una extensión de los problemas y discusiones puramente formales. Por otra parte, los individuos particulares manifiestan sensibilidad especial hacia las diferencias o hacia las semejanzas entre las cosas. Así, algunos captan con preferencia lo que une y asemeja; otros, lo que desune y diferencia. Entre ellos, sin embargo, es común la tendencia a exagerar características a las cuales son afectos. Existen, así mismo, quienes tienden a considerar la composición total de la naturaleza y a ordenarla, por tanto, en totalidades indiscriminadas, y otros que se ocupan de la distinción de los elementos simples y fraccionados. Los unos pueden llegar a extasiarse de tal forma en la contemplación del conjunto que "no llegan a penetrar en los elementos de la naturaleza", y los otros, a fuerza de precisiones y meticulosidad, "olvidan su estructura en conjunto". Por último, las individualidades humanas se siente atraídas, bien por las luces y aportes de la antigüedad, bien por las novedades y sorpresas de lo contemporáneo.

Esos extremos no dejan de ser perjudiciales para las ciencias y la filosofía,

porque es declararse no juez, sino partidario apasionado de la antigüedad o de la novedad. Debe buscarse la verdad a la luz de la experiencia y de la naturaleza, que es siempre la misma, y no en la afortunada condición de tiempo alguno que es cosa variable. Por consiguiente, necesario es renunciar a esos entusiasmos; y ha de vigilarse para que el entendimiento no se vea arrastrado por ellos a aceptar cualquier juicio.

Los "ídolos del foro" asentados en el lenguaje, condición definitiva de la naturaleza gregaria y social del ser humano, son los "más peligrosos". Las palabras, instrumentos primordiales de comunicación, se hallan cargadas de tantas imprecisiones y ambigüedades que su uso es absolutamente peligroso para el hombre filosófico. Pese a todos sus cuidados, es casi imposible despojarlas de la emocionalidad y rudeza propias del comercio vulgar, de manera que ante la imposibilidad concreta de prescindir de ellas, cuando menos se debe mantener una extremada atención en su naturaleza y en las condiciones de su uso y manipulación.

La razón, instrumento definitivo en relación con las ciencias y filosofía genuinas, cree que legisla a sus anchas en el lenguaje. Nada más lejano, pues contra todo lo esperado, las palabras, como elementos constitutivos del pensamiento, imponen buena parte de su carga subjetiva y social dentro de los conceptos de los cuales forman parte.

Aquí tiene precisamente su raíz el hecho de que las grandes y solemnes disputas de los hombres doctos degeneren en discusiones sobre el sentido de las palabras.

Esto llevaría a pensar que el método seguido por los matemáticos, que reduce el lenguaje a los términos de la definición, podría ser el remedio. Pero el entusiasmo inicial se apaga al comprender que las propias definiciones, pese a su sobriedad y rigor, son construidas por palabras. Queda entonces hacer claridad sobre las modalidades a través de las cuales esas palabras se contaminan de vaguedad e imprecisión.

Los ídolos que a través de las palabras se imponen al entendimiento son de dos clases: o bien son nombres de cosas que no existen, o bien son nombres de cosas que existen, pero en forma confusa y mal delimitadas y abstraídas precipitada e inadecuadamente.

En efecto, así como muchas cosas desconocidas por el hombre carecen de palabras que las designen, pues la experiencia no ha tenido necesidad de esa definición, así mismo muchas palabras que se dicen y vuelan de boca en boca y de lugar en lugar, no corresponden a ninguna realidad palpable. Son asunto de la imaginación. Ahora bien, si los hombres fueran conscientes de dicha situación y, en vez de construir andamiajes intelectuales o científicos alrededor de ellas, las asumieran como lo que son, el asunto no sería delicado. Pero por el contrario, sobre ellas se han elaborado cosmovisiones enteras que durante siglos han pretendido legislar sobre la realidad.

Fortuna, primer móvil, orbes planetarios, elemento fuego, y otras ficciones por el estilo que tienen su nacimiento en vacuas y absurdas teorías.

En todo caso, puesto que la revisión seria de sus contenidos específicos no arroja más que incertidumbre, es más o menos sencillo deshacerse de ellas. Tales palabras deben, pues, ser reducidas a su verdadera condición de simples referencias poéticas o legendarias y, por ende, desterradas en su totalidad del ámbito de las ciencias y de la filosofía.

Pero otra cosa sucede con las palabras que pertenecen al segundo orden, es decir, a aquel en el cual no es posible la certeza de su irrealidad, sino que deben ser adecuadamente redefinidas y determinadas.

Escójase, por ejemplo, una palabra, esta: lo húmedo, y veamos qué consistencia tienen los fenómenos que por medio de esta palabra se quieren expresar: encontraremos que esta palabra, lo húmedo, no es más que el signo confuso de acciones diversas que no tienen relación alguna y entre sí son irreductibles.

Y como esta, infinidad de otras denominaciones de cuya inconsistencia depende buena parte de nuestra confusión y ambigüedad, han de ser purificadas y redefinidas, en aras de construir un saber genuino y práctico.

La última especie de ídolos, los "ídolos del teatro", son los que dependen de la constitución y aprendizaje de los diversos sistemas filosóficos y científicos acuñados por la tradición, y que se han instituido con fuerza de revelación o verdad inapelable.

> Pues cuantas son las filosofías inventadas y admitidas, tantas son, a nuestro juicio, las fábulas creadas y representadas, las cuales figuran mundos ficticios y teatrales.

Enfrentarse a ellas y desenmascarar sus pretensiones es asunto inaplazable si se quiere confeccionar un conocimiento verdadero.

Entre las múltiples versiones filosóficas y científicas legadas por la tradición, vigentes en el presente histórico o posibles de consolidar hacia el futuro, es posible distinguir una serie de regularidades que nos permitan abordarlas. Y dichas regularidades, que terminan por dar cuenta de las raíces del error y de la "falsa filosofía", pueden ser comprendidas dentro del siguiente tríptico: "la sofística, la empírica y la supersticiosa".

La primera, cuyos principales protagonistas son el filósofo griego Aristóteles y sus epígonos, trata de pensamientos que se han sostenido sobre principios inapelables, derivados de una insuficiente, inapropiada y casi nula relación con la realidad. Esos principios, emitidos "sin haber interrogado debidamente a la experiencia para establecer sus resoluciones", tuercen la realidad a su antojo para forzarla a participar en sus categorizaciones. El resultado así conseguido se antoja coherente, lógico, sobrio y definido, pero carece de toda relación genuina con el mundo que pretende resolver.

La empírica, por su parte, constituida a partir del contacto sensorial con datos de la experiencia, está lejos de ser satisfactoria, puesto que tales datos, apropiadamente asumidos y tratados, constituyen una suerte de "prejuicios experimentales" desde los cuales se aventuran generalizaciones aún más desastrosas que las de la filosofía sofística. Aquella, "aunque ligera y superficial es, sin embargo, universal en cierta medida y de gran alcance".

Esta, en cambio, recoge sus generalizaciones en "las angosturas de unos pocos experimentos y en la oscuridad". Ahora bien, cuando los investigadores detectan las dificultades de la sofística y tienden a volcarse con avidez sobre la realidad, el riesgo de recurrir a las fáciles deformaciones empiristas resulta muy grande. La experiencia es, por supuesto, el punto de partida de todo conocimiento genuino, pero ella misma debe ser sometida a un método, tan concreto y universal que permita la consecución de un saber verdadero y dinámico.

Por último, muchas de las filosofías acuñadas por la tradición han contaminado sus procedimientos, contenidos y metodologías con datos provenientes de la teología y de la superstición. La ansiedad, connatural al espíritu humano, de hallar causas totales y versiones definitivas de la realidad, deriva en la adopción de credos y construcciones que tras supuestas regularidades racionales, esconden productos de la imaginación y elaboraciones poéticas. Pitágoras, Platón y otros tantos en la antigüedad, son los más claros exponentes de un comportamiento que puede considerarse como el peor y más dañino para la inteligencia humana. Ahora bien, ellos no son los únicos, pues

> algunos modernos han incurrido en esta vaciedad con tal ligereza que han intentado construir la filosofía natural sobre el primer capítulo del Génesis, y en el libro de Job, y en otros libros de la Sagrada Escritura, buscando así la vida entre la muerte.

La necesidad de construir tanto una ciencia sólida como una verdadera fe religiosa hace imprescindible deslindar con rigor los territorios y procedimientos de la filosofía y los de la religión.

Así las cosas, expuestos los principales delineamientos de las llamadas idolatrías o falencias del entendimiento, anota Bacon la absoluta necesidad de elaborar un nuevo procedimiento, otro recurso metodológico, un "nuevo órgano" que permita emprender la constitución de la ciencia genuina. La inducción y la experiencia serían los parales fundativos de ese esfuerzo, que se constituirá, por supuesto, en el principal asunto que deberá resolver en su trabajo. Por lo pronto, determinado un principio de purificación y claridad a partir del cual posteriores indagaciones puedan sustentar una fundamentación consistente del conocimiento y de la práctica efectiva del hombre sobre la naturaleza, cabe abrigar un moderado optimismo y una enérgica voluntad de trabajo.

✍ *El autor y la obra*

Francis Bacon nació en 1561 y murió en 1626. Formado en el célebre Trinity College de Cambridge, allí dio comienzo a sus esfuerzos por construir un pensamiento filosófico independiente. Distanciado radicalmente de la filosofía aristotélica, o cuando menos de su acepción tomista, que se había constituido en doctrina oficial del escolasticismo medieval, Bacon encaró el propósito de adelantar una reforma de la filosofía. Sus contribuciones, encaminadas en particular a la fundamentación de un conocimiento experimental de base científica, son vistos por algunos como el verdadero principio de la modernidad filosófica. Pese a que tal afirmación no es compartida íntegramente por todos los especialistas, muchos de los cuales sitúan a Descartes y no a Bacon en el origen de la modernidad, sus reflexiones son determinantes en el contexto de la nueva concepción de la realidad que comenzaba a manifestarse. La segunda parte de su *Instauratio magna,* el *Novum organum*, es decir, la nueva lógica inductiva, es su obra de mayor dimensión y la que ha sintetizado con mayor éxito el propósito de su pensamiento.

Bacon participó activamente en la vida política de su época. Durante los reinados de Isabel y Jacobo I fue nombrado canciller de Inglaterra y obtuvo el título de barón de Verulam. No obstante, caído en desgracia, fue acusado de corrupción, destituido de sus cargos y dignidades y apartado de los haceres públicos hasta su muerte. Además del *Nuevo órgano*, entre sus muchas obras, merecen destacarse los *Ensayos*.

13

ELOGIO DE LA LOCURA
Erasmo de Rotterdam

Pluto, único padre de los dioses y de los hombres, en unión con Juventud, la más hermosa y agraciada de las ninfas, engendró una hija que muy pronto sería célebre entre todas por sus aventuras y hazañas. La llamó Locura, y desde su más tierna infancia fue puesta al cuidado de dos nodrizas amorosas, quienes la amamantaron y cuidaron con esmero. Se trataba de Embriaguez e Ignorancia, las cuales, con irreprochable amor maternal, siguieron el desarrollo de la pequeña hasta que pudo valerse por sí sola.

Y Locura, que pronto manifestaría sus calidades y condiciones, desde un principio se mostró animada por dos naturalezas. En efecto, una de ellas, "inventada por los infiernos… para encender en el corazón de los mortales el ardor de la guerra, la sed insaciable del oro, de vergonzosos y criminales amores…" y la otra, "muy distinta de la primera, es el mayor bien que se pueda anhelar. Ella se produce cada vez que una dulce ilusión libera el alma de los cuidados ardientes y la sumerge en un océano de delicias".

Ahora bien, en casi toda ocupación, estado o dignidad del hombre, Locura se manifiesta en alguna de sus dos condiciones. Y, sin embargo, frente a la existencia real y cotidiana, en el centro de un mundo árido y conflictivo, ella se puede convertir en la mayor amiga y en la única aliada verdadera.

Esta hija de Pluto y Juventud, luego de haber sido criada por sus dos afanosas niñeras, encontró una serie de compañías con las cuales se deleitaba y se entregaba al juego y al aprendizaje. Filaucia o el amor por sí mismo, Lisonja, Pereza, Olvido, Ligereza,

Voluptuosidad, Como —el dios de los festines—, Sueño Letárgico y Molicie fueron sus compañeros de crecimiento y la asistieron desde entonces en las incontables aventuras que protagonizaría sobre la faz de la Tierra. Y pese a contar con amistades tan equívocas y estar compenetrada con ellas, Locura no siempre es despreciable o dañina. Por el contrario, muchas de las mejores cosas de la vida le deben a ella esa vitalidad, esa luz que las hace únicas, especiales e imprescindibles.

Una vida sin Locura, pues, no sólo sería insoportable y tediosa, sino que incluso podría ser inviable. En efecto, el entusiasmo que despierta en los hombres la necesidad de la unión y la procreación sólo es posible gracias a la influencia de Locura. El matrimonio, una de las posibilidades de la generación, es hijo de Ligereza, una de sus compañeras inseparables, y por otro lado, cuando la preñez no es fruto de uniones legitimadas, sino del imperio de Placer, el asunto es aún más claro. Placer es su condición y característica más evidente, de manera que en cualquiera de las dos opciones posibles, la vida misma no es viable más que con el concurso y asistencia de Locura.

Pero cuando el nacimiento es un hecho y el nuevo ser adelanta en su crecimiento, Locura vuelve a manifestarse. Lo que hace única, deliciosa y envidiable la condición de la infancia es precisamente que en ella Locura se enseñorea con toda propiedad y de sol a sol, sin impedimento alguno. El entendimiento, la razón, la responsabilidad, la prudencia, la previsión y todos los esfuerzos por domesticar las fuerzas del destino, de la naturaleza, de la sensibilidad y de la locura, son frutos desdeñables de la madurez. Por supuesto, los diversos intentos que pretenden desterrarla del territorio de la vida humana tropiezan con el más garrafal descalabro. Desde la primera edad de la razón hasta el momento de la senectud, cuando toda responsabilidad es apartada y el hombre se encuentra de nuevo ante la impunidad de sus pulsiones primarias, Locura permea los caparazones más irreductibles y se hace manifiesta. Guerreros, jugadores, amantes, artistas, comerciantes, científicos, gramáticos, teólogos, frailes y monjes, predicadores, dignatarios eclesiásticos, reyes, príncipes, cortesanos, dignatarios, creyentes, supersticiosos, avaros, murmuradores, alquimistas, nobles y falsos nobles, y en fin, el amplio espectro que ocupan los seres humanos una vez han abandonado la feliz locura de la infancia, son territorio de su particular influencia y privilegio. Así, y tal como lo afirma el Eclesiastés, el número de locos es infinito, como infinitas las maneras, ocasiones y modalidades de la locura.

La propia vejez, que ha de llegar si no sucede cosa distinta, sería insoportable con su carga de achaques, dolores, incomodidades e impotencias, de no ser de nuevo propiedad exclusiva de Locura. En una suerte de reconquista de la infancia abandonada, en la vejez los asuntos vuelven a teñirse con la especial inmediatez que rechaza la premeditación y el cuidado de la madurez humana. Ahora que, como ya se ha dicho, el supuesto imperio de la seriedad y la compostura es matizado por la presencia de Locura y sus verdades irrespetuosas. Locura se manifiesta como un violento ventarrón que barre con imposturas y disfraces y muestra el rostro oculto que los hombres han tratado de escamotear bajo sus aparentes dignidades.

Supongamos que alguien quisiese arrancar sus disfraces a los actores que llevan a cabo su papel en un escenario, revelando a los espectadores sus auténticos rostros. ¿No perjudicará así toda la ficción escénica y no merecerá que se le considere como un loco furioso y se le eche del teatro a pedradas? De forma súbita, el espectáculo adquirirá un nuevo aspecto: donde antes había una mujer, ahora hay un hombre; antes había un viejo y ahora hay un joven; el que era rey se ha convertido en un granuja, y quien era un dios se nos aparece allí como un hombrecillo. Empero, quitar la ilusión significa hacer desaparecer todo el drama, porque es precisamente el engaño de la ficción lo que seduce el ojo del espectador. Ahora bien, ¿qué es la vida del hombre, sino una comedia en la que cada uno va cubierto con su propio disfraz y cada uno declama su papel, hasta que el director le aparta del escenario? El director siempre confía a un mismo actor la tarea de vestir la púrpura real o los andrajos de un miserable esclavo. En el escenario todo es ficticio, pero la comedia de la vida no se desarrolla de una manera distinta.

Y ese trabajo de desenmascarar a los protagonistas de la gran comedia de la vida y sus locuras ocultas y vergonzosas, es acometido en el libro con lucidez, sarcasmo y atrevimiento. Clérigos, sacerdotes, teólogos, indudables hombres santificados o en vía de santidad, son despojados de sus glorias y mostrados al escarnio público en sus verdaderas dimensiones, poseídos de Pereza, Voluptuosidad, Molicie y Amor por sí mismos.

Entregados a los halagos de Como, abandonados a Ligereza, Placer, Embriaguez e Ignorancia, la locura de tales doctos personajes no tiene nada que ver con aquella que dignifica y enaltece al niño, al amante, al santo, al virtuoso o al sabio. Esta locura, en cambio, que supone el abandono de "todo comercio con la sabiduría" en aras de coincidir perfectamente con aquel entusiasmo primigenio y puro, es la mayor bendición posible y el propósito de toda acción verdadera y de todo conocimiento legítimo sobre el mundo.

El autor y la obra

Desiderio Erasmo, llamado en dialecto flamenco Geer Geertsz, nació en la ciudad de Rotterdam en 1466 y murió en 1536. Fue ordenado sacerdote en 1492, pero solicitó y obtuvo dispensa de los oficios religiosos y del hábito. Testigo y protagonista de la grave crisis religiosa que determinaría la fractura de la unidad cristiana y el surgimiento del protestantismo, Erasmo desempeñó activo papel en el conflicto. Su postura filosófica, radicalmente antiteórica, manifiesta un rechazo de la tradición escolástica-aristotélica en favor de una filosofía vital, de gran aplicabilidad en la práctica cotidiana activa. Las disquisiciones de los filósofos tradicionales se le antojaban vacuas e insostenibles.

No saben nada, pero afirman que lo saben todo; no se conocen a sí mismos, a veces no logran darse cuenta de los hoyos o de las rocas que tienen delante, porque la mayoría de ellos están ciegos o porque siempre están en las nubes. Y, sin embargo, proclaman con orgullo que ven bien las ideas, los universales, las formas separadas, las materias primeras, las quididades, las "haecceitates", todas estas cosas tan sutiles que ni siquiera Linceo, en mi opinión, lograría penetrar con su mirada.

Su postura, pues, prefigura la versión pragmática y realista de la modernidad, que en el Renacimiento alcanzaría sus primeras conclusiones y conduciría a la radical renovación de la sociedad y del pensamiento occidental.

En medio de la enorme polémica religiosa del momento, Erasmo no adhirió a la separación luterana. Compartía, obviamente, la postura crítica ante la degradación moral y la corrupción reinante entre las altas esferas del cristianismo romano, pero no consideró prudente el camino de los separatistas. A pesar de todo, esto no revirtió en una postura de solidaridad con los católicos, con quienes siempre mantuvo una prudente distancia. Así, en una suerte de término medio, Erasmo adelantó su trabajo y su vida, pese a las acres críticas que de bando y bando se enseñoreaban en su actitud.

En su opinión, el mundo cristiano, que requería una urgente revisión y reforma, no debía extraviarse en doctrinas y proclamas. Por el contrario, basado en un proyecto filosófico que preconizaba el retorno a las fuentes primeras del conocimiento, situadas en la necesidad de saberse a sí mismo antes que dar versiones totalizadoras de la realidad, su postura respecto a la crisis cristiana era muy clara. Se trataba de quitarse de encima todas las complejidades de la doctrina y el escolasticismo, para dar paso a la simplicidad pura del evangelio. El propósito de regresar a las fuentes explica sus ediciones críticas y traducciones del Nuevo Testamento, realizadas con propósitos de divulgación masiva, así como las ediciones de los antiguos Padres de la Iglesia: Cipriano, Arnobio, Ireneo, Ambrosio, Agustín y otros.

Algunas de sus más importantes obras son el *Manual del soldado cristiano,* los *Proverbios, Elogio de la locura* (terminado en 1509 e impreso en 1511), y el *Tratado sobre el libre albedrío,* en donde polemizaba con las posturas luteranas respecto de la voluntad.

14

EL PRÍNCIPE
Nicolás Maquiavelo

Las organizaciones humanas, pese a su enorme prolijidad, pueden ser clasificadas en sólo dos formas características: las repúblicas y los principados, que en síntesis corresponden a dos temperamentos políticos que conciben el poder como una unidad repartida entre muchos individuos particulares —en el primer caso— o como atributo de uno solo, único y privilegiado —en el segundo—. Las recomendaciones de Maquiavelo se dirigen al príncipe, en cuanto único dueño del poder.

Hay dos maneras de acceder a la dignidad de un trono: gracias a la legación de autoridad en virtud de herencias, uniones o acuerdos de cualquier tipo, o por vía de usurpación y violencia. Cuando se trata de la primera opción —sin demeritarla de ninguna manera—, el príncipe no encontrará grandes dificultades para llevar a cabo su misión; bastará que esté medianamente dotado, que no haya incurrido en inhabilidad alguna ni haya sido manipulado por fuerzas oscuras que aprovechen su presencia y pretendan gobernar utilizándolo como escudo visible. Si tales condiciones se presentan, el monarca podrá adelantar su misión, siempre y cuando sepa guardar los límites propuestos por sus antecesores: un pueblo que comprende que su nuevo soberano no se apartará abruptamente de la costumbre que lo ha gobernado hasta el momento de su ascensión al trono, no se sublevará y sufrirá con paciencia el cambio de poder. Las sociedades que han adquirido cierta regularidad en las modalidades del gobierno y la autoridad son refractarias a las modificaciones aparatosas, pues de ellas se desprenden generalmente toda suerte de incomodidades y desajustes. Y, lo que es peor, la primera abre el camino a otras, con grave riesgo para la estabilidad de todos los miembros de la sociedad.

Para el monarca que llegue al trono mediante la fuerza o la usurpación, las cosas se plantean de un modo muy distinto. El propósito de todo soberano es conservar y acrecentar los beneficios que deriva de su poder. Más allá de los juicios morales sobre los procedimientos que haya utilizado para alcanzar el poder, el príncipe requiere instrucciones adecuadas a su anhelo de mantenerse sólido en su privilegio y de aplastar todos los brotes de insubordinación o conjura. Ahora bien, como el soberano de quien nos ocupamos accedió a la autoridad a costa de otros, estos se convierten en su obstáculo más importante. El nuevo príncipe, en su camino de ascensión al poder, ha provocado vejaciones a los antiguos gobernantes, y no conviene soslayar o menospreciar el resentimiento. Cabe anotar que muy probablemente —la historia humana es buena prueba de ello— dentro del antiguo régimen ya campeaba la discordia, pues de lo contrario la facción de los gobernantes efectivos no habría logrado unificar su autoridad sin posibilitar la presencia de una fuerte oposición que preparara y allanara el camino al caudillo foráneo. Estos "colaboradores" saludarían con alegría el advenimiento del príncipe forastero, viendo en su presencia el fin de la tiranía que consideraban oprobiosa. Los derrotados, en cambio, la aborrecerían, y calificarían acremente la aquiescencia que sus rivales prestaron al vencedor. Los poderosos del nuevo territorio son, pues, amigos o enemigos del nuevo principado, y si este pretende instaurarse con firmeza y curar en salud todo brote de revolución que pudiera dañarlo, ninguno de ellos puede sobrevivir. Los simpatizantes cargarán al nuevo soberano con el peso de unos resentimientos y, sobre todo, de unas expectativas que no podrá —ni deberá— satisfacer. Y los vencidos, bajo su aparente conformidad, guardarán un peligroso encono que en cualquier momento podría convertirse en sedición. El nuevo príncipe deberá deshacerse de todos. El pueblo, en cambio, tan pronto compruebe que el nuevo soberano es inamovible, sólido, certero y, sobre todo, que habitará en sus territorios, respetará sus leyes y no acrecentará —cuando menos por el momento— los tributos, terminará por aceptarlo. En posición de servidumbre, y mientras no existan diferencias aborrecibles, lo mismo da un amo que otro.

Esto, sin embargo, sólo es válido cuando el nuevo principado se instaura en una comarca acostumbrada a la monarquía; la situación es muy diferente cuando el territorio tomado es una república. En tales sociedades la mayoría de los individuos, hechos a una relativa independencia, no sufren con resignación autoridades verticales; por el contrario, se empecinan y amargan y jamás están en paz. El nuevo príncipe deberá, entonces, ser extremadamente riguroso y cruel. Todos los tribunos, sus mujeres y familias deben morir, y el resto de la población ha de ser obligada a la dispersión y abocada a la pugna intestina y al mutuo resentimiento. Cualquier extremo es válido, pues la situación es de una claridad meridiana: o sobrevive el príncipe usurpador, o sobrevive la república; la vida de uno es la muerte del otro. Cabe aconsejar al príncipe prudente que acometa de una sola vez, y con toda la efectividad de que sea capaz, las medidas más drásticas y cruentas. Las soluciones intermedias no son recomendables, pues permiten que los vencidos guarden en su fuero íntimo rescoldos de libertad que en cualquier momento pueden tornarse en banderas y proclamas. Un monarca que cometa tal error nunca podrá enfundar la espada. A la consolidación de un nuevo principado no le sirve otra cosa que la rendición de todas las voluntades o la muerte, pues una ofensa menor posibilita el resentimiento y la venganza. La supresión del ofendido, en cambio, garantiza tiempos mejores. Y entre más rápidos sean la decisión y el procedimiento, mejor para todos. Y cuando el príncipe, ya seguro de la desintegración de las viejas afinidades y de la dispersión y humillación de los antiguos ciudadanos, considere llegado el momento de la generosidad, su comportamiento debe ser lento y meticuloso. Las dádivas deben ser entregadas con toda lentitud y una por una, de manera que no quede duda del alcance de su poder y voluntad. Sólo así podrá edificarse un trono poderoso.

Todo el que se convierta en príncipe de una ciudad o de un Estado, y tanto más cuando sus fundamentos sean débiles y no se quiera conceder una vida civil en forma de reino o de república, el mejor método que tiene para conservar ese principado consiste en, siendo él un nuevo príncipe, hacer nuevas todas las cosas de dicho Estado; por ejemplo, en las ciudades colocar nuevos gobiernos con nuevos nombres, con nuevas atribuciones, con nuevos hombres; convertir a los ricos en pobres, y a los pobres en ricos, como hizo David cuando llegó a rey; *qui esurientes implevit bonis, et divites dimisit inanes*; además, edificar nuevas ciudades, deshacer las que ya están construidas, cambiar a los habitantes de un lugar trasladándolos a otro; en suma, no dejar cosa intacta en aquella provincia, y que no haya quien detente un grado, o un privilegio, o un nivel o una riqueza, que no los reconozca como algo procedente de ti; poniéndose como ejemplo a Filipo de Macedonia, padre de Alejandro, que gracias a esta manera de actuar se convirtió en príncipe de Grecia, de pequeño rey que era. Quien escribe sobre él, afirma que trasladaba a los hombres de provincia en provincia, al igual que los pastores hacen con sus rebaños. Estos modos de actuar son muy crueles y opuestos a toda vida no sólo cristiana, sino también humana; un hombre debe huir de ellos y preferir la vida privada, antes que ser rey con tanta ruina de los demás hombres. No obstante, aquel que no se decida por el primer camino, el del bien, cuando se quiera mantener es preciso que entre por este otro, el del mal. Los hombres, empero, toman ciertos caminos intermedios que son muy dañosos; porque no resultan ni del todo malos ni del todo buenos.

Sea cual sea la dimensión de los problemas que deba resolver, el príncipe ha de mantenerse inconmovible: una vez que haya tomado una decisión, de ninguna manera y por ninguna consideración puede modificarla. Ahora bien, el nuevo príncipe no sólo accede a su condición por conquista forzosa de territorios distintos del suyo propio. En muchas oportunidades, sin caer sobre él los privilegios anejos a la herencia o a las convenciones institucionalizadas, un caudillo accede al principado. Es más que evidente, entonces, que lejos de cualquier origen inapelable, su encumbramiento se debe a que otros lo llevaron allí y lo sostuvieron en su camino hacia el poder. De la cabal determinación de la naturaleza, propósitos y calidades de esos asistentes providenciales, depende en muy alto grado su salud y su posibilidad de mantenerse en posición de arbitrio y autoridad.

Es más que sabido, y de nuevo la historia es garante irrefutable, que las comunidades humanas terminan siempre por dividirse en dos.

Los nobles, poderosos, acaudalados, ricos y privilegiados, por un lado, y por otro el bajo pueblo. Y no es tampoco ningún secreto que las ventajas y posibilidades de los unos se deben al trabajo de los otros: el vulgo alimenta y enriquece a la nobleza, y esta esquilma y aherroja a sus vasallos sin misericordia. Pero llega el momento en que tal situación se torna explosiva. En efecto, las distancias se hacen tan desmesuradas, la riqueza abunda tanto en unos y en otros se agranda de tal manera la miseria, que las fricciones terminan por aparecer. Estas derivan, con pasmosa celeridad, hacia el enfrentamiento más aguerrido y allí, en el preciso momento en que la seguridad de todos está en la situación más calamitosa, surge la figura del príncipe.

Puede suceder que la nobleza, cercada por la animosidad popular y en condición desventajosa, acuda a un último recurso, de mal o buen grado. Escogerá, pues, entre los miembros de su casta, a algún caudillo en el que pueda confiar y le delegará su poder y soberanía para que, instaurado como príncipe, la defienda y proteja. También es posible que el pueblo, llegado a extremos de temeridad, designe a un plebeyo particular para que lo represente y, sobre sus fuerzas mancomunadas, alcance el trono y les haga justicia. En ambos casos el futuro príncipe, que por supuesto ha de estar presente y actuante en el tortuoso proceso de consecución del poder, debe manifestarse extremadamente cauteloso, astuto y audaz, si quiere verse coronado.

En el primer caso, las dificultades no se harán esperar. El nuevo soberano encontrará una casta levantisca e indisciplinada que sufrirá con desgano su autoridad. Los nobles, que conocen el origen de la supremacía del monarca y se consideran partícipes del poder que lo encumbró, no desperdiciarán ocasión para hacerse valer y reclamarán incesantemente prebendas y privilegios. Convivencia tan anómala redundará en grave perjuicio para el príncipe, que deberá agotar todos sus recursos y llegar a todos los extremos con tal de solidificar su posición y disminuir la fuerza de sus detractores. Si es el pueblo quien ha elevado al príncipe a su trono, la situación es distinta, pero no menos acuciante. Ha de cerciorarse el soberano de las razones últimas que le han granjeado el apoyo de las mayorías. Se puede tratar de una confianza genuina en sus méritos y posibilidades, o simplemente de un recurso circunstancial interpuesto para cobrar venganza por los oprobios sufridos con anterioridad. En cada caso se imponen comportamientos específicos. No obstante, más allá de esta determinación, tan pertinente como inaplazable, el nuevo monarca tendrá que habérselas con la enorme presión del pueblo que lo ha respaldado. De manera inclemente, el vulgo seguirá sus evoluciones, en espera de ver satisfechas esas necesidades acuciantes que le llevaron a la rebeldía. Se hará imprescindible, por lo tanto, contentarlo, otorgándole un mínimo de soluciones a su ansiedad. Ahora bien, sin más complejidades, un príncipe sabio deberá convencer a su pueblo de que él y sólo él es el garante de la supervivencia popular. El populacho tendrá que convencerse de que su propia existencia y vitalidad dependen del bienestar del soberano. Con esto, y sin abocar a los súbditos a la opresión, el príncipe puede considerarse salvado.

A estas alturas, y ante el hecho cumplido de la presencia del nuevo príncipe en su territorio, se impone considerar acerca de su persona sin detenerse en los caminos que lo llevaron al trono. ¿Qué condiciones debe reunir el hombre que se instaure como nuevo rey? La tradición filosófica ha sido prolija al respecto. Siendo persona excepcional, sobre la cual recaerán responsabilidades igualmente desproporcionadas, el príncipe debe reunir calidades determinantes. Sólo quien sea liberal, franco, valiente, hombre de honor, afable, grave, prudente, sabio, humano y religioso, es digno de dirigir a los hombres. El seguimiento de las ejecutorias humanas a lo largo de la historia, ¿indica dónde puede hallarse un ser humano semejante? ¿Existe acaso? ¿O individuos así dotados son sólo producto del deseo y la imaginación? La realidad termina por imponerse y apabullar: los hombres son mediocres, perezosos, cobardes, estultos, falsos, torpes, avaros y egoístas. Siendo el príncipe un hombre, mal podrían exigírsele condiciones más propias de lo angélico que de lo humano.

Muchos se han imaginado repúblicas y principados que jamás se han visto ni se han conocido en la realidad; porque hay tanta separación entre cómo se vive y cómo se debería vivir, que aquel que abandona aquello que se hace por aquello que se debería hacer, aprende antes su ruina que no su conservación: un hombre que quiera hacer profesión de bueno en todas partes es preciso que se arruine entre tantos que no son buenos. Por lo cual, se hace necesario que un príncipe, si se quiere mantener, aprenda a poder ser no bueno, y a utilizarlo o no según sus necesidades.

Se impone, pues, el principio de realidad al principio del deseo. En suma, para que un príncipe sea exitoso, basta con que no tenga demasiados defectos, con que sus debilidades no le arrojen al vicio, a la idiotez o a la impotencia. Con lograr esto, mucho se ha logrado. Ahora bien, respecto a las virtudes, sólo le son absolutamente indispensables el vigor, la salud, la astucia y la energía suficientes para prever, planificar y constreñir; a las demás puede acercarse según el momento y las necesidades. Puede, por ejemplo, acudir a la clemencia, siempre y cuando sepa mesurarla y aprovecharla en su justo momento y en beneficio propio.

Si se trata de provocar en sus súbditos amor o miedo, con toda certeza un príncipe sabio sabrá escoger lo mejor. Más allá de todo sentimentalismo, es el miedo el sentimiento que un monarca prudente debe esforzarse en provocar. El amor, la fuerza que todo anima y vivifica, poco o nada representa para el populacho. Por el contrario, en medio de la torpeza y la malicia, aquellos hombres y mujeres apenas reconocen las instrucciones imperativas de su bajo vientre. En cambio, el dolor y el miedo sí los conmocionan y transforman; bajo su influjo se hacen manejables, disciplinados y obedientes. No se trata, por supuesto, de instaurar un régimen de terror que lleve al aborrecimiento. El odio es remolino que termina por desbocarse y conduce, más temprano que tarde, a la muerte del príncipe en manos de sus servidores. Pero el miedo, en cambio, es saludable. El miedo y la seguridad: certeza de que el soberano respetará sus propiedades y el honor de sus mujeres; certeza de que en caso de imponer una condena de muerte, el príncipe explicará sus motivos, de manera que el condenado y sus deudos tendrán la ilusión de una cierta probidad; y, sobre todo, certeza de que, una vez ejecutada la condena, el soberano respetará los bienes del occiso. La experiencia ha demostrado infinidad de veces que la naturaleza humana es tal que muy pronto se sobrepone a la pérdida de un ser querido. En cambio, cuando lo perdido es la fortuna de ese pariente ajusticiado, los hombres no sólo no se resignan, sino que abrigan odios peligrosos y resentimientos que pueden derivar en conjuras y revoluciones. Y por fin, tratándose de la laudable costumbre de considerar la palabra de un rey sagrada, el príncipe prudente sabrá mantener límites y condiciones. Si comprueba que los términos en que se ha comprometido no le son adversos y en cambio le pueden reportar beneficios, bien puede mantenerse en ellos. Pero si concluye que su palabra lo ata y perjudica, y ha sido forzada en condiciones adversas, mal haría en mantenerse fiel a ella. Es más, cuando compruebe que de faltar a su compromiso le derivan ganancias sin que pueda ser constreñido en modo alguno, deberá inclinarse por la falsía. La impunidad lo protege, y justificaciones que expliquen su comportamiento nunca le faltarán. Un príncipe siempre tiene la razón.

Ahora bien, ¿qué hacer con tantas exigencias sobre el monarca, que a fuerza de insistencia han terminado por permear las expectativas de los súbditos? Se trata simplemente de manifestarse como virtuoso y comportarse como tal. Las apariencias son suficientes para el grueso de la humanidad, que es absolutamente incapaz de separar el grano de la paja. Existen unos cuantos que penetran en el interior y son capaces de distinguir y señalar los móviles profundos de la acción humana, pero en general, tales regiones oscuras de la conciencia son inaccesibles y esos pocos aguzados no se exponen en batallas que saben perdidas de antemano. Al vulgo le bastan el oropel y el éxito. Ostentando poder y riqueza y comportándose según las apariencias de virtud, un príncipe lo tiene todo. Debe, por supuesto, alejarse de toda inseguridad y manifestarse constante, viril y fanfarrón. Ha de acometer grandes obras y mostrarse ocupado en proyecciones desmesuradas, en la certeza de que, aunque tal cosa sea falsa, el vulgo la creerá. Y esos insignificantes hombres penetrantes que pudieran descubrirlo, serán obligados por la fuerza y mantenidos a distancia.

Queda un factor que podría perturbar su equilibrio. Más allá de su previsión y astucia, el príncipe tendrá en muchas oportunidades que vérselas con una fuerza que lo excede a él y a cualquier otro ser humano: el azar, la fortuna, el destino. Y tal variable podría, en determinado caso, hacerlo tambalear. Pero de nuevo su carácter se impone; frente a lo inmanejable, él esgrime su último y supremo recurso: la voluntad, que debe serle suficiente.

Porque la fortuna es mujer; y si se la quiere tener sometida, es necesario pegarle y golpearla. Se ve que se deja vencer más por estos (los temperamentos impetuosos) que por aquellos que proceden fríamente. Como mujer, además, siempre se muestra amiga de los jóvenes, porque son menos respetuosos, más feroces, y la mandan con más audacia.

El autor y la obra

Nicolás Maquiavelo nació en la ciudad de Florencia en 1469. Su vida y su obra fueron enmarcadas por la crisis monumental que puso término definitivo al modelo medieval del mundo e inauguró una de las épocas más convulsionadas de la historia de Occidente. El individuo, eclipsado durante los largos siglos en los cuales el centro de todas las cosas era la sacralidad, hizo su aparición de manera dramática, arrastrando con la fuerza de su eclosión un universo de relaciones reblandecidas a fuerza de reiteración e ineficacia. Y con él, con la fuerza de la personalidad individual que se hace matriz y centro de la historia, aparece un mundo nuevo, abierto, pragmático y desafiante que va a encontrar en Maquiavelo uno de sus protagonistas más universales.

Perteneciente a una excelente familia de la burguesía toscana, Maquiavelo ingresa a los 29 años de edad, el 15 de junio de 1498, a la vida pública. No obstante, y a despecho del prestigio y la indudable importancia que habrían de cobrar su vida y obra con los siglos venideros, entonces el autor de *El Príncipe* no alcanzó, pese a todos sus desvelos, a lucir con brillo propio. Reducido al modesto papel de secretario de la segunda cancillería de la república florentina y luego, sin abandonar esta primera condición, a la de secretario de los Diez de Libertad y de Paz, tuvo que someterse a una muy mala paga y a un radio de acción claramente mediocre. Pudo, sin embargo, gracias a su condición profesional, realizar diversos viajes que ampliaron su visión del mundo y le proveyeron de los elementos que luego alimentarían su trabajo intelectual. (Una de aquella misiones le puso en contacto, en 1502, con César Borgia, cuya recia personalidad inspiraría no pocos de los rasgos "magníficos" de su príncipe.) Pero en su condición personal y pública nunca dejó de ser el "secretario florentino". Y cuando su aplicación a los haceres profesionales y su indudable inteligencia le pusieron, después de catorce años de trabajo, en posición relativamente ventajosa, el panorama político de Florencia cambió radicalmente, y con él, la suerte personal de Maquiavelo. En efecto, la guerra entre el papa Julio II y el rey de Francia Luis XII arrasó con la milicia republicana, obra personal de Maquiavelo, y el desorden fue aprovechado para restablecer a los Médicis en "todos los honores y grados de sus antepasados". Funcionario destacado del régimen depuesto, Maquiavelo fue destituido de manera fulminante, y aunque el ocio que le sobrevino de manera tan penosa le significó no pocas angustias, en él encontró el espacio adecuado para dedicarse a la redacción de sus trabajos intelectuales más notorios, entre ellos un opúsculo titulado *De Principatibus*. Dedicado a Lorenzo de Médicis, duque de Urbino, sobrino del papa León X, pretendía ganar la voluntad de los señores de turno a fin de que su situación personal pudiera resolverse de alguna manera, pues

> si se leyese este libro, se vería que durante los quince años que tuve ocasión de estudiar el arte del gobierno no pasé mi tiempo durmiendo o jugando, y todos deberían conservar el servicio de un hombre que supo adquirir así, a expensas de otros, tanta experiencia.

Maquiavelo consiguió a medias su propósito de congraciarse con la altiva casa de los Médicis, pero en esta mudanza de su fortuna no tuvo que ver en lo más mínimo la redacción y dedicación de su libro, el cual, presumiblemente, no fue siquiera leído. Es su prestigio de funcionario competente lo que consigue que le sean asignadas tareas de mínima importancia, entre ellas la redacción de su *Historia de Florencia*. Sólo después de 1525 le es encomendada una función digna de sus calidades, pero esta confirmación de la buena voluntad de los poderosos, conquistada de manera tan ardua, se vuelve aparatosamente en su contra. En efecto, en mayo de 1527, los Médicis son de nuevo expulsados de Florencia y vuelve la república. Por supuesto, el autor que dedicara su obra a uno de los tiranos derrotados y que luego gozara de la equívoca condición de historiador a sueldo, fue impugnado por los vencedores.

Se restablecieron las viejas instituciones, entre ellas la secretaría de los Diez de Libertad y de Paz, de la que se encargó a un funcionario llamado Tarugi. Víctima del desaliento y de graves desórdenes intestinales, a los 58 años de edad, el 22 de junio de 1527, Maquiavelo murió.

El destino de *De Principatibus* fue sumamente peculiar. Cuatro años después de la muerte de su autor, con una leve autorización del papa Clemente VII, fue publicado en edición dedicada a un cardenal. Ningún rumor, ninguna reacción saludaron entonces la primera tirada de *El Príncipe*, pero luego tal indiferencia comenzó a desvanecerse y a trocarse en verdadera repugnancia. En tiempos de reforma y contrarreforma, vale decir, de la más acre guerra religiosa, se llegó a sostener que *El Príncipe* había sido escrito por "la mano del diablo". Fue puesto en el *Índice* por el Concilio de Trento, repudiado en Francia y considerado promotor y responsable de la matanza de San Bartolomé (1572). Así, los términos "maquiavélico" y "maquiavelismo" ingresaron al argot de todas las naciones occidentales. Pero si por una parte el libro era repudiado, por la otra, aquellos que pretendían hacerse al poder absoluto lo leían con delectación. Luego, de la mano de Rousseau, quien lo defendiera considerando en el texto una velada enseñanza democrática, su imagen fue rehaciéndose hasta alcanzar los más altos honores.

Prólogo de una edición antigua
del libro de Maquiavelo

EL DISCURSO DEL MÉTODO
Renato Descartes

E l asunto más cotidiano y nimio, no lo es tanto como para no poder convocar a su alrededor todo tipo de diferencias y distinciones. En efecto, hombres que a todas luces cuentan con una inteligencia
destacada, no consiguen ponerse de acuerdo sobre eventos cotidianos y sencillos. Y, sin embargo, pese a ser reacios e inconformes en
la mayoría de sus circunstancias, coinciden en las dotes de su buen
sentido y de su ingenio particular. Siendo poco probable, pues,
que en tópico tan delicado se equivoquen, la inquietud tiene que
ver, ya no con sus capacidades de juicio y de razonamiento, sino
con la manera, los procedimientos, el método de aplicación de su
inteligencia. No se trata de poseerla o no poseerla, es absolutamente necesario aplicarla con corrección.

Así, las potencias no nos interesan, sino los procedimientos. Y
como no se trata de proponer uno en particular que sea válido para
todos los interesados en formarse un juicio recto acerca de las cosas,
basta exponer aquel que en el caso concreto de un sujeto particular,
le sirva y le sea útil. Por lo demás, a cada hombre le corresponde la
responsabilidad de confeccionarse un método para conducir adecuadamente su razón, y el interés que justifica la redacción de estas
páginas no va más allá de exponer uno, entre muchos. Se trata, no
obstante, de una metodología que garantiza el progreso y la gradual elevación del conocimiento, desde la ruindad de la opinión
cotidiana, hasta el punto mayor al que sea posible llegar a partir de
la fragilidad del entendimiento y la brevedad de la vida humana.
Habida cuenta de tal condición, que nos demuestra "cuán sujetos
estamos a errar en lo que nos concierne y también cuán sospechosos

deben parecernos los juicios de nuestros amigos que nos favorecen", el *Discurso* pretende mostrar los caminos recorridos y exponerlos a la opinión del público, cuyos comentarios y requisiciones serán otras tantas maneras de instrucción.

La vocación por el conocimiento que el autor manifestó ya en su primera infancia se afianzó e hizo imperativa desde el momento en que sus preceptores le persuadieron de las ventajas del saber. En efecto, la vida concreta y sus permanentes desafíos bien podrían descifrarse a partir de un conocimiento certero de la constitución íntima de la realidad. Se podría vivir mejor, aprovechar más el corto espacio de la existencia humana y comprender más hondamente las razones últimas del comportamiento de las cosas.

Sin embargo, pese a contar con fortuna y buena estrella, frecuentar los mejores colegios de la época y asistir a las explicaciones de los maestros más notables, el aprendiz se sitió muy pronto insatisfecho del rumbo que tomaban sus trabajos. La tradicional y laboriosa ocupación en las letras clásicas, en los vericuetos de la lógica formal y en las interminables distinciones escolásticas, le resultaron a la postre fatigosas y vacuas. Mientras sus días se agotaban en la interminable labor de afinar tales instrumentos, el mundo real, que no se detenía, pasaba frente a sus ojos absolutamente extraño. Así las cosas, tan pronto el joven pudo librarse de la voluntad de sus mayores y orientar su vida libremente, abandonó el estudio de las letras y dirigió todos sus esfuerzos al atesoramiento de experiencias efectivas, indudables y evidentes. Allí, y no en la erudición pura e inocua, cabía el verdadero conocimiento de la realidad.

Me parecía que iba a encontrar más verdad en los razonamientos que cada cual hace sobre lo que personalmente le concierne, y cuyas consecuencias recaerán sobre el propio interesado en caso de equivocarse, que en aquellos que hace un hombre de ciencia en su gabinete sobre especulaciones que no producen ningún efecto y no tienen más consecuencias para él que las de aumentar su vanidad, que será tanto más grande, cuanto más lejos del sentido común estén sus conclusiones, pues mayor habrá sido también, en proporción, el ingenio y la habilidad desplegados para tratar de darles cierta verosimilitud.

Se trataba de aprender un criterio mediante el cual fuera posible distinguir con claridad lo verdadero de lo falso, y la experiencia concreta de los hombres y sus comportamientos en la historia parecía abrir el camino. Pero de las vivencias acuñadas a lo largo de andanzas, viajes y aventuras, no logró aprehender cosas más sólidas y sustanciales que las ofrecidas por los sabios de gabinete. Quedaba, por supuesto, el camino recorrido y la certeza de poder reconocer, tras haberlos experimentado, los múltiples rostros de la apariencia y el engaño. Pero la solidez de la verdad estaba tan lejos entonces como al principio de sus afanes escolásticos, de manera que luego de probar el camino de la erudición y el de la experiencia, optó por considerar otro distinto: el estudio de sí mismo.

Y esto me dio mejor resultado, a mi entender, que si nunca me hubiese alejado de mis libros y de mi tierra natal.

Enriquecido con el múltiple legado del "gran libro del mundo", Descartes aprovecha una estadía forzosa en Alemania y se dedica a indagar en su interior. Y comprende que el enorme cúmulo de conocimientos, certezas, apreciaciones, juicios de valor, opiniones y demás que conforma su haber intelectual, lejos de ser posesión de gran valía, se convierte en el obstáculo más importante para el logro de sus proyecciones. Así como en múltiples ocasiones el legado arquitectónico de una ciudad, o de una persona en particular, ha de ser abandonado en procura de una organización nueva y más eficiente, la prolija construcción intelectual compuesta de tantos y tan disímiles elementos deberá ser removida desde sus cimientos. Un viejo edificio en el cual han trabajado muchos obreros, durante largo tiempo, y que ha sido objeto de la planeación accidentada y particular de muchos arquitectos, no puede renovarse más que con la demolición definitiva. Cualquier otro intento añadirá confusión a confusión y ruina a ruina. Lo construido por muchas manos, sin una inteligencia planificadora y total, cargará forzosamente con las distintas versiones, frutos de la improvisación y el azar. Si se trata, pues, de solucionar el riesgo que dichas construcciones ofrecen para la vida de quienes las frecuentan, es preciso abandonar toda sensiblería y demolerlas hasta sus cimientos. Los edificios nuevos, concebidos por una sola persona y convenientemente planificados, serán mucho mejores que los demolidos, de manera que sobre resistencias y dificultades, el esfuerzo habrá sido más que justificado.

Ahora bien, ¿cómo proceder con éxito en propósito tan temerario? Se trata de un asunto que no compete ni es posible a todas las personas, y en él se han de guardar las mayores precauciones. En fin, luego de examinar las opiniones y verdades cotidianas, Descartes concluyó que la gran mayoría de ellas recibe su autoridad de otras básicas que son las aportadas por la lógica y las matemáticas. Y, sin embargo, aun estas carecen de solidez fundamental. Unas y otras no sirven más que para exponer asuntos que se tienen por sabidos, o para divagar arbitrariamente sobre otros que se ignoran. En cualquier caso, sobre ninguna de ellas se puede sostener sólidamente la verdad. ¿Qué hacer entonces? Urge la construcción de un método que, incluyendo las obvias ventajas de los procedimientos matemáticos y lógicos, rechace sus imperfecciones. Y como al hablar de método se refiere más a un conjunto de procedimientos que a una esencia inmóvil, Descartes plantea allí cuatro reglas básicas de comportamiento, que sustituyan la inmensa prolijidad preceptiva de las disciplinas tradicionales y provea de un camino cierto hacia la verdad.

Así como la multitud de leyes es a menudo excusa de los delitos, y del mismo modo que los estados mejor organizados son aquellos que cuentan con pocas leyes, pero estrictamente respetadas, creí que, en lugar del gran número de preceptos de que está compuesta la lógica, bastarían las cuatro reglas siguientes, con tal de que tomase la firme y constante resolución de no dejar de observarlas ni una sola vez.

Se trata, pues, de:

1. Evitar la precipitud, la ansiedad y la prevención, no aceptando "nunca como verdadero lo que con toda evidencia no reconociese como tal". Cada cosa se ha de presentar al espíritu de forma "clara y distinta", sin admitir la menor sombra de imprecisión o duda. Así y únicamente así podría decirse de alguna cosa que es efectivamente verdad.

2. Afrontar cada dificultad, no en su presentación original, sino dividida en cuantas partes fueran posibles. Reducida así en

expresiones mínimas, su resolución se haría proporcionalmente más fácil.

3. Establecer una jerarquización rigurosa de los pensamientos, de manera que en primera instancia el espíritu se ocupe de los más simples y llanos, avanzando en complejidad y dificultad hasta ocuparse de los más complicados y prolijos. Tal proceso de acercamiento y progresión se hará por pasos graduales, suponiendo un orden incluso entre aquellos que naturalmente no lo tienen.

4. Realizar en cada momento del proceso y en referencia a la totalidad, una serie de enumeraciones tan completas y revisiones tan generales que se tenga la certeza de no haber pasado por encima de nada y de no incurrir en omisión alguna.

> La exacta observación de este escaso número de preceptos me dio tal facilidad para resolver todas las cuestiones, que me atrevo a decir que al cabo de dos o tres meses de estudio, empezando por las más sencillas y generales, cada verdad que encontraba me sugería una regla para descubrir otras.

A pesar de ello, sin perder de vista el propósito esencial de su indagación, el progreso experimentado no le era suficiente. El saber sobre las cosas particulares de la realidad, sin menoscabo de su dignidad e importancia, suponía el conocimiento de un sustrato básico que las sostiene y determina: la filosofía. Este cimiento de todos los saberes particulares habría de ser sometido a la misma rigurosa reglamentación, tan útil en otros ámbitos, con el fin de construir las bases consistentes de un verdadero conocimiento de la realidad.

Se trata de derruir las numerosas certezas falsas que habitan el pensamiento, y de construir en cambio conocimientos verdaderos. En cada caso, las reglas del método son los referentes de elaboración obligados que tamizan y prueban los datos que aspiren a constituirse en verdades definitivas. Y, sin embargo, demolida la morada de pensamientos y seguridades que un hombre habita, y a la espera de las nuevas estructuras indudables sobre las cuales construir su nueva residencia, ¿en dónde guarecerse de intemperies y rigores? Obviamente, puesto en procesos de demolición y construcción, un hombre previsivo habría trasladado sus pertenencias a una casa provisional mientras aguarda cómodamente la culminación de los trabajos. De la misma manera, tratándose de vivir dignamente en medio de un mundo concreto de relaciones e intereses, el indagador no puede habitar en la incertidumbre permanente y tendría que acudir a una "moral provisional" que le permita moverse en su realidad sin demasiados inconvenientes. De otro modo, el laudable intento por construir un conocimiento absolutamente cierto, lindaría en la demencia. Los hombres y sus conexiones cotidianas, la moral, el poder, las minucias de la propiedad, los límites de acciones y expectativas, y en fin, el complejo conjunto de relaciones en que consiste la vida práctica, no consentiría con el ambiguo proceder de quien no sabe nada y todo lo pone en duda. Así las cosas, se han de prescribir otras reglas, en esta oportunidad prácticas, que dirijan la vida del investigador y le permitan ocupar un sitio digno y desahogado en el mundo de los hombres, sin abandonar sus preocupaciones espirituales. Tales máximas, simples y concretas, son:

1. Acatar las leyes y reglamentaciones de su país, conservar la religión aprendida desde la infancia y en todas las demás cosas comportarse guiado

> por las opiniones más moderadas y distintas de todo exceso que fuesen comúnmente admitidas en la práctica por las personas más sensatas con quienes habría de vivir.

> Imposibilitado por voluntad propia y en seguimiento de sus propios preceptos, de emitir opiniones particulares y comportarse adecuadamente según ellas, no queda más remedio que seguir las de aquellos que se tienen por prudentes y razonables.

2. Una vez tomada una resolución, y pese a las dificultades que esta entrañara o la incertidumbre respecto a su verdadera dignidad, el comportamiento por seguir tendrá que ser el más firme y resuelto posible.

> Si queremos que los actos de la vida no sufran aplazamientos, cuando no somos capaces de discernir entre varias opiniones cuál es la verdadera, debemos aceptar las más probables; y aunque nos resulte difícil escoger aun entre estas últimas, es necesario, sin embargo,

que nos decidamos por alguna y la consideremos luego, al ser llevada a la práctica, no como dudosa sino como cierta y fundada, puesto que la razón que nos ha llevado a aceptarla lo es.

3. Se trata de conseguir el control de uno mismo, de los propios pensamientos y deseos, antes que el control de la fortuna. Lo único que verdaderamente está al alcance de las fuerzas de un hombre reside en su interior, de manera que en la medida en que pueda hacerse dueño de tal territorio, podrá construir un mundo a su medida. Conformados los deseos a las necesidades, no se estará nunca en la dudosa condición del que anhela lo imposible.

Es verosímil que considerando todos los bienes exteriores inaccesibles, no sentiremos la carencia de aquellos a los cuales nos creemos merecedores cuando nos vemos privados de ellos sin culpa de nuestra parte, como tampoco la sentimos de no poseer los reinos de China o México... como ahora no se nos ocurre pretender que nuestro cuerpo sea de una materia inalterable como el diamante o que nos salgan alas para volar como los pájaros.

Acomodado sobre tales reglamentaciones, a lo largo de nueve años Descartes aprovechó su tiempo para profundizar en la experiencia humana y para aplicar concienzudamente las reglas de su método. Así, obligándose a no aceptar como cierta cosa alguna que no lo sea de manera clara y distinta, sin la más mínima sombra de incertidumbre, el autor establece con claridad varios niveles a su duda.

Pensé que debía rechazar como absolutamente falso todo aquello en que pudiera imaginar la menor duda, con el fin de ver si después de hecho esto quedaba en mi creencia algo que fuera enteramente indudable.

Es falso en primera instancia, pues cohabita con la incertidumbre, cualquier dato proveniente de la información de los sentidos. Basta considerar un solo caso en que la sensibilidad nos induce a error, para desechar todo conocimiento verdadero a partir de ella. Ahora bien, además de los sentidos, otra de las facultades a partir de la cual es posible la construcción del saber es el entendimiento: la razón ejercida a través de operaciones intelectuales abstractas, la lógica y las matemáticas mediante las cuales, por fuera de toda experiencia sensorial, es posible acuñar un conocimiento de las cosas. Sin embargo, pese a que tales actividades repudian la sensibilidad, y con ella su condición errática, no por eso se encuentran exentas de error.

[Ya que] los hombres se equivocan con frecuencia en sus razonamientos, hasta cuando se trata de los más sencillos problemas de geometría y hacen paralogismos, pensé que yo también estaba sujeto a error como cualquier otro y deseché como falsas todas las razones que anteriormente había tenido por demostradas.

No puede, pues, construirse saber genuino sobre los sentidos ni sobre las razones. Ahora bien, como los pensamientos que nos asaltan en vigilia nos pueden también llegar en el sueño, ninguno puede considerarse con dignidad suficiente para ser tenido por verdadero. Todas las cosas que había aprendido eran así "tan inciertas como las ilusiones de mis sueños".

Y en medio de tan gran incertidumbre, que pareciera reducir los esfuerzos del pensador al más radical escepticismo, surge una enorme verdad. Más allá de los contenidos propios del pensar, de sus condiciones, características y dignidades, y aun del error que pareciera consustancial, el pensamiento como tal remite a un sujeto que lo piensa. Y en la medida en que esa acción de pensar, como tal, es indudable, la existencia misma del pensador también lo es:

En el hecho de pensar que todo era falso, yo, que pensaba, debía ser necesariamente alguna cosa; y observando que esta verdad: pienso luego existo, era tan firme y segura que las más absurdas suposiciones de los escépticos no serían capaces de negarla, juzgué que podía aceptarla sin escrúpulo como el primer principio de la filosofía que andaba buscando.

La subjetividad, indudablemente operativa a través del acto del pensamiento, se constituye en la base para construir un conocimiento genuino.

Las consecuencias de la aplicación de las reglas del método son aún más radicales. Puedo con toda razón poner en duda la existencia concreta de mi cuerpo y de mi condición histórica y geográfica. Me es posible imaginarme como si no ocupara un lugar y un momento, y no estuviera íntimamente obligado por mi condición orgánica. Pero en modo alguno me es posible imaginarme fuera de mi existencia en cuanto subjetividad pensante, ni dudar de ella. Aquello indudable, pues, lo que me caracteriza esencialmente al punto de que su realidad es la más obvia e inteligible, constituye el hecho incontestable de mi subjetividad. Antes que corporeidad y tiempo, soy pensamiento, alma, substancia espiritual ajena a la materialidad, independiente de ella y capaz de existir por su propia razón sin determinación alguna. Y esa misma certeza, tan clara y distinta, que me ha llevado a semejante conclusión, ha de ser requisito indispensable para cualquier otro aserto o proposición que pretenda verdad.

> Juzgué que podía tomar como regla general que las cosas que concebimos muy claras y distintamente son todas verdaderas; la dificultad reside en saber bien qué cosas son las que concebimos clara y distintamente.

Y entre las primeras cosas que aparecieron de tal manera al entendimiento del filósofo, se destaca la existencia de algo más perfecto que él mismo. La duda fue el presupuesto de su reconocimiento como subjetividad actuante, intencional. Pero cabe pensar que la misma duda no es el estado de máxima perfección posible. Entre la certeza clara y distinta que se posibilita a partir de la actividad del pensamiento que duda, y la duda misma, hay una enorme diferencia. Es mejor y más perfecta la certeza que la dubitación. Así mismo, un ser que conoce es inmensamente superior a otro que simplemente duda. Ahora bien, ¿de dónde surgía en la inteligencia el pensamiento de un ser superior? Obviamente de la existencia real de ese ser, que puso en la inteligencia del pensador la idea de su posibilidad. Conocer, pues, perfecciones que no se poseen, supone la existencia de un principio perfecto del cual ellas derivan. Su naturaleza de ser perfecto, unitario y total se desprende de la idea misma de su existencia. En última instancia, la posibilidad de todo conocimiento certero, de toda idea clara y distinta, el evento de distinguir lo onírico de lo real, de la existencia del

Dios y, con él, del alma humana, de donde derivan las claridades y distinciones que no son posibles desde la imperfección del hecho humano.

Evidentemente es tan imposible que la falsedad o la imperfección procedan de Dios, como que la verdad y la perfección surjan de la nada. Si no supiéramos que todo lo que existe en nosotros de real y de verdadero se deriva de un ser perfecto e infinito, por claras y distintas que fueran nuestras ideas, no tendríamos ninguna razón que nos asegurase que estas ideas poseen la perfección de ser verdaderas.

Los últimos asuntos tocados por Descartes en su *Discurso del método*, no cuentan con la importancia filosófica de los ya mencionados. De hecho, su valor como explicación eficiente de los fenómenos naturales abordados ha sido refutado por la historia. No obstante, su interés histórico es obvio. Se ocupa el autor de algunos fenómenos físicos, en particular de la explicación de los movimientos del corazón y de las diferencias que existen entre el hombre y las bestias. Finalmente, refiere Descartes las condiciones indispensables para progresar en el conocimiento y estudio de la naturaleza, y describe los motivos que lo llevaron a redactar su *Discurso*.

El autor y la obra

Renato Descartes nació en La Haya (Turena) el 31 de marzo de 1596 y murió en Estocolmo en 1650. Su trabajo intelectual, que derivó desde los campos del conocimiento físico y matemático y lo llevó a crear la geometría analítica y a establecer un pensamiento filosófico genuinamente moderno, lo coloca en posición privilegiada en el contexto del pensamiento occidental. Nació y creció en una época convulsionada, en la cual las viejas estructuras medievales pugnaban por mantener su vigencia, y en donde no era aún posible manifestar una actitud definitivamente moderna. Hijo de una familia noble, quedó huérfano de madre a muy temprana edad, y su naturaleza vivaz, aunque frágil y enfermiza, fue guiada por su padre, quien lo puso al cuidado de los jesuitas en el colegio de La Flèche.

Su formación escolar le permitió para desarrollar condiciones excepcionales. Entrenado en las lenguas clásicas, las ciencias, la teología y la filosofía tradicional, muy pronto se inclinó por la exactitud matemática. Terminado su ciclo de formación básica, se traslada con su familia a París, en donde traba amistad con el matemático Mydorge, cuya influencia lo decide al estudio de las ciencias. La guerra, sin embargo, lo distancia de sus oficios intelectuales: a los 21 años se alista en las tropas del príncipe de Nassau. Más tarde forma parte de las tropas del duque de Baviera, protagonista de la guerra de los Treinta Años. A pesar de todo, esas ocupaciones bélicas no le significan un distanciamiento de su vocación intelectual, de manera que aprovechando las pausas, interregnos y períodos de ociosidad, se ocupa en desarrollar un pensamiento propio, que muy pronto le granjearía un consolidado prestigio.

Entre sus amigos y contertulios sobresalen el cardenal Richelieu, con quien mantiene una copiosa relación epistolar, y la reina de Suecia, quien lo llama a su lado y lo convierte en su consejero personal. Allí, agobiado por la dureza del clima nórdico y por su frágil salud, muere el 9 de febrero de 1650.

El Discurso del método es considerado por unanimidad como el principio del pensamiento filosófico moderno de Occidente. Muchos méritos justifican tal aserto, entre ellos el propósito de metodologización del conocimiento y la deliberación crítica, independiente y radical. Pero sobre todos, y convirtiéndose en el universo desde el cual es posible construir el prolijo andamiaje filosófico y científico contemporáneo, la delimitación de la subjetividad. Es este ámbito del sujeto más íntimo, enunciado desde la duda metódica que tropieza con el yo, activo e intencional, como único sustrato evidente y verdadero, el espacio desde el cual se fundamentan y sostienen el conocimiento científico moderno y sus pretensiones de verdad y universalidad.

15

LEVIATÁN
Tomás Hobbes

La experiencia inmediata o histórica del hombre y de su manera de vivir y mantenerse sobre la Tierra, presenta un dato radical: los seres humanos se buscan entre sí y construyen espacios comunes en los cuales viven y se reproducen. La soledad absoluta le es imposible al ser humano, y pese a las enormes dificultades que encuentra en compartir su cotidianidad con otros, cualquier esfuerzo resulta válido con el fin de conjurar el aislamiento. ¿Cuáles son las razones profundas que sostienen tal característica? Aristóteles, entre otros muchos pensadores de la tradición, aventurará causas benévolas y altruistas por las cuales los hombres se buscan y se asocian: el hombre es animal gregario por instinto, y en el constante compartir con sus semejantes puede hallar la felicidad. Hobbes, en cambio, basado en el realismo más crudo, afirma todo lo contrario.

El hombre, que como animal natural goza del derecho más absoluto, se enfrenta a la necesidad de asociarse con el ánimo de combatir la miseria y el peligro. Su instinto primario lo induce a combatir de manera permanente contra sus semejantes, pero tal actitud, que le es connatural, lo aboca forzosamente a la extinción. El pacto y la ayuda recíproca no pretenden otra cosa que seguridad, y esta avidez de certeza y abrigo es el principio operativo de toda organización social y estatal. Puede, por supuesto, a diferencia de los demás animales, analizar los antecedentes y consecuencias de sus actos. Esa conciencia de transcurso, de tiempo y de causalidad, a la cual llamamos razón, le significa una determinada dignidad en el ámbito del universo natural. Por otra parte, la facultad de establecer relaciones y aventurar pronósticos, se nutre de una inagotable curiosidad. Y este "deseo de conocer el porqué y el cómo" lo conduce, de causación en causación, hasta un último extremo, a partir del cual ya no le es posible avance alguno. Hay una causa primaria, que responde por todos los efectos y que no es causada por ninguna otra. Es suficiente, autónoma y universal. Es Dios. Así, este animal extraño, además de calcular su mundo y de intentar apoderarse de él mediante razonamientos, construye una religión, mediante la cual intenta relacionarse con aquella causa primera que escapa a sus deseos de conocimiento y se le impone como el principio suficiente de la realidad. Ahora bien, sobre sus deseos de conocerlo todo, que le abocan a la religiosidad, se sobreponen la ansiedad ante lo desconocido y el profundo temor hacia la muerte.

Pero en otros ámbitos, el ser humano no se distingue en esencia de cualquier otro elemento de la realidad natural. Como las plantas, los animales o los minerales, el hombre obedece a un principio sustancial: el movimiento. Toda ciencia es, pues, ciencia del movimiento, y la ciencia del hombre y de sus peculiaridades íntimas y organizativas, lo es en grado sumo. Justifican las acciones del hombre los "esfuerzos" que procuran una movilidad hacia un fin. Apropiarse de algo, de una posesión o condición, es la medida del placer. Alejarse de algo, apartarse de una experiencia o de un estado, es la inmediata consecuencia del dolor. Ahora bien, la existencia entera de un hombre se mide en términos del grado de placer que logre abarcar y del dolor que consiga alejar de sí. Tal es la felicidad y hacia la felicidad tienden todos los seres humanos. Pero la felicidad supone una absoluta necesidad, de la cual depende en todos los casos: el poder. La capacidad de conducir los esfuerzos hasta la satisfacción y de alejarse de todas las posibilidades de displacer o disgusto. Pero el poder, que en cada uno es absoluto y en estado natural no sufre cortapisa ni recorte alguno, aboca a los hombres a un perpetuo enfrentamiento, a una lucha sorda y continua, a una inclemente competencia en donde "el hombre es lobo para el hombre". La avidez por el reconocimiento, la gloria, la riqueza, y la desconfianza recíproca, conducen a la guerra perpetua de "todos contra todos", que puede derivar desde el enfrentamiento físico concreto en que unos y otros se baten a muerte, hasta la actitud íntima y común de los hombres, por batirse. En cualquier caso, y variando infinitamente la composición interior del conflicto, el poder de cada uno, manifiesto en "fuerza y astucia", se agota en la confrontación con los demás, de forma que la especie misma se encuentra en peligro de extinción. Y así sucedería sin remedio, pues no existen fuerzas tan superiores que obliguen a las otras a la rendición, si la capacidad de calcular de los hombres no se impusiera sobre sus pasiones inmediatas. Se necesitan, pues, cláusulas de paz, a las cuales Hobbes llama "leyes de naturaleza", que se sostienen sobre un paradigma fundamental: "No hagáis a los demás lo que no queráis que os hagan a vosotros".

Pero no basta tal renuncia —más de fuerza que de grado— al derecho absoluto que cada uno posee en estado de naturaleza. Considerando la esencia humana, es profundamente frágil. Muy poco tiempo bastará para que la voluntad inicial de abdicar de los derechos y apetencias particulares se convierta de nuevo en animosidad, traición y enfrentamiento. Por encima de la palabra empeñada, y en contra de los preceptos de la razón y aun del temor a la muerte, los hombres olvidarán sus compromisos y tratarán otra vez de conseguir la supremacía sobre sus semejantes. Hace falta algo mucho más fuerte que la voluntad individual de reconocer la "ley natural" ante el tribunal de su conciencia, pues los pocos congruentes con los preceptos de su razón, con aquellos artículos de paz que en un momento fueron prenda de salvación de la comunidad, serán avasallados por la mayoría, irrespetuosa y delirante. Se trata de encontrar o construir algo tan poderoso que los hombres lo teman, lo respeten y ni siquiera intenten traicionarlo. Ese algo tremendo en donde cada uno depositará su propia y personal autoridad y poder, y frente a lo cual un individuo particular, cualquiera que sea, es infinitamente pequeño e insignificante, es el Estado. Absolutamente poderoso, armado del castigo que reduce a los hombres, impotentes y espantados, y los somete a la obediencia total, el Estado leviatán, el hombre artificial, se constituye en la única posibilidad de la existencia humana.

Extraído de la narración bíblica de Job, este monstruo poderoso, "que no hay potencia en la Tierra que pueda serle comparada", está constituido por la acumulación de millones de individuos que se arraciman unos contra otros y lo conforman de manera artificial. En una de sus manos porta una espada portentosa y en otra un báculo episcopal. Le acompañan los símbolos visibles del poder humano, que en él —creación voluntaria de los hombres—, confluyen y se armonizan: una catedral, un fuerte, una corona, una mitra, un cañón, los instrumentos de la excomunión, un campo de batalla, un recinto conciliar, etc., es decir, las señales distintivas de los poderes temporales y espirituales de los cuales se han valido los hombres a lo largo y ancho de la historia para hacerse la guerra. Y como esos poderes, desencadenados y autónomos, se encontraban a punto de dar al traste con la existencia de la humanidad, el leviatán los toma para sí, se apodera de ellos, los unifica en sus manos y los convierte en un poder total y único. De esta manera se consigue legitimidad, seguridad y justicia, pues "allí donde no hay poder común, no hay ley; allí donde no hay ley, no hay injusticia".

En un ámbito carente de conceptos claros que separen la injusticia de la justicia, no es factible la convivencia de los hombres. Y la única posibilidad de lograr esto es la consecución de la ley. Todo el contenido de la ley es justo. Lo injusto no queda dentro de ella. Podría ser inconveniente, mala o inequitativa, pero nunca injusta, pues la justicia la lleva consigo. Ella misma es la forma histórica de la justicia. Y en una comunidad ordenada alrededor de leyes, es posible vivir, pues cumple con el único requisito indispensable para todos: la seguridad. Y la seguridad es paz. Ahora bien, para que haya ley, que además tipifique comportamientos reputados como injustos, los cuales deben ser vigilados y castigados, es preciso un poder común. ¿En qué consiste, cómo se consigue, se defiende y se conserva?

La capacidad de previsión y cálculo de los hombres naturales, como ya se dijo, los ha llevado al acuerdo de someterse a un amo, a un soberano. ¿Cómo puede ser ese gobernante? Sólo existen tres formas en que tal soberano se articula sobre el tiempo de los hombres: cuando el soberano o representante es un hombre; cuando el soberano o representante es una junta compuesta por parte de los miembros de la comunidad que se unen y renuncian su poder en él, y cuando el soberano o representante es una junta compuesta por la totalidad de los miembros del grupo social.

Cuando el representante es un hombre, entonces el Estado es una monarquía. Cuando es una asamblea de todos los que se unen, entonces es una democracia o Estado popular. Cuando es una asamblea compuesta solamente de una parte de los que se unen, es lo que se llama una aristocracia. No puede haber otra clase de Estado, porque es indispensable que uno, o más de uno, o todos, posean el soberano poder, que es... indivisible, entero.

Entonces, en el momento de establecer preferencias y decidirse entre una u otra opción, ¿qué criterio adoptar? Se sabe que la condición íntima del hombre, como ya se ha dicho, lo ha de llevar siempre a irrespetar sus propias decisiones y a entregarse a los más funestos y atroces enfrentamientos, siempre y cuando no encuentre un poder que lo aterrorice y reduzca. Y la condición de ese poder tan persuasivo y total, es precisamente que sea común e indivisible. Dividir el poder es disolverlo, y un poder disuelto arroja a los hombres a la anarquía y a la destrucción. Mucho se ha dicho en contra de los caprichos y arbitrariedades de los príncipes y monarcas, pero con todo y reconocerlas, y señalar el daño que producen a las naciones, este es insignificante a la luz del que sobreviene cuando el poder se reparte entre muchos y, aún más, cuando se divide entre todos. En las monarquías,

> el interés personal del soberano coincide con el interés público. Las riquezas, el poder y el honor de un monarca no pueden venir más que de las riquezas, de la fuerza y de la reputación de sus súbditos.

En cambio, un Estado democrático corrupto puede cobrar más ganancias particulares con la desgracia popular, con la incivilidad y la guerra intestina, qué con la prosperidad de la nación. Por otra parte, y este argumento es definitivo, el poder dividido entre muchos pierde cohesión y fortaleza y se hace fácilmente vulnerable. Los hombres entregados al peligroso juego de juzgar lo bueno y lo malo por sí mismos y no por la ley, debilitan al Estado y le restan la autoridad absoluta e indivisible que le permite mantenerse vigente.

Se trata, pues, de construir un hombre artificial, producto de las voluntades y los poderes de todos los miembros de la nación, un leviatán irreductible. Su poder, absoluto, castigará, emprenderá la guerra e impondrá la paz, dispondrá de todo tipo de propiedad y decidirá qué doctrinas y opiniones deben o no ser enseñadas. El bien del pueblo, que es la suprema ley, deberá significar la absoluta protección, pero tendrá consigo la posibilidad consecuente de la absoluta represión. Se debe corresponder a ese poder total con una obediencia total. Se ha de suprimir la libertad de pensamiento y de lenguaje, así como la idea de libertad de conciencia y de conocimiento. De esta manera, las pulsiones oscuras que habitan en el alma de los hombres y que se encuentran siempre a punto de invadirlos y avasallarlos, se mantendrán controladas. Salvaguardada por la omnipotencia del leviatán, se construirá la paz.

El autor y la obra

Tomás Hobbes nació en el año 1588 en la localidad de Westport, cercanías de Malmesbury, condado de Wiltshire, en Inglaterra. Formado académicamente en Oxford, buena parte de su vida intelectual la dedicó a sus labores como preceptor de la nobleza. En efecto, encargado de la formación del hijo de lord Cavendish, viajó por Francia e Italia entre 1608 y 1610. Años más tarde, en 1629, volvió al continente como preceptor del hijo de sir Gervase Clifton. Desde entonces permaneció en Francia hasta el año de 1631, cuando regresó a Inglaterra. De nuevo al servicio de lord Cavendish, realizó un tercer viaje fuera de su país y de 1634 a 1637 recorrió Francia e Italia. Este periplo en particular le fue muy provechoso, pues entró en relación con el científico y filósofo Galileo Galilei, cuyas concepciones geométricas y cosmológicas basadas en el movimiento le fueron determinantes. Así mismo, fue admitido por el llamado Círculo de Mersenne, en el cual dio forma y presentación a buena parte de sus trabajos intelectuales. Las *Terceras objeciones a las Meditaciones de Descartes* fueron realizadas en este período a instancias de Mersenne y luego, de nuevo en Inglaterra, escribió *The Elements of Law, Natural and Politic*. Esta obra fue publicada en dos partes a partir de 1650, bajo los títulos de *Human Nature* y *De Corpore Politico*. En París, donde se había refugiado de la persecución de Cromwell, escribió el *Leviatán*, publicado en Londres en 1651.

La obra de Hobbes estuvo ampliamente determinada por las circunstancias más relevantes de su tiempo. La aguda situación política inglesa, que determinaría la caída y decapitación de Carlos I y el ascenso de Cromwell al poder; la posterior restauración de Carlos II, el duro enfrentamiento entre realistas y civilistas y el continuo estado de guerra que desangraba a la nación, fueron determinantes. Por otra parte, la visión mecanicista de la realidad, que entonces se imponía a la par del prestigio de los grandes geómetras y científicos continentales, y que refutaba las viejas pretensiones sacralizadas de corte escolástico, se constituyó en principio de su pensamiento. En efecto, a lo largo y ancho de su extensa producción intelectual, la idea de que el mundo entero está conformado por cuerpos en movimiento es esencial. Cuerpos que son, por supuesto, distintos en su naturaleza íntima, pero que en conjunto obedecen a las mismas determinaciones. Trátese de los cuerpos naturales o de los cuerpos sociales, la comprensión supone un punto de partida muy concreto. Su conocimiento, síntesis del conocimiento de sus consecuencias, es posible desde la intelección de sus movimientos. A partir de ella, es posible describir, prever y concebir.

Por otra parte, los cuerpos sociales pueden ser considerados de dos maneras distintas. Si se aplica la reflexión a los componentes de lo social, encontramos un saber referente a los hombres particulares en sus disposiciones y afecciones. Por el contrario, si se trata de referir a la comunidad en general, estamos frente al saber propiamente cívico y político. Pese a que las reflexiones de Hobbes giraron en torno a todos los asuntos mencionados, este último ámbito le ha llevado a constituirse en un hito del pensamiento universal.

Decidido partidario del realismo, Hobbes juzgó con acritud el desarrollo histórico de su patria: el poder fragmentado en manos de un villano y la inestabilidad y la violencia enseñoreadas de la nación. Su ansiedad por fundamentar un remedio definitivo a semejante situación le llevó a delinear una amarga comprobación: el hombre es un ser básicamente antisocial. Su convivir dentro de la historia se resume en una larga y cruenta guerra de "todos contra todos". Tal condición, que es ineludible, tiene que ver con su naturaleza más profunda, de manera que es preciso desechar de una buena vez todas las ilusiones civilistas y democratizantes. Al poder libérrimo del hombre, que es "lobo para el hombre", no puede oponerse cosa distinta a un poder aún mayor. Poder absoluto, indivisible e incontestable que remedie el estado de anarquía y ordene con precisión la sociedad. Tal es el propósito de su *Leviatán*, una de las obras políticas más controvertidas y polémicas de la historia.

La restauración del poder real y el retorno de Hobbes a Inglaterra, en donde gozó de los favores de Carlos II, lo radicalizaron en su posición. Establecido en la casa del earl de Devonshire desde 1660 hasta el momento de su muerte, ocurrida en 1679, Hobbes se entregó a una intensa actividad intelectual, en la cual, pese a contar con la simpatía de su antiguo alumno, ahora rey de Inglaterra, tuvo que forzosamente abstenerse de tocar temas políticos o morales. Sus afirmaciones, generadas desde la argumentación puramente racional, sin contar con los tradicionales tópicos de la autoridad sagrada del monarca, le ganaron el mote de 'El impío Hobbes', denominación que suponía, por supuesto, graves riesgos para su seguridad personal. De esta manera, su pensamiento derivó hacia la resolución de complejos asuntos geométricos y matemáticos. Se ocupa entonces de la cuadratura del círculo y de la duplicación del cubo, en permanentes y estruendosas polémicas con los matemáticos de Oxford. Entregado a tales ocupaciones, a los 91 años de edad, muere.

En 1741, Warburton escribiría:

> Hobbes fue el terror del último siglo. Y no hay todavía ningún joven clérigo militante que no experimente la necesidad de ensayar sus armas tronando contra él.

Hobbes, con su *Leviatán*, se convertiría en piedra de escándalo durante mucho tiempo. No obstante, pese a las protestas manifestadas a viva voz, y en muchas ocasiones en forma de grito desobligante e histérico, su lectura secreta se convirtió en señal de distinción y de amplitud de espíritu. Prohibido en público y anhelado en secreto, el *Leviatán* es lectura obligada para quien desea hacerse una idea cabal de los argumentos y razones que permiten fundamentar una de las pulsiones explicativas más universales y poderosas de la historia humana: el poder absoluto.

16

ENSAYO SOBRE
EL GOBIERNO CIVIL
John Locke

Frente a la experiencia concreta de la organización humana, surge el mismo y antiguo interrogante: ¿cómo decidieron los hombres, originariamente libres y entregados a la más absoluta soberanía, coartar sus privilegios individuales y entregarse a una convivencia de la cual redundarían tantas contradicciones? En algún momento inicial concertarían los términos de un contrato mediante el cual cada uno de los miembros de la comunidad humana abdicaba de sus prerrogativas naturales en atención a la convivencia. Pero, ¿cuáles fueron los motivos, el punto de partida, las condiciones previas al acuerdo, la situación de los sujetos particulares dentro de la sociedad conformada a partir del contrato?

Es evidente que para abandonar los halagos y privilegios de la condición natural, en donde cada sujeto era dueño absoluto de sus acciones, apetitos y preferencias, las expectativas habrían de ser muy grandes. O, cuando menos, los riesgos e incomodidades de la condición original habrían de ser tan amenazadores como para que los hombres dejaran de lado sus ventajas y acordaran el recorte voluntario de su arbitrio. Pero en contraposición a la versión de Hobbes, quien desde el mismo punto de partida supone la condición espuria del ser humano, Locke, en su *Ensayo sobre el gobierno civil*, considera que en la base de semejante determinación reside la racionalidad sustancial de los hombres. Se trata, pues, de asociarse, de recortar conscientemente la libertad y la soberanía del estado natural, a cambio de conseguir en solidaridad las seguridades mínimas que permitan sobrevivir a la humanidad. Pero como la decisión fue adoptada libre y voluntariamente por un ser racional y no por una bestia indolente y traidora, la abdicación no puede ser total. Todo lo contrario, la soberanía común, fruto del acuerdo entre los individuos, nunca es absoluta. No se trata de construir un "hombre artificial" que imponga su despotismo incontestable sobre los hombres naturales. Estos, que siguen siendo racionales aun en la circunstancia de legación de sus privilegios, continúan en posesión de aquellos derechos primarios que les son propios por naturaleza y en defensa de los cuales constituyen una asociación que ha de tener como propósito principal la consecución y defensa de la libertad.

El estado natural, en donde todos los hombres son libres e iguales, no significa en modo alguno un estado de guerra. No es preciso, pues, un poder absoluto que someta a cada sujeto particular y lo conmine bajo la presión del terror. Los hombres han aprendido de la razón, que cada quien tiene en su interior, a su plena y permanente disposición,

> que siendo todos iguales e independientes, nadie debe perjudicar a otro en su vida, en su salud, en su libertad, en su bien.

Basta proteger y salvaguardar al inocente y aplicar al culpable un castigo proporcional a la falta cometida, con el fin de reparar el daño causado y desestimular futuras infracciones. La racionalidad humana, al frente de estas operaciones tan delicadas, garantizará en cada caso la equidad, el equilibrio y la justicia.

Y, sin embargo, ¿por qué siendo el hombre un sujeto racional, tuvo que abandonar las ventajas de la libertad originaria, en aras de la asociación? En su medio natural, en posesión cada quien de lo estrictamente necesario para su bien vivir, pues

> tantas yugadas de tierra como el hombre puede labrar, sembrar y cultivar, y cuyos frutos puede consumir para su mantenimiento, son las que le pertenecen en propiedad,

no le era necesaria la constitución dé convenciones desde las cuales ejercer y defender derechos y atribuciones. ¿Qué podría hallar en la asociación que no tuviera ya en su estado de naturaleza?

Pues precisamente, dirá Locke, la seguridad de no caer en la condición de horda bárbara y detestable que prefigura al leviatán. Su condición original no es la del *homo homini lupus*. En modo alguno. Y, sin embargo, el riesgo de incurrir en arbitrariedades, de pasar sobre el derecho ajeno, de inclinarse a la inequidad y la violencia, existe. Así, pese a estar bien, y a fin de no perder el rumbo, los hombres adoptan la asociación para estar mejor. Y estar mejor consiste esencialmente en contar con leyes reconocidas, establecidas y aprobadas por consentimiento común; en tener jueces que en cada caso particular y a raíz de controversias o conflictos, apliquen con seguridad y precisión aquellas leyes comunes y, finalmente, en contar con un poder coactivo que haga de obligatorio cumplimiento las determinaciones tomadas por los tribunales y jueces de acuerdo con la voluntad común. Así las cosas, el consentimiento que cada sujeto particular mostrara a la hora de tomar partido por la asociación, rinde sus frutos. El cuerpo político se ha legitimado.

> Siendo los hombres naturalmente libres, iguales e independientes, ninguno puede ser sacado de este estado y ser sometido al poder político de otro sin su propio consentimiento, por lo cual puede él convenir con otros hombres juntarse y unirse en sociedad para su conservación, para su seguridad mutua, para la tranquilidad de su vida, para gozar pacíficamente de lo que les pertenece en propiedad y para estar más al abrigo de los insultos de quienes pretendiesen perjudicarles y hacerles daño.

La experiencia histórica concreta de cualquier individuo y el conocimiento de la historia de la humanidad nos ponen en evidencia la realidad del hecho político. Asociación esta que puede pretender legitimidad, siempre y cuando su origen parta de la libre determinación de los miembros del colectivo y de su consentimiento soberano. Ahora bien, tal consentimiento, por supuesto, no puede ser otorgado a modalidades de autoridad conseguidas por la fuerza. La conquista no puede ser en caso alguno fuente de soberanía legítima y el gobierno que de ella se deriva no puede ser aceptado y aplaudido. Los hombres, que aceptaron la mengua de sus potestades originarias, en ningún momento pueden convenir con un Estado absolutista en donde todos, con excepción de uno solo, se someterán exacta y rigurosamente a las leyes, y que este único privilegiado retendrá siempre toda la libertad del estado de naturaleza, aumentada por el poder y hecha licenciosa por la impunidad. Equivaldría a imaginarse que los hombres son bastante locos para cuidarse mucho de remediar los males que pudiesen causarles fuinas y zorras y para aceptar, en cambio —y hasta creer que sería muy dulce para ellos— ser devorados por leones.

Libre consentimiento y deliberación sostienen, pues, una asociación política genuina. Los hombres ceden de buen grado al colectivo el poder que tenían en su estado de naturaleza. Pero aquellas atribuciones que se entregan a la sociedad, ¿de qué constan en concreto? ¿Cuáles son los poderes que los sujetos particulares entregan a la comunidad política? Son esencialmente dos: el poder de mirar por su conservación y la de sus allegados y actuar en concordancia, y el poder de castigar todos los crímenes que atenten contra las leyes naturales y, por ende, el de hacer ejecutar tales leyes de la mejor manera posible. El Estado político, por tanto, que deriva sus atribuciones de la legación de los poderes particulares que lo conforman, se encuentra ante la posibilidad y la necesidad de ejercer dos poderes definidos y concretos: el poder legislativo, derivado de la primera potestad individual del hombre en naturaleza, cuyo propósito es regular, determinar y configurar las fuerzas sociales destinadas a la conservación y proyección de la sociedad, y el poder ejecutivo, que se encarga, a partir de la segunda potestad legada por el hombre originario, de hacer cumplir y ejecutar cada día las regulaciones o leyes decretadas por el legislativo. Estos poderes, ordenados según una jerarquía que el autor considera indudable —el legislativo se sobrepone al ejecutivo— han de ser ejercidos por personas diferentes. En ningún caso ha de incurrirse en el despropósito de hacer confluir los dos poderes en unas mismas manos. Los argumentos prácticos y, sobre todo, las previsiones espirituales, se oponen radicalmente.

No es siempre necesario hacer leyes, pero siempre lo es ejecutar las que han sido hechas.

141

Por otra parte, aquel sobre cuya cabeza recaigan las dos atribuciones, muy probablemente cederá a la tentación y puede incurrir en la arbitrariedad y en la tiranía.

Sobre las personas elegidas para ejercer los poderes unificadores de la comunidad política ha de recaer el máximo control. Es bien sabido que el poder mayúsculo reside, precisamente, en dar y quebrantar la ley, y que la condición del que ejecuta, con ser delicada y de gran responsabilidad, se sostiene sobre aquella que determina qué debe y qué no debe ser ejecutado. Pero no se trata de cambiar los términos y los protagonistas del Estado absoluto. Aun sobre aquellos que legislan y determinan el rumbo que la comunidad ha de tomar con el fin de conservarse y proyectarse hacia el futuro, el pueblo, autoridad suprema, ha de ejercer su labor fiscalizadora. Por encima de la circunstancia de haber entregado a la comunidad sus potestades, los hombres particulares conservan su derecho fundamental. Ellos han hecho un "depósito" de poder y les corresponde juzgar lo que se ha hecho con él. Y en el caso fortuito de constatar que los delegatarios de su soberanía hacen mal uso de ella y se vuelven en su contra, corresponde a la comunidad en pleno, y a cada hombre en particular, el derecho y el deber de la insubordinación. En caso contrario, se estaría negando la naturaleza profunda del acto político y el espíritu racional del hombre. Ningún argumento es suficiente para abocar a los seres humanos a un estado de arbitrariedad y tiranía.

Si las personas prudentes y virtuosas, por amor a la paz, abandonasen y concediesen todas las cosas a quienes quisiesen hacerles violencia, ¡ah, qué clase de paz reinaría en el mundo! Esta paz que habría entre los grandes y los pequeños, entre los poderosos y los débiles, sería semejante a la que se pretendiese establecer entre lobos y corderos, cuando los corderos se dejasen desgarrar y devorar pacíficamente por los lobos. O, si se quiere, consideremos la caverna de Polifemo como un modelo perfecto de semejante paz. Este gobierno, al que Ulises y sus compañeros se encontraban sometidos, era el más agradable del mundo; ellos no tenían otra cosa que hacer en él sino aguantar con sosiego que los devorasen. Y quién duda que Ulises, que era un personaje tan prudente, no predicase entonces la obediencia pasiva y no exhortase a una sumisión completa, representando a sus compañeros cuán importante y necesaria es la paz entre los hombres y haciéndoles ver los inconvenientes que podrían sobrevenir si intentasen resistir a Polifemo, que los tenía en su poder.

Ciertos de su condición fundamental, basados en su derecho originario e incuestionable, los hombres particulares tienen la potestad de fiscalizar y llamar a cuenta a sus representantes. Cuando el balance de la gestión es desfavorable y traiciona el sentido esencial de la asociación, le corresponde a la sociedad civil el derecho —y la obligación— de la resistencia y de la insurrección.

♲ *El autor y la obra*

John Locke nació en Inglaterra en 1632. Los graves acontecimientos políticos de su época determinaron en gran medida su devenir intelectual y personal. En efecto, desde su nacimiento hasta 1660, fecha de restauración de los Estuardo en el trono inglés, los graves enfrentamientos entre los partidarios del parlamento y de la corona lo involucraron personal y familiarmente. Su padre, puritano ferviente, combatió como capitán de caballería al servicio de la causa parlamentaria y él mismo, alumno del colegio de Westminster y futuro estudiante de Oxford, manifestó simpatías por la misma causa. Saludó, pues, la personalidad y las ejecutorias de Cromwell y los puritanos, pero pronto se fatigó de las inagotables pendencias intestinas del movimiento y de sus traiciones, intrigas y supercherías, de modo que cuando Carlos II Estuardo subió al trono, consideró con alivio llegado el final de los enfrentamientos.

Nada más lejano. El nuevo rey no tardó en malquistarse con el parlamento, pese a los años de relativa tolerancia, lo cual desembocó en una nueva y no menos cruda persecución. Lord Asheley, conde de Shaftesbury, consejero plenipotenciario de Carlos II, se convirtió en su principal contradictor político y luego, tras años de enfrentamientos sordos, intrigas y todo tipo de rumores, fue acusado de traición, apresado y condenado al destierro. Y como Locke, que para entonces ya era un prestigioso médico-filósofo, se había convertido en el hombre de confianza del condenado, corrió la misma suerte. En 1683 llegó a Holanda.

Los cinco años de residencia en aquel país lo marcaron definitivamente. Por una parte, enterado de los avatares de la política inglesa, sentía como suyos los problemas de los parlamentarios, *whigs*, perseguidos por el rey, y los partidarios de la extensión de sus prerrogativas, los *tories*. Y por otra, siendo él mismo puritano, ante la persecución a los protestantes franceses, acosados por el rey Luis XIV y la revocatoria del Edicto de Nantes, resentía las nuevas tendencias católicas y absolutistas que se imponían en el continente. Sin embargo, su actitud de radical civilismo, que redundaría en la redacción del *Ensayo sobre el gobierno civil*, se consolidaría a raíz de la muerte de Carlos II y el ascenso al trono de su hermano y sucesor Jacobo II. El nuevo rey, contrariando los sentimientos de la mayoría del pueblo inglés, se declaró abiertamente católico y, asistido por una teoría política que preconizaba el "derecho divino" de los reyes, adhirió a la causa absolutista de Luis XIV. A partir de entonces Locke rompió definitivamente con los Estuardo, en quienes sólo vio apéndices del rey francés, interesados en catolizar a viva fuerza al pueblo de Inglaterra para su propio provecho y para el de la causa de su protector. Entró en contacto con Guillermo de Orange, yerno de Jacobo II, quien desde ese momento se constituyó en la esperanza protestante europea y en el principal contradictor de la casa Estuardo, del catolicismo y del absolutismo de Luis XIV.

La revolución encabezada por Guillermo de Orange y concertada alrededor de la consigna "Por la libertad, la religión protestante y el parlamento" triunfó. En febrero de 1869, un año después de las peripecias militares que derrotaron a los Estuardo, John Locke regresó a Inglaterra. En el barco, en donde también viajaba la princesa Mary, hija del derrotado Jacobo II y esposa del victorioso Guillermo de Orange, el filósofo traía consigo las dos obras que le han conferido un lugar preponderante en la historia del pensamiento universal: *Ensayo sobre el entendimiento humano* y *Ensayo sobre el gobierno civil*. La princesa Mary ocupó su lugar en el trono de Inglaterra al lado de su esposo y John Locke encontró el espacio de protagonismo intelectual que desde entonces le acompañaría hasta el momento de su muerte, ocurrida en el año 1704.

El *Ensayo sobre el gobierno civil*, cuyo título exacto es *Segundo tratado sobre el gobierno civil…: ensayo sobre el verdadero origen, la extensión y el fin del gobierno civil*, fue antecedido por un primer tratado en el cual el autor se ocupaba de refutar lo expuesto por el escritor absolutista Robert Filmer en su obra *El patriarca*. La preocupación del autor fue consolidar un fundamento intelectual seguro para oponer a la poderosa conceptualización de su compatriota y contradictor Tomás Hobbes en su *Leviatán*. Desde la teoría del hombre artificial y el Estado absoluto, eran sostenibles los intentos políticos de los Tudor y el despotismo francés. Ahora bien, la concepción teológica del poder, que confería a los reyes la legitimidad incontestable señalada por Dios, sumía a innumerables ingleses en graves preocupaciones. Al apartar del trono a un soberano genuino, como Jacobo II, ¿incurrirían en un acto blasfemo? ¿No era su deber soportar "la voluntad del representante divino sobre la Tierra" en consideración a su naturaleza y a su dignidad? Tales preocupaciones requerían una pronta y contundente solución. La suerte del nuevo soberano, del parlamento y de la sociedad inglesa dependía en buena medida de ello. Esto determinó la redacción del *Ensayo sobre el gobierno civil*, obra que más allá de la resolución de dichos problemas particulares constituiría la primera sustentación de una organización civil, liberal y democrática de la modernidad. El ciclo de las revoluciones burguesas que habría de llegar, el espíritu ilustrado y lo prolijo de sus construcciones intelectuales, encuentran en esta obra un fundamento a partir del cual emprender sus propias realizaciones. La Revolución Francesa, las revoluciones americanas de independencia y el más reciente modelo de organización liberal del Estado, sostenido sobre la sociedad civil y los procedimientos democráticos, refieren con toda claridad este trabajo de John Locke.

Además de este *Ensayo sobre el gobierno civil*, el autor dio a la luz pública, en el mismo año de 1609, su *Ensayo sobre el entendimiento humano*, que goza de gran popularidad y cuya influencia es así mismo notable. Esta obra, dedicada a resolver agudos problemas epistemológicos y construida desde la más ferviente oposición a la metafísica medieval, plantea conceptualizaciones y metodologías presentes desde entonces en las muchas reflexiones que se han aventurado alrededor del problema del conocimiento.

17

MONADOLOGÍA
G. W. Leibniz

Frente a la existencia efectiva de las cosas que le rodeaban, y con la necesidad humana de conocer la naturaleza de tales cosas, Leibniz se formula una antigua pregunta: ¿cuál es su composición más íntima y secreta?, ¿qué elemento sustantivo las constituye? En otras palabras, ¿cuál es el *arké*, el principio, la clave del universo?

Leibniz entonces, como lo haría Descartes, se entregó a indagar por la naturaleza de aquellas sustancias simples, indivisibles y concretas más allá de las cuales es imposible ir, que constituyen la realidad. Pero a diferencia de los antiguos griegos, que hablaron del fuego, del aire o del *logos*, o de la reciente versión medieval que consideraba la omnipotencia de Dios, ahora se trata del concepto central de la "monadología": la mónada. Esta unidad sustancial, única, indivisible, carente de extensión, que sin ser un átomo físico constituye un centro de energía capaz de representar el universo, es el asunto del que se ocupará la obra de Leibniz y el núcleo de su filosofía.

Considerada el centro dinámico alrededor del cual fluye la diversidad del movimiento y el tiempo, cada hecho concreto y circunstancial del hombre cotidiano y su experiencia ha de referirse, por supuesto, a ella. Es la explicación última de todo, y los esfuerzos humanos, en cualquier ámbito de ocupación o interés, han de centrarse allí. Cuáles son las características de la mónada, cuál es su naturaleza, cómo conocerla y otros muchos interrogantes se imponen. Sabemos que es un punto de energía simple con capacidad de representación. Es decir, que puede tener conciencia de sí mismo y del universo que le rodea; que es capaz de deliberación o, cuando menos, de experiencia. Pero estas simplicidades únicas y últimas no están solas, pues a pesar de su unicidad forman parte de una infinidad repartida a lo largo y ancho del universo. Y, por otro lado, algo fundamental: hay entre ellas jerarquías. Unas son superiores a otras y en el ápice de la ordenación, en el lugar más alto y definitivo, en posesión de todas las atribuciones, reside una mónada definitiva: Dios. Sin embargo, a pesar de tan estricta determinación y de responder a naturalezas diferentes, todas son idénticas. De todas se puede decir, en esencia, lo mismo.

Son permanentes, autónomas y capaces de percepción, de modo que esa percepción abarca siempre la totalidad del mundo. Todo está en ellas. Pero entre ellas no hay relación de complementariedad ni de ningún tipo y, por lo tanto, no cabe resaltar en su interior orden alguno: ni antes, ni después, ni mejor o peor, ni causa o efecto. Todas sintetizan la totalidad de las cosas y cada cual corresponde a una "armonía preestablecida". Todas, pues, manifiestan su unicidad de infinitas maneras, contienen todo lo posible en su seno y resumen la totalidad de lo posible. Pero la mónada principal, Dios, el relojero supremo que ordena con minuciosidad y perfección cada ser y circunstancia, puede ver simultáneamente el modo como en cada mónada particular se manifiesta la totalidad. Él es capaz de articular en la armonía preestablecida que ha trazado para todas las cosas, distintas versiones totales de la realidad. Los hombres no, pero han de contar y aceptar esas determinaciones absolutamente superiores que eliminan cualquier contradicción entre ser todo lo posible y serlo de modos diferentes.

Porque, obviamente, si a una entidad que pretende contenerlo todo, le falta algo, su dignidad y pretensión se derrumban con estrépito. Pero esta entidad no recibe nada nuevo en su haber, pues todo lo posible está en ella y no puede concebirse un sitio vacío. Se trata, simplemente, de que no está sola. Hay otras, innumerables, que también lo contienen todo y que, sin embargo, son distintas de ella. O ella es quizá la distinta de las demás. Cada una perfecta, esencial, mínima, simple, imperecedera. Y cada cual distinta de las otras. ¿Cómo comprender esto? ¿Cómo solucionar sus inquietantes consecuencias?

¿De qué manera, pues, una mónada contiene todas las cosas? Sabemos que es una manifestación energética indivisible, pero, sobre todo, afirmamos que está dotada de capacidad representativa, o sea que la mónada es capaz de tener experiencias, lo cual confirma que posee percepción. Ahora bien, como toda percepción se realiza desde un sujeto que percibe y este sujeto es individuo y está determinado. por su circunstancia, la percepción toda es individual. Es parcial, pues depende de un punto de vista. Pero este punto de vista, esta subjetividad particular, incompleta, parcial, limitada, es percepción de la totalidad del mundo. Todo cabe en ella. Cada mónada particular es una entre infinitas y se somete a las peculiaridades de tal condición, pero al mismo tiempo, y sin que exista contradicción, es única, absoluta y total. En ella reside la totalidad. Dios, que es garante de la armonía del universo, conoce la perspectiva desde la cual cada quien ve al mundo y permite armonizar su coexistencia.

Cada mónada, punto de vista que percibe todo lo posible, supone una dignidad implícita. Hay unas superiores a otras. En principio, esa diferencia depende de que mientras unas mónadas tienen conciencia del universo, otras añaden a tal percepción el acto interno de reconocimiento de dicha conciencia universal. Unas saben y otras saben que saben. Esta diferenciación, que Leibniz consolida en sus conceptos de "percepción" y "apercepción", permite explicar las jerarquías existentes entre las mónadas. Hay seres privados de conciencia que perciben sin más el universo, mientras otros, los conscientes o racionales, tienen conciencia de él y de sus mudanzas. Porque apercibir supone confirmar las mutaciones parciales y continuas de las cosas del mundo desde una perspectiva. Ahora bien, se trata del esfuerzo por lograr detectar en las cosas apercibidas esa armonía preestablecida y total que subyace a toda experiencia. Pero, por supuesto, tal armonía será asunto de apercepción desde una conciencia individual y, por lo tanto, su versión, siendo total, supone otras que, también siéndolo, entrarán en conflicto. Pero como cada mónada y su versión particular expresa, aunque sólo sea parcialmente, la totalidad del universo, entre ellas, que se suponen claras y distintas, se establecerán, más que contradicciones, cruces. De tales cruces, protagonizados por mónadas que representan su apercepción de la totalidad, se concluirá la realidad de la armonía fundamental, garantizada por la existencia de Dios. Se puede, pues, concebir las diferencias y organizar un espacio amplio, tolerante y, al mismo tiempo, total y unitario. Es el espacio de los hombres y de sus asuntos. El otro, el ámbito de la verdad total y absoluta, es privilegio de la divinidad.

Pareciera que los hombres se encontraran, entonces, ante la imposibilidad del conocimiento absoluto. Cualquier sistema, por completo que pueda parecer, supone un punto de vista y, por lo tanto, una determinación. Y todos ellos, por encima de sus divergencias y contradicciones, contienen algo de verdad, una chispa que permite aprehender la profunda unidad del universo, obra de Dios. En efecto, el lector perfecto, la divinidad, puede descifrar los caracteres primarios, los símbolos que captan el contenido original de lo simbolizado. Y en cada hombre esas inscripciones existen. Ocultas por la confusión y la prolijidad de la conciencia y de la historia, pero alcanzables mediante una genuina investigación. Son las "ideas innatas", que se constituyen en el verdadero objeto de todo conocimiento. En medio de la confusión, fruto de los sentidos y de las percepciones imprecisas, las marcas originarias, las ideas innatas, nos permitirán descifrar el mundo en toda su integridad y en todas sus posibilidades. Por otra parte, siendo las mónadas independientes entre sí, "no existiendo ventanas entre ellas", las relaciones que se han supuesto a lo largo de la tradición filosófica resultan inconcebibles. La relación de causa-efecto, pues, alma del concepto moderno de realidad, es inaplicable. Causación significa contigüidad, influencia mutua, relación. Mónada supone totalidad, autonomía, negación de lo otro. Poco importa que tal solipsismo sea generado desde la parcialidad de una perspectiva, de un punto de vista individual. De todas maneras niega las relaciones, que sólo se urden a partir de la incompletud y, por tanto, no concibe la causalidad. Entre mónada y mónada, que constituyen en su conjunto el cuerpo orgánico de los seres, su alma y su actuar en el tiempo, no hay vecindad posible. La experiencia cotidiana de la unidad del universo, que desde los datos orgánicos más simples hasta las últimas abstracciones pareciera afirmar que entre todas las cosas hay contigüidad, se sostiene sobre otra categoría. No es causa-efecto, no es influencia, contacto, deseo o repulsión. (Cada una de estas categorías supone la inconcebible incompletud.) Es de nuevo la armonía preestablecida. La unidad esencial prevista y garantizada por Dios.

El autor y la obra

G. W. Leibniz nació en Leipzig el 1º de julio de 1646. Lector ávido, su primera juventud estuvo caracterizada por la lectura de los clásicos antiguos y modernos. En efecto, ya a los 12 años de edad estaba familiarizado con los textos de Virgilio, Platón, Aristóteles, Fonseca, Suárez y otros, para luego, a los 15 años, completar su formación autodidacta con la lectura de los modernos: Bacon, Campanella, Galileo, Kepler, Descartes… Sus posteriores estudios universitarios, realizados en Leipzig bajo la conducción de Thomasius, especialista en la cultura antigua, afianzan su erudición. Luego de la redacción de su primera obra original, *De principio individui*, en donde a la usanza de la escolástica medieval, y respecto al problema de los universales, acometía la defensa del nominalismo, se interesó en las matemáticas. En Jena, bajo la conducción de Weigel, se ocupa del asunto de la combinatoria universal como instrumento de reflexión filosófica. Finalmente opta por dedicarse al derecho y en 1666 se doctora en Altdorf. Sus ocupaciones profesionales no le significan, sin embargo, ninguna restricción intelectual. Todo lo contrario, en Nuremberg se une a la sociedad rosacruz, donde ocupa grandes dignidades en la jerarquía y se familiariza, entre tanto, con las obras de los principales alquimistas.

Sus variados oficios intelectuales lo pusieron muy pronto en contacto con personalidades de gran influencia, que determinarían en buena manera el rumbo de su acontecer. El barón de Boineburg, a quien conociera en Nuremberg, orientaría sus pasos hacia la política, a la cual dedicaría la redacción de varios trabajos. Llegó a ser consejero de Maguncia y sus relaciones le granjearon la simpatía de muchas cortes, nobles y príncipes, quienes lo colocaron a su lado como asesor particular. Su afán por conseguir la reconciliación de las diferentes iglesias, perfectamente compatible con los principales puntos de su metafísica, datan de este período y se extienden hasta la última década del siglo XVII. Luego, requerido por el duque Juan Federico de Brunswick-Luneburg, se convierte en su bibliotecario, y en los intersticios de la paciente labor de rastrear los orígenes de la familia de su protector, se entrega a las más variadas ocupaciones intelectuales. Indaga el origen de las lenguas y de las palabras, realiza excursiones por los ámbitos de la etnografía, la botánica, la zoología y la geografía y, sobre todo, mantiene una nutridísima correspondencia con los protagonistas de la ciencia y la filosofía de su época. A la luz de tales relaciones resulta comprensible la variedad de sus actividades: la indagación sobre la naturaleza y extensión de los axiomas geométricos a partir del trabajo de Roberval, el cálculo diferencial comprendido desde el triángulo característico de Pascal y su máquina de calcular, los aportes de Desargues sobre el problema de las cónicas y perspectivas... Muchos de sus trabajos toman así la forma de una secuencia de relaciones personales y dinámicas con científicos y filósofos determinados. Dialogar con ellos, controvertir, relacionarse con pensamientos ajenos, fue la médula explicativa de sus obras más importantes. El *Nuevo ensayo sobre el entendimiento humano*, concebido como un intento de dialogar críticamente con John Locke, filósofo inglés contemporáneo suyo, autor de los *Ensayos sobre el entendimiento humano*, es el mejor ejemplo de tal actitud.

Dos años antes de su muerte, Leibniz, atendiendo una solicitud del príncipe Eugenio de Saboya, resume en un tratado el cuerpo más consistente de su filosofía. Es un documento corto, carente de título y escrito en francés, que vio la luz pública años más tarde. Erdman, cuando en 1834 publicó la obra, lo hizo bajo el título de *Monadología*, en consideración de que el texto se inicia y gira alrededor del concepto de mónada, elemento sustancial de su pensamiento. La teoría del conocimiento que Leibniz expondrá en su *Nuevo ensayo sobre el entendimiento humano*, sus posturas políticas manifiestas en su desempeño como magistrado y asesor y en sus textos teóricos, pero, sobre todo, el anhelo de fundamentar la gran unidad del cristianismo, perfectamente posible desde su perspectiva de la "armonía universal", son comprensibles a la luz de los principios desarrollados en este libro. Intento de comprender la prolijidad y divergencia de la realidad a partir de conceptos metafísicos esenciales, la *Monadología* se constituye, así, en texto básico para comprender la actitud ontológica occidental.

18
PENSAMIENTOS
Blas Pascal

El objetivo de Blas Pascal al emprender la redacción de este trabajo es muy simple: se trata de constatar el comportamiento de los hombres en cada hecho y circunstancia de sus vidas. Y entonces, frente a frente con la cotidianidad pública y privada de sus contemporáneos, y enterado por la tradición de que tales comportamientos no eran excepcionales, se impone, como conclusión única, que los hombres son míseros e incapaces de comprenderse a sí mismos, al mundo que los rodea y al sentido de pertenecer a él. La naturaleza, con toda su prolijidad, es y será siempre inabarcable para un ser dotado con mínimos recursos. Al hombre no le corresponde en propiedad nada distinto de la equivocación, las falsas generalizaciones y la falsedad. Y, sin embargo, su diaria presunción, la enorme capacidad de envanecerse que manifiesta a cada paso, es prueba suficiente de que, lejos de considerar la flaqueza de sus recursos, cierra los ojos ante ella y se niega a aceptarla. Fatuidad, torpeza y limitación son, pues, sus características fundamentales. Su frágil razón lo aleja de toda comprensión genuina, y la vacuidad de su comportamiento lo acerca al exceso y al vicio. Pero en medio de panorama tan desalentador, se manifiesta una posibilidad que aun en los más oscuros socavones no deja de brillar. Existe en cada uno, por encima de sus limitaciones y defectos, un deseo, una necesidad, un propósito infatigable. Es la voluntad de ser mejor, de abandonar la mediocridad y el extravío. Es la esperanza de acceder a un estado que apenas vislumbramos, que no nos es posible determinar en modo alguno y que, sin embargo, está presente en cada uno de nuestros actos y nos impele a continuar adelante y a pasar por encima de nuestras ruinas.

Pero como nadie da lo que no tiene, y de la miseria no se puede seguir un destello —por mínimo que fuere— de libertad, dentro de cada ser humano duerme un misterio que urge desentrañar. Ese brillo que pese a todo seguimos contemplando, debe tener un principio, una razón. No obstante, es imposible suponerlo originado en la naturaleza humana, tan imperfecta y vacilante. Desde allí sólo es posible la reproducción de la torpeza. Por lo tanto, se impone la necesidad de buscar en los hechos humanos un estado distinto que en algún momento se poseyó y que luego perdimos para siempre. La perfección que no tenemos, pero que deseamos, sólo puede haber llegado a nuestras conciencias desde un remoto principio en el cual fuimos perfectos. No está ya en nosotros y en vano tratamos de reconstruirlo a partir de nuestra cotidianidad, pero su recuerdo nos alcanza y determina. Esa presencia, la esperanza de alcanzarla y asentarnos en ella, es la prueba definitiva de que la historia que conocemos no es la única posible y que antes de la interminable sucesión de incertidumbres y medianías que soportamos hubo un período feliz. Lejano y perdido, posee, sin embargo, magnetismo suficiente para aparecer en nuestras vidas a manera de brillo efímero que motiva, dinamiza y otorga sentido.

Caímos, pues. Abandonamos la perfección y de ella sólo nos queda la nostalgia. Sin embargo, ¿qué motivo nos indujo a tal abandono? Es evidente que cambiar un estado de plenitud y conocimiento por una sucesión inacabable de incertidumbres y descalabros resulta inexplicable. No es, cuando menos, un acto de libre elección. Y, sin embargo, sondeando en las profundidades del asunto, nos conmovemos ante la certeza de que, en efecto, los hombres abandonaron a voluntad el estado de perfección original al que pertenecían. Fue ejercicio de libertad, aunque no de cordura. Se cometió voluntariamente un error. Se incurrió en grave falta que originó el fin de un estado de completud y dio principio a la mendicidad y al fracaso. Se cometió el pecado original.

La interminable cadena de ambigüedades e imprecisiones en que se agota la vida de los hombres, se explica allí a cabalidad. Aquella falta originaria, producto de libre determinación, provocó la expulsión y abocó al hombre al castigo de la muerte y el error. Del mundo perfecto que perdimos no queda, en la turbiedad de la vida diaria, más que un recuerdo. Fragmentario e imperfecto, pero capaz de provocar en cada quien la suficiente esperanza como para ordenar el rumbo de los días hacia él. Es el mundo de las ideas perfectas de que nos hablaba Platón, el cual aparece más o menos en el recuerdo de los hombres, según la calidad del alma de cada uno de ellos. Conocer es recordar la claridad perdida. Vivir es prepararse para el reencuentro final con el paraíso que se ha perdido. Pero entonces Pascal, que a diferencia del filósofo antiguo ha sido formado por el cristianismo, acude al segundo gran principio que sostiene el concepto cristiano del mundo y del hombre. Por cierto que hemos sido expulsados de la perfección y que el pecado original es condición deplorable que nos compete a todos y nos hunde en la miseria. Pero a diferencia del pensamiento platónico, que supone diferencias esenciales entre los hombres a partir de las cuales a unos les es posible el recuerdo y el conocimiento y a otros no, Pascal sostiene que todos los humanos están en capacidad de asirse a esa esperanza y de salvarse a través de ella. La redención existe. Es posible abandonar la caverna y sus iniquidades y reencontrarse, definitivamente, con la perfección.

Sin embargo, en tiempos en los cuales el hombre ha encontrado una saludable independencia de los criterios de autoridad y cuando los viejos modos de aprehender el mundo son considerados supersticiosos y mezquinos, la pura enunciación de creencias es insuficiente. La razón se impone. El método, los encadenamientos inductivos, la experiencia, la nueva racionalidad matemática han ocupado el lugar de las modalidades escolásticas. Así las cosas, ¿qué razones últimas puede esgrimir Pascal para que sus argumentos, que aluden al centro doctrinal del cristianismo, sean tomados en cuenta? La recta interpretación, la deducción lógica, la obediencia, son premisas inaceptables para el hombre moderno que construye su mundo sobre la racionalidad y la experimentación. El pecado original, la redención, que son la médula de la explicación de la historia humana que propone Pascal, ¿cómo pueden ser considerados a la luz del nuevo espíritu de la modernidad? ¿De qué manera puede actualizarse el cristianismo? La respuesta no se hace esperar. La verdad de los presupuestos cristianos se deduce de la experiencia. La misma experiencia que ha posibilitado los adelantos técnicos, los descubrimientos geográficos y la nueva filosofía, presta legitimidad a las afirmaciones de la cristiandad. Pues la vida de los hombres concretos contemporáneos del autor, incluso de sus contradictores, se encuentra a cada paso con hechos comprobables por vía experimental que, sin embargo, saltan por encima de cualquier previsión de la inteligencia. Lo imprevisible y anómalo. Lo que linda con la imposibilidad. Lo inexplicable. Pero frente a la comprobación efectiva, a los hechos que impresionan los sentidos y que por ende sostienen toda pretensión experimental, eso mismo inexplicable se impone. El milagro existe y es prueba de la omnipotencia de Dios. Por otra parte, diferenciando con claridad el asunto que se propone al conocimiento, tratándose de dar razón de aquello incausado y fundamental, los procedimientos no pueden ser los mismos que bastan al propósito de conocer los hechos de la naturaleza. Inducción, metodologización, racionalidad, no bastan. A la realidad de los fenómenos le son suficientes, pero a la naturaleza de Dios en modo alguno. En los temas de la divinidad y de su existencia hay que ir más allá de los principios racionales y asentarse en la fe y en la voluntad.

Con tales presupuestos, Pascal enfrenta la redacción del cuerpo general de su obra. Es la defensa del cristianismo en tiempos de creciente incredulidad. Y aborda su trabajo desde todos los puntos de vista posibles. Argumentos filosóficos, teológicos, psicológicos, históricos, exegéticos y demás, se alinean a lo largo de 16 capítulos y 962 pensamientos. Los asuntos tratados, las recomendaciones, defensas y alegatos en que incursiona son innumerables, y entre ellos, a más de la intención de apología general a toda la obra, no es posible hallar una línea de conducción única y determinada. Por el contrario, desde reflexiones acerca del estilo, del conocimiento, del talento, de la naturaleza, hasta las que se ocupan de la justicia, la felicidad y la fe, el pensamiento de Pascal abre un espectro inagotable. Y, sin embargo, tal como es su deseo esencial, en cada una de las observaciones se percibe el propósito central de consolidar la versión cristiana de la realidad sobre cualquier otra que en su momento pugne por la supremacía.

En cada capítulo, dividido en párrafos numerados a manera de aforismos, Pascal se ocupa de un asunto determinado. Así, en el primer capítulo que gira en torno del problema "Del talento y del estilo", en sus términos, "existen notables diferencias entre el talento geométrico y el talento fino, delicado, sutil".

A pesar de ello, ambos se ordenan en la búsqueda de los principios. Pero los procedimientos empleados y las facultades interesadas son claramente diferentes. El talento geométrico, que pretende captar los principios en su peculiaridad, manteniendo las diferencias que entre ellos permitan distinguir y calificar a cada uno en su ser efectivo y singular, se hallan

tan alejados del común uso, que a los no ejercitados en la ciencia de la extensión les cuesta mucho trabajo volver la cabeza hacia ellos.

Pero mediante su correcta utilización, los principios, que son el objeto último de la búsqueda, se hacen palpables y evidentes.

En cambio, no bien se ha vuelto la cabeza, se ven los principios en su diáfana plenitud.

Ahora bien, los talentos finos penetran las consecuencias de los principios.

En el talento fino, los principios son de común uso y están presentes ante los ojos de cualquier clase de personas.

Por supuesto, los talentos pueden existir independientemente el uno del otro. Hay quienes descifran el mundo desde los refinamientos de la racionalidad y, sin embargo, son incapaces de comprender la naturaleza y el alcance de los sentimientos. Otros, en cambio, que no se han habituado a buscar los principios e intentan penetrar las cosas a partir de la intuición, son incapaces de comprender racionalidades. Se trata, pues, de desarrollar ambos caminos, de manera que el conocimiento del mundo sea lo más completo posible. Y en muy buena medida ello es realizable si se escogen las conversaciones y compañías con buen juicio. Talento y sentimiento se desarrollan así, o se deterioran. Ahora bien, de ninguna manera es posible a los hombres el conocimiento pleno y total del universo que los rodea y de su propia condición. Eso es privilegio de la divinidad. Cabe al ser humano la posesión de saberes fragmentados. No puede saberse todo lo posible sobre todas las cosas. De esta manera, los hombres enfrentan una dolorosa decisión: ¿es mejor saber de todo un poco, o saber todo lo posible sobre una cosa en particular? ¿La profundidad reducida y mínima, o la amplitud más o menos superficial? Pascal no duda en aconsejarnos: se trataría de contar con ambos saberes, pero ante la imposibilidad de hacerlo y dada nuestra naturaleza, hemos de preferir la amplitud del conocimiento a la especialización. Saber de todo un poco —en sus términos— vale más y es más bello.

En el capítulo 2, Pascal desarrolla una serie de reflexiones ordenadas alrededor del tópico "Miseria del hombre sin Dios". Los conocimientos de la naturaleza arrojan al hombre a una contradicción insoluble y dolorosa. Sus resultados pueden ser, y en gran medida lo son, falsos. En tal caso, los seres humanos vivirán envueltos en una versión espuria de la realidad, con todas las consecuencias derivables de tan errática condición. Pero si los conocimientos naturales alcanzados por el hombre y sus novísimas ciencias son ciertos, la condición humana no mejora en modo alguno. Por el contrario, en medio de la apabullante certidumbre del mundo que lo rodea, dentro del cual él mismo, siendo hombre, no es más que una partícula insignificante e innecesaria, de su conocimiento no le resta otra cosa que humillación y pesar. Antes, pues, que ocuparse en la indagación científica sobre el mundo, corresponde al hombre contemplar la naturaleza y contemplarse a sí mismo, de manera que le sea posible establecer justas proporciones entre una y otro.

Las cosas extremas son para nosotros como si no existieran, ya que se escapan a nosotros o nosotros nos escapamos a ellas; he aquí nuestro verdadero estado, que nos hace incapaces de saber con certidumbre y de ignorar absolutamente. Flotamos sobre un vasto término medio, siempre incierto y lanzados de un extremo a otro; si queremos afirmarnos en un punto, nos abandona, y si le seguimos, se aleja de nosotros en una huida eterna; nada se detiene para nosotros; es el estado que nos es propio y a la vez el más contrario a nuestra inclinación, puesto que ardemos en deseos de hallar una base firme para edificar una torre que llegue al infinito; pero nos falta el suelo, y la tierra se abre a nuestros pies; no busquemos, pues, punto de apoyo; nuestra razón está siempre combatida por la inconstancia de las apariencias, y nada puede fijar lo infinito entre los infinitos que lo encierran y lo huyen.

Así, la ciencia natural no constituye la respuesta al deseo de conocer que caracteriza la condición humana. Ella no genera más que error o parcialidad. El pensamiento, que es nuestra verdadera y definitiva vocación, al punto que nos hace particulares y distintos dentro del mundo natural que nos rodea, se ve ofuscado por innumerables enemigos: la imaginación, "maestra de error y de falsedad"; las enfermedades, que nos impiden construir un juicio recto, y la cotidiana tendencia a vivir en tiempos que no son nuestros.

Casi nunca pensamos en el presente, y si pensamos, es con vistas al porvenir; nunca el presente es nuestro fin; él y el pasado son nuestros medios, y nuestro fin, el porvenir; así que nunca vivimos, sino que esperamos vivir, y disponiéndonos siempre a ser dichosos, es inevitable que no lo seamos nunca.

El capítulo 3 trata sobre "La necesidad de la apuesta". Ciertamente, en capacidad de enfrentar el mundo de los hombres y de la naturaleza desde el ejercicio del pensamiento, se exige que cada cosa cumpla con las estrictas determinaciones que la rigen. Una razón "clara y distinta" debe presidir cualquier asunto que comprometa al hombre. Pero enfrentada a la mayoría de temas realmente importantes, la razón no puede encontrar asidero y se halla incapaz de manifestarse en contra o a favor.

Miro y sólo hallo tinieblas por todos lados…; es incomprensible que Dios exista, e incomprensible que no exista; que el alma esté en el cuerpo, y que no tengamos alma; que el mundo sea creado, y que no lo sea; que el pecado original exista, o que no haya existido.

Tales interrogantes, y otros más, urgen posiciones definidas. Y como la razón no basta, pues en ninguno de los asuntos mencionados es posible alcanzar claridad absoluta mediante la aplicación de los procesos intelectuales, me veo obligado a optar. Y entonces, situado en el ámbito de lo definitivamente azaroso, en donde toda previsión es inconcebible, me veo forzado a apostar. Apostar por lo mejor, por aquello que me reporte mayores ventajas y me rescate del desastre.

Apostando a que Dios existe, si ganáis lo ganáis todo; si perdéis no perdéis nada.

En el capítulo 4 desarrolla los tres medios existentes para creer: la razón, la costumbre y la inspiración; en el capítulo 5, referente a la justicia, se comporta con el más radical realismo: la justicia es la ley constituida, sin que la bondad o maldad de tal ley sea asunto que pueda interesarnos. En el capítulo 6, que titula "Los filósofos", desarrolla el asunto de la verdadera naturaleza humana, radicada en su posibilidad de generar pensamiento. El hombre es frágil e innecesario, y el universo puede arrebatarle la vida de múltiples maneras,

pero al matarle el universo, el hombre es más sabio que quien mata, porque sabe que muere y conoce la ventaja que el universo tiene sobre él, mientras que el universo no sabe nada.

Pero esta característica particular no es envidiable. Por el contrario, puede resultarle más desventajosa que afortunada.

El hombre no es ni ángel ni bestia; y la desgracia quiere que el que pretenda hacer de ángel, haga de bestia. Tan acusado de locura es el espíritu pequeño como el extremadamente grande; sólo es buena la mediocridad; la mayoría ha establecido esto, y muerde a quien intenta escapar de ello por algún extremo. Salir de lo mediano es salir de la humanidad.

Y esta certeza de la mediocridad inherente a la condición humana lo lleva, en el capítulo 7, a proponer una concepción del supremo bien que buscan los hombres. Toda evidencia nos lleva a constatar que el fin supremo de la vida humana es la consecución de la felicidad. La corrupción original, el primer pecado que nos aleja del estado de perfección, determina la torpeza de nuestros esfuerzos por ser felices.

Qué desgraciados somos, que tenemos una idea de la felicidad y no podemos conseguirla y tenemos una idea de la verdad y no podemos conocerla.

Al fin de cuentas, luego de cerciorarnos por todas las maneras posibles de nuestra impotencia e incapacidad, "deseamos la verdad y sólo hallamos incertidumbre; buscamos la dicha y no hallamos más que miseria y muerte; no podemos dejar de aspirar a la verdad y a la dicha, y somos incapaces de certidumbre y de felicidad", comprendemos que no hay otra salida distinta a la vida cristiana.

Estas y otras razones son desarrolladas con prolijidad a lo largo de los capítulos restantes. El ser humano, determinado a partir del cristianismo, caído, imperfecto y mísero, incuba una chispa de divinidad que ha de seguir fielmente si pretende salvación. Tal verdad es inobjetable y el texto de Pascal se detiene en los múltiples documentos probatorios, procedentes tanto de las Sagradas Escrituras como de los comentarios autorizados y la relación de milagros. El propósito final de su trabajo, que no fue totalmente acabado, se perfila en la cantidad de referencias, argumentos y afirmaciones que Pascal teje a lo largo y ancho de sus *Pensamientos*, con toda minuciosidad.

El autor y la obra

Blas Pascal nació en la localidad francesa de Clermont en 1623. A la edad de 8 años se trasladó a París, donde pudo desarrollar sus indudables talentos intelectuales. En efecto, a los 11 años de edad encontró por su propia cuenta la proposición 32 y su respectiva prueba del libro I de los *Elementos* de Euclides. Unos años más tarde escribió su ensayo sobre las secciones cónicas y más adelante bosquejó una "máquina aritmética".

Desde 1646, cuando entró en contacto con el pensamiento jansenista, junto a sus actividades sociales y, sobre todo, científicas, tuvo siempre un lugar para las más arduas especulaciones morales y religiosas. Era la contraposición entre el "espíritu geométrico" y el "espíritu de finura", que luego determinaría teóricamente en sus *Pensamientos* y alrededor de la cual construiría un sistema de razonamiento de amplia cobertura. Tal contradicción, que lo inclinaba en unos momentos a la mundanidad y en otros al retiro, se resolvió a favor de este último cuando en 1665, luego de largas digresiones, muchas de las cuales aparecen en su famoso "Memorial", decidió retirarse definitivamente a Port-Royal, bastión de los jansenistas.

Esta circunstancia no significó, sin embargo, que la producción propiamente intelectual de Pascal desapareciera. En 1654 escribió su *Traité du triangle arithmétique*, para ocuparse luego de las propiedades de la cicloide, estudio en el que se encuentran las bases del cálculo infinitesimal. Así mismo, entre 1656 y 1657 redactó sus célebres "Provinciales", 18 cartas en las cuales manifestó con claridad su postura respecto de la llamada "moral casuística" de los jesuitas. Por otra parte, su adhesión al jansenismo más radical se complementó por aquellos días con el alejamiento progresivo de las posturas de Arnauld y Nicole, demasiado penetradas del espíritu cartesiano. Estas evoluciones pusieron de manifiesto el hondo conflicto espiritual de Pascal: la consideración radical de la vanidad del mundo y, al mismo tiempo, la prosecución de sus trabajos científicos, que suponen, en principio, una actitud optimista y comprometida con la realidad.

Es el viejo contrapunto entre las versiones de Epicteto y Montaigne, tan caras a su pensamiento. Epicteto sabe de la grandeza humana y su riqueza inagotable, pero ignora su miseria, mientras Montaigne se plantea su ser mísero y ruin, desconociendo sus posibilidades. Es la geometricidad y la finura, la futileza de la realidad y las posibilidades del conocimiento científico. En el centro, a manera de puente, unión y reconciliación, el gran soporte que sostiene la vida y el pensamiento de Pascal: la verdad revelada por el Evangelio.

El enfrentamiento esencial que animó la vida y la obra de Pascal, así como su final resolución en la palabra revelada, hallan la máxima expresión en los *Pensamientos sobre la religión*, conocidos más simplemente como *Pensamientos*. Construido a partir de la exposición de textos más o menos independientes, este trabajo puede dar la sensación de obra parcial, fragmentaria o inacabada. No obstante, la estructura profunda que los une, el propósito de apología que atraviesa cada uno de los textos y la existencia de preocupaciones centrales y omnipresentes a lo ancho y largo de la exposición, manifiestan una unidad central y suficiente. La concepción del hombre como ser escindido y dotado con dos naturalezas poderosas y opuestas —tanto ángel como bestia—, la apuesta que en un momento determinado se hace necesaria, el espíritu fino y el geométrico, la contraposición y cercanía entre la demostración y la creencia, son ejes de reflexión activos que proveen al conjunto de sus *Pensamientos* de una innegable organicidad y, sobre todo, de un poder de convocatoria y persuasión que aún hoy —en tiempos de la postindustrialidad— mantiene su vigencia.

Pascal

19

EL CONTRATO SOCIAL
J. J. Rousseau

Como tantos otros pensadores, J. J. Rousseau se asombra ante el modo concreto de vida de los hombres de su tiempo. Y puesto que él también tiene acceso a la tradición, su sorpresa será aún mayor al constatar cómo esa subordinación, ese encadenamiento que somete a los seres humanos y los despoja de su dignidad, no es excepcional. Por el contrario, pese a que el hombre ha nacido en estado de natural libertad e igualdad, siempre ha estado rodeado de cadenas. La antigüedad clásica, los tiempos del medievo y la naciente modernidad así lo confirman. Ahora bien, a diferencia de algunos pensadores, que como Aristóteles —entre otros— han sostenido con su enorme prestigio intelectual y sus indudables condiciones argumentativas, las bondades de la esclavitud, Rousseau ni siquiera puede concebirla. Nadie tiene derecho natural a imponer sobre otro su voluntad y constreñirlo a la obediencia y a la abyección. Sin embargo, si tal cosa es cierta, ¿de dónde han surgido las condiciones que explican la constante subordinación de unos a otros? ¿Cómo se ha pervertido el impulso natural que lleva a cada ser humano a mantenerse en el goce y ejercicio de la más pura y definitiva libertad?

La afirmación de que los hombres no son iguales, y que unos han nacido para mandar y otros para obedecer, es —a juicio de Rousseau— insostenible. Los orígenes de la subordinación no se encuentran en la naturaleza humana, sino en la historia. Encadenamientos múltiples de causas y efectos, prolijos y complejos pero comprensibles a la luz de la inteligencia, han llevado a ciertos hombres a someterse a la autoridad de otros. Se trata de un acto de necesidad o de prudencia, presidido siempre por el poder persuasivo de la fuerza. Tal es el origen de la esclavitud, cuya perpetuación corre por cuenta del terror y la cobardía. Así se constituye el llamado "derecho del más fuerte", el cual, mirado detenidamente, no puede constituirse en derecho legítimo, pues sus orígenes se asientan más sobre la necesidad que sobre el derecho. Una organización social basada en la sumisión no puede mantenerse mucho tiempo. Es indispensable que el poderoso transforme su fuerza en derecho y la obediencia en obligación, lo cual contradice por principio sus propósitos y la condición íntima de su mandato. Así, nadie tiene, por naturaleza, autoridad despótica sobre sus semejantes, y la violencia no posee legitimidad alguna, aunque la autoridad existe y debe existir. La sociedad humana depende de ella. Pero como se trata de conformar una en particular que "sea capaz de formar al pueblo más virtuoso, más ilustrado, más prudente, mejor, en fin, tomando la palabra en su más amplio sentido", ¿en dónde hallarla? ¿En qué radica la genuina legitimidad de la autoridad?

Si la fuerza no es suficiente argumento de legitimación, esta debe buscarse en el asentimiento. La conformidad, la decisión libre, la voluntad soberana de los hombres, son la fuente de toda autoridad legítima. Por supuesto, la consideración de una convención primaria había sido el punto de partida de pensadores políticos anteriores a Rousseau. Los hombres particulares, por decisión autónoma, contrataron entre sí y delegaron en otro la libertad e igualdad propias de su estado natural. Hobbes concluiría a partir de allí la omnipresencia absolutista de su Leviatán, y Locke la posibilidad de un gobierno civil. ¿Algo nuevo habría de agregarse ahora desde *El contrato social*? ¿Es posible tal cosa? El texto no lo confirma. La originalidad de Rousseau, más allá de los elementos considerados en su exposición, consiste en atender a un propósito singular. Esa libertad e igualdad que en Hobbes se pierden totalmente y en Locke se atemperan y menguan, son conservadas íntegramente en esta nueva propuesta. Se trata de establecer una forma de asociación mediante la cual cada uno de los miembros aporte su particular potestad y renuncie a ella en aras del bien común, sin que por ello deje de obedecerse sólo a sí mismo y, por tanto, quede tan libre como antes. Este novedoso contrato social inaugura una "nueva naturaleza", en donde los hombres, que han abdicado de su libertad, la recuperan totalmente y se apropian de ella en el hecho concreto de ejercer su voluntad. Esta genuina invención de Rousseau, mediante la cual se intenta superar la supuesta contradicción entre los deberes colectivos pactados y las apetencias individuales, gira en torno de los conceptos "soberano", "soberanía" y "ley", que desarrolla profusamente en su texto.

El asunto por resolver es, pues, cómo se puede seguir siendo libre e igual, después de que se han entregado libertad e igualdad al cuerpo social; de qué manera cada ciudadano obedece, pero "sin embargo [no obedece], más que a sí mismo y queda tan libre como antes".

A primera vista la libertad, como concepto autónomo, es incompatible con la obligación, de manera que las afirmaciones del *Contrato* pueden parecer sofísticas. Obviamente, esa obligación social que los hombres contraen no es producto de la fuerza. La autoridad sólo se legitima a partir del libre consentimiento de los particulares. No se trata de aceptar potestades incontestables de tipo patriarcal o divino. Tales son los fundamentos del absolutismo. Aquí se trata de la voluntad soberana que conduce a un contrato que cada cual celebra "por así decirlo, consigo mismo". Y sin embargo, pese a este asentimiento, del cual deriva la legitimidad de la asociación, los individuos particulares terminarán obedeciendo, lo cual es un recorte evidente de su libertad original. Pero el asunto radica en que los hombres que se han asociado hacen entrega de la totalidad de sus potencias y derechos en favor de la comunidad, y ellos mismos son esa comunidad que recibe y acumula tales derechos y potencias. Cada uno se compromete con todos, no con alguien en particular. Nunca con un sujeto distinto a sí mismo. Así, como la renuncia es compartida exactamente en la misma medida y proporción por cada uno de los miembros de la sociedad, un sujeto individual tiene sobre cada uno de sus congéneres el mismo derecho que ellos tienen sobre él. Al entregar su voluntad a todos, haciéndola general, la conserva en sí mismo, pues él constituye esa generalidad receptora de voluntades particulares. Cuando obedece esa voluntad, no obedece a nadie distinto, ajeno o diferenciado que lo pueda someter. Las ligaduras que lo unen a la comunidad no lo sujetan a nadie, y la necesaria obediencia que implica el haber aceptado esta nueva naturaleza proveniente del contrato social, es obediencia a su propia y soberana voluntad.

Cada uno de nosotros pone en común su persona y todo su poder bajo la suprema dirección de la voluntad general, y recibimos en cuerpo a cada miembro como parte indivisible del todo.

La libertad, pues, se encuentra a salvo.

Cada uno de los miembros del "pueblo", del cuerpo político, del "soberano", se encuentra ligado a la "voluntad general". Cuando tal voluntad se hace manifiesta a través del ejercicio activo del cuerpo político, es "ciudadano". Esa manifestación activa del soberano es la ley. Cuando obedece pasivamente las regulaciones y legalidades que él mismo ha construido en su momento, es "súbdito". Obedeciendo y haciéndose obedecer, el hombre conserva su libertad y manifiesta su obediencia. Pero la "voluntad general", alrededor de la cual se organiza el centro medular de la organización política, no es sólo la acumulación de pareceres particulares. Su condición desborda la mera cantidad y se asienta en la posesión de dignidades esenciales. En efecto, el "soberano" no puede querer cosa distinta al bien general, que es su propio bien. Y, sin embargo, como los miembros individuales del "pueblo" están sometidos a un íntimo desgarramiento, tal claridad no es siempre satisfactoria. A partir del contrato, cada miembro de la sociedad es, a su vez, hombre individual y hombre social. En esa misma medida ha de contar con dos clases de voluntad. Desde su individualidad se ve precisado a buscar la satisfacción de sus deseos e instintos particulares. Pero su nueva naturaleza de hombre social lo induce a comportarse moralmente, atendiendo siempre al beneficio general. Y es aquí donde la libertad, que antes dependiera de las provisiones de la "voluntad general", corresponde a su asistencia. Precisamente, la facultad que cada quien tiene de hacer predominar su voluntad general sobre sus ansiedades particulares, el acto libre, elimina el "amor a sí mismo" en favor del "amor al grupo". La obediencia al soberano constituye "voluntad general" y libertad verdadera y genuina.

Pero es posible que individuos particulares o facciones entren en conflicto con la voluntad común. Podrían, por supuesto, alegar que sus potestades esenciales, aquellas que colocaron en manos de la sociedad pero que debían conservar intactas, han sido vulneradas. Las minorías existen y pueden ser origen de peligrosos resquebrajamientos de la autoridad. No obstante, la simple disensión de la voluntad de la mayoría, lejos de ser un acto libre, manifiesta la más cruda abyección. Puesto que los apetitos individuales han motivado semejante contradicción, obligar a los descarriados a plegarse al deseo del soberano, lejos de constituir un atentado contra su libertad, es su más radical defensa. El, o los disidentes, han olvidado que la voluntad general, contra la cual se alzan, es la suya propia. Constriñéndolos a cumplirla, se les fuerza a ser libres.

Por tanto, cuando la opinión contraria a la mía prevalece, esto no prueba otra cosa sino que yo me había engañado y que lo que yo estimaba ser la voluntad general no lo era. Si mi opinión particular hubiese prevalecido, yo hubiese hecho cosa distinta de lo que había querido; entonces yo no habría sido libre.

Libertad, obediencia, constricción, pues, se orientan en el mismo sentido. Y, sin embargo, los hombres somos seres dependientes y no es posible considerar con seriedad un concepto de libertad sin habérselas con tal determinación. Dependemos de las múltiples e inmanejables fuerzas de la naturaleza, de nuestros congéneres y de nosotros mismos. Esa dura relación que entablamos a cada paso con lo que nos rodea, y de la cual no siempre salimos airosos, no preocupa a Rousseau. La necesidad, la tragedia, la enfermedad, el cataclismo, nos doblegan y determinan pero no nos hacen menos libres. En cambio, los otros seres humanos y las relaciones que con ellos establecemos, son lo que vale cuando se trata de libertad. Ser libre o no es un problema que compete estrictamente a los hombres. Así, el sentido de la asociación legítima tiene que ver con prescindir de tales dependencias particulares, convirtiéndolas en dependencias de la naturaleza. Cualquier simple desequilibrio que coloque a un hombre en condición de inferioridad respecto de otro, niega su indeclinable libertad y, por tanto, afecta la esencia misma del Estado. Solamente la ley, expresión de la voluntad general, gracias a su impersonalidad, inflexibilidad y equidistancia, está en capacidad de solucionar esa anomalía. La ley consigue que el estado de dependencia de los hombres pueda "volver a convertirse en dependencia de las cosas", asegurando el imperio de la libertad.

Pero el contrato social se ha comprometido a devolver a los hombres aquel estado de naturaleza del cual han abdicado en favor de la nueva y más favorable naturalidad colectiva. Y tal condición natural incluye, a más de la libertad que ya ha sido resguardada, la igualdad original de todos los seres humanos. En principio, las determinaciones expresas del contrato que señalan el compromiso de todos los ciudadanos, que se obligan "bajo las mismas condiciones y deben gozar todos los mismos derechos", hacen viable el problema. Ningún súbdito debe resentir sobre sus hombros mayores obligaciones que las que recaen sobre los demás, ni tiene que soportar privilegios o prerrogativas. Así, esta "igualdad moral y legítima" llega aún más lejos que la igualdad natural, de manera que

pudiendo ser desiguales en fuerza o en genio, se hacen todos iguales por convención y de derecho.

¿Se trata, entonces, de una supresión absoluta de todas las diferencias? Para nada. Las diversas formas de diferenciación, y entre ellas la más importante por sus alcances e implicaciones colectivas, la económica, no pueden evitarse. Muchas razones determinan el hecho de que haya hombres que posean más bienes que otros y el "soberano", entre muchas otras prerrogativas, se abroga el derecho y el deber de garantizar el gozo y usufructo de la propiedad. Se convino, en la génesis del contrato, dar todas las potencias individuales al cuerpo social. Y, por supuesto, la propiedad resulta parte fundamental de dicho legado. Pero el soberano ha devuelto a los súbditos sus haberes, legitimados ahora mediante el derecho que se deriva de la mutua aceptación. Es más, ahora que los derechos sobre un bien son legítimos, encuentran en la ley y en el gobierno los defensores apropiados que los guarden y protejan. De esta manera, la igualdad que garantiza el contrato tiene que ver con el tratamiento que cada súbdito reciba del soberano, no con los haberes o atributos que cada quien posea. Sin embargo, tal posibilidad no puede extenderse hasta los límites del "tráfico de la libertad pública":

Si queréis, pues, dar al Estado consistencia, aproximad los grados extremos tanto como sea posible; no toleréis ni gentes opulentas ni mendigos. Estos dos estados, naturalmente inseparables, son igualmente funestos para el bien común... Que ningún ciudadano sea bastante opulento para poder comprar a otro, y ninguno bastante pobre para verse obligado a venderse.

Este soberano, que por virtud del contrato celebrado pone a buen resguardo y reconstituye la libertad e igualdad naturales, deriva toda su dignidad y encumbramiento de la posesión efectiva de una potestad: la soberanía. Soberanía que es poder del cuerpo político, es decir, del soberano, del pueblo. Este poder que legitima y sostiene reside en la voluntad general. Así, los atributos y caracteres de esta voluntad general serán los mismos de la soberanía. Es, por tanto, inalienable, indivisible, infalible y absoluta.

La soberanía no puede cederse o transmitirse. El pacto de sociedad en el cual cada ciudadano otorga al cuerpo social su propia voluntad, no permite ninguna otra transacción. El soberano, pues, no tendrá la posibilidad de pactar con un "representante", para hacer entrega de su soberanía, pues en tal caso dejaría de ser el mismo pueblo.

> Los diputados del pueblo no son, ni pueden ser, sus representantes; no son más que sus comisarios; no pueden concluir nada definitivamente. Toda ley que el pueblo en persona no ha ratificado es nula; no es una ley.

Así mismo, la tan sonada institución de las tres ramas del poder público, redunda en el debilitamiento de dicho poder. Dividir la soberanía es condenarla.

> La voluntad es general o no lo es; es la del cuerpo del pueblo, o solamente de una parte.

Al hablar de legislativo, ejecutivo y judicial, no se puede hablar de tres ramas constituyentes del poder público, sino de tres "emanaciones" de dicho poder. De estas dos condiciones se desprende que la voluntad general, o la soberanía genuina, "no oculta detrás de engaños ni de la voluntad de particulares o facciones", es infalible. Busca, por su misma condición, el bien general.

No estando el soberano formado más que por los particulares que lo componen, no tiene ni puede tener interés contrario al de estos. Es imposible que el cuerpo quiera perjudicar a todos sus miembros y no puede perjudicar a ninguno en particular. Todo acto auténtico de la voluntad general, obliga o favorece igualmente a todos los ciudadanos. De esta manera, todo lo dicho ratifica que la soberanía es absoluta: el pacto social da al cuerpo político un poder absoluto sobre todos los suyos.

Lo cual no nos acerca al absolutismo, pues, en síntesis, implica que el Estado toma para sí todo lo que considera necesario limitar con el fin de garantizar la libre actividad, y deja el resto de esa libre actividad en manos de los particulares.

Esta soberanía, que inspira las acciones y actitudes del soberano y constituyen su valor y dignidad, se manifiesta en concreto en forma de leyes. La voluntad general, que es la soberanía misma, se formula a través de este instrumento, sagrado y fundamental. En efecto, frente a la necesidad de salvaguardar la existencia de los hombres de cualquier tipo de arbitrariedad o exceso, no se puede hacer cosa distinta que acudir a las leyes. En ellas radica toda universalidad, todo valor, libertad y justicia. El hombre particular, o la facción, pueden pretender la imposición de sus visiones parcializadas y obstinarse en convencer a la comunidad de que lo que los beneficia exclusivamente a ellos, es benéfico para todos. Contra esta particularidad, contra esta reducción a la minucia y al caso fortuito, se yergue en toda su dimensión un instrumento universal, abstracto, impersonal, inflexible, que privilegia la totalidad sobre la manifestación y el derecho común sobre el arbitrio caprichoso de unos pocos. Siendo la voz de todos, encadena la voluntad de cada uno para que sea consistente con esa generalidad de la cual él mismo forma parte, a fin de conducirlo o forzarlo a la libertad. En ella radica la posibilidad humana de prescindir del amo y de instaurar un dominio general, absolutamente objetivo y justo. Se trata, así, de indagar por esa especie de gobierno "que ponga la ley por encima del hombre".

Para lograrlo, el primer paso consiste en determinar con claridad las condiciones que permiten separar las leyes genuinas de las meras arbitrariedades. Y esto implica exigir de las leyes esa naturaleza general que repudie, aleje y haga impensables las particularidades sobre las cuales se consolida el capricho.

Cuando digo que el objeto de las leyes es siempre general, entiendo que la ley considera a los súbditos formando un cuerpo y a las acciones como abstractas, nunca a un hombre como individuo ni a una acción en particular [...] En una palabra, toda función que se refiera a un objeto individual no pertenece al poder legislativo.

Por supuesto, el pueblo, soberano indiscutido, debe encargarse de manifestar su voluntad, que es ley. Pero, ¿cómo es esto posible tratándose ya no de la claridad intelectual de un tratado teórico, sino de los hombres y mujeres concretos, arracimados en poblaciones populosas y complejas? Tales multitudes, la mayoría de las veces inconscientes y frenéticas, ¿serán capaces de concebir y construir semejantes instrumentos de convivencia social? La voluntad general es, por supuesto, ley. Pero, ¿está el pueblo en capacidad de reconocer cuál es su voluntad genuina?

El pueblo por sí mismo quiere siempre el bien, pero no le ve siempre por sí mismo. La voluntad general es siempre recta, pero el juicio que la guía no siempre es claro. Hay que hacerle ver los objetos tales como son, a veces tales como deben parecerle, mostrarle el buen camino que busca, garantizarle contra la seducción de las voluntades particulares, aproximar a sus ojos los lugares y los tiempos, contrapesar el atractivo de las ventajas presentes y sensibles con el peligro de los males lejanos y ocultos. [...] He ahí de donde nace la necesidad un legislador.

El hombre individual, forzosamente, en atención a su naturaleza, se encuentra escindido entre su voluntad particular y mezquina y el respeto al provecho común. Resulta paradójico que Rousseau, quien manifiesta tan grande aversión a los individuos y a las particularidades, acuda ahora, tratándose del centro vital de su propuesta política, a un hombre individual. Pero ese sujeto, que es uno y no total, se encuentra muy lejos de pertenecer al grueso, más o menos mediocre, de la población. Es un ser extraordinario,

una inteligencia superior que viese todas las pasiones de los hombres y que no experimentase ninguna; que no tuviese ninguna relación con nuestra naturaleza y que la conociese a fondo…; que, procurándose una gloria alejada en el progreso de los tiempos, pudiese trabajar en un siglo y gozar en otro.

Alguien que no mande a los hombres, ni dé fuerza ejecutiva a las leyes que redacta. Un ser capaz de emprender una empresa más que humana, sin tener a su alcance la más mínima capacidad de ejecución. Y sobre todo, más allá de las regulaciones políticas, civiles o criminales que emprenda, el legislador ha de ser capaz de incorporar, dar cohesión y espacio legislativo a esas regulaciones secretas, íntimas y silenciosas que duermen en lo profundo de la conciencia colectiva de los pueblos. Las costumbres, los usos y la opinión,

> parte de la que el gran legislador se ocupa en secreto, mientras que parece limitarse a reglamentos particulares, que no son más que la cimbra de la bóveda, cuya inquebrantable clave forman, al fin, las costumbres, más lentas en nacer.

Sabe el legislador, entonces, aplicar cada reglamentación al espíritu efectivo del pueblo sobre el cual ha de mandar. No basta la bondad implícita de la norma. Es indispensable considerar, en cada caso, a la comunidad objeto de legislación, para que ella y su particular concepto colectivo la impongan y hagan posible, en el tiempo, el éxito de la ley.

Ahora bien, cuando el trabajo legislativo, es decir, la voluntad expresa del soberano, sea concluso o se encuentre en movimiento efectivo, resulta imprescindible dar el siguiente paso. En efecto, lo que el soberano quiere, debe hacerse. La voluntad ha de convertirse en obra. Es una operación de alto riesgo, pues se trata nada menos que de traer las regulaciones abstractas, situadas en la intemporalidad y la generalidad, al plano concreto y particular del tiempo y del espacio. Lo que era abstracto debe hacerse concreto. Lo general, particular. Y como tal conversión es más que necesaria y urgente, ¿quién habrá de responsabilizarse de ella? ¿A quién o a quiénes compete?

En este punto, Rousseau se encuentra *ad portas* de dar cuerpo a la segunda contribución original de su pensamiento político.

En efecto, una cosa es el soberano, poseedor de la voluntad general y con ella de la soberanía, y otra muy distinta el gobierno. En síntesis, se trata de un cuerpo que relaciona y armoniza el legislador y el pueblo. Es la fuerza al servicio de la voluntad. Es la mano de obra. No está en capacidad, ni le compete, celebrar contratos con el soberano. Su designación es un asunto puramente legal y los llamados magistrados no poseen

en absoluto más que una comisión, un empleo, en el cual, como simples oficiales del soberano, ejercen en su nombre el poder de que les hizo depositarios, y que él puede limitar, modificar y recobrar cuando le plazca.

Esta determinación que introduce Rousseau en su contrato social, inaugura una nueva manera de concebir el poder público. Los ejecutores, o gobernantes, a quienes compete únicamente la particularización de la voluntad general, pueden ser de varios tipos. Si es un grupo, nos encontramos con la aristocracia; si es un hombre particular, con la monarquía, y si es la totalidad del cuerpo social, con la democracia. Así, las formas de gobierno que tradicionalmente se identificaban con las formas del poder soberano, dejan ese lugar al pueblo y a su voluntad general, y se ocupan exclusivamente de la administración. Dominio este que, por supuesto, es calificado por el autor, quien considera a la democracia como la peor de las formas gubernamentales y entrega sus preferencias a la monarquía, a pesar de que pueda extralimitarse con facilidad. Ahora bien, esta sospecha de arbitrariedad, tan imputable al gobierno de un solo hombre, es compartida por todas las formas de gobierno. Quienes tienen en sus manos la regencia de la vida ciudadana corren el grave riesgo de confundir su propio bienestar con el de la comunidad, y de tal manera atentar contra la noción misma de Estado y de soberanía.

Así como la voluntad particular obra sin cesar contra la voluntad general, así el gobierno se esfuerza continuamente contra la soberanía.

Es necesario, entonces, prevenirse contra las arbitrariedades del gobierno, cualquiera que este sea, pues en ocasiones la legislación no alcanza a cubrir todas las contingencias de la historia y obliga a poner la soberanía del pueblo en manos del ejecutivo.

Dadas tales circunstancias, se puede apelar en unas oportunidades a la asamblea general del soberano, el cual, en ejercicio de su voluntad imperativa, tomará las medidas pertinentes. Pero en otros casos, cuando las condiciones sean efectivamente excepcionales, se deberá aceptar la cesación de la soberanía del cuerpo social y entregar el poder pleno a un tirano para que este, con total autonomía, conduzca al pueblo fuera de la zona de peligro para regresar a su dignidad original.

> Nunca se debe detener el poder sagrado de las leyes más que cuando se trata de la salvación de la patria. En estos casos raros y manifiestos, se provee a la seguridad pública por medio de un acto particular que entrega el poder al más digno…, se nombra a un jefe supremo que haga callar todas las leyes y suspenda un momento la autoridad soberana; en tal caso la voluntad general no es dudosa, y es evidente que la primera intención del pueblo es que el Estado no perezca.

Tras establecer de esta manera los puntales sustantivos de su pensamiento, J. J. Rousseau se detiene un momento a considerar el asunto de la religión. Preocupa a sus ojos una tradición cristiana que implica la silenciosa, pero persistente, división del poder entre la Iglesia y el Estado.

> Resultó de este doble poder un perpetuo conflicto de jurisdicción que hizo imposible toda buena política en los estados cristianos; y nunca se pudo acabar de saber a quién se estaba obligado a obedecer, si al señor o al sacerdote.

No obstante manifestar, desde su práctica protestante, aversión fundamental por el catolicismo, "la religión de Roma", terminó por proponer una profesión religiosa que apuntale las virtudes ciudadanas y contribuya a la causa de la soberanía. Se trata de una "religión civil" que incorpore en cada ciudadano el amor a sus deberes y la defensa de la sociabilidad.

> Los dogmas de la religión civil deben ser simples, en pequeño número, enunciados con precisión, sin explicaciones ni comentarios. La existencia de la Divinidad poderosa, inteligente, bienhechora, previsora y providente; la vida futura, la felicidad de los justos, el castigo de los malvados, la santidad del contrato social y de las leyes;

he ahí los dogmas positivos. En cuanto a los dogmas negativos, los limito a uno solo: la intolerancia; ella entra en los cultos que hemos excluido.

De esta manera concluyen las reflexiones políticas del ciudadano ginebrino Juan Jacobo Rousseau.

🖎 *El autor y la obra*

Juan Jacobo Rousseau nació en Ginebra en 1712 y murió en la ciudad de Ermenonville en 1778. Su infancia, en extremo dura, lo determinó hondamente y marcó un hito en su futura producción intelectual. En efecto, al morir su madre en el alumbramiento, fue puesto bajo la tutela del padre, quien resintió el grave peso de la crianza y lo abandonó a su suerte a muy temprana edad. Los malos tratos de quienes se ocuparon de su custodia lo llevaron, a los 16 años, a trasladarse a Saboya, bajo la protección de Mme. de Warnes. Allí, sus condiciones naturales llamaron la atención del abate Gaime, quien impresionado con su capacidad intelectual lo tomó bajo su protección. No obstante, el joven Rousseau unía a sus indudables posibilidades una naturaleza apasionada y aventurera que lo apartó en breve de la austera disciplina del abate y lo llevó a vagabundear. Las andanzas y aconteceres de esta época lo condujeron de nuevo a la sombra de Mme. de Warnes, bajo cuya tutela se dedicó a los estudios de música y latín en un seminario lazarista. Tampoco entonces duró demasiado tiempo entregado a la disciplina académica y, de nuevo en camino, llegó a la ciudad de París.

El ambiente intelectual de la gran ciudad le produjo una gran conmoción. Ideas de todo tipo y procedencia, personajes de indudable prestigio intelectual y gran poder de persuasión, inquietud y ansiedades colectivas y, en fin, la certidumbre de vivir en un mundo que se transformaba ante sus ojos, le daban la certeza de que él, desde sus peculiares circunstancias, tendría un lugar y un papel que cumplir en tal transformación. En efecto, muy pronto entró en contacto con las principales agrupaciones intelectuales de la época y el propio Voltaire, alma y nervio de la Ilustración, persuadido de los valores del joven ginebrino, lo invitó a formar parte del cuerpo de redactores de la Enciclopedia.

La enorme agitación intelectual y política de la Francia prerrevolucionaria determinó su pensamiento. Armado de una estructura abiertamente liberal, y seguro de la validez y pertinencia de su propio pensamiento, Rousseau decidió regresar a Ginebra. Una vez allí fijó su residencia en L'Hermitage, pero pronto se vio envuelto en una serie de enfrentamientos y persecuciones, de manera que optó por refugiarse en Neuchâtel, pues la publicación del *Emilio*, compendio y síntesis de sus ideas pedagógicas, había provocado un enorme escándalo. Su posición laicista, práctica, realista y crudamente crítica respecto de las anquilosadas reglamentaciones educativas de la tradición cristiana, le granjearon enemistades mayores.

El asunto se hizo tan grave que las autoridades determinaron condenar expresamente la lectura de la obra y la quemaron en ceremonia pública, para escarmiento del autor y de quienes pudieran manifestarle alguna simpatía. A partir de entonces se le reconoció como filósofo inconforme y librepensador, de manera que sus opciones políticas, que fundamentaban el creciente movimiento revolucionario, le granjearon nuevas y más delicadas dificultades. El Senado de Berna lo expulsó y Rousseau se vio precisado a refugiarse en Inglaterra. El exilio, sin embargo, le resultó intolerable, de manera que bajo nombre ficticio y a sabiendas de los graves riesgos que corría, regresó al continente y se instaló en la población de Ermenonville, en donde lo sorprendió la muerte en 1778.

El pensamiento roussoniano, de gran vigor y penetración, determinó en buena manera los acontecimientos espirituales y políticos del llamado "Siglo de las Luces". La inminente Revolución Francesa, que no alcanzara a conocer, halló buena parte de su ideario intelectual en su pensamiento. Obras como *Emilio*, las *Confesiones*, *El contrato social*, entre otras, constituyeron cimientos sobre los cuales se intentó la transformación práctica de la historia. Su producción intelectual, muy amplia, incluyó piezas narrativas, dramáticas y especulativas. Algunos de sus títulos más representativos son los siguientes: *La nueva Eloísa, Carta sobre la música francesa, Discurso sobre la desigualdad entre los hombres, Cartas de la montaña, El sentimiento del ciudadano, El huerto de la Charmettes, Ensueños de un paseante solitario, La virtud más necesaria a los héroes, Emilio y Sofía o Los solitarios* y *Epistolario*. Su obra y testimonio vital, en donde la artificialidad y el prosaísmo social fueron duramente criticados y en donde se ofreció al hombre, en compensación, la alternativa de la naturaleza altiva y pura fueron, sin duda, uno de los puntos de partida más claros del movimiento romántico.

Rousseau

20

MANIFIESTO DEL PARTIDO COMUNISTA

Carlos Marx, Federico Engels

Un fantasma recorre Europa: el fantasma del comunismo. Todas las fuerzas de la vieja Europa se han unido en santa cruzada para acosar a ese fantasma: el papa y el zar, Metternich y Guizot, los radicales de Francia y los polizontes alemanes.

¿Qué partido de oposición no ha sido motejado de comunista por sus adversarios en el poder? ¿Qué partido de oposición, a su vez, no ha lanzado, tanto a los representantes más avanzados de la oposición como a sus enemigos reaccionarios, el epíteto zaheridor de comunista?

De este hecho resulta una doble enseñanza: que el comunismo está ya reconocido como una fuerza por todas las potencias de Europa. Que ya es hora de que los comunistas expongan a la faz del mundo entero sus conceptos, sus fines y sus aspiraciones; que opongan a la leyenda del fantasma del comunismo un manifiesto del propio partido.

Tal es el sentido que Carlos Marx y Federico Engels impondrán a esta, que sin ser la más ambiciosa o compleja de sus obras, se convertirá en la más incisiva y polémica de ellas.

Construido sobre la necesidad de acercar los contenidos intelectuales abstractos del materialismo dialéctico e histórico a las grandes masas obreras, el *Manifiesto* no es una obra discursiva. Afirma, propone y concluye, pero no entra en el ámbito de las discusiones y demostraciones teóricas. El hombre popular, destinatario por excelencia de este trabajo, se interesa mucho más en la comprensión directa y pragmática de una serie de regulaciones que lo orienten en su acción política inmediata, que en los complejos laberintos de la filosofía. Por supuesto, tales sutilezas son enfrentadas en su momento por Marx y Engels y su pensamiento es confrontado con detenimiento en innumerables trabajos intelectuales. Pero este documento en particular es refractario a las controversias intelectuales y presenta, como ciertas e indudables, aseveraciones a partir de las cuales es posible pensar la transformación radical de la historia, objeto último y definitivo de la filosofía.

El *Manifiesto* se divide en cuatro partes: "Burgueses y proletarios", "Proletarios y comunistas", "Literatura socialista y comunista" y "Actitud de los comunistas ante los diferentes partidos de oposición". Las dos primeras analizan ese conjunto de referencias teóricas que le dan sentido a la dinámica política y social, y las dos últimas se refieren en concreto a la posición que el partido comunista adopta respecto a determinados aspectos de la lucha política específica de su momento. En la medida en que el *Manifiesto* se articuló perfectamente dentro de un panorama histórico determinado y se preocupó de aportar vigencia y claridad a los procesos que lo conformaban, estas dos últimas partes cobraban plena vigencia. Y, sin embargo, después de 150 años de su publicación, su contenido, además de las necesarias reflexiones que imponen el extrañamiento y la perspectiva, no sobrepasa el nivel de la mera referencia histórica. No así las dos primeras partes, cuya naturaleza abstracta las pone al abrigo de las contingencias temporales, de modo que aún hoy, pese a los acontecimientos de la historia, ofrecen una posibilidad autónoma y coherente de comprender los hechos humanos y las condiciones de la socialidad.

Las afirmaciones que abren el primer capítulo del *Manifiesto* suponen, dentro de su aparente concreción, una profunda complejidad. En efecto, al introducir el texto "Burgueses y proletarios" con este aserto: "La historia de todas las sociedades que han existido hasta nuestros días es la historia de las luchas de clases", Marx y Engels sintetizan un concepto de hombre, de sociedad y de historia que a su vez remite a toda una concepción del cosmos, de la naturaleza y del conocimiento humano. La formación teórica de Marx lo puso bajo el área de influencia de Hegel, suprema autoridad intelectual de la época. Frente a un modelo de la realidad esencialmente quietista, que alrededor de los conceptos de sustancia y accidentes proponía un mundo legislado por oposiciones y antinomias, Hegel propuso una versión radicalmente distinta. El mundo ya no era fijo, inmóvil e idéntico a sí mismo, como lo quería el viejo escolasticismo medieval. Todo lo contrario, tal y como lo concibió en su momento Heráclito y en general el pensamiento presocrático, la realidad es móvil, transformativa y en permanente movimiento. Las contradicciones ya no son, desde este punto de vista, otros tantos escollos por superar y suprimir, sino el centro mismo de la realidad y el material de todo conocimiento genuino de las cosas. Frente al saber abstracto, que se sostiene sobre la identidad y la quietud, se abre paso un saber nuevo, dialéctico, que a partir del flujo y la contradicción constituye conocimiento y práctica activa del mundo. El principio de identidad deja de ser absoluto y la máxima que afirma que es imposible para algo ser y no ser al mismo tiempo, deja un espacio libre en donde la contradicción impera y constituye. Se puede ser y no ser al mismo tiempo y a partir de las tremendas implicaciones de ese contrasentido, se construye la ciencia verdadera. Obviamente, los momentos de la contradicción —la tesis y la antítesis— y su final superación en la síntesis, desde la perspectiva hegeliana, terminaban por sustentar un pensamiento idealista en extremo. En efecto, Hegel sostenía que el universo todo y cada uno de los fenómenos de la realidad, no eran otra cosa que el movimiento de la idea absoluta que se desarrollaba a sí misma. El flujo ininterrumpido que constituye la realidad, que desplaza la inmovilidad tradicional y emplaza al dinamismo como motor íntimo y fundamental de cada cosa, terminaba por constituir una cosmovisión puramente ideal. La idea absoluta se acerca a sí misma, se reconoce a lo largo de distintos momentos contradictorios hasta alcanzar la autoconciencia definitiva. Tales momentos son otras manifestaciones de la realidad. Es el espíritu absoluto el motor y la sustancia genuina de las cosas. La materialidad resulta subsidiaria, ilusoria y puramente circunstancial.

Ese fue el pensamiento de mayor envergadura que encontró Marx durante su formación. Genuinamente revolucionario respecto de la metafísica más inmediata, abría en sus consecuencias, sin embargo, una brecha bastante incómoda para muchos pensadores. Así las cosas, el hegelianismo se fracturó de modo que, aceptando la generalidad del método dialéctico, un grupo se manifestó conforme con las determinaciones e implicaciones idealistas del maestro y otro se colocó en abierta oposición. Dentro de estos inconformes o hegelianos de izquierda se situó el joven Marx, que aceptó las bondades de una visión dinámica de la realidad, pero impugnó la noción de idea absoluta que se conoce a sí misma constituyendo la realidad con su movimiento y abogó por una visión radicalmente distinta. La idea, en sus términos, no es otra cosa que el reflejo de un objeto real en el cerebro, y en modo alguno puede ser motor de la realidad y de la historia. La dialéctica es una ciencia que permite acercarse a las leyes generales del movimiento, el cual, por supuesto, es motor suficiente de la realidad. Pero esa realidad es esencialmente material y las ideas que los hombres producimos y manejamos, lejos de ser autónomas y soberanas, son producto de esa misma materialidad. La verdad es, por tanto, provisional e histórica, sometida al movimiento y a la mutación y consiste esencialmente en

el proceso del conocimiento mismo, en el largo desarrollo histórico de la ciencia, que asciende desde los grados inferiores a los superiores del conocimiento, pero sin llegar nunca, por el descubrimiento de una pretendida verdad absoluta, al punto en el que no se puede avanzar más.

Materia y movimiento, entreverados en todas y cada una de las manifestaciones de la realidad, son la sustancia que la anima, su expresión más consistente y comprensible. Sus infinitas manifestaciones, desde la concreción cotidiana elemental hasta las abstracciones intelectuales más especializadas, se refieren a ella y sobre ella se sostienen y justifican.

Este conjunto de afirmaciones sobre la realidad íntima de las cosas del mundo, y de las posibilidades de conocimiento, constituye un cuerpo teórico que Marx llamará "materialismo dialéctico". Momentos de la contradicción y sus superaciones transitorias que abren un nuevo ciclo de confrontaciones y movimiento, con participación de todas las manifestaciones de la realidad. Ahora bien, cuando una porción específica de esa realidad total, es decir, cosmológica, química, física, biológica y demás, también es humana, nos encontramos con el concepto de "materialismo histórico".

El hombre y su desenvolvimiento en el tiempo, sometido como todo lo real a las determinaciones de la materialidad y de la transformación, puede ser concebido, juzgado y comprendido a la luz de la dialéctica aplicada a la historia. Ya no se trata, como en el pensamiento de Hegel, de considerar que la idea constituye el motor de la historia. Por el contrario, la historia produce la idea, que es un reflejo de las condiciones efectivas que determinan la existencia humana. Y esas condiciones son concretas, determinables y comprensibles. Objetos de ciencia y conocimiento.

Parten aquí Marx y Engels de una consideración fundamental: toda la prolijidad y riqueza de las formas superiores del pensamiento humano y la creatividad, derivan en principio de la manera como unos hombres en particular han dado solución a los desafíos planteados por la realidad material. ¿Cómo responde una colectividad humana a sus problemas cotidianos y consigue producir los medios de subsistencia? Esos procedimientos y prácticas la determinan y constituyen. A partir de ese "modo de producción", de ese espectro de respuestas comunes a los desafíos de la naturaleza, se gestan relaciones entre los hombres. "Relaciones de producción" que establecen un orden, unas jerarquías y unas construcciones intelectuales específicas. La manera como un colectivo humano apropia riqueza supone diferenciación entre los hombres que conforman tal colectivo. Y esa diferenciación, referida a la actividad productiva común, que acarrea discriminaciones y valoraciones, coloca a unos hombres en situación de privilegio y a otros en abierta inferioridad. Aparecen las clases sociales y el perpetuo enfrentamiento entre ellas. Tal es la dinámica de la historia.

Hombres libres y esclavos, patricios y plebeyos, señores y siervos, maestros y oficiales, en una palabra: opresores y oprimidos se enfrentaron siempre, mantuvieron una lucha constante, velada unas veces y otras franca y abierta; lucha que terminó siempre con la transformación revolucionaria de toda la sociedad o el hundimiento de las clases beligerantes.

La realidad cósmica y natural, que desde el materialismo dialéctico se sostiene precisamente sobre enfrentamientos y resoluciones, permanentes e infinitos, en la vida humana, que es historia, se hace lucha de clases. Esta es la afirmación central que conduce la comprensión del *Manifiesto* y que se encuentra en la base de toda actividad práctica, política e ideológica genuina. La acción que el hombre emprende movido por la necesidad de perpetuar su vida, es acción económica. Esa acción, concreta y definida, genera por su dinámica interior formas de organización social igualmente definidas y concretas. Estas formas organizativas, estas "relaciones de producción", determinadas por un "modo de producción" específico, generan diferenciaciones de clase y conciencia. Por más refinada, abstracta e idealista que pueda parecer esta conciencia, desde una perspectiva científica no es, ni puede ser, cosa distinta que la resultante de las relaciones de producción de la comunidad y, por tanto, de su modo de producir y reproducir la vida. Cualquier cambio de esos modos y relaciones productivas supone una inmediata transformación de la conciencia. Las organizaciones jurídicas, políticas, religiosas, filosóficas, estéticas y demás, se sostienen, pues, sobre una "infraestructura" básica que, al fin y al cabo, es una determinada organización económica. Ahora bien, sea cual sea esta organización, dentro de ella se incuban diferenciaciones que se contraponen y enfrentan ineluctablemente. Cada modelo económico incuba sus propios contradictores y —aunque trate de impedirlo— no puede evitar la confrontación y la lucha. Y esa lucha inevitable, que supone estremecimientos y contracciones en el ámbito de lo social y de lo particular, conduce finalmente a una nueva forma de organización, a otro "modo de producción", que es síntesis de las precedentes tesis y antítesis y que vuelve a generar en su interior nuevos órdenes, jerarquías y enfrentamientos. Así se ha comportado la historia, desde la superación de la barbarie hasta nuestros días. Días estos que preparan un acontecimiento sin igual.

Es que la producción económica y la organización social que de ella resulta necesariamente para cada época de la historia constituyen la base de la historia política e intelectual de esta época que, por consiguiente (desde la disolución de la antigua propiedad común del suelo), toda la historia ha sido una historia de lucha de clases, de luchas entre clases explotadas y clases explotadoras, entre clases dirigidas y clases dirigentes, en los diversos estadios de la evolución social; pero que esta lucha ha llegado en la actualidad a una fase en que la clase explotada y oprimida (el proletariado) no puede ya liberarse de la clase que la explota y oprime (la burguesía) sin liberar al mismo tiempo y para siempre a la sociedad entera de la explotación, de la opresión y de la lucha de clases.

Tal afirmación, aventurada por Federico Engels en su prefacio a la edición de 1883 del *Manifiesto*, resume y condensa su espíritu esencial: la historia que es, como todo lo existente, confrontación y movimiento, puede ser comprendida y explicada. Pero sobre todo puede —y debe— ser objeto de la acción. El modo de producción contemporáneo, industrializado y global, ha generado con toda claridad un enfrentamiento definitivo entre burgueses y proletarios. Pero ahora no se trata, como en todos los momentos productivos anteriores desde que apareció la propiedad privada, de una síntesis que incube una futura desigualdad y con ella nuevos enfrentamientos. Ahora, a la compleja confrontación entre proletarios y burgueses, en la que forzosamente se impondrán los primeros, seguirá el fin de la explotación. No habrá nuevas luchas de clase. El comunismo significa la supresión de las clases sociales y de todo lo que ellas implican. Opresión, desigualdad y Estado van a desaparecer.

Corresponde ahora considerar detenidamente a los protagonistas de un acontecimiento tan singular. ¿Quiénes son los proletarios? ¿Quiénes los burgueses? ¿Cuál es la especificidad del modo de producción y de las relaciones productivas que los vinculan? Como es tradicional, una determinada sociedad, vale decir, un determinado modo de producción económica, y sus concomitantes relaciones y producciones de conciencia, llevan el nombre de la clase dominante. Sociedad aristocrática, sociedad oligárquica, sociedad feudal, sociedad burguesa.

La sociedad burguesa moderna, surgida del derrumbamiento de la sociedad feudal, no abolió las oposiciones de clases. No hizo más que sustituir las antiguas por nuevas clases, por nuevas condiciones de opresión y por nuevas formas de lucha. Pero nuestra época, la época de la burguesía, tiene esto de particular: que ha simplificado las relaciones de clase. Cada vez más la sociedad entera se divide en dos grandes campos enemigos, en dos grandes clases diametralmente opuestas la una a la otra: la burguesía y el proletariado.

Cuando decimos "burguesía" determinamos uno de los extremos de la más radical oposición social: "Los millonarios industriales, los jefes de ejércitos industriales enteros".

El gran capital hace posible a un particular o a un grupo reducido de particulares tener a su servicio un número apreciable de trabajadores. En ningún caso se refiere a los pequeños propietarios o industriales, cuya existencia misma está bajo la más cruda amenaza. En efecto, el gran capital los absorbe cotidianamente, de manera que el día en que definitivamente no sea posible distinguir más que dos polos opuestos está cada vez más cercano. Del otro lado, en contraposición inevitable se encuentran los obreros. Los trabajadores que no poseen otro bien distinto de su particular fuerza de trabajo y que se ven precisados a venderla como único recurso para sobrevivir. Ahora bien, uno y otro, el burgués y el proletario, han sido posibles históricamente por el desenvolvimiento interno de las contradicciones de la sociedad feudal. Los grandes descubrimientos, la aparición de nuevos mercados, el aumento de las mercancías y de los medios de cambio, la multiplicación vertiginosa de los medios de comunicación, hicieron imposible la vigencia de los modos tradicionales de producción. El taller tradicional se vio de repente incapaz de dar abasto con las necesidades de nuevos y más exigentes mercados. La solución inmediata, la manufactura, no pudo tampoco sostenerse contra las novísimas organizaciones económicas resultantes de la inclusión de las máquinas de vapor en los procesos industriales. Al mismo tiempo, el mundo geográfico, resultado de los descubrimientos y de la extensión de las comunicaciones, se hizo desmesuradamente amplio. Por consiguiente, el vigor de las nuevas condiciones económicas lo alcanzó de inmediato de manera que se hizo posible, por primera vez, la concepción y uso de un mercado mundial. Grandes desafíos, grandes respuestas, de manera que las apacibles y modestas formaciones tradicionales, tanto productivas como espirituales, se vieron forzadas a desaparecer. El vigor de la burguesía logró transformar el mundo con una rapidez y una efectividad sin precedentes. A pesar de que —en términos de Marx— su vigencia histórica debe ser superada, cabe reconocer su dinamismo y el importante papel que ha cumplido en el desarrollo histórico de la humanidad.

Durante su supremacía de clase, apenas secular, ha creado medios de producción más compactos y enormes que todas las generaciones anteriores reunidas. Las fuerzas naturales domadas, el maquinismo, la aplicación de la química a la industria y a la agricultura, la navegación de vapor, los ferrocarriles, el telégrafo eléctrico, los continentes enteros roturados, los ríos hechos navegables, poblaciones enteras brotadas del suelo; ¿qué siglo anterior presentía que tales fuerzas dormitasen en el seno del trabajo social?

Y, por supuesto, derivadas de tales comportamientos económicos concretos, unas formas espirituales abstractas muy determinadas. Una religiosidad, un modelo de expresión simbólica y un concepto determinado de Estado.

La burguesía, desde la creación de la gran industria y del mercado mundial, ha conquistado finalmente la soberanía política exclusiva en el Estado representativo moderno. El gobierno moderno no es más que una delegación que gestiona los asuntos comunes de toda la clase burguesa.

Por otra parte, en poder de instrumentos tan precisos, armados con la capacidad de imponer sus modos de producción particular, de invalidar otros que pudieran oponerse y de imponer leyes e instituciones hechas a su medida, los burgueses modernos generaron una particular espiritualidad.

En todas partes donde ha llegado al poder, la burguesía ha destruido todas las condiciones feudales, patriarcales, idílicas. Los vínculos feudales, complejos y variados, que unían al individuo a su superior natural, los ha desgarrado implacablemente y no ha dejado subsistir, de hombre a hombre, otro vínculo que el interés completamente desnudo, el impasible pago al contado. [...] Ha despojado de su aureola a todas las actividades hasta entonces respetadas y consideradas con piadosa veneración. Ha hecho del médico, del jurista, del sacerdote, del poeta, del sabio, asalariados a su servicio. Ha arrancado a las relaciones familiares su velo de dulce sentimentalidad y las ha reducido a simples relaciones de dinero. El trastorno continuo de la producción, la conmoción ininterrumpida de todas las condiciones sociales, la inseguridad y la agitación, distinguen a la época

burguesa de todas las épocas anteriores. Todas las relaciones sociales bien establecidas e inmutables en su enmohecimiento son di-
sueltas; y todas las relaciones sociales nuevamente establecidas
caducan antes de haber podido tomar consistencia. Todo lo que era
privilegiado y estable se esfuma, todo lo que era sagrado es pro-
fanado, y los hombres se ven forzados, en fin de cuentas, a considerar con ojos desengañados las condiciones de su existencia y sus
relaciones recíprocas.

El capital atrae y somete: el campo a la ciudad, los países pa-
trimoniales y agrarios a los países industrializados y comerciales,
Oriente a Occidente, la provincia a la nación, la nación a los cir-
cuitos internacionales de producción de capital. Las diferencias
disminuyen y desaparecen. Los seres humanos se hacen homogé-
neos en el servicio directo, frenético y abúlico del dinero. El triunfo
es absoluto.

Y, sin embargo, sabemos que la realidad, una de cuyas manifestaciones es la historia, no puede detenerse. Su flujo es inmodificable y se alimenta de las contradicciones, los enfrentamientos y sus
necesarias resoluciones. Cada fenómeno, cada manifestación, incuba dentro de sí una animosidad que le habrá de dar fin. También
la sociedad burguesa. ¿Cuál es, pues, dentro de su dinámica interior, esa contradicción a partir de la cual se generará un estadio superior que sintetice sus luchas y enfrentamientos? La burguesía ha
asentado su enorme poder social y político sobre dos bases fundamentales: las condiciones modernas de producción, adecuadas al
modo de producción capitalista, y las condiciones modernas de
propiedad, diseñadas a su vez con el propósito de servir como
garantes del gran capital. Y sucede que en ocasiones, cada vez más
frecuentes según los autores del *Manifiesto*, los burgueses se encuentran ante la misma comprometida situación del mago que
luego de concitar fuerzas enormes que acuden a sus imperativos,
no puede controlarlas y enfrenta un peligro mortal. De pronto la
producción capitalista, que se sostiene sobre la utilización de la
máquina y la división del trabajo, únicas estrategias capaces de reducir los costos y sostener la creciente demanda, incurre en un
grave error: la superproducción. Hay demasiadas mercancías, demasiadas tecnologías, demasiado comercio, demasiada industria.

El intercambio de bienes y servicios por capital se niega en la misma medida en que no existen las condiciones para cerrar adecuadamente el circuito de la producción. Los enormes excedentes, fruto de la efectividad y la tecnología, no encuentran consumidor. El modo de producción capitalista halla la refutación de su propia lógica interior. Se diseñan correctivos inmediatos, por supuesto, y se superan circunstancias concretas. Se acude a la conquista de nuevos mercados y/o se insiste en la explotación más efectiva de los ya existentes. Pero la dinámica íntima del capitalismo, su enorme velocidad de crecimiento y expansión burla todas las previsiones y precipita nuevas y más profundas crisis de producción. Por otra parte, al mismo tiempo que la nueva modalidad productiva se ha afianzado y reproducido, la división de clases que es sustento y clave de su productividad, ha creado al proletariado, actor y principio de su destrucción.

> Pero la burguesía no se ha contentado con forjar las armas que le darán muerte; es ella también la que ha producido los hombres que se servirán de esas armas, los obreros modernos, los proletarios.

Para estos hombres que "no viven más que en tanto encuentran trabajo" y que no encuentran trabajo "más que en tanto su trabajo incrementa el capital", su condición se hace cada vez más extrema. Despojados de su condición humana, convertidos en meras mercancías sometidas a los avatares de la producción, los proletarios ven acrecentar su miseria en la misma medida en que se incrementan las ganancias del capital. Imposibilitado de reconocerse en el fruto de su trabajo, lo cual significaría una disminución en la productividad, el proletario no tiene otro remedio que alienarse en la ejecución mecánica y seriada de un fragmento de la manufactura que lo convierte en un artefacto más del engranaje mecanizado. La fábrica, entre tanto, le impone una disciplina despótica y acude al trabajo masivo de mujeres y niños, mercancía más barata que le permite aumentar la ganancia, consolidar la "plusvalía". Este incremento del capital a partir del trabajo del obrero enriquece a los burgueses a expensas de los esfuerzos proletarios y acrecienta aún más las diferencias sociales y las relaciones de subordinación. Ahora bien, la lógica del pragmatismo y el enriquecimiento termina por arrastrar hacia las condiciones proletarias a todos aquellos que en principio no estaban llamados para ello. Las "antiguas clases medias", incapaces de sobrellevar las recientes condiciones de productividad, nutren cotidianamente esta nueva facción seudoesclavista generada por la industria. Pequeños industriales, comerciantes menores, rentistas, artesanos y campesinos no encuentran otro remedio que sumarse al ejército de servidores del gran capital.

Pero las condiciones que soporta el proletariado lo llevan a la inconformidad y a la revuelta. En principio sus reacciones son puramente emocionales, terroristas e improductivas. Considerando que su degradada posición depende de las nuevas condiciones de producción, arremete contra ellas en busca de recomponer la antigua situación medieval perdida. Máquinas incendiadas, almacenes tomados, tecnología saboteada que se reconstruye más vigorosa y fuerte que nunca. Nostalgia del viejo taller corporativo que ha desaparecido para siempre. Pero esta turbación inicial, que lleva incluso a confusiones garrafales —los proletarios terminan combatiendo no a sus enemigos sino a los enemigos de sus enemigos— termina por superarse. El crecimiento de la industria supone un crecimiento de las masas proletarias y con él, el nacimiento de la conciencia de clase. Los motivos de fragmentación y rencilla van desapareciendo en la medida en que las condiciones económicas, que sustentan toda la complejidad de sus elaboraciones espirituales, se hacen cada vez más generales y más apremiantes. La necesidad de defender su salario se traduce en la constitución de una identidad colectiva que pronto dará forma a nuevas y más importantes reivindicaciones. Por otra parte, las nuevas condiciones de comunicación, consustanciales al desarrollo de los grandes capitales, permiten al proletariado reconocerse como fuerza activa, por encima de las distancias y a pesar de las diferencias. Su lucha no es más la de unos hombres aislados y solitarios. Es causa común, única, nacional. La confluencia de los obreros, que es la condición misma de la producción capitalista, es el principio de su unidad, de su asociación.

Con el desarrollo de la gran industria, la burguesía ve, pues, huir bajo sus pies el fundamento mismo sobre el cual produce y se apropia de los productos. Ella produce, ante todo, sus propios enterradores. La caída de la burguesía y la victoria del proletariado son igualmente inevitables.

Carente de cualquier alternativa de propiedad, imposibilitado en sus relaciones íntimas y familiares, las cuales no tienen ya nada en común con las relaciones burguesas y, sobre todo, consciente de que su problema y condición exceden toda frontera y nacionalismo, el proletario no reconoce ninguna legitimidad a las formulaciones espirituales burguesas.

Las leyes, la moral, la religión, constituyen a sus ojos otros tantos prejuicios burgueses, tras de los cuales se esconden otros tantos intereses burgueses.

Esta conciencia, y la certidumbre de su condición y de su destino histórico, lo preparan para la revolución mediante la cual el proletariado pondrá "los fundamentos de su dominación por el derrocamiento violento de la burguesía". En esta segunda parte, Marx y Engels arrancan de una consideración fundamental:

El poder político es, en sentido propio, el poder organizado de una clase con vistas a la opresión de otra.

Así ocurrió en la antigüedad clásica, entre los primeros atisbos de civilidad, en la época medieval y en la sociedad burguesa. Pero ahora, tratándose del proletariado, esta determinación cambia sustancialmente. Ya no se trata de una facción o clase que legisla y administra en su provecho, contra los intereses de otras. En este caso se trata de un movimiento de la inmensa mayoría que actúa en provecho de sí misma. Su llegada a posición de privilegio, por supuesto, no es posible más que a través de confrontaciones tan dolorosas como necesarias. Se pretende derribar el modo de producción preexistente y tal cometido no puede ser menos que traumático y violento. El objetivo es poseer las fuerzas productivas y estatales, arrebatándolas de las manos de la burguesía, la cual hará todo lo que esté a su alcance para impedirlo. Sin embargo, el proceso dialéctico de la historia es irreversible y el proletariado, convertido en "antítesis" de la "tesis", que es la burguesía, llegará al poder y establecerá con firmeza su despotismo. Pero este interregno autoritario será provisional. Pronto se alcanzará la "síntesis" final, la negación de la negación, que consistirá esencialmente en el establecimiento de una sociedad sin clases. Al no existir clases, no tendrán lugar los enfrentamientos, las delineaciones, los códigos y las juridicidades que se sostienen sobre ellas. Desaparecerán, pues, las diferencias, la propiedad privada y el Estado.

A lo largo de este accidentado camino, que llevará al establecimiento del comunismo ideal, el proletariado, protagonista del proceso, requerirá de un cuerpo político que lo asista y asesore: los comunistas.

> Prácticamente, los comunistas son la fracción más resuelta de los partidos obreros de todos los países, la que impulsa siempre hacia adelante; teóricamente, tienen sobre el resto de la masa proletaria la ventaja de comprender las condiciones, la marcha y los resultados del movimiento proletario.

Su trabajo, sin embargo, más que responder a premisas teóricas, principios intelectuales o abstracciones ahistóricas, se sostiene sobre la constatación específica de las condiciones de la realidad. Sus acciones, generadas desde la más clara racionalidad, estarán desligadas de todo sentimentalismo y exceso. Sus filas, de las cuales pueden formar parte incluso burgueses que hayan alcanzado a fuerza de trabajo la inteligencia teórica del movimiento histórico, tendrán a su cargo graves responsabilidades. Se trata nada menos que de intentar la abolición de los principios esenciales del capitalismo burgués. De aquellas ideas sobre las cuales descansa el mundo industrial que sustituyó la noción medieval de la realidad: la propiedad privada, y con ella los conceptos burgueses de libertad e individualidad. La cultura, el derecho, la familia y la religión serán otros blancos contra los cuales abrirán fuego los comunistas, pues contrariamente a las críticas más usuales, al destruir tales constructos, lejos de atentarse contra la humanidad, se abrirán las puertas de una nueva y más genuina apropiación del mundo y del destino humano. Se alcanzará la plenitud de la existencia social en el comunismo. Por supuesto, estas acciones y cometidos han de repugnar a las antiguas clases sociales privilegiadas, pero los comunistas no desconocen su misión ni la ocultan a los ojos de nadie. La historia y su dialéctica inevitable les darán la razón.

Los comunistas desdeñan disimular sus ideas y sus proyectos. Declaran abiertamente que no pueden alcanzar sus objetivos más que destruyendo por la violencia el antiguo orden social. ¡Tiemblen las clases dirigentes a la idea de una revolución comunista! Los proletarios no tienen nada que perder en ella, con excepción de sus cadenas. Tienen, en cambio, un mundo que ganar. ¡Proletarios de todos los países, uníos!

El autor y la obra

Carlos Marx nació en 1818 en la localidad de Tréveris, antigua provincia del Rin. En aquella ciudad realizó sus primeros estudios, para trasladarse posteriormente a Bonn (1835) en donde ingresaría a la Facultad de Derecho. Un año más tarde, en Berlín, continuaría su formación hasta doctorarse en el año 1841. Su etapa formativa estaría marcada por su afinidad con el grupo de los llamados "hegelianos de izquierda", los cuales, a pesar de mantener en vigencia los principios estructurales del método dialéctico de Hegel, consideraban la preeminencia de la realidad material sobre todo idealismo. En efecto, la compañía de los hermanos Bauer, de Max Stirner y de Eduard Gans, entre otros, le permitió adquirir una profunda familiaridad con el pensamiento dialéctico hegeliano, de la cual derivaría en un futuro más o menos cercano, la determinación de sus principios dialécticos, materialistas e históricos, esencia de su sistema de pensamiento.

Hacia 1831, a petición de Mosse Hess, socialista radical de Colonia, entró en contacto con la *Rheiunische Zeitung*, publicación socialista en la cual escribiría una serie de artículos radicales, hasta el año 1843, cuando fue decretada la suspensión del periódico. Entre tanto, se familiarizaba con los contenidos intelectuales del socialismo utópico francés, especialmente con el pensamiento de Fourier, Proudhon y Leroux. Entró, así mismo, en conocimiento de la obra de Feuerbach, y persuadido de la imposibilidad de continuar su trabajo en Alemania, aceptó la invitación de Arnold Ruge y se trasladó a París con el propósito de colaborar en los *Deutsch-Französische Jahrbücher*.

En aquella ciudad, además de entrar en contacto con personalidades y obras revolucionarias de la época —Augusto Blanqui, Bakunin, Saint Simon, entre otros— trabó amistad con quien sería compañero inseparable y colaborador durante toda su vida: Federico Engels.

Aquella época parisiense se caracterizó por las permanentes polémicas alrededor de los asuntos más variados. Sus antiguos amigos, los hegelianos de izquierda, así como los socialistas utópicos franceses, fueron el blanco de sus digresiones, cada vez más radicalizadas y emotivas. Entró en contacto con la publicación *Vorwärts* y allí publicó artículos y ensayos, hasta que el gobierno prusiano solicitó y obtuvo su expulsión de París, argumentando la virulencia de sus colaboraciones en el semanario. En 1845 se marchó a Bruselas y dos años más tarde, en 1847, fundó junto con Engels la Liga de los comunistas, cuyo programa intelectual y político fue fijado en el *Manifiesto del partido comunista*, escrito y publicado en 1848. Poco más tarde, en 1849, fundó en Colonia *Neue Rheinische Zeitung*, que fue suprimida casi de inmediato, y no le quedó otro recurso que exiliarse en Londres, en donde permanecería hasta 1883, año de su muerte. Aquel período inglés, caracterizado por la más encarnizada lucha contra la miseria y el desastre, fue también el más fértil en su producción intelectual, así como el más sólidamente enraizado con sus propósitos de construir una organización estatal y social genuinamente revolucionaria.

La producción intelectual de Carlos Marx fue muy extensa. Artículos periodísticos y políticos se entrelazan con obras de amplio alcance teórico y filosófico. En 1845 publicó *La sagrada familia, o crítica de la crítica crítica*. La "Polémica contra Bruno Bauer para la ilustración del público sobre las ilusiones de la filosofía especulativa y sobre la idea del comunismo como idea del nuevo estado mundial" fue escrita en colaboración con Federico Engels. Otras obras son *Miseria de la filosofía. Respuesta a la filosofía de la miseria de Proudhon* (1847), *Manifiesto del partido comunista* (1848, en colaboración con Engels); *Crítica de la economía política. El capital* (1859) y *Las tesis sobre Feuerbach* (1888). Muchos de sus trabajos, sin embargo, fueron publicados póstumamente en las tantas ediciones de sus obras completas. Podemos mencionar, entre otros, su tesis doctoral de 1841, "Diferencia entre la filosofía de la naturaleza de Demócrito y de Epicuro", *Crítica de la filosofía hegeliana del derecho*; *Crítica de la nueva filosofía alemana*, y *Manuscritos económico-filosóficos*.

Federico Engels nació en 1820 en Barmen, hoy Wuppertal, Westfalia, en el seno de una familia acomodada, y murió en 1895. Sus actividades como administrador de la fábrica de su padre en Manchester, lo pusieron en contacto con la situación real del trabajador fabril, sus relaciones económicas y sociales y, en fin, con el modelo económico capitalista. Así, cuando en 1844 entró en contacto con Carlos Marx en París, la indudable afinidad que unió a los dos hombres a lo largo de sus vidas, se nutrió, tratándose de Engels, de una rica experiencia práctica en el ámbito de las relaciones sociales de producción. El trabajo propiamente teórico de Engels se funde orgánicamente con el de Marx, de manera que es muy difícil constatar con seguridad los linderos que pueden separar las aportaciones de uno y otro. No obstante, es más o menos consensual considerar que, a pesar de que Engels se ocupó también de los asuntos económicos, políticos y estratégicos de la doctrina, su fuerte de trabajo tuvo que ver con las consideraciones propiamente filosóficas. En efecto, la indisoluble unión del materialismo como tal, y la dialéctica como fuerza que dinamiza y sostiene la totalidad natural y social, es aporte de Engels. Por otra parte, las relaciones forzosas que se establecen, desde la teoría materialista histórica, entre la infraestructura material de la sociedad y sus producciones intelectuales, revisten desde la perspectiva de Engels una especial complejidad. En sus términos, abordar tales relaciones de una manera mecánica e inmediatista, traiciona un proceso sumamente complejo y rico. La influencia de las condiciones económicas sobre las ideas, construcciones simbólicas, ideológicas, religiosas y artísticas, no es unilateral. Por el contrario, las mismas abstracciones culturales revierten en su actuar e inciden sobre la actividad productiva de manera directa y suficiente. Se surte así un efecto complementario y dialéctico, en donde las simplificaciones y los determinismos ceden espacio ante la complejidad y la diversidad.

Además de las obras realizadas en colaboración, Engels redactó una serie de trabajos individuales, entre los cuales se destacan *La transformación de las ciencias por el señor Dühring*, más conocido como el *Anti-Dühring* (1877), *Ludwig Feuerbach y el fin de la filosofía clásica alemana* (1886), *Socialismo utópico y socialismo científico* (1886), *Dialéctica de la naturaleza* (1873) y *Origen de la familia, la propiedad privada y el Estado*.

El pensamiento marxista, incluyendo dentro de tal categoría los aportes intelectuales de Federico Engels, ha conseguido una enorme difusión universal y ha constituido punto de referencia obligado para comprender buena parte de las transformaciones políticas y sociales del siglo XX. Interesada más que en la especulación teórica, en la comprensión y manejo de la realidad histórica del hombre, la filosofía marxista ha pretendido acceder al carácter de ciencia de la sociedad.

Se pretende un saber efectivo, universal y necesario, que oriente las acciones éticas y políticas con la certeza derivable de una ciencia natural. La afinidad del pensamiento de Marx y Engels con la economía de la época y sus principales representantes —Adam Smith, Ricardo, Quesnay, etc.— se explica ante esta necesidad de elaboración y practicidad. Al respecto se ha esbozado la tesis —muy cuestionada, por cierto— de la existencia de dos marxismos. El primero de ellos, caracterizado principalmente por la elaboración y divulgación de los *Manuscritos económico-filosóficos* de 1844, nos presenta un pensamiento esencialmente filosófico, derivado de la aprehensión y crítica de la dialéctica hegeliana. Sus alcances, se afirma, son universales, en la medida en que su objeto de reflexión cuenta con la dignidad de los asuntos filosófico-existenciales. El otro, separado de las lides especulativas, se ocuparía, en asociación con las disciplinas económicas, de elaborar propiamente una ciencia de la sociedad. La polémica alrededor de tal escisión sigue abierta y los especialistas manifiestan al respecto sus propias y particulares posiciones. No obstante, el marxismo, por encima de determinaciones teóricas, se constituyó en principio de acción política universal, procurando en todo caso transformar el cuerpo argumentativo de sus creadores en experiencia histórica. Se trataba de construir ese Estado final, en donde los hombres pudieran ser iguales y fraternos, y en donde las fuerzas productivas no derivaran en nuevas y dañinas divisiones de clase.

El comunismo, refutación final de la familia, la propiedad privada y el Estado, era posible de construir. La experiencia de la historia, sin embargo, parece haber rebatido las suposiciones teóricas de Marx y Engels.

No obstante, por encima de las determinaciones teleológicas de los autores y su visión determinista de la realidad, los constructos teóricos sobre los cuales se propuso una comprensión cabal de la historia mantienen su vigencia, tanto que se constituyen en punto de partida para cualquier intento consistente de aproximación al fenómeno social humano.

Marx

21

CRÍTICA DE LA RAZÓN PURA
Emmanuel Kant

Correspondió a Emmanuel Kant vivir una de las épocas más complejas de la modernidad occidental. Las enormes implicaciones de la Reforma, el ensanchamiento del mundo conocido por cuenta de los recientes descubrimientos geográficos, la inminente industrialización, entre otros aspectos, configuraron un universo de relaciones humanas genuinamente distinto de aquel aportado por la tradición. Y en el centro de tales conmociones y reacomodamientos, constituyéndose en su condición de posibilidad al mismo tiempo que en su consecuencia más notoria, la nueva ciencia moderna y toda su complejidad. Parecía entonces que no existían límites para el conocimiento y que la inteligencia humana, al servicio del progreso, de la razón y de la individualidad, era casi omnipotente. No obstante el entusiasmo generalizado, el saber tecnológico y científico incubaba el desarrollo de innumerables imprecisiones, errores y supercherías. Esa elogiada cientificidad se sostenía sobre el pragmatismo más inmediato y sobre la fragilidad de los casos particulares. El efecto transformador del conocimiento, sin embargo, parecía fundamentar en última instancia las pretensiones epistemológicas. Finalmente, la naturaleza termina por plegarse a la voluntad de los hombres —se decía—, lo cual demuestra que su conocimiento es real y, sobre todo, efectivo. Pese a ello, por encima de la funcionalidad y sus delirios, el pensamiento científico se sabía impreciso y endeble. Las bases que lo fundamentaban y le permitían aspirar a constituir un genuino universo cognoscitivo eran inadecuadas. El saber práctico se teñía sospechosamente de azar y casualidad, de manera que a su alrededor no se podía constituir una versión objetiva del mundo. Por otra parte, los fundamentos filosóficos aportados por la tradición no permitían cimentar un conocimiento acorde con las necesidades de la historia. La racionalidad cartesiana, el recurso empírico inglés y, por supuesto, las viejas determinaciones escolásticas, eran impotentes a la hora de sostener el cuerpo de las pujantes ciencias naturales, de manera que el saber sobre la realidad y sus connotaciones éticas y políticas se basaba en la más ruda improvisación. Tal era el inquietante panorama con el cual se encontró el pensamiento kantiano.

Se trataba, pues, de encontrar criterios que permitieran separar el grano de la paja. Era necesario hallar límites, espacios, territorios dentro de los cuales el científico pudiera acometer la labor de conocimiento con plena garantía y certidumbre. La razón humana contempla todo tipo de fenómenos, muchos de los cuales no caben dentro de una concepción genuinamente cognoscitiva. ¿Cuál es la diferencia entre unos y otros? ¿Cómo hallar la indispensable claridad que oriente las acciones prácticas y las rescate del azar y la casuística? En fin, ¿qué es posible conocer realmente y qué no? ¿Cuáles son los límites del conocimiento?

Al enfrentar esta tarea, descomunal por cierto, Kant está lejos de añadir una nueva teoría del conocimiento a las ya acuñadas por la tradición. Su propósito es distinto y está implícito en el título de la obra que destina a resolver tal asunto: *Crítica de la razón pura*. Su actitud no es en modo alguno dogmática sino crítica. Quiere determinar. Encauzar. Poner límites. Y su punto de partida es el fenómeno mismo de la ciencia de su tiempo. Los modelos legados por la historia del pensamiento filosófico, le son menos importantes que la relación directa con los hechos epistemológicos mismos. Su pretensión es la de constituir base y fundamento de la ciencia moderna, aclarando los linderos válidos dentro de los cuales ella puede transitar. Le preocupa la legitimidad, la licitud del conocimiento. Su trabajo tiene mucho de segregación y apartamiento. La razón, facultad humana que permite aprehender la realidad de las cosas, debe poder reconocer dentro de semejante prolijidad aquellos objetos que son posibles de conocer, y apartarlos de tantos otros que son inapropiados. Estos pueden ser importantes, deseables, incluso imprescindibles para la vida efectiva de los hombres, pero sobre ellos no es posible constituir conocimiento alguno.

La *Crítica de la razón pura* consta de un prefacio, una introducción y dos secciones tituladas "Teoría trascendental de los elementos" y "Teoría trascendental del método". Pese a la enorme complejidad del pensamiento allí expuesto, y sus múltiples clasificaciones, determinaciones y encadenamientos, el problema que se intenta resolver es muy preciso. Se trata de evitar el error y la confusión, mediante la concepción, construcción y formulación de juicios "universales y necesarios". Si una afirmación pretende conocimiento de alguna cosa en particular, debe ser válida siempre que esa cosa se presente, por encima de condiciones y circunstancias. Siempre y para todos los casos y manifestaciones de la cosa en cuestión. Sobre una base de tal naturaleza, es posible presumir comportamientos y aventurar predicciones, características del saber genuino. Ahora bien, inmerso en el mundo de los fenómenos, el cual se constituye íntegramente sobre la particularidad y la contingencia, ¿cómo puedo alcanzar universalidad y necesariedad? En la experiencia diaria, que es la experiencia por legislar, los fenómenos se nos dan individualmente y en cada caso se hace manifiesta su condición efímera, circunstancial, innecesaria. Yo mismo —el sujeto que pretende conocer— soy absolutamente lejano del propósito que me he impuesto y, por tanto, mi conocimiento, derivado de mí mismo, reflejará forzosamente las condiciones que me son propias. La historia, que me constituye, no concibe tales determinaciones. La universalidad y la necesariedad le repugnan. Dentro de ella no es posible cosa distinta del sujeto individual y la mutabilidad de sus circunstancias. ¿De dónde voy, pues, a sacar la universalidad y la necesidad que requiero para conocer el mundo?

Tal es la cuestión que va a resolver Kant a lo largo de su obra. Su cadena de razonamientos parte de comprobar una distinción esencial: existen dos clases de conocimiento, uno puro y otro empírico. El primero prescinde de toda experiencia e impresión que puede derivar de los sentidos, y como antecede a toda experimentación, es un conocimiento a priori. El segundo, que procede directamente de la experiencia y supone las impresiones sensibles, por lo cual necesariamente sucede a toda experimentación, es un conocimiento a posteriori. Las proposiciones matemáticas, por ejemplo, son conocimientos a priori, así como la noción de causa-efecto.

No requiero de la experiencia para tener acceso a ellos y en esa misma medida, al constituirse por fuera de la historia, tales conocimientos son universales y necesarios. Siempre y en todo lugar, tres más dos serán cinco, y por encima de cualquier circunstancia, una causa será seguida de su efecto. Por el contrario, cuando me encuentro con el color de un cuerpo, con su peso o con su composición íntima, la experiencia, desde la cual origino mi conocimiento, me inscribe en lo puramente individual e innecesario. Ahora bien, para constituir un conocimiento verdadero de la realidad, ni una ni otra posibilidad me son suficientes. La pura formalidad matemática o lógica me constriñe a un mundo inasible y ajeno, y el pragmatismo experimental me somete a la pura circunstancialidad.

Paralelos y concurrentes con estas dos categorías desarrolladas, Kant introduce los conceptos de conocimiento analítico y conocimiento sintético. Si en un juicio particular, entre el sujeto y predicado se distingue una relación de identidad y, por tanto, de implicación necesaria, el juicio en cuestión es analítico. Si, por el contrario, tal identidad no existe, el juicio es sintético. Cuando digo, por ejemplo, "todos los cuerpos son extensos", me ubico en un nivel absolutamente distinto del que me corresponde cuando digo "todos los cuerpos son pesados". En el primer caso, la noción misma de cuerpo supone la cualidad de extensión. No necesito salir del enunciado. Es imposible concebir un cuerpo inextenso: se requiere corporeidad y extensión por la simple virtud del concepto aludido. Cuando hablo de cuerpo y hablo de extensión, me refiero a lo mismo. Existe identidad en los dos núcleos de la afirmación; hay implicación necesaria. Pero cuando hablo de cuerpo y de pesado, requiero el concurso de la experiencia externa que me sostenga en lo dicho. El atributo de pesadez no implica necesariamente el de cuerpo y viceversa. Puedo concebir un cuerpo sin peso, unas condiciones en las cuales el peso no le sea necesario. No hay identidad allí, ni implicación forzosa; requiero de la experimentación. Evidentemente, los juicios que me permiten expresar conocimiento "analítico" son a priori, mientras aquellos que mediatizan conocimiento "sintético", son a posteriori. Se trata, en síntesis, de fundamentar la posibilidad de concebir y manipular "juicios sintéticos a priori".

La confluencia dinámica del mundo concreto de los fenómenos y la universalidad de las formas matemáticas y lógicas, me permitiría el conocimiento certero que ando buscando. Pero, ¿cómo hacer tal cosa posible? ¿De qué manera es pensable la constitución de juicios "sintéticos a priori", en donde se fusionan y consolidan los datos de la sensibilidad con los constructos de la razón pura? El conocimiento activo, progresivo, dinámico y concreto de la realidad será precisamente aquel cuyos asertos contengan al mismo tiempo la historicidad de la experiencia y la universalidad y necesariedad de las formas abstractas. El esfuerzo filosófico que se ocupe en dar viabilidad a tal aspiración es precisamente el cuerpo esencial de la crítica trascendental o crítica de la razón pura. La intención consiste en plantear una estructura intelectual, que antes que conocer objetos concretos, se ocupe de la manera como es posible conocer dichos objetos a priori. Tal es el sentido trascendental. Se trata de unir, de relacionar, de poner en contacto elementos y naturalezas aparentemente irreconciliables y ajenas. Lo histórico y lo abstracto. Lo casuístico y lo necesario. Lo circunstancial y lo universal. Así, la tajante afirmación del autor de la *Crítica…*, resulta perfectamente comprensible: "Saber es relacionar".

En el intento de establecer una crítica trascendental del conocimiento se impone una consideración inicial, que dará sentido a la reflexión: el conocimiento se origina en dos fuentes, la sensibilidad y el entendimiento, a partir de las cuales se intentarán sendas especulaciones. La "Teoría trascendental de los elementos", primera sección propiamente dicha de la *Crítica de la razón pura*, se ocupará de cada una de ellas. En efecto, la "Estética trascendental" y sus diversas partes y subdivisiones, desarrollará el tema de la sensibilidad asumida como facultad trascendental de conocimiento, y la "Lógica trascendental" hará lo propio respecto al asunto del entendimiento.

La "estética trascendental" se distingue de otras digresiones que giran alrededor de los sentidos y de su relación con el conocimiento, en cuanto se intenta desde la perspectiva de sondear, dentro de un ámbito puramente empírico, la presencia de constructos previos a la experiencia. No se debe olvidar el propósito medular de la *Crítica*. La unión de lo a priori y de lo "sintético", presente en cada paso de la exposición. Y en este caso particular, refiriéndose a los sentidos, a la "sensibilidad" o facultad de recibir las representaciones según la manera como nos afectan los objetos, a las "sensaciones" o impresiones de los objetos sobre la sensibilidad y demás determinaciones de la estética, el objetivo sigue siendo el mismo. En efecto, previas a las numerosas determinaciones de la experiencia sensorial, que es experiencia de los fenómenos, subyacen estructuras básicas, apriorísticas, trascendentales, que sostienen, conducen y hacen posible la simple y llana experiencia sensible. De esta manera, sosteniendo a las mencionadas sensibilidad y sensación, que son materia de la "intuición empírica" o intuición relacionada con un objeto por medio de la sensación, Kant establece el ámbito de la llamada "representación o intuición pura". Este espacio trascendental, en el cual no se halla cosa alguna perteneciente a la sensación, se encuentra constituido por dos principios fundamentales a priori: el tiempo y el espacio. Y precisamente el tiempo y el espacio, como elementos ajenos a toda experiencia y, por tanto, universales y necesarios, fundan la experiencia sensible y permiten la constitución de "juicios sintéticos a priori".

Las experiencias que impresionan nuestra sensibilidad pueden ser de dos naturalezas: externas e internas. Esforzándonos por despojar dichas experiencias de todas sus determinaciones, llegamos a un punto en que tal proceso de "expoliación" no puede seguir adelante. La experiencia externa de un cuerpo, a partir de la cual concebimos los conceptos de color, dureza, pesadez, impenetrabilidad, permeabilidad, etc., una vez se ha despojado de todas estas determinaciones, conduce a un concepto básico, preexistente e invulnerable. Siempre quedará el espacio ocupado por el cuerpo, que incluso puede haber desaparecido a fuerza de los sucesivos despojos. Y este espacio es indestructible. Físicamente en principio, pues no nos es posible deshacernos de él, ya que cualquier materialidad sólo es posible a partir de existencia, pero sobre todo trascendentalmente. El cuerpo mismo, y con él sus múltiples determinaciones empíricas, presupone un espacio. La espacialidad se desprende de él. Tal y como se afirmó en su momento, el espacio constituye conocimiento analítico respecto del cuerpo. Se identifica con él. Su relación supone implicación forzosa. Ocurre de igual manera cuando la experiencia que me interesa analizar es interna. Al referir procesos mentales y psicológicos, cuya intuición empírica supone un proceso de interiorización, el procedimiento nos conduce a un término semejante. Despojada tal experiencia de todas sus calidades y accidentalidades, subsiste la sucesión que la precede y constituye. Y esa sucesión es, en última instancia, tiempo. Tan necesaria al fenómeno interno como el espacio al cuerpo y, por tanto, analítica y a priori. Los actos de enlace de pensamientos y sensaciones se apoyan y relacionan en el tiempo, pero de ese tiempo sustentador y fundamentador no me es posible experiencia sensible alguna. Junto con el espacio, reside en el ámbito de la intuición pura, ajena a toda sensación. Y, sin embargo, y en esto radica el centro de la argumentación kantiana, siendo conceptos puros, posibilitan y preceden toda experiencia fenoménica, cualquier relación con el mundo.

Ahora bien, estas intuiciones tan particulares se asientan en las profundidades de la subjetividad humana, en cada conciencia individual. Los infinitos datos de la percepción sensible, tamizados a través de estos principios trascendentales de la subjetividad, nos dan una visión del mundo. Pero en la misma medida en que el "código" que me permite acercarme a la realidad es subjetivo, la realidad "codificada" también lo es. No puedo saltar por encima de mí mismo. Accedo desde mí y desde mi subjetividad, a un mundo de "fenómenos". La objetividad extrema, el "noumeno" o la "cosa en sí", que supondría la supresión de toda pertenencia o actividad subjetiva, nos resulta imposible. Es inaccesible a nuestras fuerzas. No es objeto de conocimiento. La razón humana concibe un fenómeno que se apoya en la realidad y no en la subjetividad. Tal fenómeno privilegiado es el "noumeno". Pero la razón, que no es entendimiento, no puede conocer. Solamente concibe, y la mera concepción no es entendimiento. La ciencia expulsa, pues, de sus límites de acción, a la cosa en sí.

Constituido este primer lindero, la reflexión kantiana pasa del ámbito de la sensibilidad al del entendimiento. Ya sabemos que gracias a la relación entre los contenidos de la intuición sensible (datos empíricos de la experiencia) y los de la intuición pura (formas trascendentales del espacio y el tiempo), los objetos se dan al

conocimiento humano. Pero el simple hecho de darse no constituye saber genuino. Es preciso ir más allá. Para conocer necesita-
mos pensar los datos que se han dado ya gracias a la sensibilidad
trascendental. Y este proceso de pensamiento es objeto de la ciencia lógica. Ciencia que, por supuesto, trasciende las determinaciones formales del raciocinio y se interna en las condiciones de
posibilidad trascendental del conocimiento. La lógica trascendental se divide en analítica trascendental y dialéctica trascendental.
La analítica trascendental se subdivide a su vez en analítica de los
conceptos puros del entendimiento y analítica de los principios.

Así como en la sección referida a la sensibilidad, el esfuerzo
argumentativo se concentró en encontrar esos principios puros de
la experiencia sensible que pudieran sostener los datos de la sensibilidad empírica, aquí, en referencia a los conceptos, se trata de encontrar las formas a priori del entendimiento. El problema central
sigue siendo el mismo. Hay que unir lo universal y necesario, con
lo experimental y contingente. Debemos posibilitar la enunciación
de juicios sintéticos a priori. Y el ejercicio del entendimiento supone
también la existencia de ciertas ideas o condiciones precisas para
que los datos obtenidos por la sensibilidad puedan ser objetos de
pensamiento. Así como el tiempo y el espacio posibilitan la experiencia sensible, el pensamiento requiere condiciones de posibilidad
ajenas a la experiencia, puras, trascendentales. Tales constructos,
que posibilitan la conformación de una "noción" del objeto a partir
de la sensibilidad trascendental, son llamados "categorías": cantidad (unidad, pluralidad, totalidad), cualidad (realidad, negación
y limitación), relación (sustancia o accidente, causalidad y comunidad) y modalidad (posibilidad e imposibilidad, existencia o inexistencia, necesidad o contingencia). Tales categorías o conceptos
puros de la razón, previos a toda elaboración de la intuición sensible, son universales y necesarios. No obstante, como todas las formas universales y necesarias, son vacíos. No tienen contenido
alguno y, por ende, carecen, por sí mismos, de autonomía en los
procesos de conocimiento. De esta manera, requieren ser "un-
cidos" a los datos de la sensibilidad, para estar en capacidad de
referir al mundo fenoménico. ¿Cómo es posible esta unión? ¿De
qué manera puedo relacionar abstracciones puramente formales,

lejanas de toda experiencia sensible concreta, con fenómenos individuales, inabarcables y anárquicos? Es el siguiente problema por resolver.

Al pretender aplicar las categorías a los fenómenos, se intenta unir elementos apriorísticos (las categorías), con elementos sensibles (los fenómenos). Esto es imposible si no se acude al auxilio de un "tercer término" cuya naturaleza mixta permita establecer la unión. En efecto, ese intermediario, en la medida en que está compuesto tanto de una como de otra índole, podrá servir de puente conector. Dicho "conciliador" debe ser al mismo tiempo intuitivo o referido a los sentidos, y puro, es decir, ajeno por completo a la experiencia. Kant llama a esta posibilidad de relación "esquematismo del entendimiento puro", o condición sensible que sólo permite usar conceptos puros del entendimiento. Los conceptos empíricos no pueden, pues, referirse a esta condición sensible, que por su naturaleza debería hallar correspondencia inmediata en ellos. Resulta extraña esta condición, que siendo originada en la experiencia repugna conceptos experimentales y sólo permite cercanía de conceptos puros. Ausencia de experiencia que, sin embargo, legisla y posibilita toda experiencia. ¿De qué estamos hablando? Ya lo había dicho Kant en la sección dedicada a la estética trascendental: el tiempo y el espacio. El esquema trascendental del tiempo pone en contacto la categoría de la realidad, tan vacía, con las cosas mismas reales. La realidad es la existencia misma de las cosas en el tiempo, como la cantidad es la imagen pura externa del espacio; la sustancia es la permanencia de lo real en el tiempo, y así sucesivamente.

Podemos intentar, entonces, aplicar las categorías —que son a priori— a los fenómenos sensibles, gracias al esquematismo trascendental. Las cosas de la realidad empírica pueden ser "legisladas" por las formas abstractas derivadas del juicio, sin que ello implique ilegitimidad alguna. Hacer esto es, en suma, la definición del entendimiento. Su propósito, en efecto, es subsumir bajo reglas los fenómenos de la experiencia. Tal acción es un juicio, y el juicio es posible gracias al esquematismo. Después de hacer esto viable, es preciso considerar los juicios sintéticos que posibilitan la experiencia y que se refieren a las categorías o formas a priori, que sirven de fundamento a los demás conocimientos a priori. Estos principios sintéticos del entendimiento, que van a sostener la posibilidad del conocimiento sintético de los fenómenos, se clasifican de la siguiente manera: axiomas de la intuición, anticipaciones de la percepción, analogías de la experiencia y postulados del pensamiento empírico en general. El desarrollo de estos principios ofrece las nociones de unidad, pluralidad, totalidad, grado, afirmación, negación, limitación, sustancia, causalidad, comunidad o acción recíproca, posibilidad y necesariedad. Mediante estos "juicios sintéticos a priori" se puede enfrentar la realidad fenoménica concreta. Aplicados a los "fenómenos", en modo alguno a los "noumenos", es imposible sostener un conocimiento científico objetivo.

La sección titulada "Dialéctica trascendental", segunda división de la "Lógica trascendental", ya no se ocupa del entendimiento. Reflexiona, en cambio, sobre la razón y en consecuencia elabora "ideas trascendentales" que son el sucedáneo de las categorías del entendimiento. Al ocuparse de dichos asuntos, el objeto de la argumentación deja de ser el conocimiento y pasa a delinear lo que posteriormente Kant desarrollará con prolijidad en otra de sus obras, *Crítica de la razón práctica*. Se detiene, sin embargo, en la consideración de una serie de errores, o paralogismos de la razón, que inducen a los hombres a incurrir en graves desaciertos. Generalizaciones indebidas, inferencias defectuosas, conclusiones sofísticas y, en fin, todas las imperfecciones propias de confundir el territorio del entendimiento y sus categorizaciones, que conducen a conocer la realidad, y el otro territorio enorme, complejo y fundamental de la razón que inclina a la práctica moral, a la creencia y a la contemplación del absoluto. Estas reflexiones adquieren mayor claridad en la última y menos extensa parte de la obra, "La teoría trascendental del método", que se ocupa de impedir que la razón sueñe, exigiéndole una cortante vigilancia a su acción y una estricta actitud condenatoria. Se ha de rechazar lo ilusorio y posible en aras de lo absolutamente cierto. Sin embargo, del hecho incontestable de que en mi interior residen y crecen las ideas de Dios, de libertad, de indeterminación, se sigue una grave cuestión. Descansan en mí y me importunan, en la medida en que de alguna manera son definitivas para mi existencia. Ya no para mi conocimiento, pero sí para mi dicha sobre esta tierra. No hay posibilidad de construir ciencia sobre cuestiones tan elusivas, pero aun así, la vida entera de los hombres depende en alto grado de ellas. ¿Qué hacer? La práctica humana, la moral, el imperativo categórico, la ley que en cada uno duerme y hace posible la existencia común, han de ser indagadas y desarrolladas. La *Fundamentación de la metafísica de las costumbres*, la *Crítica de la razón práctica*, la *Crítica del juicio* y otras obras se ocuparán de ello. Aquí sólo se trataba del conocimiento humano, de sus posibilidades de constitución y desarrollo y, sobre todo, de sus límites.

✍ *El autor y la obra*

Emmanuel Kant nació en Königsberg (Prusia) el 22 de abril de 1724 y murió en la misma ciudad el 12 de febrero de 1804. Reacio a cualquier desplazamiento o mudanza, la mayor parte de su vida transcurrió en su ciudad natal. La familia Kant, compuesta por el padre Juan Jorge Kant, talabartero, y la madre Ana Regina Reuter, llegó a la ciudad de Königsberg en busca de condiciones de vida más favorables. Cuarto entre ocho hijos del matrimonio, la vida del futuro filósofo fue austera y apremiante. No obstante, sus padres se preocuparon por otorgarle una muy buena formación académica y en el año 1732, el joven Emmanuel ingresó al célebre Colegio Fridericiano, regentado por el teólogo Alberto Schultz.

Estos años de primera formación, enmarcados en el más rígido pietismo —tendencia representada de manera sobresaliente por el profesor Schultz—, determinarían la posterior evolución intelectual del joven Kant. Además de tales influencias, los ocho años de formación básica le permitieron seguir con atención las enseñanzas del latinista Juan Federico Heyderich, quien lo puso en contacto con el mundo conceptual de la antigüedad clásica. El interés que siempre manifestó Kant por las filosofías orientales, en especial el budismo, de cuya procedencia derivan algunos estudiosos los conceptos más importantes de su trabajo crítico, aparecería también por estas épocas.

En 1740 termina su ciclo educativo básico e ingresa a la Universidad de Königsberg, donde adelanta estudios de matemáticas, física, geografía y filosofía, y aunque de manera puramente informal, asiste también a las conferencias de la Facultad de Teología. Se familiariza entonces con las enseñanzas del profesor Martin Knutzen, filósofo y matemático, y con las del físico Teske, quien le proveyó los instrumentos para apropiarse con solvencia de la visión newtoniana de la realidad. Este ciclo de formación avanzada terminó en 1746, año en el cual inició su carrera docente. Durante nueve años se desempeñó como preceptor particular, encargado de la formación intelectual de los jóvenes miembros de la aristocracia. Una de las familias que más apreció sus aportaciones fue la del conde Enrique Cristiano Keyserling, quien lo animó en su propósito de convertirse en profesor de la universidad. En 1775 se le concedió el cargo de profesor libre tras la defensa de su disertación "Nueva elucidación de los primeros principios del conocimiento metafísico", cargo en el cual permaneció quince años (1775-1790), cuando obtuvo el de profesor ordinario. En aquella oportunidad, luego de recorrer intelectualmente en su primer periplo universitario una diversidad de asuntos (matemáticas, física, lógica, metafísica, filosofía práctica y geografía), defendió su célebre disertación "De la forma y de los principios del mundo sensible y del mundo inteligible", a partir de la cual se sostiene el cuerpo conceptual de la filosofía crítica. Desde entonces hasta el año 1797, último en el que dictaría cátedra, se ocupó de una gran variedad de asuntos: lógica y metafísica, antropología, teología natural, filosofía de la religión, pedagogía. Sus lecciones se hicieron famosas, tanto por su rigor intelectual como por la actitud crítica que daría consistencia y corporeidad al conjunto de su pensamiento. Precisamente esa actitud de exigencia permanente e intolerancia racional le valió la determinación oficial de 1794 mediante la cual el emperador Federico Guillermo II, por intermedio del ministro Wöllner, le prohibía impartir lecciones y escribir sobre temas religiosos.

El creciente prestigio que alcanzó su pensamiento, la popularidad universal de sus obras y sus condiciones de carácter le granjearon gran simpatía entre sus contemporáneos. Se ocupó de la rectoría de la Universidad de Königsberg en dos ocasiones (1786 y 1788) y recibió reiteradas invitaciones a ocupar la cátedra en universidades extranjeras. Pero Kant, cuya regularidad y amor por la precisión se hicieron legendarias en su ciudad natal (se dice que los habitantes de Königsberg sabían exactamente la hora de cada día según las actividades del profesor) se negó a abandonar su espacio conocido. Tal conservadurismo práctico contrasta, sin embargo, con la obra reformadora del pensamiento filosófico que emprendió y realizó a lo largo de su vida. Sus aportaciones, muchas de las cuales hicieron necesaria una genuina transformación del idioma alemán, provocaron en su momento —y siguen provocando— polémicas sin fin. Las andanadas de críticas y comentarios redundaron en el afianzamiento de su filosofía, la cual abarcó una enorme amplitud temática: la crítica y la fundamentación del conocimiento científico, o *Crítica de la razón pura*; la crítica y fundamentación de la acción moral práctica e histórica de los hombres, o *Crítica de la razón práctica*; la crítica de la religión, presente en muchos de sus textos pero objeto de reflexión particular en su libro *La religión dentro de los límites de la simple razón*, cuya publicación le granjearía la ya mencionada censura imperial; la crítica del derecho contenida en su texto *La paz perpetua* y la crítica del arte, plasmada en una de sus obras más importantes, origen y fuente del pensamiento estético moderno, la *Crítica del juicio*. Tales fueron los tópicos esenciales de los que se ocupara el filósofo Kant, aunque el conjunto de sus obras completas, conferencias, opúsculos, comentarios, textos y demás, es mucho mayor que los trabajos particulares mencionados.

El pensamiento de Emmanuel Kant se inscribe dentro de los linderos esenciales del llamado Iluminismo o filosofía de la Ilustración. Testigo presencial de los acontecimientos sociales y políticos de mayor envergadura de su siglo, muchos de los cuales alcanzan repercusiones definitivas para la historia más reciente de la humanidad, su trabajo intelectual sintetiza y resume el alma colectiva de un momento histórico fundamental. La Revolución Francesa, la independencia de Estados Unidos de América, los principios de la Revolución Industrial, el surgimiento de las novísimas clases proletarias, el auge de la física newtoniana, entre otros acontecimientos, dieron sentido y norte a su actividad especulativa. Aquel *sapere aude* o "atrévete a pensar", fórmula de su actitud particular y síntesis de la generación ilustrada, exigía al hombre concreto, heredero de una tradición madura, el esfuerzo de asumir su "mayoría de edad". Ya no eran necesarias las múltiples talanqueras y asistencias al ejercicio de la libertad y de la razón. La superstición, el equívoco, el empirismo, la tautología y otros refugios más en donde el hombre resguardaba su indigencia y procuraba hallar seguridad, no eran ya necesarios. Se había alcanzado suficiente solvencia, madurez, capacidad y autonomía, de modo que era posible dejar la mano complaciente de los prejuicios y las supercherías y arriesgarse a pie firme en el camino del conocimiento y la acción genuinos. Ese fue el propósito de su discurrir y su punto de partida: fe en la razón humana, finalmente madura para el enfrentamiento con la realidad, y conciencia de sus posibilidades, condiciones y límites. Los tiempos por venir habrían de poner en su justa proporción aquel intento optimista de conseguir control y suficiencia en el manejo de la naturaleza y del espíritu humano. Freud, Nietzsche y Marx, entre otros, habrían de juzgar con acritud sus reflexiones, proponiendo en cambio del hombre racional y libre, capaz del conocimiento y de la convivencia, a un ser encadenado por vínculos sociales y espirituales y, por tanto, ajeno a la responsabilidad y racionalidad propias de la Ilustración. Pese a ello y a la validez o impropiedad de las objeciones que se le han imputado, el pensamiento de Emmanuel Kant es, a no dudarlo, un punto de referencia imprescindible a todo esfuerzo de comprensión consciente de la modernidad occidental.

Kant

22

ÉTICA
Baruch Spinoza

La tradición filosófica moderna, en especial la cartesiana, había concluido una división esencial del mundo. A partir de la experiencia íntima de la subjetividad —esencia misma del mundo moderno— y de su composición más profunda, se intentó clasificar la realidad en dos facciones autónomas e independientes: el mundo de la extensión y el mundo de las ideas. El ámbito del sujeto que conoce y actúa, el "yo" cartesiano, alcanzaba en su actividad las certezas que desde entonces constituirían las bases de la "ciencia nueva". La actividad del espíritu que duda le lleva a la certeza absoluta del sujeto que duda y, a partir de allí, del espacio del pensamiento. Y, por otra parte, referido ese pensamiento al mundo de las cosas, por encima de los datos sensoriales —tan engañosos— ese mismo sujeto indudable y su pensamiento observan que las múltiples determinaciones y circunstancias se sostienen sobre una característica fundamental. Ni el color, ni el sabor, ni el peso, ni la temperatura, etc., son datos indudables, pero en cambio, hay algo que permite que todas esas características sean posibles. Ese algo básico sin el cual todo lo demás es impensable, es la extensión. Todo objeto real, antes de asumir cualquier otra determinación y por encima de ella, debe ocupar un lugar en el espacio. El pensamiento y la extensión se convierten, así, en las dos únicas certezas para intentar un conocimiento genuino. Y, sin embargo, pese a las enormes posibilidades abiertas a partir de semejante determinación, dentro de ella se incuban grandes dificultades, la mayor de las cuales alude precisamente a la primera consecuencia de la división: de considerar el objeto de conocimiento escindido en dos partes, se pasa a pensar que tal separación va más allá del ámbito científico y se confunde con la naturaleza misma de las cosas. En otras palabras, lo que era asunto exclusivo de la epistemología, se hace afirmación ontológica, consideración última de la naturaleza más profunda de la realidad.

Baruch Spinoza encontró así una versión dualista del mundo, con todas sus implicaciones. Se trataba de una distinción que comportaba de inmediato la separación entre los dos órdenes establecidos. El pensamiento y la extensión estaban, por tanto, aislados entre sí, y tal escisión traía consigo dificultades de toda naturaleza. La mayor de ellas, la que más incomodó al autor de la *Ética*, ponía en entredicho el concepto de unidad. El pensamiento, cuya manifestación más alta y esencial era Dios, y la extensión, que vendría a sostener la noción de universo, podrían ser leídos como dos manifestaciones paralelas y distantes. En un mundo así, en donde dignidades tan determinantes no se requerían entre sí, la vida del hombre estaba sometida a toda clase de imperfecciones y dificultades. Era primordial solucionar tal conflicto, fundamentar contigüidades y cercanías entre el pensamiento y la extensión y, sobre todo, demostrar cómo, antes que escindidos, Dios y el universo constituyen una totalidad esencial.

Centra entonces Spinoza sus reflexiones en la naturaleza de Dios. Tal había sido, por supuesto, el tópico central del pensamiento cristiano durante 17 siglos, pero sus peculiaridades culturales —Spinoza, judío español, había sido formado en la versión hebraica de la realidad y de la creación— lo orientaron en una dirección muy distinta. En efecto, cercano a la visión panteísta del Renacimiento, en particular al pensamiento de Giordano Bruno, y gracias a sus afinidades con las perspectivas de Maimónides, Avicena y otros, fue construyendo una concepción particular de la divinidad. Se trataba, *grosso modo*, de considerar una sustancia infinita, impersonalizada, ajena a todo psicologismo o determinación y, sin embargo, constituida por un infinito de atributos. Los hombres, desde su finitud e imperfección, están en capacidad de percibir solamente dos de ellos: la extensión y el pensamiento, y han querido deducir de ellos ideas inadecuadas. Por el contrario, insertos en una realidad que los excede y de la cual no captan más que dos de sus infinitas posibilidades, no les cabe otra alternativa que diseñar una nueva manera de asumir las nociones de Dios y de universo. Los atributos, aquellos que podemos percibir, o los innumerables desconocidos, sufren todo tipo de modificaciones o modos. Pero en la medida en que la infinidad de Dios supone, en sí misma, su unidad, cada transformación se concibe en relación perfecta con la totalidad esencial y, por supuesto, con las demás modificaciones. A cada modo del pensamiento corresponde un modo de la realidad corpórea y viceversa. Puedo tener la seguridad de que esto es cierto, pues así como las realidades geométricas permiten comprobar la verdad de una implicación o teorema a partir de la verdad de una proposición elemental, tratándose de la divinidad y de sus infinitos atributos, la relación es igual. De la idea misma de Dios, que es causa inicial, infinita, total, unitaria y perfecta, se desprende la correspondencia, igualmente perfecta, de sus atribuciones, en el seno de la totalidad. Entre cuerpo y alma, entre extensión y pensamiento, entre universo y Dios, valen las mismas relaciones y cercanías. Sus distintos movimientos y transformaciones suponen equivalencias en los diferentes atributos y modos. Y por encima de otras consideraciones, cualquier manifestación particular del mundo corpóreo o del pensamiento supone la totalidad divina que los precede y actualiza. En cada accidente o circunstancia, sin distinción o jerarquía alguna, se resume la infinitud de Dios. Dios es, pues, cada atributo o modo, y cada atributo o modo, es Dios.

Ahora bien, esta afirmación sustancial no impide las necesarias determinaciones. Los elementos particulares que componen la naturaleza son causados, no se originan en sí mismos. Tienen su procedencia en un ser autónomo que los piensa y determina, lo que significa que son incapaces de pensarse ellos mismos. Aunque idénticos con el Ser en su totalidad, son, sin embargo, meras manifestaciones de este, puros "modos de ser" del Ser. Y, sin embargo, el conjunto, complejísimo e inagotable de la naturaleza, es el conjunto de la complejidad e inagotabilidad de Dios. La divinidad y la naturaleza se corresponden mutuamente y se constituyen en una misma y perfecta ordenación. El universo, que es Dios, es unitario, ordenado y está presente, en su totalidad, en cada una de sus manifestaciones, por mínimas que sean. Dios es, entonces, la suma de los infinitos "modos" o transformaciones de sus atributos, y cada uno de los atributos y sus "modos" es la manifestación de Dios.

Dicha concepción de la divinidad supone inmediatas consecuencias en todos los ámbitos. El mundo tradicional legado por la escolástica, y aun el novísimo y progresivo mundo de la modernidad, suponen un elemento central que los aglutina y constituye: la creencia en un centro. En efecto, un punto de vista privilegiado, fundamental entre todos los otros posibles, que desde entonces se convierten en sus agregados y accesorios, es la condición de posibilidad del mundo cotidiano. Hay un orden jerárquico, una cualificación, una diferencia entre las múltiples manifestaciones de la realidad. Unas son más importantes que otras. Unas son esenciales y las otras accidentales. Unas corresponden al centro y las otras se afirman en la periferia. Y, por tanto, de semejante determinación se siguen consecuencias prácticas inmediatas. Las jerarquías, fruto de la diferenciación esencial de los fenómenos, implican sus correspondientes escalafones sociales, políticos y económicos. El orden de las cosas, lejos de ser un artificio arbitrario y errático, corresponde a una estructura fundamental; a un centro básico e indiscutible y a la distancia que las cosas en particular mantengan respecto de ese centro. Por el contrario, cuando Spinoza propone una divinidad presente e íntegra en cada "modo", en todas y cada una de las manifestaciones de la cotidianidad, la noción misma de centro se invalida. Cada cosa y momento son considerados centrales, pues cada cosa y momento manifiestan en su totalidad, unidad y perfección, la presencia de Dios. Dios mismo anima en presencia y ausencia, en plenitud, complejidad y dignidad, a todas y cada una de las manifestaciones de la naturaleza. Y puesto que partimos de la unicidad de Dios y de su total perfección, cada una de las infinitas manifestaciones naturales, que lo contienen y materializan, son tan perfectas y totales como él. Son Dios mismo y, por tanto, centro, resumen y fundamento de la realidad. Lejos de cualquier ordenación jerárquica del mundo y con ella de sus consecuentes clasificaciones y jerarquías, el conocimiento, la moralidad y la política asumen rumbos definitivamente diferentes.

Pero esta "apertura" científica y práctica que se desprende inmediatamente de la noción spinoziana de Dios y del universo, no conduce al escepticismo o a la anarquía. Todo lo contrario, la co-existencia infinita de infinitos centros universales, igualmente dignos y determinantes, se sostiene sobre una consideración fundamental que animó el esfuerzo intelectual de Spinoza y que está en la base de todo su pensamiento. Pese a su prolijidad, amplitud y equiva-lencia, Dios y el universo son una sola cosa. La unidad es esencial e indudable, tanto como la totalidad. Unitario y total, el universo posibilita y anima las infinitas variaciones, los incontables centros, las múltiples perspectivas. Equivalencia y multiplicidad se impo-nen. La realidad no es monolítica, pero siendo manifestación total de la unidad y de la totalidad, es absolutamente armónica y ordena-da. La perfección divina refuta desde sus bases la discontinuidad e irracionalidad del caos. Y pese a tal certidumbre, que permite afrontar constructivamente la vida, surge la necesidad de hacer prácticas las reglamentaciones y los pensamientos. Ya no estamos en un mundo cerrado, piramidal, en donde lo bueno y lo malo, lo cierto y lo falso, lo conveniente y lo inconveniente, se derivan de la deducción adecuada de cada caso particular respecto del gran centro privilegiado e irrefutable. Esos centros, y con ellos sus pre-tensiones, arbitrariedades y autoritarismos, no existen más. Todas las cosas, acciones y pensamientos son otros tantos ejes privilegia-dos de la realidad. Se abren paso la tolerancia y el respeto pero, ¿de qué manera legislar sobre generalidades tan inabarcables? ¿Cómo construir sistemas morales o políticos? ¿En dónde encontrar la necesaria diferencia entre la acción buena y la mala, entre la verdad y la mentira, entre la justicia y la tiranía, entre el acierto y el error?

Cada hombre está constituido por dos principios fundamen-tales. Son los mismos opuestos por el pensamiento cartesiano y que, en el ámbito de lo universal, fueron puestos en contacto gra-cias a la revisión y ajuste de los conceptos de naturaleza y de Dios. Se trata del cuerpo y del alma. La extensión y el pensamiento. Lo concreto y lo abstracto. La pura necesidad natural y el poder regu-lador de las ideas. Se busca, como en el plano más general, hallar el punto de contacto que permita regular la acción, que es concreta y temporal, con la abstracción general de la voluntad. El alma, atri-buto del pensamiento, y el cuerpo, de la acción, por supuesto son "modos" de Dios, de manera que el pensamiento y la extensión de un hombre concreto son la extensión y el pensamiento de Dios. Sin embargo, la condición de particularidad se impone, de manera que, a diferencia de la universalidad divina, que es de suyo infalible y perfecta, tratándose del hombre individual, se abre un espacio dentro del cual caben las acciones adecuadas y las acciones inadecuadas. El error y la equivocación.

Spinoza no comparte la presunción, muy extendida en su momento, de que el hombre es un "universo" dentro de otro "universo", de manera que los excesos y los vicios, la inmoralidad y el desatino, se imputaban a su propia y exclusiva naturaleza extraviada. Puesto que es independiente por completo respecto de las determinaciones naturales, no se puede responsabilizar a esas fuerzas constrictoras por las inconsistencias de un ser humano. Hay pulsiones obligantes y condiciones tremendas que desbordan las fuerzas humanas, pero un hombre, en el fuero interno de su moralidad, es legislador absoluto, libre y autónomo, de forma que cualquier inconsistencia es imputable a él y sólo a él. Tales presupuestos, desde los cuales se intentaron reglamentaciones de carácter autoritario, presuponen conceptos juzgados con severidad por Spinoza. En efecto, cuando digo libertad, ¿qué estoy realmente diciendo? Desde la perspectiva esencial que ya se ha delimitado en el texto, la libertad es aquella facultad de ser "causa de sí mismo", de manera que tal atributo no le corresponde en principio más que a Dios. Ahora bien, siendo el hombre uno de los infinitos "modos" a través de los cuales se manifiesta la divinidad, en él residirán de alguna manera las atribuciones divinas. Habrá, pues, alguna suerte de libertad para el ser humano. La existencia misma de cualquier digresión moral depende de que ello sea posible, pues un ser a quien no quepa libertad, y con ella responsabilidad, no puede ser moral en modo alguno. Sus acciones no pueden inscribirse en el ámbito de lo ético, ya que derivan de necesidades absolutas que lo emparentarían más con la ciega causalidad natural y sus determinaciones forzosas que con el ámbito del libre albedrío. Pero ¿cómo puede ser el hombre libre, ya que no puede en modo alguno ser "causa de sí mismo"? ¿Cómo es posible alcanzar, a través de las acciones, la libertad?

Se ocupa entonces Spinoza de precisar los orígenes, alcances y limitaciones de la acción humana. Todas ellas —es su primera generalización—, pese a la vastedad de sus calidades y procedencias, se originan en una "afección". El cuerpo de un hombre, el atributo de la extensión que le es propio, entra constantemente en contacto con la exterioridad. Es "tocado" por ella. Y esta experiencia que supone el entrar en relación con las cosas exteriores, esta "afección", es seguida inmediatamente por una serie de reacciones. El hombre en cuestión responde generando pensamientos y deseos. Si la acción exterior sobre nuestro cuerpo tiende a conservar y favorecer la vida, la "afección" producida será de "alegría". Por el contrario, cuando el mundo exterior entra en contacto con nuestra extensión y de tal cercanía se siguen condiciones que tienden a la destrucción y al desfavorecimiento de nuestra vitalidad, la "afección" resultante será la "tristeza". Ahora bien, la inmediata consecuencia de las afecciones y sus correlativos deseos y pensamientos será la realización de acciones, y aquí un hombre particular puede equivocarse, puede incurrir en error, puede generar acciones e ideas inadecuadas.

En toda afección, lo mismo que en cualquier otra circunstancia de la vida de un hombre, conviven los dos principios fundamentales. Sabemos que en conjunto y desde la perspectiva de que son, cada uno, modos de los atributos divinos y, por tanto, manifiestan la totalidad esencial de Dios, alma y cuerpo presentan una sola identidad. No obstante, en la condición inmediata del tiempo, el alma es facultad que concibe el infinito, mientras el cuerpo se circunscribe a una serie indeterminada de finitos sobre los cuales elabora su experiencia. Y sucede que al momento de construir las ideas adecuadas a una afección específica —que, combinando aleatoriamente distintos grados de tristeza y alegría, constituyen "estados afectivos" o "pasiones"—, puede ocurrir que un hombre trate de explicar un finito con otro finito y se equivoque. El amor, el odio, el deseo, la ambición, los celos, etc., que siendo pasiones son finitudes, no pueden ser explicadas de forma adecuada si se consideran fundadas en otros finitos. Dicha explicación olvida un dato fundamental: a la ilusión inmediata que basa el finito pasional en otro finito de su misma naturaleza, se opone

217

la infinita sucesión de modos que sustentan la experiencia concreta de una manifestación en particular. Detrás de la expresión de un estado afectivo particular, de una pasión, se encuentra un modo, un atributo, y con ellos la perfección de Dios. Poniendo cada afección en adecuada perspectiva se consigue separar el deseo, que es connatural al hecho humano y a la vida en general, de sus fuentes inmediatistas, y referirlo a la naturaleza esencial divina, que se ha olvidado en gracia a la vehemencia de la particularidad emocional. En el caso contrario, cuando no se consigue ir más allá de la finitud corporal y se olvidan las ideas infinitas que son también sus causas, los hombres se hacen esclavos y la vida humana se torna casi imposible.

En la medida en que los hombres sean la presa de las pasiones, pueden ser ellos contrarios los unos a los otros.

Pero si se consigue remediar las afecciones que turban el alma y que obligan a generar ideas inadecuadas, es decir, se logra remplazar los modos finitos con la idea de Dios y se percibe que la afección en particular procede de la esencia divina, el hombre será libre. Sus ideas serán "adecuadas" y él mismo podrá ser sujeto de ética, de moralidad.

La misma intervención que remedia las turbaciones del alma humana y que racionaliza las afecciones refiriéndolas a los principios supremos de las cuales derivan, constituye principio de pensamiento genuino. De esta manera, en vista siempre de la totalidad, aparecen los conceptos rectores de una ciencia de la ética: lo bueno y lo malo, lo perfecto y lo imperfecto, lo que corresponde a la naturaleza genuina del hombre y aquello que se separa de ella y se hunde en la mera corporeidad. Las diversas perspectivas, todas válidas, que surgen necesariamente de una visión abierta de la realidad, pueden articularse, por encima de órdenes y jerarquías, alrededor de esta vocación universal. Cada punto de vista, toda idea, opción, lectura o propuesta pueden ser "adecuados", en la medida en que contemplen explicaciones infinitas y refieran a la totalidad de Dios las particulares afecciones y pasiones que provocan.

La ética de Spinoza manifiesta un intento por construir una ciencia práctica a partir de las certezas y claridades del método geométrico. La moralidad, en contra de quienes la consideran un asunto puramente especulativo, sostenido únicamente sobre la costumbre o la autoridad, puede ser comprendida, "al modo de los geómetras, por medio de leyes y reglas universales de la naturaleza".

Pero su tajante discriminación entre las ideas "adecuadas, o sustentadas en último término sobre la perfección de Dios, y las "inadecuadas", o constreñidas a la pura finitud corporal, no invalida una concepción ampliamente panteísta del universo. La universalidad de la naturaleza, que es su punto de partida, se lo haría imposible. El hombre sabio, libre, capaz no de causarse a sí mismo —atributo único de la divinidad— sino de ordenar sus afecciones y su vida cotidiana respecto de esa misma divinidad, puede tolerar multitud de perspectivas distintas de la suya, a sabiendas de que son otros tantos "modos" o manifestaciones de la totalidad. Dios mismo se articula en ellas; en la medida en que se refieran a causas infinitas, son totales y perfectas. Así, al considerar en cada afección que lo sorprenda, en cada encuentro cotidiano con la realidad externa que lo afecta en su extensión, el hombre libre termina por centrar su vida alrededor de la divinidad, última instancia de la vida moral:

La beatitud no es el premio de la virtud; es la virtud misma.

Su pensamiento, que es por fuerza "adecuado", evita toda reflexión de la cual pueda derivar tristeza, de manera que el problema del mal no le compete ni le ocupa en grado alguno. Persigue la alegría, síntoma de "adecuación" y equilibrio en sus ideas.

Su sabiduría no es una meditación de la muerte, es una meditación de la vida.

Parte del supuesto de que al morir, su alma, que es la idea del cuerpo, morirá con él. A pesar de lo cual, referido como todo "modo" o modificación de atributo de la divinidad, a Dios mismo, tiene la certeza de que en él la eternidad es posible. Participa de ella, la contiene como su verdadera y última naturaleza. "Sentimos, experimentamos que somos eternos". Y esta eternidad, que es destino final y principio permanente, se puede experimentar en la vida cotidiana del hombre libre, del sabio que remite su emocionalidad a la infinitud, de aquel que vive su contingencia de manera ética.

✑ *El autor y la obra*

Benito, Benedictus o Baruch de Spinoza nació en 1632 en Amsterdam y murió en 1677. Su familia, procedente de la localidad de Espinosa de los Monteros, en Burgos de Castilla, se vio precisada a emigrar a causa de la persecución religiosa. Por su condición de judíos, la intolerancia oficial los obligó a desplazarse hacia Portugal en procura de seguridad. Desde allí, los Spinoza decidieron buscar en Holanda un refugio más cierto y se trasladaron a la ciudad de Amsterdam, en donde a la postre nacería Baruch.

Educado en el seno de la comunidad hebrea de Amsterdam, el joven fue formado en el más riguroso judaísmo. El *Talmud* se convirtió en el instrumento único y privilegiado para comprender la realidad, además de los conceptos fundamentales de la cábala y de la filosofía judía medieval. Avicena, Maimónides y otros más fueron sus tutores intelectuales, y abrieron paso dentro de su pensamiento a actitudes que muy pronto serían objeto de la censura de la comunidad. Estas influencias, aunadas a su creciente familiaridad con el pensamiento renacentista de Bruno y la metafísica escolástica, lo predispusieron al rechazo de sus iguales. Así mismo, el contacto con la filosofía cartesiana, su racionalismo y, sobre todo, su recurso a la subjetividad como concepto fundamental del conocimiento y de la acción moderna, determinaron su expulsión del hebraísmo. Acusado de blasfemia, Spinoza no tuvo más recurso que apartarse de su comunidad.

Entregado desde aquel año de 1656 al ejercicio de su profesión como pulidor de lentes en diversos lugares de Holanda, Spinoza desarrolló un pensamiento profundamente original, que influiría en gran manera sobre el ulterior desarrollo de la filosofía y de las ciencias moderna y contemporánea. Alejado de todo protagonismo, en vida publicó solamente uno de sus trabajos, y aunque el más importante de ellos, la *Ética*, que le significaría prestigio imperecedero, circuló fragmentariamente entre sus amigos, la publicación de la obra íntegra sólo se realizó luego de su muerte. Interesado en preservar, sobre todas las cosas, "la independencia de su pensamiento", se negó a considerar reiteradas invitaciones a ejercer la cátedra universitaria y confinó su ejercicio intelectual a la producción deliberada, consciente e incesante, y sobre todas las cosas, discreta.

El propósito de Spinoza fue constituir una filosofía que se sostenga sobre los procedimientos geométricos y matemáticos, únicos capaces de fundamentar un conocimiento real de las cosas. Al final de su exposición moral, las pasiones, sentimientos, emociones y comportamientos de los hombres son comprendidos dentro de un sistema autosuficiente y poderoso que contempla la totalidad de lo real y desarrolla una peculiar idea de Dios. Un hecho humano, que es parte del universo cósmico y de la naturaleza, se sostiene sobre una concepción que enmarca todas las posibles manifestaciones y las ordena armónicamente. El comportamiento moral, por tanto, supone una concepción de la realidad misma de las cosas, una metafísica y una teoría del conocimiento. La *Ética*, por tanto, que es en principio una digresión sobre la moralidad, remite a los más profundos conceptos filosóficos y manifiesta una concepción total, sistemática, de la experiencia humana y de la existencia de la realidad. Y en el centro de toda esta complejidad, sosteniéndola y siendo sostenida por ella, el método geométrico, la racionalidad más pura, la indudable objetividad de las formas intelectuales abstractas.

A partir de la concepción spinoziana de la realidad, que fue reiteradamente combatida y calificada de impía y blasfema, es posible la fundamentación de la tolerancia y el mutuo respeto entre los hombres. Lejos del concepto de centro privilegiado, y con él de las pretensiones de conocimiento único de la realidad, se posibilita la noción de equivalencia, el justo referir la realidad. Todas las cosas y cada una de ellas en sus infinitas manifestaciones, resumen y sintetizan la perfección de Dios, de manera que los hombres deben desechar las apariencias vanas y reconocer en todo lo que les rodea el principio justiciero de la divinidad. El Estado deja así de ser un instrumento que castiga y obliga en nombre de una verdad absoluta y privilegiada, para pasar a convertirse en garante de la justicia, que es libertad, autonomía y responsabilidad. Cada hombre, en la medida en que puede ser consciente del determinismo supremo que orienta y organiza el universo, puede plegarse voluntariamente a él y en esa medida consigue ser libre. Su libertad, que es amor intelectual al orden absoluto, es decir, a Dios, se hace posible en un mundo hecho para proteger a los hombres de sus propias pasiones y para permitir que cada cual, desde su perspectiva, tan particular como posible, sea respetado y enaltecido.

Olvidado durante algún tiempo, vilipendiado y perseguido en otro, el pensamiento de Spinoza adquirió gran popularidad en manos de la generación romántica. Goethe, Herder, Schelling, Hegel, Hölderlin, Schleiermacher, entre otros, revaluaron y enaltecieron su obra. Los acontecimientos científicos contemporáneos, en particular la teoría de la relatividad de Einstein, han propiciado un remozamiento de su perspectiva, que a la luz de las más recientes determinaciones intelectuales adquiere toda su vitalidad y su vigencia.

Spinoza

222

23

ASÍ HABLÓ ZARATUSTRA

Federico Nietzsche

Cuando Zaratustra tenía 30 años abandonó su patria y el lago de su patria y marchó a las montañas. Allí gozó de su espíritu y de su soledad, y durante diez años no se cansó de hacerlo. Pero al fin su corazón se transformó, y una mañana, levantándose con la aurora, se colocó delante del sol y le habló así: "¡Oh gran astro! ¡Qué sería de tu felicidad si no tuvieras a aquellos a quienes iluminas!"

Con estas palabras dio comienzo Zaratustra a su regreso al mundo de los hombres. Él, que se había ausentado voluntariamente de todo comercio humano durante diez años, siente la necesidad de regresar. Hasta entonces le había bastado la compañía de sus dos animales heráldicos: el águila, símbolo del orgullo, y la serpiente, símbolo de la inteligencia. Pero entonces resiente el peso de una sabiduría que no puede compartir y decide intentar el camino de regreso cargado con una nueva verdad que iluminará el sopor de sus congéneres.

¡Mira! Yo estoy hastiado de mi sabiduría como la abeja que ha recogido demasiada miel, yo tengo necesidad de manos que se extiendan.

Así lo hace y toma rumbo al valle en donde habitan los hombres. Y sucede que en el camino, tal como aconteciera diez años atrás cuando remontaba la cumbre decidido a la soledad, se encuentra con un viejo anacoreta. Aquel anciano, que le viera descender durante largo rato, al reconocer en este hombre nuevo, que "se ha convertido en niño", al viajero de marras, teme por él y le reconviene por su decisión.

Entonces llevabas tu ceniza a la montaña: ¿quieres hoy llevar tu fuego a los valles? ¿No temes a los castigos que se imponen al incendiario?

Pero Zaratustra se niega a escucharle y aunque el anciano le previene y manifiesta cómo el puro amor a los hombres arroja al sabio a la soledad, y cómo al cabo vale infinitamente más la compañía de los animales salvajes que la de cualquier ser humano, el viajero no se detiene. "Lo que yo llevo a los hombres es un regalo".

Un presente que no es limosna, pues Zaratustra no es "bastante pobre para eso". Un regalo que urge dar y que se ha de impartir sin dilación. Las palabras entre uno y otro se agotan y al fin Zaratustra se despide del anciano, quien le ha hablado de su dios y se despide en nombre de él. Pero cuando ya la distancia los aleja y Zaratustra puede reflexionar a sus anchas, un pensamiento se le impone con vehemencia: "¡Será posible! ¡Este viejo santo en su bosque no ha oído todavía nada de que Dios ha muerto!"

Al llegar a la ciudad encuentra una multitud reunida en el mercado a la espera de la función de un volatinero y aprovecha la ocasión para dirigirse a ella. Con grandes voces habla entonces de una inmensa nueva: la superación del hombre. El comienzo de una etapa definitiva: el tiempo del superhombre. Así como un mono es ruin y risible a los ojos de los hombres, de la misma manera el superhombre verá ridículos y dignos de burla los comportamientos humanos, tan torpes y desaliñados como los de un animal. Ya Dios ha muerto y con él han desaparecido las viejas costumbres y delitos. Ahora, en este amanecer que se avecina para la humanidad, se trata de respetar la tierra y de "apreciar las entrañas de lo inescrutable más que el sentido de aquella".

Mirad, ¡yo os enseño el superhombre! El superhombre es el sentido de la tierra. Diga vuestra voluntad: ¡sea el superhombre el sentido de la tierra! Yo os conjuro, hermanos míos, permaneced fieles a la tierra y no creáis a quienes os hablan de esperanzas sobreterrenales. Son envenenadores, lo sepan o no. Son despreciadores de la vida, son moribundos y están, ellos también, envenenados, la tierra está cansada de ellos: ¡ojalá desaparezcan!

Y de esta manera continuó Zaratustra dirigiéndose al pueblo; entregándole su regalo tan arduamente conquistado en soledad.

Les habló de la suciedad y pobreza de sus almas que, a la manera de las corrientes de agua pútrida, no pueden purificarse más que perdiéndose en la inmensidad tremenda del océano, que es el superhombre. Les habló de la futilidad de la virtud, de la razón, de la felicidad y de la compasión. Les habló del hondo socavón de la mezquindad y de la moderación, de donde sólo el rayo y la demencia del superhombre podrían salvarlos. Pero los asistentes se burlaron de su regalo y lo insultaron. Ellos estaban allí reunidos para asistir a las gracias del volatinero. Ninguna otra cosa les importaba. Nada distinto tenía sentido para ellos.

"No soy boca para estos oídos", se dice Zaratustra y, sin embargo, persiste en su propósito y continúa a pesar de las repulsas y los gritos. Qué distintos estos hombres del hombre último. De aquel que se precipita de bruces en su ocaso pues sabe que allí habrá de hallar la tierra fértil en donde germinará el superhombre. Ese amor que le obligara a dejar la montaña llevado por el anhelo de regalar su verdad a los hombres, no es amor a estos seres patéticos que se agitan y aúllan. Él ama a un hombre que no sabe vivir de otro modo que hundiéndose en su ocaso, terminando su periplo de ruindad y mentira en un acto de valor y voluntad supremos. A un hombre que desprecia y no pretende hallar razones detrás de las estrellas que le amparen y cobijen. A un hombre "cuya alma es profunda incluso cuando se le hiere, y que puede perecer a causa de una pequeña vivencia".

A un hombre libre.

Pero en lugar de aquel ser heroico, Zaratustra se encuentra con el último hombre, con el "más despreciable, el incapaz de despreciarse a sí mismo". Y es este hombre, quien ahora hace mofa de sus palabras y le escarnece, el mismo que ha inventado la felicidad y que busca la compañía ajena para lograr calor. El último hombre anda a la caza de entretenimiento y comodidad; necesita parecerse lo más posible a todos y evitar el enojo. Así no quiere gobernar, no quiere obedecer, no quiere desconfiar ni discutir. "De lo contrario, ello estropea el estómago".

Le basta su "pequeño placer para el día y su pequeño placer para la noche". Salvaguardar la salud y esperar el próximo espectáculo.

Pero mientras esto sucedía y Zaratustra hablaba inútilmente a todos con palabras que les eran incomprensibles, el espectáculo del volatinero había comenzado. Un hombre se aventuraba ya sobre la cuerda floja y el gran público seguía extasiado sus evoluciones. Pero entonces, desde la torre lateral de la cual salían los equilibristas, un nuevo personaje apareció. Vestido de colores, agresivo y ágil, envolvió al primer acróbata en improperios y saltó sobre él. Este no pudo soportar el ataque de su compañero y se precipitó de bruces contra el suelo. La multitud despavorida huyó de aquel lugar, pero Zaratustra no. Aguardó a que el despojo de hombre pudiera articular palabra y luego, cuando lo hubo escuchado y supo que la muerte lo envolvía, tras haberle manifestado cómo todos sus temores eran infundados y el diablo y el infierno —que tanto le atemorizaban— eran sendas imaginerías, le confortó:

Tú has hecho del peligro tu profesión. En ello no hay nada despreciable. Ahora pereces a causa de tu profesión: por ello voy a enterrarte con mis propias manos.

Y así lo hizo.

A la salida del pueblo, cargado Zaratustra con el cadáver del volatinero, aquel que lo asaltó y lo precipitó desde la cuerda, se le acercó y le instó para que abandonara la ciudad:

Te odian los buenos y los justos, y te llaman su enemigo y su despreciador; te odian los creyentes de la fe ortodoxa, y te llaman el peligro de la muchedumbre. Tu suerte ha estado en que la gente se rió de ti: y, en verdad, hablabas igual que un bufón. Tu suerte ha estado en asociarte al perro muerto; al humillarte de ese modo te has salvado a ti mismo por hoy.

Así, decepcionado de su experiencia, pensando en cómo la abundante pesca que acarició lograr entre los hombres se había trocado únicamente en la pesca de un cadáver, Zaratustra se retira otra vez a la montaña.

Decidido a hablar ahora tan sólo a "quien tenga todavía oído para cosas inauditas", Zaratustra continúa su discurso. El espíritu del hombre sufre tres transformaciones. Primero se convierte en camello, luego en león y por último en niño. Así, desde la pesadez de quien acepta sobre sus hombros el amargo resentimiento de la moralidad y la condición del esclavo que soporta resignadamente su condición, el espíritu logra un sacudimiento violento mediante el ejercicio de su voluntad. Niega y rechaza entonces el imperio de la negación de la vida, la falsedad radical, el pretendido objetivismo del hombre de ciencia y la decrepitud del ascetismo. El león quiere afirmar su vitalidad por encima de cualquier otra consideración y aunque en el desierto se enfrenta con un poderoso dragón que le impide el paso, y a su deseo le impone la sacralidad de su deber, es más poderosa la vida que la muerte.

¿Quién es el gran dragón, al que el espíritu no quiere seguir llamando señor ni Dios? "Tú debes", se llama el gran dragón. Pero el espíritu del león dice: "Yo quiero".

Y esa voluntad, que lo separa radicalmente de su antigua condición servil, del mero aceptar los pesos asfixiantes de la moralidad cristiana como lo haría el camello, una bestia de carga, ya no es posible. El león todavía no es capaz de crear valores nuevos, pero sí está en sus manos la posibilidad de "crearse libertad para un nuevo crear". Y si para eso tiene que acechar, perseguir y atrapar, que así sea.

Tomarse el derecho de nuevos valores —ese es el tomar más horrible para un espíritu paciente y respetuoso—. En verdad eso es para él robar, y cosa propia de un animal de rapiña.

Pero esta condición fiera tampoco es suficiente. Negarse a la sumisión y a la obediencia ciega es gran avance, y la conquista de la posibilidad de ser libre lo es más aún. Pero no basta. Es preciso dar todavía otro paso. Un paso luego del cual el espíritu del hombre, que ha dejado en gracia de fiereza de ser sumiso, pasará del enfrentamiento a la construcción genuina de nuevos valores. El león se hará finalmente niño y desde esta nueva condición, desde su "santo decir sí", estará en condiciones de crear su voluntad. Pues sólo desde la construcción verdadera de su voluntad, el espíritu podrá ser digno de sí mismo.

Una consecuencia tremenda se desprende de la consecución de las tres transformaciones. Abandonado el mundo de las prescripciones, de las moralidades, virtudes y engañifas, y en posesión del poder creador de quien es "olvido, un nuevo comienzo, una rueda que se mueve por sí misma, un primer movimiento…", el espíritu ha derrotado a Dios. Tras largos siglos de sumisión y obediencia, Dios ha muerto y la ligereza que redunda de su desaparición permite al hombre la construcción de un mundo terrestre y verdadero, distante de aquel "otro mundo" tiránico y abrumador cuyo peso soportó durante tanto tiempo. Lejanas ya las múltiples "adormideras" que sepultan a los hombres bajo la inmovilidad de su sopor, el hombre puede construirse por fin. Los trasmundanos, que cifran su ilusión por fuera de este mundo, han existido durante mucho tiempo ya y es hora de hacerlos desaparecer. Ellos, su fatiga y su Dios, creación máxima del miedo a la vida, sostienen un mundo que no debe existir. Los despreciadores del cuerpo, los predicadores de la muerte, los castos y virtuosos que "se imaginaron estar sustraídos a su cuerpo y a esta tierra" tendrán que dar el paso a los hombres nuevos, los virtuosos que hacen regalos y que saben que Dios ha muerto.

Pocos escuchan entonces sus palabras, pero Zaratustra, que ha despreciado el concurso de todos, que es al fin de cuentas el de ninguno, vierte sobre ellos sus enseñanzas. Sin embargo, llega de nuevo el momento de la despedida y Zaratustra recibe de sus discípulos, como regalo, un "bastón en cuyo puño de oro una serpiente se enroscaba en torno al sol".

Así como el oro, que es el valor supremo porque "es raro e inútil, y resplandeciente y suave en su brillo, y siempre hace don de sí mismo", es la virtud del hombre superior. La virtud del "que hace regalos". Y el propio hombre, cuyo espíritu está pleno de "tesoros y joyas", es el mayor regalo de sí mismo, pues ladrón de todos los valores, este egoísmo se hace presente, diáfano y total en cada uno. No se trata, por supuesto, de la codicia de quien actúa desde la enfermedad y el deterioro. El virtuoso hierve y resuena como el río que es al mismo tiempo bendición y peligro para quien habite en sus orillas. El virtuoso, por encima de la alabanza y de la censura, quiere dar órdenes sobre todas las cosas "como el corazón de un amante". El virtuoso no tiene más que una sola voluntad y un solo poder. Así, luego de exhortar a sus discípulos a que permanezcan fieles a la tierra y actúen en virtud y poder, Zaratustra se despide. Cuando consigan olvidarlo, cuando renieguen de él y tras perderlo se hayan encontrado a sí mismos, el maestro volverá.

Muertos están todos los dioses: ¡ahora queremos que viva el superhombre!

Luego de haber abandonado a sus amigos y de instarlos a construir su propio destino, Zaratustra se interna en la montaña. Es de nuevo dueño de su soledad y de su esfuerzo, y la sabiduría se aposenta otra vez dentro de él y lo abruma con su peso. Y sucede que en cierto amanecer lo asalta un sueño: la doctrina que ha puesto en manos de sus amigos y discípulos, no ha sido conservada. Pese a todos sus cuidados, aquellos que consideró dignos de su palabra se han mostrado incapaces y en su soledad la han tergiversado. La traición le duele hondamente, y Zaratustra de nuevo se ve impelido a dejar el retiro en busca de sus discípulos. ¿Qué ha sucedido? Sus viejas palabras resultaron proféticas y pese a diversas manifestaciones de virtud y fortaleza, el miedo ha resultado vencedor.

Sí, también os asustaréis vosotros, amigos míos, a causa de mi sabiduría salvaje; y tal vez huyáis de ella juntamente con mis enemigos.

Así fue. El terror de vivir al margen de los hombres, de sus viejas categorías y prescripciones, pudo más que el entusiasmo juvenil, que la incipiente voluntad de poder que creyó haber insuflado en el espíritu de los discípulos. Se necesita algo más que comprender la muerte de Dios y la necesidad de una nueva historia. Se necesita mucho más que contemplar la posibilidad de abandonar el mundo humano, el del "último hombre", gregario, patético y mediocre. Es preciso poder. Voluntad. Voluntad de poder que allane los caminos y preste ligereza y constancia a los espíritus. Se impone fatalmente entre los hombres, aun entre los más ligeros y capaces, el llamado de la bestia de carga. La vocación de servilismo, el imperio de la vieja moral, el reino de Dios y su manía trascendente. De nuevo sus amigos girarán inconscientes en torno a las groseras manipulaciones de la compasión, la caridad y el abandono de la vida. Pero ¿sobre quién recae la responsabilidad de semejante retroceso? ¿Quiénes son los actores de esa transformación? Pues alguna persuasión insolente y engañosa tuvo que atravesarse en el alma de quienes estaban a punto de traspasarse a sí mismos. Son los enemigos del nacimiento del superhombre. Los contradictores de la muerte de Dios. Los socavadores de la voluntad de poder: sacerdotes,

compasivos, virtuosos, chusma, sabios famosos, tarántulas y, en fin, todos aquellos que siente aversión por la vida. Todos los poseídos por el espíritu de la venganza. Son ellos los causantes del desastre y contra ellos ha de erguirse el pensamiento liberador.

Pero las añagazas y embustes de estos emisarios de la muerte no son suficientes para detener al hombre que se libera del espíritu de venganza contra la vida. Pues esta venganza ha de ser remplazada por el imperio de la voluntad de la cual deriva y a la cual da forma y traiciona. En efecto, ante la imposibilidad de volver el tiempo atrás y de remediar lo irremediable, la voluntad se hace prisionera de sí misma.

Fue, así se llama el rechinar de dientes y la más solitaria "tribulación de la voluntad". Impotente contra lo que está hecho, es la voluntad un malvado espectador contra todo lo pasado.

Así se incuba dentro de la voluntad, cuya más profunda naturaleza tiende hacia la liberación y en modo alguno comparte el sacrificio, el deseo de castigo. La aversión hacia el "fue", que es gran necedad, impele al espíritu a cobrar revanchas y a abrigar en su interior el más grande resentimiento contra la vida. La voluntad pues, para hacerse pura, para convertirse en "voluntad de poder" que encamine al hombre a su ocaso, es decir, a la superación de sí mismo, ha de redimirse de sus propias fábulas. Situarse en el atrás, en el "fue", y a partir de allí abrigar castigo y venganza contra la vida, es la más grande fábula, y la más perniciosa. Pero la voluntad puede, en cambio, abandonar estas alucinaciones y ocupar su lugar. La voluntad puede ser creadora y desde su creación determinar cada cosa y experiencia.

Todo "fue" es un fragmento, un enigma, un espantoso azar hasta que la voluntad creadora añada: "¡Pero yo lo quiero así!" ¡Yo lo querré así!

Se hace posible, entonces, algo superior a una reconciliación, una certeza inexpresable y tremenda frente a la cual Zaratustra vacila y aun grita de terror. No quiere manifestar su pensamiento. Vacila y calla.

Y yo reflexioné durante largo tiempo y temblaba. Pero acabé por decir lo que había dicho al comienzo: "No quiero".

De nuevo solitario, Zaratustra reinicia su camino. Asciende y corona la cresta de las montañas, regresa a los valles y se enfrenta a un largo viaje por el mar. Allí, arrastrado por la simpatía que le provocaban aquellos hombres que "no pueden vivir sin el peligro", les refirió su sueño. Un enano lo atacaba y lo martirizaba gritándole la naturaleza inclemente del destino, que aun sobre él, habría de cumplirse.

Condenado a ti mismo y a tu propia lapidación: ¡Oh Zaratustra!, sí, lejos has lanzado la piedra, mas sobre ti caerá de nuevo.

Pero el viajero, que sabía la extensión de su valor y comprendía que "el valor mata incluso el vértigo junto a los abismos", se enfrentó a su contradictor y le conminó:

¡Alto! ¡Enano! —dije—. ¡Yo o tú! Pero yo soy el más fuerte de los dos. Tú no conoces mi pensamiento abismal. ¡Ese no podrás soportarlo!

Y ese pensamiento abismal, el mismo que estuvo a punto de aflorar cuando se despedía de sus discípulos y el cual se negó siquiera a formular, logró liberarlo de la presión inclemente del enano. Y, sin embargo, el peso enorme de su pensamiento lo sobrecogió: hay un portón llamado instante desde el cual corre hacia atrás una calle larga, eterna: "A nuestras espaldas yace una eternidad".

Pero ese mismo portón abre paso a otra calle igualmente eterna que se arrastra hacia adelante. Una eternidad y otra, que siendo lo que son se comprenden e implican. Dos eternidades que son siempre la misma. Lo que pasó va a pasar, lo que pasará ya pasó.

Cada una de las cosas que pueden correr, ¿no tendrán que haber recorrido ya alguna vez esa calle? Cada una de las cosas que pueden ocurrir, ¿no tendrán que haber ocurrido, haber sido hechas, haber transcurrido ya alguna vez?

Y luego, cuando tales palabras se desprendieron de su boca, Zaratustra se encontró completamente solo. El bufón, el portón, el cuchicheo habían desaparecido. Y de pronto, el aullido demencial de un perro le llevó a comprender que su soledad no era completa. En efecto, a sus pies yacía un joven pastor que dormía mientras una serpiente negra se introducía en su boca. Ya el espanto y el asco se apoderaban del muchacho cuando Zaratustra se arrojó sobre él, con el ánimo de ayudarle... Pero la serpiente resistía todos sus intentos y el joven estaba en trance de morir. Entonces, ante la imposibilidad de cualquier otro auxilio, Zaratustra gritó: "¡Muerde!, ¡muerde!"

Y así lo hizo aquel joven, destrozando con sus dientes la cabeza de la serpiente, que cayó desgajada ante sus pies. Entonces el pastor, recuperado de la angustia que antes lo poseía, consciente del poderoso esfuerzo realizado y ante la realidad de su salvación, prorrumpió en terribles carcajadas que atronaron los oídos de Zaratustra.

¡Ya no pastor, ya no hombre, un transfigurado iluminado que reía! ¡Nunca antes en la Tierra había reído hombre alguno como él rió!

El espanto de esa risa lo persiguió sin descanso, junto con la dolorosa envergadura del pensamiento que acaba de incubar: el eterno retorno de lo mismo.

Algo que debe repetirse eternamente, como un devenir que no conoce satisfacción, aburrimiento ni fatiga.

La voluntad de poder, que se encuentra en la base de la construcción de todos los valores, que posibilita la final transmutación del espíritu humano —el cual, desde su abyecta condición de bestia de carga, alcanza la feliz condición creadora del niño—, es la que posibilita la comprensión del eterno retorno. La transmutación de todos los valores le impone su verdadera dimensión y prepara al espíritu para enfrentarse con esa refutación del tiempo que condena a los hombres a la eternidad. Cada momento de la existencia cobra un valor infinito por su forzosa repetición eterna, pero como el espíritu humano ya ha abandonado la condición de camello y león, y se instaura en el juego perfecto del niño, esa eternidad ya no atemoriza. Urge, por tanto —más que nunca—, superar el rebajamiento de la condición moral y asentarse más allá del bien y del mal. De lo contrario, el eterno retorno de lo mismo sería el eterno retorno de la esclavitud y la estupidez. La solución del problema tiene sólo un nombre: voluntad de poder.

Muchos años más tarde, Zaratustra se ha retirado a su cueva y sus cabellos se encuentran blancos por el paso del tiempo. Se ha olvidado de los hombres y sus preocupaciones giran en torno de su propia voluntad. Pero de pronto, de nuevo arrastrado por la necesidad de entrar en contacto con el ser humano, decide emprender una última acción. Se trata de realizar una pesca de hombres en las altas montañas. Entona, pues, los cantos de felicidad, convencido de que sus armonías serán suficientes y que los hombres que lo escuchen llegarán a él. Y en efecto, así fue, pero en contra de lo esperado, los rumores que llegaron a sus oídos fueron llamadas de auxilio.

Eran los hombres superiores, únicos capaces de escuchar sus señales, que acudían en su indigencia hasta él y le solicitaban su compasión. Gran y última tentación para el inmoralista a quien, hasta el momento, no habían vencido la fuerza ni la astucia. Uno tras otro van llegando a su territorio el adivino, el rey que ha abdicado de su trono, el jubilado, el más feo de los hombres, el mendigo voluntario, la sombra, el concienzudo del espíritu. Hombres superiores que, sin embargo, buscan compasión y, se acercan implorantes, al más veraz y certero.

Zaratustra los saluda y los invita a cenar. Luego celebran una fiesta y comparten con alegría, pero Zaratustra sabe que tales hombres no son los que debieran ser. No han pasado por encima de sí mismos, no han precipitado su ocaso ni construido su inmoralidad. En cambio, en medio del convite aparece el signo deseado: el león riente y la bandada de palomas cuya presencia espanta a los hombres superiores y provoca su huida. Lejos de su última tentación, ajeno a la compasión, que siempre es conmiseración y venganza contra la vida, Zaratustra parte con destino desconocido.

Así habló Zaratustra, y abandonó su caverna, ardiente y fuerte como un sol matinal que viene de oscuras montañas.

El autor y la obra

Federico Nietzsche nació en 1884 en la localidad prusiana de Röcken y murió en Naumburg en 1900. Sus primeros estudios los adelantó en la Universidad de Bonn con O. Jahn y F. Ritschl. Posteriormente, en 1865, ingresó a Leipzig, en donde adelantó estudios de filología, formación que le sería determinante. Este período formativo coincidió con su conocimiento de la obra de Arthur Schopenhauer y con un creciente entusiasmo por la música. Tal afición lo puso en contacto directo con otro gran protagonista de la cultura del siglo XIX, Richard Wagner, cuya cercanía, apasionada y convulsa, marcaría su carácter y enrumbaría su pensamiento.

En el año de 1870 fue nombrado profesor ordinario de filología clásica en Basilea, donde trabaría amistad con Jacob Burckhardt y J. J. Bachofen. Incentivado por este ambiente intelectual, en donde las referencias al mundo clásico son determinantes, Nietzsche, quien desde su época de Leipzig había manifestado una gran afición por el mundo antiguo, compuso sus primeros trabajos intelectuales. En uno de ellos, *El origen de la tragedia en el espíritu de la música* (l872), bajo el influjo de la filosofía schopenhaueriana y del espíritu de Wagner, introdujo sus conceptos interpretativos de la cultura clásica griega y a través de ella, del mundo moderno occidental. Se trata de las nociones de "dionisiaco" y "apolíneo", entendidas como principios opuestos y complementarios. La fuerza organizadora de la realidad, aquella que permite la existencia de las cosas entendidas como organismos autónomos y separados, y que por ende privilegia la conservación y la jerarquía, es decir, lo "apolíneo", se enfrenta a lo "dionisiaco", vitalidad extrema e informe que no soporta talanquera alguna y que fluye incontrolada y libre. Uno y otro se complementan y controlan; la salud de una sociedad humana depende de que los dos principios se hallen adecuadamente armonizados. Cuando no sucede así, cuando prima uno sobre el otro, sobrevienen las grandes crisis culturales. La cultura occidental moderna, entregada a las magias ilusas de la racionalidad y el método, vive una de las más grandes. El principio ordenador, que se ha impuesto abusivamente sobre el principio de vida, ha terminado por constituir el mundo burgués moderno,

abandonado a su mediocridad, a su satisfacción y a sus seguridades. De esta misma época datan sus obras *La filosofía en la
época trágica de los griegos* (1874) y *Las consideraciones intempesti-
vas* (1873-1876).

El período de Basilea, sin embargo, es breve. Una grave dolen-
cia física aqueja a Nietzsche, quien a la vez entra en confrontaciones
con su gran amigo Wagner. En el año de 1778, rotas las relaciones
con el músico, abandona la cátedra y se entrega por completo a la
producción intelectual. Son tiempos de errancia y el filósofo, casi
siempre solitario, deambula por las ciudades italianas y alemanas
siguiendo el ritmo natural de las estaciones y en procura de alivio
para sus dolencias. Gran parte de los veranos los pasa en Sils-
Maria, en la Engadina, y el resto del tiempo en la Riviera y en otras
ciudades. Las reiteradas crisis nerviosas que padece, sus graves
problemas estomacales, las jaquecas y dolores de cabeza y la cortedad de vista, lo aquejan sin pausa. A pesar de todo, su gran período
de producción literaria coincide con situaciones tan desfavora-
bles. En efecto, la segunda gran etapa de su pensamiento, en la
cual su propósito central gira en torno de la cultura y del hombre libres, comprende títulos como *Humano, demasiado humano*
(1876-1880), *Aurora* (1871), y *La gaya ciencia* (1882). Por fin, el último período de su vida intelectual, acompañado por un dramático
deterioro de sus condiciones físicas y mentales, viene señalado
por la redacción de *Zaratustra* (1883), verdadera síntesis de su pensamiento. Allí, los conceptos fundamentales del superhombre, la
muerte de Dios, la voluntad de poder y el eterno retorno de lo mismo, ocupan un espacio concreto y un desarrollo claro y definido.
Pero además de esta, su obra más representativa, Nietzsche se
ocupa de la redacción de otras más: *Más allá del bien y del mal*
(1889), *Genealogía de la moral* (1887), *El caso Wagner* (1888), *El ocaso
de los ídolos* (1889) y su obra cumbre, *La voluntad de pode*r. *Ensayo
de una transmutación de todos los valores*, que fue ejecutada fragmentariamente. Otros muchos escritos, opúsculos y disertaciones
forman parte de esta última etapa de su vida productiva. Finalmente, la profunda depresión nerviosa que sufría, junto con el
agravamiento de sus afecciones corporales, lo sumió en la más
grave crisis. Perdida la lucidez mental y sometido por la parálisis,

tuvo que ser trasladado a la clínica psiquiátrica de la Universidad de Jena. Sus últimos días los pasó en Naumburg y Weimar con su madre y su hermana.

Como él mismo afirmaría en *Ecce Homo*, el centro más importante de su vasta producción fue la concepción y redacción de *Así habló Zaratustra*. Aquel personaje legendario de la Persia antigua, sabio entre los sabios, fue el primero en comprender que la construcción de las culturas se sostiene sobre la determinación de los valores. Y en su boca, en la boca del "primer inmoralista", la persona de Zaratustra adquiere valores simbólicos definitivos.

Zaratustra fue el primero en advertir que la auténtica rueda que hace moverse a las cosas es la lucha entre el bien y el mal. La transposición de lo moral a lo metafísico, como fuerza, causa, fin en sí, es obra suya. Zaratustra creó ese error, el más fatal de todos, la moral; en consecuencia, también él tiene que ser el primero en reconocerlo.

Y lo hará porque es más valiente y veraz que todos los demás pensadores del mundo.

La autosuperación de la moral por veracidad, la autosuperación del moralista en su antítesis —en mí— es lo que significa en mi boca el nombre Zaratustra.

La primera parte del libro *Así habló Zaratustra* fue escrita en diez días, entre el 1° y el 10 de febrero de 1883; la segunda, del 26 de junio al 6 de julio del mismo año, y la tercera del 8 al 20 de enero de 1884. La cuarta y última parte salió al público en 1890. Solamente en 1892 se imprimió en un solo volumen la totalidad de la obra, tal como la conocemos en la actualidad. El pensamiento de Nietzsche manifiesta a cabalidad las enormes convulsiones del mundo moderno en los albores del siglo XX. Y esta, su obra más representativa, impone su lectura como un documento obligado para comprender los alcances y la naturaleza, conflictiva y compleja, de la contemporaneidad.

24

EL ORIGEN DE LAS ESPECIES
POR MEDIO DE LA SELECCIÓN NATURAL
Carlos Darwin

Las múltiples especies animales y vegetales que rodean nuestra cotidianidad están, como todas las cosas, sometidas a los principios del movimiento, el cambio y la variabilidad. Son como las vemos, pero no han sido siempre así. Y en el futuro, si nos fuera posible, seríamos testigos de su transformación. Ahora bien, no podemos creer que tales variaciones han sido producto exclusivo del azar. Hay demasiado en juego para entregar esos comportamientos, que a la postre hacen posible la persistencia de la vida sobre la Tierra, a la ceguera de la casualidad. Debe haber una regularidad, una lógica, una inteligencia íntima en todo esto. Corresponde al científico natural, al hombre de conocimiento, esforzarse por hallar el centro mismo de las transformaciones de la naturaleza.

La idea de que las especies vivas actuales han sido resultado de la variación, no es nueva. Ya Lamarck afirmaba que las condiciones físicas de vida, el cruzamiento y los hábitos, determinaban cambios sustantivos en el organismo de los sujetos particulares de una especie y, a la postre, en la especie misma. La temperatura, la humedad, la presión atmosférica, el mayor o menor grado de acopio de alimentos, los desastres geológicos, las variaciones del paisaje, etc., dejan su impronta sobre los seres vivos, los obligan a modificar sus comportamientos y, con ellos, sus estructuras físicas. Wells y Mathew hicieron lo propio al establecer los rudimentos de lo que podría constituirse a la postre en una teoría de la selección natural. Estos la concibieron muy restringida y concreta, referida solamente a algunas variaciones en los caracteres de las razas humanas, pero a partir de sus aportaciones, una futura ampliación teórica es posible, y con ella la constitución de una teoría evolucionista general.

El hombre ha deducido la realidad de las modificaciones naturales a partir de su propia experiencia. En efecto, los ámbitos naturales, selváticos, lejanos de cualquier acción humana, no son objeto de reflexión. O cuando menos de reflexión inmediata. En cambio, el hombre cotidiano tiene que ver directamente con aquellas especies vegetales y animales de las cuales deriva su sustento o su actividad industrial y productiva. Y frente a tales organismos, la simple observación es suficiente.

Es indudable que nuestras producciones domésticas se han modificado en gran manera en el transcurso del tiempo, y nadie puede negar la realidad de los resultados de la selección.

Pero el hombre no es el agente de tales variaciones. Los cambios, tan evidentes, no se pueden atribuir a su accionar. Lo único que este ha hecho es someter a los seres orgánicos a condiciones de vida diferentes. Y las modificaciones que a la postre han manifestado tales seres orgánicos, han sido resultado de su propio e íntimo comportamiento; "casi podría decirse que las variaciones son espontáneas".

Pero esa supuesta espontaneidad no es efímera. Por el contrario, tan pronto aparece una variación en un organismo, este adquiere la capacidad de perpetuar tal mutación en su descendencia. El cambio ha sido sustancial y el hombre se encuentra frente a él, sorprendido e impotente. La naturaleza, en su libre accionar, ha respondido a las manipulaciones humanas, a las nuevas y forzosas condiciones que la voluntad del hombre le ha impuesto, modificando las estructuras interiores de la organización vital. El pretexto remoto, pues, ha sido el capricho del hombre, su voluntad transformadora. Pero la causa suficiente, el motor que justifica y otorga coherencia a los procesos de variación, reside en la entraña natural.

Comprobar el hecho de que las especies domesticadas por el hombre se modifican en sus estructuras en la medida en que la voluntad humana les impone transformaciones en sus ambientes, permite ir más allá. Lo que es válido, incontestable, evidente en la esfera de la domesticidad, no tiene que ser diferente en ámbitos salvajes. Obviamente, las transformaciones que allí ocurren no han sido nunca el producto de la industria humana. Cambios tan drásticos que en muchas oportunidades hacen palidecer las más esforzadas acciones del hombre, se han sucedido desde edades remotas y siguen sucediendo pese a las previsiones y esfuerzos. Y si en el limitado círculo doméstico, los también limitados cambios impuestos por la voluntad humana, han derivado en transformaciones orgánicas, ¿qué esperar en la esfera de lo natural y sus desplazamientos monumentales? La acción de los hombres no hace ninguna diferencia. Así, puesto que el nacimiento global de los individuos de una especie excede con creces el número de los que sobreviven, estos últimos han de ser de alguna manera diferentes. De otra forma no se explica su supervivencia en un medio en el cual tantos otros han sido sacrificados. Deben poseer, por fuerza, alguna ventaja. Alguna variación que los defienda.

Podemos colegir, entonces, que en el ámbito de lo natural y ajeno a toda interferencia humana, se dan y perpetúan cambios, de la misma manera que se pueden observar entre los organismos domésticos. Que unos pocos individuos de una especie logren sobrevivir y multiplicarse, mientras otros no lo consiguen, indicaría que los sujetos exitosos, más allá de todo azar o buena fortuna, cuentan con algo distinto que explica su supervivencia. Ese algo diferente, tan apreciable y ventajoso, debe tener un origen, responder a una causa. ¿Cuál es esa causa? ¿De qué manera operan en la naturaleza las modificaciones a partir de las cuales los distintos organismos intentan su transformación? Son infinitas en número e impredecibles y, sin embargo, deben responder a una lógica natural accesible al conocimiento del hombre. Efectivamente, obedecen a principios: la lucha por la existencia y la selección sexual.

A partir de estos conceptos fundamentales es posible intentar una teoría general de la evolución diferenciada de las especies orgánicas. Conocida universalmente como la teoría de la "selección natural", sobre ella descansa la explicación detallada de las múltiples modificaciones en el comportamiento de los seres vivos, así como en sus estructuras fisiológicas. El primero de los conceptos mencionados, el de la "lucha por la existencia", desarrollado con amplitud por Darwin en su texto, exige una perspectiva muy notable. No se trata, en síntesis, de la noción más generalizada de "lucha" que refiere el enfrentamiento entre un organismo determinado y su, o sus, contrincantes. Asumida así, la noción de lucha no va más allá de la pura confrontación inmediata y particular, determinada en el tiempo y en el espacio y, sobre todo, concreta en las acciones de sus protagonistas. Los motivos, además, se restringen a un campo de acción relativamente estrecho: la comida, el apetito sexual, la posesión de un territorio, etc. Desde el punto de vista darwiniano, en cambio, esta lucha adquiere características universales, dentro de cuyo ámbito suceden los más variados y aparentemente lejanos acontecimientos que rodean la vida de un organismo. El mayor o menor grado de producción de clorofila, la proliferación de organismos unicelulares, el avance de las tierras de aluvión, etc., cuya influencia no tendría que ser determinante en el caso de los depredadores superiores, a la postre marcan la diferencia. Dentro de una concepción total y unitaria de la naturaleza, basada en la patente interrelación que une todas las manifestaciones de la vida, sectores lejanos en apariencia, e incluso ajenos entre sí, se determinarán mutuamente. Y esos sujetos en particular, cuya especial sensibilidad —o la contundencia del azar— les permite captar dichas modificaciones, se encuentran mejor preparados para encarar un nuevo orden de cosas. De la captación de las transformaciones seguirá forzosamente una modificación comportamental, y de esta un cambio de función orgánica. La organicidad, adulterada de tal manera, podrá ser conservada por los organismos individuales y perpetuada en sus descendientes. Estos renuevos, herederos de la adaptación de sus mayores, van a contar con un repertorio de posibilidades más apropiadas para enfrentar los desafíos del hábitat que los determina. Su actuar, a su vez, determinará modificaciones concretas en el hábitat, que confirmarán el cambio inicial a partir del cual se hizo necesaria la mutación, de manera que el ciclo se hará autosuficiente y cerrado. Por supuesto, los organismos que se encuentren entonces fuera del círculo descrito, no podrán desarrollarse de forma adecuada, se verán desbordados por las recientes condiciones y superados por los sujetos adaptados, lo cual, finalmente, señala su desaparición. Pero la comodidad de los recientemente privilegiados, no les significará inmovilidad. Aparecerán nuevas transformaciones y, por tanto, será imprescindible abandonar hábitos y organicidades que en un momento dado fueron revolucionarios y efectivos. Cualquier obstinación, la más mínima resistencia al cambio, podría ser fatal, de manera que los organismos vivos se encontrarán siempre ante la necesidad de abandonar sus regulaciones y comportamientos frente a las modificaciones ambientales. Ese proceso, que compromete dimensiones temporales inimaginadas, da como resultado el continuo trasegar de la vida sobre la Tierra.

El segundo concepto adelantado por Darwin, la "selección sexual", se relaciona con el desarrollo anotado. Precisamente los organismos más capaces, que han podido acomodarse exitosamente a las nuevas contingencias del medio ambiente, vencen en su afán de copulación y procreación. Machos más poderosos, lo que significa mejor adaptados, vencen a los otros —débiles, enfermos o conservadores—, que no les ofrecen resistencia suficiente. Y estos individuos, al acceder a mayor número de hembras, dirigen a las nuevas generaciones en su propio sentido. Les imponen sus peculiares circunstancias. Tales características les han permitido vencer en la lucha por la reproducción, y van a conducir a la especie a un cambio de sus condiciones específicas y a universalizar las modificaciones concretas que les permitieron la victoria. Las hembras, por su parte, al escoger entre todos los proponentes a uno en particular, contribuirán notoriamente en la consecución de dicho proceso selectivo. Sus preferencias se inclinarán por los sujetos que manifiesten mayor poder y fuerza, precisamente los que han conseguido transformarse adecuadamente según las necesidades ambientales vigentes.

Ahora bien, no toda transformación es exitosa. Cabe la posibilidad, por cierto muy frecuente, de que un sujeto se modifique en busca de acomodarse a un nuevo estado de cosas y que tal modificación sea errónea. El organismo que ha cambiado no lo ha hecho de acuerdo con las necesidades ambientales. Su modificación no lo hace más apto. Por el contrario, puede resultar aún menos capacitado para responder a los nuevos desafíos de la naturaleza. En tal caso, su desaparición es inexorable. Pero cuando el sentido otorgado al cambio es congruente con las necesidades ambientales, crecen las posibilidades reales de sobrevivencia y perpetuación. En ambos casos, el resultado redunda en beneficio de la vida. La extinción o la supervivencia son diferentes únicamente para los sujetos implicados de manera directa. Unos mueren y otros se perpetúan. El proceso general, en cambio, no considera esas contingencias. Se basta a sí mismo, se contiene en su éxito global y contempla la progresión total y unitaria de la vida. Las circunstancias particulares no le afectan. Compasión y moralidad son inconcebibles en la naturaleza.

Las conclusiones que se pueden extraer de las anteriores consideraciones son muy concretas. Las especies orgánicas, consolidadas y precisas, con las que se encuentra el hombre contemporáneo, son el resultado final de un largo trasegar. Antes que constituirse como tales, vale decir, antes de ser especies, únicamente fueron "variedades" más o menos sugestivas. Variedades que derivaban sus diferencias de la posesión de ciertas características anómalas que las distinguían de las demás. Al entrar en competencia con las otras agrupaciones, las más avanzadas se impondrán a las refractarias y a las intermedias, de modo que con el tiempo, y según leyes de variación y crecimiento muy precisas, la variedad exitosa se hará cada vez más grande y diferenciada. Los grupos viejos, menos elaborados o inconclusos, desaparecerán por completo y de la inicial prolijidad sólo quedará aquel genuinamente adelantado. Único sobreviviente y, por tanto, cada vez mayor en número y más apropiado de sus particulares características, este grupo se convertirá en especie. Cada especie originará formas nuevas y dominantes, que al perpetuarse en el tiempo darán lugar al afianzamiento de la especie y, sobre todo, a su diferenciación. El carácter divergente y radical de estos grupos que han resuelto favorablemente los problemas de una naturaleza cambiante e inexorable, redundará en la constitución de unas cuantas agrupaciones realmente específicas, que han dejado tras de sí una enorme cantidad de posibilidades abortadas, inconclusas y derrotadas. El panorama de diferenciación orgánica actual supuso, pues, un enorme desarrollo diferencial, que desde la base más numerosa y prolija, sintetizó esfuerzos por ensayo y error hasta consolidar todas las fuerzas dispersas en una ordenación escueta, precisa y altamente diferenciada, que es la que conocemos en la actualidad.

A pesar de que en la aventura de diferenciación, variación y cambio, las innumerables posibilidades fueron reducidas a unas cuantas modificaciones exitosas, Darwin supone que todas las especies de animales actuales derivan en principio de unos cuatro o cinco progenitores. La mutabilidad del hábitat provocó que esos pocos antepasados básicos intentaran infinidad de variaciones, las cuales, luego de una mayor o menor confrontación con su medio, se redujeron a las especies diferenciadas de nuestra experiencia. Las plantas, por su parte, derivarían de un número de progenitores igual, o más pequeño.

La analogía me llevaría un paso más allá, o sea a la creencia de que todos los animales o plantas descienden de algún prototipo. Si no ponemos límites a nuestras conjeturas, podemos suponer que los animales, nuestros hermanos en dolor, enfermedad, muerte, sufrimiento y hambre —nuestros esclavos en los trabajos más arduos, nuestros compañeros en nuestras diversiones— participan con nosotros de un antepasado común.

Pero esta aseveración, con todas sus consecuencias, no fue objeto de mayores desarrollos. La experiencia y la indagación, sobre las cuales construyera Darwin su aparato argumentativo, no alcanzaban a referenciar dichos asuntos. En cambio, la multitud de datos que estaban a su alcance y que laboriosamente recolectó durante su experiencia investigadora, fueron punto de partida para ahondar aún más en sus afirmaciones sustanciales. En efecto, partiendo de que los organismos se modifican a sí mismos en respuesta a los cambios de su entorno, en un largo proceso de adaptación y variabilidad, se hace preciso indagar cómo ha sido este proceso realmente posible. Así, con base en los datos de la embriología, en el estudio de los órganos atrofiados, inútiles o rudimentarios que perviven aún en determinados organismos, y en las analogías funcionales y anatómicas de miembros aparentemente distantes entre sí, se llegó a establecer una teoría explicativa sostenida prioritariamente sobre los conceptos de uso y desuso. En efecto, una enorme diferencia separa la mano del hombre, la pata del caballo y la aleta del cetáceo, y el sentido común señala su absoluta independencia y autonomía. Lo mismo puede decirse de los cuellos de la jirafa y del elefante. Pero un examen detallado de cada uno de estos órganos, que revela sorprendentes analogías y equivalencias entre ellos —la identidad numérica ósea, por ejemplo—, permite colegir que sus aparentes individualidades son fruto del uso y del desuso a los que se sometieron durante extensos períodos de tiempo. Es de común aceptación que el prolongado abandono funcional de un órgano termina por atrofiarlo. Esto, que es visible en la restringida escala temporal de la vida de los hombres, será aún más determinante cuando se trata de siglos y siglos de comportamientos típicos y reiterados. El organismo que, en la medida de sus nuevos y más apremiantes condicionamientos, deja de usar sus aletas natatorias, va a experimentar una progresiva y sensible atrofia y deterioro de las mismas. Y llegará un momento en el que dichos apéndices anatómicos, reducidos e inutilizables en el sentido anterior que los desarrolló, serán objeto de un inédito uso. Las recientes condiciones los integrarán a una diferente lógica funcional, que a la postre redundará en un cambio fisiológico concreto. La aleta abandonada e inútil se hará paulatinamente cercana al ala membranosa, que en las nuevas condiciones del organismo será instrumento precioso de acción y sobrevivencia. Estas modificaciones, originadas en principio por el abandono y la nueva utilización, obedecieron a los cambios habitacionales y se preservarán gracias a la herencia. Posteriores modificaciones y sus correspondientes ciclos de desuso y refuncionalización, acercarán el ala membranosa a la pata del caballo, y la pata y su casco, a la mano del hombre.

Transformaciones tan drásticas no pueden, por supuesto, atribuirse mecánicamente a la lógica íntima del uso y el desuso. Darwin, consciente tanto de los alcances de sus proposiciones como de la reacción que estas habrán de provocar entre sus contemporáneos, entra a desarrollar complejas argumentaciones a favor de su propuesta y en contra de las objeciones de sus oponentes. Asuntos como la existencia de insectos neutros, el aparato respiratorio de aire de algunos crustáceos, los órganos eléctricos de ciertos peces, la esterilidad casi constante de los animales híbridos, etc., son objeto de su atención. Nuestros conocimientos actuales de geología, de genética, de mineralogía, de costumbres y rutas migratorias y demás, son insuficientes. Faltan especies intermedias que expliquen vinculaciones particularmente drásticas (el caballo y el hombre, por ejemplo); faltan razones que justifiquen la existencia de especies distintas del mismo género que habitan regiones absolutamente lejanas entre sí; la diferencia de los instintos es un asunto imposible de ajustar consistentemente en la teoría y, sin embargo, la condición rudimentaria de nuestro conocimiento se constituye en cada caso, en la razón suficiente de la incertidumbre y de la imprecisión. Nos faltan datos confiables para armar de forma adecuada la teoría, pero esa carencia no afecta el sentido teórico general. Sólo manifiesta un estado deficitario de nuestras metodologías de información. El constructo conceptual de la "selección natural" no se resiente en modo alguno.

La teoría evolutiva que incluye en un panorama de selección a todas las especies orgánicas de la naturaleza, tanto plantas como animales, también contempla el caso del hombre. Pese a que en torno a la condición humana, la tradición religiosa y moral heredada del medievo y de la primera modernidad, imponía un peso definitivo, Darwin no vacila en afirmar que el ser humano, como especie orgánica asentada en un contexto natural, pese a su especificidad, no constituye excepción a la regla. Los hombres somos también resultado de un largo proceso de selección natural que, a lo largo de innumerables transformaciones y accidentes, condujo a la vida, desde sus formas genésicas más primarias, a la racionalidad y espiritualidad propiamente humanas. Tal aseveración provocó variadas reacciones entre creyentes, sacerdotes, científicos y público en general. Las viejas discusiones premodernas que afirmaban la coexistencia de dos verdades, una científica y otra religiosa, volvieron a cobrar vigencia. La teoría evolucionista fue calificada con todo tipo de epítetos que resaltaban su presunto ateísmo e irreverencia con verdades incuestionables. Al final de su libro, Darwin, consciente de la polémica suscitada por sus aseveraciones, consideró pertinente aclarar que, desde su perspectiva, la teoría de la "selección natural" no significaba ningún ateísmo o blasfemia. La dignidad suprema de un ser, que es causa de sí mismo y de todas las demás causalidades, no se menoscababa al considerar cómo, fruto de su voluntad, el mundo de la naturaleza se derivó, en toda su prolijidad y completud, a partir de unas pocas formas vitales o de una sola de ellas. La teoría evolucionista se ocupa del comportamiento y transformación de la vida, no de su origen ni mucho menos de su originador. Dios, que es principio sustancial, sigue siéndolo pese a la selección y a la variabilidad de las especies, y el acto portentoso de gestar la existencia del mundo a partir de su voluntad creadora no deja de ser sorprendente y majestuoso. Se impone una transformación en las estructuras mentales de los hombres, una simple variación, una adaptación a las nuevas exigencias de la historia. Nada más.

✍ *El autor y la obra*

Carlos Roberto Darwin nació en Sherewsbury en 1809 y murió en 1882. Inclinado al estudio de las ciencias naturales desde temprana edad, y en consonancia con la influencia de su abuelo Erasmo Darwin, ingresó a estudiar medicina en Edimburgo y Cambridge. No obstante, el sentido que posteriormente daría a sus actividades intelectuales fue determinado por un acontecimiento específico. Corriendo el año 1831, emprendió un viaje por América del Sur y las islas del Pacífico a bordo del Beagle, embarcación comandada por el capitán Robert Fitzroy. Los resultados de la excursión fueron inmediatos.

En el curso del viaje, Darwin hizo acopio de un impresionante caudal de datos geológicos, zoológicos y botánicos, cuya ordenación y sistematización le ocuparían mucho tiempo. América y el Pacífico representarían para él, como para muchos otros científicos y artistas europeos, el mayor de los desafíos. Hombre acostumbrado a la relativa domesticidad de su hábitat inmediato, la presencia portentosa de una naturaleza aún inviolada e inagotable, lo conmocionó en profundidad. Tan inconcebible variedad y riqueza debían ser objeto de una ordenación racional y las teorías convencionales no alcanzaban, por supuesto, a satisfacer sus exigencias. Cuando el trabajo de ordenamiento y clasificación de sus datos se llevó a cabo, Darwin había concluido los principios esenciales de su teoría de la evolución natural.

El trabajo teórico de Darwin había sido precedido por algunos aportes que concebían la necesidad de una evolución en el orden de la naturaleza, aunque no alcanzaban a gestar las causas eficientes ni sus mecanismos. Uno de esos trabajos, el *Ensayo sobre el principio de la población* , escrito por Tomás Roberto Malthus, fue durante mucho tiempo considerado el verdadero principio de la teoría darwiniana de la "selección natural". En efecto, la lectura de Malthus influyó en los trabajos de Darwin, pero no existe argumento cabal que sostenga en tal lectura la génesis de la teoría de la evolución. Las anotaciones y trabajos de ordenación emprendidos a partir de la experiencia del Beagle fueron anteriores al conocimiento de las tesis malthusianas, y ya en ellos se encontraban los primeros brotes de la inminente teoría de la selección natural. El *Ensayo sobre el principio de la población* sería determinante a posteriori, en la medida en que sus contenidos reforzaban las intuiciones primarias de Darwin, pero estas fueron sugeridas por la experiencia directa de la naturaleza americana. Los hombres tienden —según Malthus— a incrementar su población de manera desmesurada y sin guardar proporción debida con el crecimiento correlativo de sus recursos económicos y alimentarios. Se impone entonces una "lucha por la existencia", en la cual muchos se verán forzados a "abandonar la partida", mientras otros conseguirán "adaptarse" y "sobreponerse". Resulta, así, evidente la cercanía de esta visión panorámica de la historia humana con los conceptos de variación y adaptación de los organismos naturales a las nuevas condiciones impuestas por su entorno. No obstante, las posteriores conclusiones teóricas y conceptuales desarrolladas por Darwin manifiestan una independencia intelectual definitiva.

El primer núcleo que abrió la reflexión darwiniana tuvo que ver, precisamente, con uno de los centros más inquietantes de su concepción: el origen de las especies de un tronco común. Después desarrollará el corpus general de su teoría: las modificaciones ambientales engendran alteraciones en los organismos, que en la medida en que sean exitosas, se van a consolidar y a perpetuar a través de la herencia. Tales ideas, destinadas en principio a constituir un voluminoso tratado, terminaron por ser expuestas en un sumario más o menos breve, entregado en el año 1858 a la Linneasean Society. Un año más tarde aparecería su obra sobre el origen de las especies, cuyo título original sería *On the Origin of Species by*

Means of Natural Selection, or the Preservation of Favoured Races in the Struggle for Life. Profusamente difundida, esta obra alcanzaría notoriedad universal y constituiría el núcleo teórico de la teoría general de la evolución. A este, su trabajo más importante, seguirían otros más, entre los cuales se destacan *La descendencia del hombre y la selección en relación con el sexo, La variación de animales y plantas antes de su domesticación, La expresión emocional en los animales y en el hombre,* etc.

La teoría de la evolución de Darwin supuso transformaciones radicales e inmediatas en la concepción de la naturaleza y de la historia humana. Quizá por encima de las previsiones de su autor, quien se ocupó estrictamente de construir una teoría biológica que diera cuenta de los modos y mecanismos de la evolución natural, sus trabajos dieron origen a una teoría social evolucionista sumamente polémica. Tales doctrinas sociológicas, o ideologías político-sociales, sostienen la naturaleza denigrante de todo socialismo, proteccionismo o solidaridad moralizante. En la sociedad humana, como en la naturaleza, los individuos particulares manifiestan un temple, una condición que les impone la satisfactoria posibilidad de sobrevivir o la dolorosa necesidad de extinguirse.

Cualquier otra opción es obra de ideologías espurias que llevan a la degeneración de la raza humana. El conglomerado social debe, pues, decidirse por la libre competencia, por la libertad absoluta de acción que redundará en la constatación de desigualdades. Entregados a una lucha frontal y generalizada, los sujetos humanos se harán vencedores o perdedores. Un comportamiento diferente sólo redundará en beneficio de los débiles y con ellos la sociedad se hundirá en una irremediable mediocridad. Esa medianía es antesala y causa suficiente de la extinción de la sociedad misma. El socialismo, el cristianismo, la socialdemocracia y demás movimientos que tienden a constreñir las condiciones de lucha y a "humanizar" los conflictos, han de ser forzosamente erradicados. La historia y la humanidad, como última razón y concepto, serán los finalmente beneficiados.

Pero esta "física social" no es la única interpretación de los principios evolucionistas aplicados a la sociedad humana. La "ética evolucionista", la "moral naturalista" y otras opciones, matizan propuestas tan radicales. No obstante, la historia más reciente de la humanidad ha sido en buena parte manifestación de concepciones "realistas" que pretenden ordenar y proyectar la sociedad humana a partir del libre desarrollo de competencias y acciones. En nuestros días, el libre juego de influencia y expansión del capital, tan propio de las conformaciones postindustriales, supone una simpatía, tácita o declarada, con una concepción tal del ser humano y de la historia, tan manipulable y pragmática como limitada en su simplicidad.

Darwin

25

FENOMENOLOGÍA
DEL ESPÍRITU
J. G. F. Hegel

El objetivo de toda filosofía es —desde la perspectiva hegeliana— el conocimiento de la realidad, de lo que es de manera indudable, definitiva y absoluta. En forma sucinta podría afirmarse que el saber absoluto se convierte en el objeto único de toda filosofía genuina y, en fin, que la filosofía es el saber absoluto. Ahora bien, ¿de qué trata estrictamente tal asunto? De qué hablamos cuando nos referimos al saber y lo calificamos con el rotundo epíteto de absoluto? ¿Esta denominación supone un concepto intuitivo básico a partir del cual es posible todo intento de conocer, actuar y poetizar, como lo proponían los románticos más radicales? Para ellos, ¿el absoluto constituía el punto de partida privilegiado desde el cual era posible cualquier otro intento o labor filosófica o, por el contrario, contando con que dicha noción, tan definitiva, estaba ya prevista desde los principios mismos del pensar, al absoluto se llega como el resultado final de una compleja marcha de apropiación, experiencia y conciencia? La respuesta a estos interrogantes se convertirá en el punto central de la propuesta desarrollada por Hegel en su *Fenomenología del espíritu*, una de las obras más complejas de la tradición filosófica occidental.

Es natural que, en filosofía, antes de entrar en la cosa misma, es decir, en el conocimiento real de lo que es en verdad, sea necesario ponerse de acuerdo previamente sobre el conocimiento, considerado como el instrumento que sirve para apoderarse de lo absoluto o como el medio a través del cual es contemplado.

Se trata, entonces, de colocarnos en posibilidad real de alcanzar el fin supremo de toda filosofía. El saber absoluto es nuestro propósito más acariciado, pues en él y solamente en él, es posible encontrar la "cosa misma", "el conocimiento real de lo que es en verdad". Pero en la medida en que el asunto resulta mediatizado por la acción o complejo de acciones humanas denominadas conocimiento, la resolución de nuestro problema central está determinada por la resolución de este otro problema, por así decirlo, "metodológico", el instrumento mediante el cual podemos "apoderarnos" de la "cosa misma". Para "contemplar" el absoluto, el conocimiento es objeto prioritario de reflexión.

¿De qué conocimiento hablamos? ¿Cuál, entre tantos tipos posibles de saber, es el adecuado a nuestros fines? La experiencia presenta ante nuestros ojos diversas clases de conocimiento, cada una referida, según su naturaleza, a un objeto distinto. Nadie nos garantiza, entonces, que no incurramos en confusión al elegir un tipo de saber incapaz de dar cuenta del asunto prioritario que nos ocupa. Por otra parte, el concepto mismo de conocimiento supone límites y condicionamientos. No se puede conocer todo, o cuando menos se ha de tener el mayor cuidado posible en nuestros procesos, pues podemos caer en el error que asecha en cada momento, y tomar por cierto lo incierto, o pasar por encima de lo verdadero sin darnos cuenta. En fin, ese instrumento que haría posible alcanzar nuestro objetivo central, que es la "cosa misma", la realidad que frente a nuestra experiencia se instaura como un enigma insoluble, es sumamente problemático. Bien visto, lejos de allanar el camino que nos conduciría a la realidad, se interpone entre ella y nuestros afanes e imposibilita cualquier acercamiento verdadero.

> En efecto, si el conocimiento es el instrumento para apoderarse de la esencia absoluta, inmediatamente se advierte que tal aplicación de un instrumento a una cosa no deja a esta tal y como ella es en sí, sino que la moldea o altera.

Siendo medio, pues, el conocimiento impide alcanzar el objetivo central de la filosofía.

Pero el conocimiento no tiene que ser necesariamente medio. Es pensable que, a la manera crítica, no se encuentre por fuera de la conciencia, como un instrumento exterior a ella, consecuencia de la acción histórica del hombre y, por tanto, producto de su voluntad emparentada con el tiempo, sino que el conocimiento se halle interiorizado en la estructura más profunda del espíritu humano. No sería así contaminado con la experiencia y sus consecuencias innegables sino, por el contrario, se hallaría como constructo a priori, básico, primario. Y, sin embargo, pese a conjurar los riesgos de la experiencia, su misma condición íntima, pasiva pero posibilitadora, se interpone entre nosotros y "la luz de la verdad", de manera que tampoco podremos acercarnos a esta "tal y como es en sí, sino tal y como es a través de este médium y en él".

> En ambos casos empleamos un medio que produce de un modo inmediato lo contrario de su fin, o más bien el contrasentido consiste en recurrir en general a un medio.

Los esfuerzos empleados en resolver esta dificultad resultan, a la postre, en nuevas y más espinosas dificultades, de manera que urge asumir el asunto desde otro punto de vista y confrontar, en últimas, su razón de ser fundamental. Al fin de cuentas, tantas objeciones y retruécanos vienen a sostenerse sobre una misma base común: se parte de que el conocimiento es, o bien un "instrumento", o bien un "medio". No obstante, en ambas posibilidades subsiste la creencia básica de que nosotros y el conocimiento ocupamos lugares distintos, ya sea como producto de nuestra industria, que hemos concebido, construido y delimitado, o como "médium pasivo" que se adhiere a nuestra conciencia y la separa del objeto de sus preocupaciones. Pero, sobre todo, más importante y de mayores consecuencias, resulta el hecho de que las nociones básicas que nos inducen a la sin salida se consolidan a partir de la consideración esencial de que una cosa es el absoluto que deseamos conocer y otra el conocimiento, que nos permitiría dar razón cabal del absoluto. Son entidades distintas, autónomas, diferenciadas e independientes, lo que nos arroja a la incómoda consideración de que existe algo no contenido en el absoluto. Y puesto que el absoluto es, por definición, precisamente aquello capaz de contener todas las cosas, al considerar una que existe por fuera de él, nos enfrentamos a una contradicción garrafal. Ahora bien, esta consideración implica, a su vez, que el conocimiento, exterior al absoluto, se halla a su vez fuera de la verdad, pues la verdad reside únicamente en el absoluto.

Esta consecuencia se desprende del hecho de que solamente lo absoluto es verdadero o solamente lo verdadero es absoluto.

Estas y otras muchas consideraciones nos enfrentan con un verdadero laberinto argumentativo, dentro de cual es poco menos que imposible hallar claridad. A pesar de lo cual, viendo con atención la naturaleza misma de las razones expuestas, encontramos las luces que nos pueden orientar. Se trata, en síntesis, de utilizar representaciones y palabras relacionadas con ellas, que pretendemos conocer y conceptualizar vanamente. En efecto, se presupone conocido el significado de palabras como "absoluto", "conocimiento", "objetivo", "subjetivo" y otras más. Y, sobre todo, se considera tener al alcance los conceptos íntimos de estas palabras, lo cual conduce al error de pasar por encima del objetivo inicial de una verdadera ciencia: ofrecer precisamente claridad sobre estos conceptos. Y esta ciencia que se da en su concreción, pero que no es ella plenamente sino cuando se desarrolle en un continuo móvil y contradictorio, va a ser el punto de partida de un conocimiento genuino del absoluto.

Su dinámica interior, que la conducirá a constantes enfrentamientos consigo misma, nos llevará a la comprensión, cabal y suficiente, de que el conocimiento no es externo al sujeto que conoce y que el absoluto no ocupa un lugar distinto del conocimiento. Las nociones de "instrumento" y de "medio", que tanto nos ofuscaban, dejan de tener sentido cuando el largo camino de la ciencia nos presenta la evidencia de que al hablar de "nosotros mismos" y del "conocimiento", hablábamos de la misma cosa. Como de la misma cosa hablamos cuando decimos "conocimiento", "absoluto" y "nosotros mismos".

La consideración básica que permite intentar la construcción de la ciencia radica en que la ciencia es una manifestación. No es, pues, de manera total, abstracta, definitiva, completa. Se trata de una aparición en la cual la ciencia no es aún la ciencia en su verdad, desarrollada y desplegada. Es indiferente, a este propósito, representarse que ella sea la manifestación, porque aparece junto a otro saber, o llamar a este otro saber no verdadero, su manifestarse.

En efecto, la ciencia se nos ofrece en su realidad concreta, envuelta en una confusa madeja de relaciones con ese saber "abstracto", fraudulento, "contingente y arbitrario", que ya hemos considerado. Todas las confusiones derivadas de ese "saber no verdadero" forman una continuidad con la ciencia, de modo que su aparecer se nos da de manera equívoca y "natural", vale decir, ingenua. Pero lejos de considerar la necesidad de separarnos radicalmente de lo espurio y rechazar sus inconsistencias en aras de nuestra "verdad", se trata de apropiarnos del error y considerarlo parte sustancial del proceso constructor de la verdad. La ciencia tiene, por supuesto, que liberarse de la apariencia que la contamina, pero sólo puede hacerlo "volviéndose en contra de ella". No puede en modo alguno recurrir a su "dignidad" de saber verdadero, enfrentado a la otra condición aflictiva y errática del conocimiento falso. En tal caso estaría partiendo de a prioris insostenibles. En efecto, actuando así, esgrime en su defensa algo tan abstracto, tan carente de relaciones genuinas, como la noción de "ser". Ella "es" ciencia, o sea, "es" conocimiento verdadero, mientras que todo aquello que no esté contenido dentro de tan estrechos márgenes, "es" despreciable. Pero ese mismo argumento de autoridad lo podría esgrimir el saber carente de verdad y no tendríamos ninguna razón de fundamento que oponerle.

Pero también el saber carente de verdad se remite al hecho de que es y asevera que la ciencia no es nada para él, y una aseveración escueta vale tanto como la otra.

Resulta forzoso, pues, no remitirnos a las consideraciones intelectuales, a las calificaciones, valoraciones o delimitaciones, sino sostenernos en el ámbito del "saber tal y como se manifiesta". Y como este manifestarse se encuentra, en primera instancia, contaminado con múltiples abstracciones y errores de la conciencia natural, o conciencia ingenua, ese saber verdadero, que —no lo olvidemos—

es nuestro objetivo y el objetivo de toda filosofía genuina, será un transitar, una depuración progresiva y dinámica, un camino.

La ciencia libre [...] puede considerarse como el camino de la conciencia natural que pugna por llegar al verdadero saber o como el camino del alma que recorre la serie de sus configuraciones como otras tantas estaciones de tránsito que su naturaleza le traza, depurándose así hasta elevarse al espíritu y llegando así, a través de la experiencia completa de sí misma, al conocimiento de lo que en sí misma es.

La conciencia natural, entonces, que es ingenua, simple *doxa*, opinión, o sentido común, se ha de separar de su condición inicial y a partir de continuas y dolorosas contradicciones, enfrentamientos y superaciones, habrá de recorrer un camino que la conducirá a una depuración final que es el conocimiento verdadero. Apropiándose a cabalidad de ella misma, esa ingenuidad se decantará hasta alcanzar la condición de espíritu. Su trayecto, realizado a lo largo de una serie de etapas y estaciones, será el recorrido de la conciencia que se encuentra consigo misma, se completa y articula en su totalidad y llega a conocerse. Hacer evidentes las instancias, momentos y evoluciones que conducen a la superación de la ingenuidad inicial, hasta alcanzar la totalidad íntima del espíritu, es el cometido y el propósito de la *Fenomenología del espíritu*.

Ese "descubrirse a sí misma" de la conciencia constituye la introducción al sistema general de la ciencia, la cual consiste en la determinación del ser último de las cosas, o apropiación del saber absoluto de que trata toda filosofía legítima. Ya se ocupará posteriormente Hegel de tan espinoso asunto en su obra *La ciencia de la lógica*, construida precisamente a partir de la previa determinación y cualificación de la conciencia humana que es capaz de conocerse a sí misma, pero, sobre todo, que puede posibilitar desde su naturaleza interior el desarrollo de un "sistema". La ciencia es, fundamentalmente, sistemática. Organiza y construye una estructura compleja e interdependiente en donde las nociones se derivan e implican unas a otras de manera necesaria. Ahora bien, por su propia naturaleza, esta ciencia suprema, a la cual es posible llegar, supone la madurez absoluta de las determinaciones históricas humanas. En la plenitud de la historia, en donde se articulan todas las construcciones previas, unificadas y superadas, se haría posible el intento de generar la ciencia como tal. En dicha eventualidad, como en la pura apropiación del espíritu que se recorre a sí mismo y se apropia de sus determinaciones, el método dialéctico es determinante. Se trata, en suma, de concebir el error y la abstracción como un momento necesario al proceso de apropiación de la verdad. Los métodos tradicionales, pese a su variabilidad y divergencia, se sostienen sobre la radical diferenciación entre acierto y error, entre verdad y falsedad. Al fin de cuentas, se buscaba un procedimiento formal que permitiera reconocer y separar una cosa de la otra, de manera que en cada contingencia fuera posible distinguir "el grano de la paja". Esta oposición tan radical, vigente durante largos años, encontró en Hegel su refutación. En efecto, el error, desde su perspectiva, no debe ser expurgado, suprimido o rechazado. Por el contrario, la verdad conserva y supera el error. Este se constituye en su parte fundamental, en la dinámica misma que permite el movimiento, al generar la contradicción que lleve a la apropiación de la ciencia verdadera o a la depuración del espíritu que se reconoce plenamente y llega al saber absoluto. Los diversos momentos en la migración de la conciencia natural, que volviéndose sobre sí misma se reconoce y alcanza, suponen la integración y superación del error y la dinámica dialéctica.

Otra consideración se hace indispensable, antes de referir las instancias concretas en que va desenvolviéndose la superación de la conciencia natural. En contra de muchas determinaciones científicas tradicionales, que concibieron la ciencia en términos de sus resultados objetivos, en este caso se trata de considerar, más que el resultado —que, por supuesto, se considera, contempla y persigue—, el proceso mismo. La visión finalista, teleológica, unilateral del conocimiento, privilegia el punto de llegada e instaura allí, y únicamente allí, el sitio de la ciencia. Se considera la meta como instancia privilegiada y fundamental. El espíritu que transita desde su indeterminación inicial hasta el final reconocimiento en su propia dignidad, concibe la meta "tan necesariamente implícita en el saber como la serie que forma el proceso".

Cada estación, entonces, cada momento de evolución, negación y síntesis, es la ciencia misma.

Esta necesidad hace que este camino hacia la ciencia sea ya él mismo ciencia y sea, por ello, en cuanto a su contenido, la ciencia de la experiencia de la conciencia.

La conciencia, pues, protagoniza un "movimiento dialéctico" que lleva a cabo en sí misma, movimiento que la pone en contacto con su "nuevo objeto verdadero", que antes contenía pero no conocía. Hacer conciencia de este "nuevo objeto verdadero" que brota ante ella, como resultado de su "movimiento dialéctico", es lo que propiamente llamamos "experiencia". La ciencia es, en este preciso sentido, ciencia de la experiencia de la conciencia, vale decir, ciencia de la apropiación de los "nuevos objetos verdaderos", que brotan ante ella como resultado de su movilidad dialéctica.

¿Cuáles son estos distintos momentos, instancias o brotes de un "nuevo objeto verdadero" de la conciencia en su movimiento o devenir? El primero de ellos, que coincide con la ingenuidad de la conciencia natural, es el momento de la certidumbre sensible, primero que considera Hegel en su determinación de la conciencia. El "objeto verdadero" con el cual se encuentra la conciencia natural, la más inmediata, ingenua y abstracta, vale decir, carente de relaciones que la determinen y la pongan en situación de contacto con lo que ella "no es", es todo lo que aparece sin determinación alguna frente a la sensibilidad. Y habida cuenta de la inmensidad posible a la experiencia de los sentidos,

el contenido concreto de la certeza sensible hace que esta se manifieste de un modo inmediato como el conocimiento más rico, e incluso como un conocimiento de riqueza infinita a la que no es posible encontrar límite si vamos más allá en el espacio y en el tiempo.

Es el mundo entero de sensaciones, emociones y situaciones que se nos ofrece en la cotidianidad. Allí se encuentra todo. Allí se despliega, frente a nuestro complejo perceptivo, la infinidad del ser de las cosas, que es el objeto verdadero, específico y concreto del conocimiento humano. Por otra parte, nuestra realidad manifiesta que, de hecho, la condición fundamental del ser humano supone un conocimiento inmediato y práctico de tal complejidad. Estamos en el mundo y la relación concreta con sus infinitas manifestaciones, es verdad indiscutible.

Este conocimiento se manifiesta, además, como el más verdadero, pues aún no ha dejado de lado nada del objeto, sino que lo tiene ante sí en toda su plenitud.

La cosa está ante mí, y me manifiesta su completud original y pura. No obstante, la satisfacción que pudiera desprenderse de semejante conocimiento, en apariencia tan claro e inmediato, no tarda en desvanecerse. En último término, lo único que puedo enunciar de tal objeto es que es, y lo único que puedo afirmar de mí mismo, como conciencia que conoce, es que soy. Ninguna otra definición es posible. Las múltiples relaciones que enriquecen el puro ser de la cosa y mi propia intuición de yo, no son posibles a partir de la certeza sensible. Ni el yo ni la cosa cuentan con otra relación distinta de la mera y simple que sostienen consigo mismos. Y en la medida en que la riqueza de un concepto se mide, precisamente, en términos de la complejidad de sus relaciones, "esta verdad se muestra ante sí misma como la verdad más abstracta y pobre". Abstracta, carente de delimitaciones, de vinculaciones que la determinen y la inserten en una complejidad. Definitivamente contraria a la posibilidad misma de constituirse en verdad genuina, que siempre y por definición, consiste en una verdad múltiple, relacional, desplegada a lo ancho y largo de mediaciones que la pongan en contacto consigo misma al ponerla en contacto con todo lo que ella no es. Verdad que, en síntesis, es "concreta":

El yo no significa un representarse o un pensar múltiple, ni la cosa tiene la significación de múltiples cualidades, sino que la cosa es, y es solamente porque es; ella es: he ahí lo esencial para el saber sensible, y este puro ser o esta inmediatez simple constituye la verdad de la cosa. Y así mismo la certeza, como relación, es una pura relación inmediata: la conciencia es yo y nada más, un puro este; el singular sabe un puro esto o lo "singular".

Primer momento, pues, o de la conciencia natural, que es singular, inmediato, simple, indeterminado. El "esto" y "este" no pueden ir más allá de sí mismos. ¿De qué manera intentar, entonces, superar esta indeterminación inicial? En síntesis, se trata de aportar a los conceptos inmediatos, elementos que los enfrenten consigo mismos. Estos elementos, que son básicamente relaciones con lo ajeno, no el universo de lo que la certeza sensible "no es", serán los primeros pasos que la conduzcan a la concreción del conocimiento. La cosa y el yo, en principio, están situados. El tiempo y el espacio son esas primeras determinaciones que rescatan a la certeza sensible de su total abstracción. Aquí y ahora, imposibles de captar a partir de la mera sensibilidad, se constituyen en el primer aspecto de lo inmediato. No obstante, contrariamente a lo que podría inducirnos la consideración inmediata del aquí y el ahora, lo que dichos conceptos aportan a los datos de la certeza inmediata no tiene nada que ver con lo concreto de la cosa o del yo, que es lo que necesito apropiar. Por el contrario, aquí y ahora remiten a lo universal, en ningún modo a lo particular. Así, esta primera determinación me permite, por una parte, alcanzar una mínima certeza respecto a la cosa y a la conciencia, y por otra, aproximarme a un segundo momento en el cual la certeza sensible es refutada y superada por la percepción.

La certeza inmediata no se posesiona de lo verdadero, pues su verdad es lo universal; pero quiere captar el esto. La percepción, por el contrario, capta como universal lo que para ella es lo que es.

Asentándose la percepción sobre la realidad de un momento, que la certeza sensible pretende desconocer, es decir, sobre la universalidad, las cosas pueden mostrarse como constituidas por múltiples cualidades.

Pues solamente la percepción tiene en su esencia la negación, la diferencia o la multiplicidad.

Y la negación, que es negación de la simple sensibilidad, constituye principio de determinación y complejidad. Las diferencias son por primera vez posibles, y el camino de autoapropiación de la conciencia tiene lugar.

La conciencia, que se ha hecho percepción, encuentra otro momento en su periplo que la lleva hacia el reino del entendimiento, en donde es posible y legítima la constitución de pensamientos sobre un objeto. Se ha recorrido ya un largo camino desde la abstracción inicial de la certeza sensible, pero esta serie de determinaciones no han incidido en la vigencia de un prejuicio inicial. En efecto, se sigue considerando que el objeto y el sujeto son entidades autónomas y contradictorias, pertenecientes a dos ámbitos enfrentados entre sí. También se aprecian, como distintos y lejanos, el saber del objeto y el objeto mismo. Conciencia y saber, por tanto, no se reconocen aún. Situación que, no obstante, se verá pronto superada.

> Pero ahora ha nacido lo que no se producía en estos comportamientos anteriores: una certeza que es igual a su verdad, pues la certeza es ella misma su objeto y la conciencia es ella misma, lo verdadero.

La diversidad y la oposición de la conciencia con el objeto de que se ocupa, queda desvanecida ante la unidad, revelada en el concepto, mediante el cual la conciencia alcanza el nivel de certeza sobre sí. Es autoconciencia ya. La conciencia "sabe, en cuanto se sabe a sí misma", y su saber se hace manifiesto en la elaboración de conceptos. Hemos alcanzado ya, desde la sensibilidad inmediatista, y a través de la percepción, el entendimiento y el concepto, el momento dialéctico de la autoconciencia, vale decir, de la razón. Pero este camino recorrido, que reviste una infinidad de matizaciones y determinaciones intestinas, no es suficiente. Ese saber de sí, que es saber del objeto, remite al ámbito particular de las individualidades. En cada sujeto en particular tal proceso es posible y se sucede según los momentos claramente expuestos y desarrollados. Pero el ámbito de la pura individuación se torna insuficiente, pues la conciencia necesita superarse en su condición múltiple en infinitas conciencias individuales y se enlaza definitivamente con la historia. La conciencia, en su avidez de apoderarse de sí misma, se hace temporal y colectiva. Se realiza históricamente. La conciencia individual deja de ser razón, e inserta en la experiencia histórica, se hace espíritu. Y este espíritu, conducido dialécticamente desde los primeros estadios de rusticidad y dependencia del hombre respecto de la naturaleza y de sí mismo, se supera y consigue plenitud en el descubrimiento de la vida interior. Vida interior que, posibilitada y proyectada por el cristianismo, abre la entrada del espíritu en sí mismo. Triunfo final, plenitud de la ciencia genuina, que es ciencia de la experiencia de la conciencia, y que se concluye en la autoapropiación del espíritu, gracias a la religión. Coincidente con el dogma del cristianismo, el espíritu que ha llegado a sí mismo constituye saber absoluto y, por tanto, ejerce la filosofía. De esta manera, el tránsito de la conciencia, que ha partido de la pura indeterminación de la certeza sensible, se concreta, a través de la más compleja red de mediaciones con su no-ser, y de las consecuentes negaciones y superaciones, en el espíritu puro, apoderado de sí y en esa misma medida, poseedor del saber absoluto.

✍ El autor y la obra

Jorge Guillermo Federico Hegel nació en el año 1770 en Stuttgart y murió en 1831. Adelantó estudios de teología en Tubinga con Schelling y Hölderlin, formación que influiría poderosamente en el curso de su obra filosófica. También se sintió atraído por la poesía y la cultura clásicas. Terminado su ciclo formativo, el joven Hegel se ocupó como preceptor privado en la ciudad de Berna entre los años 1794 y 1797 y luego, en Frankfurt entre 1797 y 1800. Ya para entonces el prestigio de su actividad intelectual le dio la posibilidad de ejercer como docente privado en la ciudad de Jena, a donde se trasladaría en 1801.

Este período de su vida intelectual, antes de realizar la primera publicación de una obra original en 1807, se vio marcado por la influencia de la filosofía romántica alemana. En efecto, Schelling, Fichte, Schiller, entre otros, y su concepción del absoluto como principio original y suficiente del conocimiento y de la realidad, fueron puntos de referencia. No obstante, a medida que el joven Hegel discurría sus propias perspectivas, tal noción, por cierto muy cercana al panteísmo del primer Renacimiento y a la visión ontológica spinoziana, fue desapareciendo. En efecto, ya en su primer trabajo personal manifiesta una creciente repulsa por este absoluto concebido como mera indiferencia entre objeto y sujeto, el cual, desde su total indeterminación, podría ser materia de todo tipo de valoraciones e interpretaciones. "Es la ingenuidad del vacío en el conocimiento", diría entonces, y no puede ser punto de partida de la ciencia. A él se debe llegar luego de un arduo camino de consideraciones. No debe asumirse, sin más, como presupuesto de un conocimiento genuino.

Al tiempo que separa sus propias concepciones de esta versión romántica del absoluto, Hegel introduce una segunda modificación que resultará fundamental. Al sistema de "totalidad" imperante en la tradición occidental moderna hasta el momento, Hegel opondría un sistema de oposición o "dialéctico". El viejo y reverenciado principio de identidad, sobre el cual se había construido el complejo andamiaje cultural de Occidente, habría de ser duramente enjuiciado. La enunciación de que "una cosa no puede ser y no ser al mismo tiempo", había sido elemento sustancial del proceso lógico y metafísico de Europa durante largos siglos, y ahora, desde la novísima concepción de Hegel, perdía validez. Una cosa sí podía ser y no ser al mismo tiempo y allí estaba todo el aparataje argumentativo de la lógica y de la ontología hegeliana para demostrarlo. El devenir, la contradicción, la superación por síntesis de la tesis y su contrapuesta antítesis, constituían el cuerpo de una lógica dialéctica, que desde entonces impondría una visión de la realidad dinámica y sostenida sobre el cambio. Las viejas exigencias de la identidad y sus consecuentes categorías, basadas en la quietud y la esencia que es siempre idéntica a sí misma y pervive en medio de los avatares de la historia, serían refutadas.

Durante el período comprendido entre los años 1807 y 1809, en Bamberg, Hegel ejerció como redactor de un periódico local. En este último año fue nombrado rector del Gimnasio de Nuremberg, cargo que desempeñó hasta 1816. Posteriormente fue designado profesor en la Universidad de Heidelberg y dos años más tarde se trasladó a Berlín. Para entonces, el prestigio de su sistema y su autoridad intelectual fueron indiscutibles, de manera que hasta el momento de su muerte, contó con el mayor reconocimiento e incondicional asistencia del Estado.

La filosofía de Hegel se convirtió rápidamente en fuente de los más acalorados debates. Centrados en el contenido doctrinal de su teoría, los hegelianos de derecha asumieron recalcitrantes posturas conservadoras, mientras los "jóvenes hegelianos" o hegelianos de izquierda, que privilegiaban el método dialéctico a cualquier otra consideración, constituyeron un núcleo renovador y revolucionario. El trabajo de estos últimos pensadores, Bruno Bauer, Ludwig Feuerbach y otros, originaría una línea de pensamiento de izquierda que terminaría en el materialismo dialéctico e histórico de Carlos Marx y Federico Engels. Es notoria la adopción de la filosofía hegeliana, en particular de su concepción del Estado como encarnación histórica concreta de la idea absoluta, que vendría, a sostener intelectualmente el autoritarismo del Estado prusiano. No obstante, la influencia hegeliana excede los límites concretos del siglo XIX. Como afirma el maestro Wenceslao Roces, traductor al español de la *Fenomenología del espíritu*, el siglo XX experimentó un renacimiento de la filosofía hegeliana. El convulsionado mundo contemporáneo requiere una filosofía que "oriente certeramente ante los complicados problemas de hoy". El cambio, colocado en el centro medular de todo pensamiento o acción legítima, es perfectamente compatible con la vertiginosa transformación de la realidad postindustrial. Los determinantes y causales de tal cambio son, por supuesto, asunto de otras consideraciones, pero la noción misma de transformación se ha convertido en el alma de todo actuar y reflexionar legítimos.

Podemos destacar las siguientes obras de este escritor prolífico: *Diferencia entre los sistemas filosóficos de Fichte y Schelling en relación con las contribuciones de Reinhold a la más fácil comprensión del estado de la filosofía a comienzos del siglo XIX* (1801), *Sobre la naturaleza de la crítica filosófica en general y su relación con el estado actual de la filosofía* (1802-1803), *Sistema de la ciencia. Fenomenología del espíritu* (1807), *La ciencia de la lógica* (1812), *Enciclopedia de las ciencias filosóficas en compendio* (1817), *Líneas fundamentales de la filosofía del derecho o derecho natural y ciencia del Estado en compendio* (1821), a más de infinidad de artículos, disertaciones y ponencias académicas.

26

INTRODUCCIÓN AL PSICOANÁLISIS
Sigmund Freud

La experiencia cotidiana, tanto la común y desinteresada como la profesional, se encuentra a cada paso con la evidencia concreta de las neurosis, afecciones psíquicas que a lo largo de la historia humana han provocado todo tipo de reacciones y conductas. Desde el rechazo más crudo y la más grande hostilidad, hasta la reverencia y el respeto debido a seres privilegiados, los comportamientos que los hombres han diseñado para tratar a los individuos "anormales" resumen en muy buena medida la complejidad histórica humana. Y, sin embargo, por encima de aquellas acepciones míticas que consideraban el accionar del neurótico como manifestaciones de un ser superior que se inocula en el alma del sujeto y habla a través de él y de su padecer, se impuso una visión mucho más práctica. No hay potencia externa y poderosa que habite la conciencia de un hombre. Este se halla enfermo, nada más. La naturaleza anómala de su conducta, su desvarío y desconexión con la realidad, encuentran explicación dentro de la naturaleza. Y por tanto, también dentro de la naturaleza se hallarán los correctivos. Ciencia médica, psiquiatría y, por último, teoría analítica de la conciencia, se han impuesto el propósito de hallar una lógica interna a las afecciones neuróticas con el fin de diseñar estrategias curativas que rediman al individuo afectado y lo restituyan a la vida normal.

Ese es el sentido del tratamiento especial que propone Sigmund Freud para los enfermos de neurosis. Se trata de un procedimiento, y su respectivo conjunto doctrinal, que supondría una alternativa distinta de la ofrecida tradicionalmente por las disciplinas médicas. En efecto, la psiquiatría ha considerado la afección neurótica como un encadenamiento de síntomas y comportamientos derivados de la predisposición genética del paciente, o de su particular fragilidad orgánica. Se trata, en cualquier caso, de patologías fisiológicas sobre las cuales se sostiene el complejo de comportamientos y sintomatologías comportamentales. No hay, pues, desde este particular punto de vista, sitio para ningún proceso de origen simbólico o afectivo. La teoría psicoanalítica, en cambio, sin desconocer posibles disfunciones netamente orgánicas, enfoca su perspectiva en la existencia de un ámbito psíquico autónomo y autosuficiente, que involucra la totalidad de la vida espiritual de un ser humano. Considerar la posibilidad de que un enfermo de neurosis recupere su salud —objeto último de la teoría del psicoanálisis— supone un conocimiento previo y solvente de ese ámbito psíquico aludido, que ha de remplazar al de la pura fisiología del médico psiquiatra. De qué se trata, cuál es su naturaleza, sus componentes y sus manifestaciones y, sobre todo, cómo, a partir de la solvente aprehensión de su realidad, es posible intentar un procedimiento efectivamente curativo, son los asuntos que abordará profusamente Freud a lo largo de su obra.

La cabal descripción y delimitación de estos conceptos chocará con una serie de prejuicios arraigados entre los médicos especialistas y, por supuesto, entre el común de la población. Se ha partido de una suposición tan antigua y tradicional como poderosa: la vida psíquica es consciente, y la conciencia sintetiza y abarca la totalidad de la vida psíquica. Por fuera, pues, de los objetos accesibles a la deliberación y conceptualización conscientes, no existe vida psíquica alguna. Sentimiento, voluntad y pensamiento se ofrecen a la reflexión humana y no existe imposibilidad alguna de aprehenderlos totalmente. A partir de allí es dable considerar la responsabilidad de los hombres y, por tanto, su libertad, frutos en común de la posibilidad humana de conocer con plenitud el ámbito de su actividad espiritual. Toda la tradición regulativa occidental, sostenida sobre esta confianza, ha construido un complejo ético y político que nunca se ha confrontado desde sus bases. Los errores, inconveniencias o ineptitudes a partir de los cuales ha sido desarrollado un continuo movimiento de refutación y superación, siempre se ha leído desde la incapacidad o superficialidad de las regulaciones o de los reguladores. Pero nunca, hasta este momento, se habían puesto en tela de juicio las bases sustantivas que sostienen la política y la ética tradicionales. Esa capacidad de aprehender todo el espacio de la conciencia y de conocerlo a cabalidad, se desmorona. Y con su refutación, el cuerpo general de lo moral y lo social se hace insostenible.

> Los procesos psíquicos son en sí mismos inconscientes, y los procesos conscientes no son sino actos aislados o fracciones de la vida psíquica total.

De esa unidad inobjetable y monolítica se pasa, pues, a considerar la vida espiritual escindida en procesos psíquicos y en procesos conscientes. Y esos procesos conscientes, tan caros a la tradición, constituyen un simple subconjunto de la totalidad psíquica. Subconjunto, además, minoritario, subordinado e insignificante a la luz de la universalidad de la vida espiritual, en donde campean el desconocimiento, la oscuridad y, por tanto, la impotencia. Esta grave afirmación echa por los suelos la acariciada responsabilidad y libertad del hombre, y exige la construcción de nuevas y más complejas regulaciones de la vida íntima y colectiva.

Hablando de lo psíquico, pues, estamos refiriendo no una unidad, sino un compuesto. Uno cuyos elementos constitutivos más importantes están signados por una característica esencial: son inconscientes. Están ajenos al conocimiento, a la reflexión y, por lo mismo, al control. Dichos compuestos y su especial naturaleza problemática han de constituirse en principios constructivos de una teoría psicoanalítica para enfrentar las afecciones neuróticas.

> Lo psíquico es un compuesto de procesos de la naturaleza del sentimiento, del pensamiento y de la voluntad, y existen un pensamiento inconsciente y una voluntad inconsciente.

La segunda afirmación de Freud, que ha de confrontar las más duras críticas y las reacciones más desproporcionadas, tiene que ver con la naturaleza íntima de los motivos que determinan las acciones humanas. Estos motivos o instintos fundamentales, y las relaciones que los hombres y la sociedad establecen alrededor de ellos, serán básicos en la génesis, desarrollo y curación de la neurosis. Más aún, tal y como lo va a desarrollar extensamente Freud, la existencia misma de las sociedades humanas se comprende y critica a la luz de la actitud desarrollada en torno de ellos.

> Determinados impulsos instintivos, que únicamente pueden ser calificados de sexuales, tanto en el amplio sentido de la palabra como en su sentido estricto, desempeñan un papel cuya importancia no ha sido hasta el momento reconocida en la causación de las enfermedades nerviosas y psíquicas y, además, coadyuvan con aportaciones nada despreciables a la génesis de las más altas creaciones culturales, artísticas y sociales del espíritu humano.

En efecto, no existe —en sus términos— poder mayor en la experiencia humana que el impulso de vida, manifiesto en el instinto sexual y en el conjunto de la "libido". No obstante, la experiencia histórica, compartida por todos los pueblos humanos conocidos, manifiesta cómo ese poder tremendo de la sexualidad ha sido objeto de las más estrictas normas. Es creador absoluto, por supuesto, pero su voluntad de apropiación es tan desmesurada que en caso de dejarlo a su libre acción y desarrollo, provocaría un caos inmediato. Cada sujeto humano, entregado a sus particulares instintos sexuales, irrumpiría abruptamente en el ámbito de desarrollo de sus semejantes y precipitaría la animosidad y la guerra. Se requiere, entonces, asignar a semejantes fuerzas, tan importantes como peligrosas, un sitio adecuado y preciso dentro del cual puedan, al mismo tiempo que ejercer su papel reproductor básico, ser controladas y disminuidas. Toda sociedad se encarga de diseñar un conjunto de regulaciones forzosas que garanticen una transformación sustancial: los instintos sexuales se desplazan de su objetivo primario e inmediato, y se entregan a la gesta civilizadora. Causas espirituales, culturales, abstractas, desposeídas de toda libidinosidad y erotismo, ocupan el lugar de las primarias pulsiones de copulación y placer. De esta manera se logran dos objetivos fundamentales: se minimiza el poder anarquizante de la sexualidad directa y se utiliza su poder constructivo, con su tremenda energía, en la elaboración de objetivos culturales. Así, la sociedad gestiona sus grandes proyectos a partir de la represión de los instintos sexuales, y los hombres particulares, entregados a la épica colectiva, desfogan su eroticidad en objetivos altruistas y controlables. Pero suele suceder —con más frecuencia de la que la sociedad estaría dispuesta a reconocer— que los instintos sexuales resisten a los intentos de control. Pese a todas las previsiones y estrategias, no quedan suficientemente domados y en algunos individuos aparece, más o menos expresa, la rebelión. Y esta rebelión, que a pesar de todo no puede manifestarse en sus verdaderos términos, pues ellos hacen parte de ese universo oscuro y desconocido del inconsciente, constituye un núcleo anómalo que en cada conciencia toma la forma del comportamiento neurótico. La sociedad, en tanto, pese al altísimo costo de concebir dentro de su seno y de tener que habérselas con un número cada vez mayor de individuos que pugnan por retornar al objeto primario de su sexualidad, se niega a dar marcha atrás. Mucho más peligroso que el sujeto neurotizado que la amenaza, es la clarificación de las bases mismas sobre las cuales asienta sus realizaciones. La conciencia generalizada del desempeño de los instintos sexuales en la conformación del hecho colectivo, y el duro papel que en tal conformación desarrolla el individuo, podrían desencadenar reacciones impredecibles. De allí la renuencia a considerar racionalmente las proposiciones del psicoanálisis y la actitud emocional y enfática con la cual se le desprecia y estigmatiza.

Tales son los presupuestos desde los cuales puede intentarse el diseño y desarrollo de una terapia psicoanalítica de las neurosis. Pero —parece ser el curso del pensamiento freudiano— de la simple afirmación de tales conceptos no puede seguirse ninguna conclusión realmente válida. ¿Cómo se puede, en síntesis, comprobar la verdad de semejantes afirmaciones, y no atribuirlas a una imaginación demasiado acalorada o —como se ha repetido con frecuencia— a la personal obsesión del señor Freud con los asuntos sexuales? Es necesaria una evidencia que permita tomar en serio las configuraciones básicas de la teoría y construir, en consonancia, una verdadera estrategia terapéutica. Así las cosas y en defensa de la naturaleza inconsciente de los procesos psíquicos, del mínimo papel que tienen dentro de ellos los procesos conscientes, y de la naturaleza sexual de los instintos básicos que ordenan y sostienen la acción humana histórica e individual, se desarrolla la argumentación.

Existen dos instancias privilegiadas a partir de las cuales es posible demostrar la verdad de los asertos básicos del psicoanálisis y, en consecuencia, desarrollar una "teoría general de la neurosis". Tales instancias son los actos fallidos y los sueños. En ambos ámbitos, y mediante numerosos ejemplos y reflexiones, se desarrollan los conceptos básicos de la teoría. Un acto fallido es esencialmente un acto equivocado, una acción errónea de la cual el sujeto tiene conciencia después de haber incurrido en ella. Por lo general se trata de asuntos más o menos insignificantes, con muy poca o ninguna injerencia en la vida espiritual y práctica de los hombres. Son pequeñas imprecisiones. Equivocaciones mínimas. Y, sin embargo, esta condición elemental no incluye la causa eficiente desde la cual podrían ser explicadas. La equivocación en sí no es demasiado importante y no conduce a ninguna reflexión particular, pero la causa de tal equivocación nos pone en la más inquietante perspectiva. Es corriente encontrar toda clase de personas que al conversar o dirigirse en voz alta a otros, incurre en imprecisiones. Dicen una palabra determinada cuando querían decir otra. Es el primer tipo de lapsus o acto fallido oral. Una infidencia similar puede suceder cuando la persona termina escribiendo lo que no quiere escribir; cuando lee algo que no está escrito en el texto que tiene ante los ojos, o cuando escucha algo distinto de lo que le están diciendo. En cada caso nos encontramos con "actos fallidos" de diverso origen y naturaleza, pero de idéntica índole psíquica. La "falsa audición", la "falsa lectura", la "equivocación en la escritura" y en la expresión oral, son elementos desde los cuales puede sostenerse la existencia del inconsciente.

Se podría alegar que tales equívocos, efectivamente existentes, son producto de un estado anómalo en la constitución orgánica del sujeto, de una alteración circulatoria, de un estado de particular agotamiento, excitación o desatención o, en fin, de cualquier variación de su naturaleza. Sin embargo, a pesar de que tal eventualidad puede darse y contribuir al asunto, el hecho que requiere ser investigado consiste en que, aun en los casos particulares de sujetos perfectamente sanos y equilibrados, los lapsus se manifiestan constantemente. Fuera de sospecha cualquier disfunción fisiológica, la causa de su existencia tiene que residir en otro ámbito. Se trata, entonces, de ocuparse de uno de los actos fallidos en particular y de adentrarse en su estudio mediante la constatación y examen de los diversos casos particulares. El "lapsus oral", el primero sometido a reflexión, ofrece una gran posibilidad de análisis, en la medida en que su incidencia es prácticamente universal.

Los individuos interrogados al respecto, reconociendo la existencia efectiva de la equivocación, varían sustancialmente en la actitud asumida ante la interpretación que ofrece el investigador. Este parte del acto concreto de las equivocaciones: tienen los sujetos una palabra en mente, pero dicen otra, lo cual significa simplemente que a la intención consciente que manifestaba su voluntad, se impuso otra "intención perturbadora" que burló sus previsiones y sus deseos. Existe, pues, entre las dos intenciones, una oposición, una "interferencia" que provoca que la intención consciente del sujeto, o "intención perturbada", no siga su curso normal y sea en cambio vencida y remplazada por la otra intención o "intención perturbadora", que ocupa su lugar en el discurso verbal. Si se acepta, como lo es en realidad, que la "intención perturbada" provenía de la voluntad real y consciente del sujeto, ¿de dónde podría provenir la otra intención? No del mismo sitio, por supuesto, sino de otro al cual el individuo involucrado no tiene acceso, pues no lo reconoce en sus efectos ni tiene posibilidad de ubicarlo en un espacio verdadero. Ese otro ámbito inquietante, manifiesto en la interferencia de intenciones que se revela en el lapsus, provoca diversas reacciones. En efecto, al considerar que toda equivocación oral demuestra la existencia de intenciones que la persona que habla ignora por completo, los sujetos implicados reaccionan de manera distinta. Unos consideran que dicha intención perturbadora existía en su interior antes de producirse el lapsus y pueden concebirla y reconocerla. Otros, en cambio, sin negar la posibilidad de que la perturbación pudiera encontrarse en ellos, no la reconocen en su actuar concreto. Y, por fin, otros se niegan a considerar su equivocación como producto de intenciones perturbadoras desconocidas para ellos y semejante posibilidad los ofende. Pero todos, aun los que rechazan agresivamente la realidad de intenciones espurias que se sustraen a su conciencia, coinciden en una misma actitud: existe una manifiesta "represión" que se niega a permitir la presencia de la idea perturbadora en el discurso consciente. Unos más que otros, por supuesto, pero en cada cual se presenta una dificultad por dejar paso en el discurso oral a un complejo interior que desconocen y repugnan. No obstante, y en eso consiste plenamente el lapsus, la represión no fue suficiente y la transferencia de intenciones hizo posible que el mundo de motivos sometidos a la oscuridad y al desconocimiento, accediera al lenguaje. Se hizo conciencia de él, aunque el sujeto, sorprendido por una acción suya que no puede explicar y que lo traiciona, corrija su error de inmediato y continúe con desparpajo su vida consciente.

El grado de represión en cada caso, revela la intensidad con que el sujeto es asaltado por su inconsciencia. En el primer caso, al concebir y aceptar la presencia de intenciones perturbadoras en su lenguaje, el individuo se halla en posición de inmediatez con esa manifestación concreta de su psiquis ignorada. La represión aparece en el puro actuar lingüístico. En el segundo, cuando puede aceptar la explicación pero no la reconoce en su actividad corriente, la represión ha operado en profundidad y el sorprendente mecanismo que supera el peso de tal negación y alcanza el discurso, manifiesta la persistencia de las intenciones perturbadoras inconscientes. Y en el último caso, cuando existe un rechazo absoluto y el sujeto se niega siquiera a considerar la posibilidad de motivos ocultos en su comportamiento, encontramos tendencias reprimidas de muy vieja data, que explican la aversión sincera de la persona ante las manifestaciones de su inconsciente.

Estas conclusiones extraídas del análisis detallado de los *lapsus linguae* se pueden aplicar sin mayores reticencias al ámbito de los errores de escritura, lectura y audición. Existen matices diferentes, por supuesto, relacionados con la mayor o menor participación del sujeto y de su complejo psíquico en la acción: En efecto, una cosa es hablar y escribir, en donde los actos suponen la expresión directa de contenidos íntimos, y otra la lectura de un documento que otro ha escrito, o la correcta o incorrecta audición de palabras ajenas. No obstante, los resultados de las investigaciones sobre los lapsus verbales son perfectamente vigentes tratándose de las otras modalidades de "actos fallidos", y de ellos se pueden colegir las mismas reflexiones.

El segundo gran bloque desarrollado por Freud, y al cual va a dedicar la segunda parte de su *Introducción al psicoanálisis*, estudia en extenso el tema de los sueños. Esa anarquía simbólica y comunicativa a la cual tenemos acceso todos los seres humanos y que ha sido objeto de un sinnúmero de interpretaciones y lecturas a lo largo de la historia, no es en modo alguno insignificante. Por el contrario, reviste la mayor importancia y constituye el soporte especulativo de la doctrina general del psicoanálisis, ya que es la manifestación misma de la neurosis que duerme en cada ser humano. Esa actividad onírica, independiente de nuestra voluntad e impredecible, a la que accedemos en reposo, por medio de imágenes, ideas e impresiones, revela un complejo perturbador inconsciente. Al dormir, la vida psíquica no se detiene. Por el contrario, reacciona frente a un sinnúmero de estímulos que se oponen a su reposo y generan encadenamientos complejísimos mediante los cuales el alma se defiende de dichas perturbaciones. Tales son los sueños.

Ahora bien, la causa de los estímulos perturbadores que originan, determinan y explican la existencia de los sueños, es múltiple. La ciencia exacta ha aclarado cómo las excitaciones corporales que el sujeto durmiente sigue experimentando, consiguen explicar buena parte de sus contenidos. La conciencia no desaparece en estado de reposo. Solamente disminuye, de manera que los ruidos, variaciones de presión, temperatura e iluminación, afectan la psique de quien duerme, y definen, por tanto, su experiencia onírica. Lo mismo puede afirmarse de las experiencias íntimas del organismo, que de acuerdo con su propia naturaleza, dictaminan también los contenidos de la experiencia ensoñativa del durmiente. Pero tanto en uno como en otro ámbito, la explicación propuesta no es suficiente. El soñador no responde de manera directa y precisa, como lo haría en la vigilia, a los estímulos exteriores o interiores que lo afectan. Por el contrario, su reproducción es infiel y elaborada, de forma que las imágenes producidas por la psiquis deforman, aluden, sugieren o incluyen dentro de totalidades simbólicas autónomas, los datos que le ha proporcionado la experiencia vivida. El resultado final, que puede incluir dentro de sus elementos compositivos los estímulos aludidos, manifiesta, sin embargo, con gran claridad y gracias a una precisa metodología de interrogatorios, la movilidad y el dinamismo de la inconsciencia.

No obstante, pese a su naturaleza inasible y anárquica, los sueños manifiestan regularidades que no escapan a la atención del psicoanalista. Todos están constituidos básicamente de un "contenido manifiesto" y de un "contenido latente", y entre los dos, a la manera de puente, de mecanismo transformador, un proceso de "elaboración onírica". Aquello que experimento al soñar, lo que aparece a mi sensibilidad en forma de encadenamiento de imágenes visuales, simbolismos, impresiones, sensaciones y demás, es lo que se denomina "contenido manifiesto". Pero esa muestra más o menos expresa de contenidos y situaciones, no tiene otro sentido que presentar el resultado final de una "elaboración", obtenida a partir de una materia prima básica: el "contenido latente". Substrato verdaderamente fundamental, oculto, inconfesado, en donde anidan los motivos verdaderos que animan la psiquis del hombre. Punto de interés obligado para cualquier estudioso del espíritu humano.

Se realiza, pues, una transformación, más o menos compleja y más o menos descifrable, de unos elementos primarios, que la psiquis elabora y convierte en simbologías y encadenamientos manifiestos. Pero, ¿cuál es la razón que justifica semejante laboriosidad? A partir de los sueños infantiles, mucho menos elaborados y transformados, podemos concluir que, en efecto, todos los sueños indican un carácter de realización de deseos. Nuestras pulsiones más íntimas pugnan por encontrar satisfacción y aparecen escuetas en ocasiones, pero las más de las veces profundamente transformadas. En los sueños, como en las otras instancias ya mencionadas de la comunicación verbal, escrita o auditiva, opera con gran eficacia un mecanismo específico: la censura. Se deforman, omiten o contextualizan pasajes alusivos a deseos y pulsiones que somos incapaces siquiera de concebir en la vigilia. Nuestro egoísmo consustancial, llevado a extremos inconfesables, se hace manifiesto en los sueños y con él, a su lado y en permanente consonancia con su imperativos, las pulsiones más inmediatas y crudas del deseo sexual. La libido se presenta radical y escoge sus objetos de atención precisamente entre los más estigmatizados y anatematizados por las costumbres éticas y estéticas de la sociedad. El sueño proporciona el espacio mínimo para que el yo se desprenda de todas sus camisas de fuerza y exprese directamente sus apetencias. El deseo de placer, el odio y la necesidad de venganza dirigida precisamente contra aquellas personas a las cuales profesamos en vigilia el mayor de los afectos; la necesidad de asesinar al padre y gozar del amor de la madre, las pulsiones homosexuales, el deseo de suprimir a quienes se atraviesan en nuestro camino, y otras consideraciones egolátricas extremas, que se asientan en nuestro interior desde los tiempos remotos de la primera infancia, se vierten en los sueños, convenientemente transformadas.

Pero esta labor transformativa no es azarosa o arbitraria. Por el contrario, la "elaboración onírica", cuyo cometido es justamente conseguir la manifestación plausible de semejantes pulsiones originales, se vale de ciertos mecanismos muy precisos. En primera instancia, confrontada con la brutalidad de los contenidos que debe censurar, se acerca a ellos esgrimiendo la llamada "condensación" o reducción onírica, que toma la materia básica de los contenidos latentes y los reduce a una versión sintética y abreviada en los contenidos manifiestos. Así, en gracia de su brevedad y poder sintético, un solo sueño puede manifestar las pulsiones de dos o más contenidos latentes. Un segundo mecanismo utilizado por la "elaboración onírica" es el llamado "desplazamiento" o sustitución de un contenido latente por una simple alusión o analogía, o en la transferencia del acento psíquico de un elemento primordial, que se desea suprimir, en otro menos importante. Finalmente, la "elaboración onírica" realiza el tercer paso transformativo, el más interesante y vistoso, que consiste en otorgar a tales contenidos, reducidos y sustituidos, una estructura visual. Todo el arsenal iconográfico del durmiente y de la cultura a la cual pertenece, se pone en acción de forma que la experiencia onírica como tal, el sueño, aparece engastada en el más rico, caprichoso y desconcertante complejo de imágenes.

Otras funciones que tradicionalmente se han otorgado a los sueños, son asimiladas a su principal propósito que es, en síntesis, la realización de un deseo inconsciente. La compleja elaboración onírica responde a ese objetivo fundamental, y en la medida de su realización, lo cumple. El poder agorero, anticipador, previsivo y demás, puede estar presente, pero en ningún caso va más allá de la necesidad de satisfacción de pulsiones básicas. Incluso en las pesadillas, cuando el durmiente enfrenta experiencias angustiosas y opresivas, el deseo, que en este caso habíamos hasta ahora conseguido reprimir, se manifiesta y nos aterra. Un hombre puede albergar deseos cuya realización ha de ser, por fuerza, chocante y desagradable. La moralidad implícita en todo espíritu humano ha reservado para tales ocasiones refinados castigos. Así, cuando el deseo, tan aberrado, consigue superar los controles que le han sido impuestos y se convierte en imágenes, estas constituyen en sí mismas un castigo que el espíritu se impone.

La minuciosa exposición de los argumentos esgrimidos, los innumerables ejemplos y reflexiones acuñados a propósito y, en fin, el voluminoso cuerpo demostrativo acumulado hasta el momento, abren la posibilidad de presentar una "teoría general de la neurosis". Se trata, en suma, de articular los conceptos más importantes y de involucrarlos a una visión global de la anomalía psíquica y de su correspondiente proyecto terapéutico. Tras exponer con claridad el sentido específico de la terapia psicoanalítica y, por tanto, separarla de los procedimientos psiquiátricos, se establece cómo, a partir de los síntomas neuróticos, puede el terapeuta diseñar su estrategia correctiva. Los síntomas neuróticos, actos fallidos y sueños, se corresponden con una organización profunda desde la cual es pensable establecer causaciones y encadenamientos. Sucede, en general, que las manifestaciones de la enfermedad neurótica permiten una ordenación básica: el paciente se ve obligado a comportarse de manera extraña a su personalidad, y sus actos, a los que le es imposible resistirse, no le proporcionan satisfacción alguna. Por otra parte, su pensamiento se encadena a ideas ajenas a su interés normal. Así mismo, su comportamiento concreto presenta una serie de peculiaridades, que lo hacen muy específico y distinto respecto de los prototipos. Entonces es más o menos posible detectar, mediante el análisis, la génesis y explicación de estas "manías" particulares, mientras aquellas conductas generales o típicas, en las cuales los pacientes incurren por encima de sus condicionamientos específicos, se resisten a la comprensión del investigador. Así, se concluye que de la misma manera que los síntomas individuales refieren un universo particular dentro del cual adquieren sentido y coherencia, aquellas manifestaciones típicas han de sostenerse sobre una estructura igualmente común y propia de todos los hombres. A partir de esta conclusión, que por otra parte abrirá las compuertas a la indagación analítica de las culturas humanas, se llegó a encontrar que en todos los casos de neurosis, sean espontáneos o traumáticos, opera un mecanismo definitivo: la fijación. Trátese de disfunciones producto de accidentes, catástrofes o traumas identificables, o de otras en donde los orígenes son indeterminados y se ocultan en el pasado remoto del paciente, se puede constatar que el sujeto en cuestión se mantiene obsesivamente fijo en un momento concreto de su historia personal. Sea el instante exacto en que sucedió lo catastrófico, o un fragmento preciso de su pasado, el neurótico no consigue separarse de allí y refiere toda su actividad psíquica a esa constante. Por supuesto, el paciente, al momento de reincidir en su acto obsesivo, no es consciente del origen de esa obsesión. Esta ignorancia, y la consiguiente resistencia al recuerdo, las sostiene de nuevo y desde otro punto de vista, un sustrato desconocido desde el que construye y articula la afección neurótica. Son "procesos psíquicos inconscientes" que explican la existencia del síntoma neurótico y le otorgan un sentido. Los síntomas neuróticos revelan un proceso psíquico inconsciente que los enmarca y conduce. Por otro lado, tal determinación previa ha de ser inconsciente para que el síntoma se produzca. En cualquier caso, se procura conseguir que lo que ha permanecido en la sombra y explica el desarrollo de síntomas concretos, emerja a la conciencia y se haga transparente en toda su complejidad al afectado. Al ocurrir dicho reconocimiento, los síntomas desaparecen. Por supuesto, el proceso no está exento de dificultades, muchas de ellas poderosísimas. El sujeto analizado hará todo lo que esté a su alcance por evitar la toma de conciencia de sus mecanismos de conducta íntima. La resistencia a convertir en consciente lo inconsciente se llama represión. Es la misma censura que opera en los sueños y transforma las pulsiones latentes en imágenes. La constitución del aparato psíquico, distribuido en estructuras estancas que, a la manera de dos cámaras independientes y autónomas, separadas por un gendarme cuya misión es revisar con cuidado lo que de una pasa a la otra e impedir los excesos, permite explicar el mecanismo de los sueños, de los actos fallidos, de la represión, de la fijación y de la neurosis.

Ahora bien, ¿cuál es la causa de los problemas neuróticos? Sabemos que se trata de fijaciones y de la manifestación problemática del inconsciente, pero ¿por qué se dan en unos individuos y en otros no? La respuesta del psicoanálisis resulta muy clara. En la base de toda neurosis, cualquiera que sea, se encuentra una insatisfacción esencial. El sujeto enfermo no ha hallado respuesta a sus impulsos sexuales en la vida real y ha tenido que acudir a la gestación de síntomas mediante los cuales tiende a sustituir la satisfacción que le ha sido negada. Existen apetencias sexuales que no encuentran lugar dentro del mundo ético y estético de la sociedad. Los "perversos", los que de forma efectiva o simplemente contemplativa y fantasiosa, derivan placer de actividades anormales, desarrollan síntomas neuróticos en mayor o menor grado. Se trata de sujetos que buscan placer en actividades sexuales por fuera de todo interés procreador, homosexuales o invertidos, y/o de individuos cuyo fin sexual se cifra en acciones consideradas preparatorias al fin verdadero: exhibicionistas, sádicos, masoquistas. En cualquier caso, la persona afectada, ante la imposibilidad de lograr una satisfacción directa y clara de sus apetencias, desarrolla un conjunto de comportamientos llamados neuróticos.

Pero la sola descripción de los móviles inmediatos de la enfermedad neurótica no es suficiente. Se precisa ir más allá. Existen causas profundas que la explican con suficiencia y permiten el trazado de estrategias correctivas para estos pacientes que han interrumpido y estancado un momento de su desarrollo sexual infantil, o han regresado a él. Los chupeteos, los tocamientos, la fase pregenital, el período sádico-anal, la relación con la madre, etc., son esos momentos básicos en donde se forma la personalidad sexual de un ser humano y, con ella, su carácter. Un sujeto puede haberse detenido, fijado en alguno de ellos, o puede haber regresado cuando una tendencia particular choca con reglamentos sociales que no permiten su desarrollo. Ahora bien, una insatisfacción no causa necesariamente la neurosis. Resulta indispensable que a esta la acompañen un alto grado de represión y una fuerza libidinosa capaz de exceder las previsiones del yo y de aflorar en síntomas neuróticos. Un ser humano que haya desarrollado tendencias sexuales anómalas puede no ser feliz, pero si consigue adaptarse al "principio de realidad" y trata de ajustar a él su "principio de placer", no se convertirá en neurótico. Por el contrario, si sus controles íntimos, su yo, ceden a la presión de la libido y no consiguen reprimirla, la neurosis aparecerá. Entonces, el tratamiento psicoanalítico, ante la evidencia de la neurosis en sus múltiples acepciones y modalidades, tratará de devolver al yo la energía suficiente para enfrentar la fuerza libidinosa desbordada. La batalla entre libido y conciencia ha de inclinarse forzosamente por esta última si se quiere conquistar la normalidad. Los procesos psíquicos que sostienen las fijaciones deben ser "revividos" por el paciente, que tendrá que separar los objetos actuales de su libido a fin de reconquistar el control.

Un hombre sano mentalmente es, sin embargo, un neurótico en potencia. La anarquía y el desenfado de sus sueños prueban que en su interior se desencadenan fuerzas independientes del control de su conciencia, ajenas a la esfera concreta de su yo. La diferencia, pues, tiene que ver con el grado de insurgencia de esas pulsiones primitivas y, por ende, con la mayor o menor satisfacción real que un ser humano alcance en su vida práctica. Así las cosas, pese a la posible presencia de factores constitutivos que propicien la neurosis, tratándose de un asunto esencialmente cuantitativo, la terapia psicoanalítica tiene amplias posibilidades de éxito, y el neurótico se inscribe dentro del afortunado conjunto de los enfermos con probabilidad de curación.

✍ El autor y la obra

Sigmund Freud nació en la población de Freiberg en Moravia, en el año 1856, y murió en Londres en 1939. No obstante, el conjunto más importante de su trabajo intelectual y profesional lo realizó en la ciudad de Viena, a donde se trasladó a los 4 años de edad. Tiene, sin embargo, importancia su estadía durante los años 1885 y 1886 en París, donde asistió a las lecciones de J. M. Charcot. Formado en medicina, sus intereses muy pronto se enfilaron en torno a los problemas de la neurosis y de la vida psíquica en general. Afecto a la novedosa metodología de la hipnosis aplicada al tratamiento de las afecciones nerviosas, en 1895, en colaboración con Josef Breuer, desarrollaría una visión panorámica general, que sería el principio de su teoría del psicoanálisis. No obstante el desarrollo genuino de la doctrina psicoanalítica, el método de análisis derivado de ella sólo fue posible cuando Freud abandonó sus manipulaciones hipnóticas y se centró en la indagación del inconsciente y de la fuerza sexual enmascarada.

En torno a Freud y a sus estudios se conformó un grupo de investigadores de gran valía. Carl Jung y Alfred Adler, entre los más destacados, desarrollarían variantes de la teoría psicoanalítica inicial, de gran repercusión científica e histórica. La exploración de ese inmenso continente sombrío que es la inconsciencia, desde el cual los comportamientos humanos adquirirían dimensiones hasta el momento inéditas, abriría un capítulo aparte en la historia del espíritu humano. Conmoción que alcanzaría sus extremos a partir de la introducción del concepto del "inconsciente colectivo" jungiano. Se trataba, en síntesis, de consideraciones que excedieron con enorme rapidez el ámbito específico dentro del cual se constituyeron y realizaron. Siendo inicialmente un asunto propio de las disciplinas médicas y psiquiátricas, las consecuencias de la doctrina freudiana y sus distintas variantes accedieron a los ámbitos sociológicos, económicos, filosóficos y políticos. La calificación de la teoría del psicoanálisis, junto con las construcciones marxistas y la perspectiva de Nietzsche, como los verdaderos soportes intelectuales del siglo XX, ha sido suficientemente defendida y justificada por la historia.

Entre las principales obras de Freud podemos mencionar *Psicopatología de la vida cotidiana, El chiste y sus relaciones con el inconsciente, Introducción al psicoanálisis, La interpretación de los sueños, Tótem y tabú, Psicología de las masas y análisis del yo, Inhibición, síntoma y angustia, El porvenir de las religiones* e *Historiales clínicos.*

27

CURSO DE FILOSOFÍA POSITIVA
Augusto Comte

Los años posteriores a la Gran Revolución trajeron consigo una avidez fundamental. A lo largo y ancho de Europa, y sin que el papel desempeñado en la guerra fuera demasiado importante, los espíritus se inclinaban ante la necesidad de un orden social estable. Era más que urgente encontrar un punto de equilibrio, una certeza alrededor de la cual fuera posible intentar la reorganización de las fuerzas y planear el porvenir. Pero en medio de los estragos y la fatiga, pocas cosas podían ofrecer semejante solidez. Únicamente la nueva ciencia, heredera de los hallazgos ilustrados y en un punto de optimismo y confianza en sus propias posibilidades, parecía cumplir los requisitos. Así, incapaces de creer en las diversas concepciones morales y políticas avasalladas por la historia, los hombres de aquel entonces pusieron todas sus expectativas en la seguridad y el poder científico. El orden y el progreso, las dos grandes metas que conducirían el esfuerzo colectivo de la época, podían ser alcanzadas gracias a los benéficos efectos del saber racional y objetivo. Armonizar y conducir tales procesos de manera que las aspiraciones colectivas no resultaran defraudadas, fueron los objetivos que se impuso Augusto Comte en la redacción de su *Curso de filosofía positiva*.

Mediante dos propósitos centrales se intentó la constitución de ese saber general capaz de dar respuesta a las ansiedades de la época: la ordenación de las ciencias en una gran escala enciclopédica y la reorganización de la sociedad de una manera científica a partir de los resultados de una sociología, al fin positiva. El autor es muy claro al respecto: ya habían ocurrido en la historia tradicional europea varios intentos similares, y sus resultados eran lamentables. Es indispensable diferenciar con precisión los ámbitos de acción de este nuevo —y definitivo— intento de racionalización general del saber humano, de manera que se entiendan sus presupuestos y se allanen los procedimientos y metodologías.

La expresión "filosofía positiva", que es constantemente empleada a lo largo del curso con una acepción rigurosamente invariable, no he querido definirla sino por el uso uniforme que siempre hago de ella. [...] Lamento que a falta de otro, me haya visto obligado al uso del término "filosofía", que tan abusiva como diversamente ha sido empleado en la historia, si bien el adjetivo "positiva" que a él se añade y mediante el cual se modifica su sentido, me parece suficiente para hacer desaparecer desde un principio todo equívoco esencial, al menos para aquellos que conocen el valor de este vocablo. Únicamente señalaré que empleo el término "filosofía", en el mismo sentido que ha sido utilizado por los antiguos, y en especial por Aristóteles, esto es, como designando el sistema general de los conocimientos humanos.

Al añadir el término "positiva", indico la manera especial de filosofar, que consiste en examinar las teorías de cualquier orden, teniendo por objeto la coordinación de los hechos observados, lo cual constituye el tercero y último estado de la filosofía general, primitivamente teológica y después metafísica.

Se trata, pues, de retomar la actitud del "conocedor de todas las cosas" de la antigüedad clásica y de emparentar tal actitud con un fidelísimo examen de los hechos mismos. Cualquier otra conducta es rechazable y se deriva de la persistencia de concepciones ya superadas por la historia.

El objetivo último perseguido por Comte, la reforma de la sociedad, supone la constitución de una nueva filosofía y el establecimiento de las ciencias sobre nuevas y más sólidas bases. Lo social, desde su punto de vista, se realiza en la construcción conjunta de un espíritu intelectual, que conduce a la reforma del saber y del método. Pero esta reforma presupone una concepción general del movimiento de las sociedades, en cuyo interior la filosofía positiva, y con ella la sociedad positiva, ocupe la posición de privilegio que le corresponde. Se impone, así, la elaboración de una filosofía de la historia que contenga un modelo evolutivo de las ciencias y de la moralidad, con el fin de posibilitar la coherencia de cada acción práctica y de cada evolución del pensamiento.

Esta filosofía de la historia que propone Comte, se sostiene básicamente sobre la enunciación de su "ley de los tres estados". Un ser humano en particular, así como las sociedades en donde este pueda prosperar, experimentan en su periplo vital las mismas etapas de desarrollo: la teológica o ficticia, la metafísica o abstracta y la positiva o científica. Estas etapas o estadios, a más de ser formas adoptadas por el conocimiento científico, abarcan la suma de las actitudes, intereses, comportamientos, emociones y demás características de lo humano, vigentes en un determinado momento de su historia. Son universos humanos complejos, prolijos y autosuficientes. En el primero de ellos, el teológico, el hombre, enfrentado a los desafíos que le imponen una naturaleza indómita y hostil y una organización social rudimentaria, concibe la existencia de un conjunto de causas situadas más allá de sí mismo y de su experiencia temporal concreta. Son poderes, emanaciones, demonios, instancias trascendentales, en fin, las que explican, determinan y presiden el comportamiento de la realidad natural y social. El hombre, desde su deplorable condición terrenal, frágil y errática, trata de comprender semejantes arbitrariedades y de congraciarse con ellas. Es la fase del fetichismo, el animismo, la magia, el politeísmo y, por fin, el monoteísmo. La organización social consecuente con tal estadio asume las formas del poder teocrático, aristócrata y militarista. Un rey, que deriva su condición y dignidad de su mayor o menor filiación con el poder divino, preside la organización estatal sostenido sobre su origen semidivino y sobre el poder de las armas. Pero esa organicidad no es estática. Por el contrario, a medida que los hombres adquieren control sobre la realidad que los rodea y pueden intentar nuevas formas de organización, la sociedad avanza. En este doloroso y largo periplo, las comunidades humanas conocen desde el animismo más rudo y temeroso, pasando por la multiplicidad de potencias divinas, hasta el monoteísmo. Después de reducir las múltiples potencias superiores de las primeras fases, a una sola, se abre paso a una nueva y más prometedora etapa en el desarrollo de la humanidad.

El compendio de todas las fuerzas divinas de la primera etapa y su final personalización en una sola entidad, conducen con mayor o menor rapidez a la despersonalización de esa potencia única. El Dios individual y poderoso no tarda en transformarse en una fuerza abstracta, que regula la existencia de todo el universo. Ya no son individualidades arbitrarias y humanizadas. Se trata de principios racionales, que tienen el poder de causar y conducir todas las manifestaciones de la experiencia humana. Este segundo estadio, metafísico o abstracto, concibe la realidad de construcciones puramente verbales, a las cuales asigna poder decisorio y eficiente sobre la naturaleza y sobre la comunidad de hombres. Las ficciones de la fantasía son remplazadas por las ficciones de la inteligencia, lo cual tampoco reporta beneficios a la humanidad. Es la "insurrección de la inteligencia contra el corazón", que trae consigo una etapa intermedia de conflictos, enfrentamientos, confusión e intransigencia. Cada ser humano, capacitado por naturaleza para el ejercicio de su razón, se puede sentir llamado a legislar en nombre de todos y a ejercer sus fuerzas racionales en el sentido que mejor le parezca. Se universaliza la anarquía, la ausencia de orden material y espiritual, el imperio de la guerra. Pero así como las diversas divinidades del estadio teológico resumieron en una sola potencia superior, ahora, las causalidades racionales que ordenan el universo físico y moral se consolidan en un solo principio metafísico, una sola naturaleza, cuya irrupción marca el fin del estadio abstracto y anuncia el advenimiento del último momento evolutivo: el estadio positivo o científico.

En esta nueva etapa, las diversas hipótesis e hipóstasis metafísicas son sustituidas por una actitud investigadora que se centra en los fenómenos concretos y en las concretas relaciones que se pueden establecer entre ellos. Ya no se pretende conocer el destino y el origen del universo, problemas falsos que desembocan en los más absurdos e ininteligibles enfrentamientos, ni se fija la atención en asuntos tan elusivos como el del absoluto. Todas estas son consideraciones puramente ideológicas, verbales, vacuas, fijaciones intelectuales que actualizan las ansiedades teológicas arcaicas del estadio ficticio. Lejano ya de invenciones y de abstracciones personificadas, el hombre se enfrenta únicamente a los hechos, sean generales o particulares. Esta última fase, la mejor y más desarrollada posible, se encara con la realidad y supone una determinada organización social en donde el poder espiritual se encuentre en manos de los sabios y el temporal en manos de los industriales.

Aquí, como en los estadios previos, el progreso va indefectiblemente unido a la reducción de la multiplicidad a la unidad. Un solo Dios, una sola naturaleza, una sola ley. La necesidad de fijar una teoría consistente aboca a Comte a considerar en esta fase, el mismo proceso de resolución de las anteriores: la unicidad. Pero una ley suprema que cuente con la dignidad, potencia y amplitud suficientes para resolver dentro de sí la inmensa prolijidad de las demás leyes naturales, no parece posible. En un momento intentó inclinarse por la ley de la gravitación universal, cuya amplitud le permite dar cuenta de una buena cantidad de fenómenos independientes. No obstante, dado el desarrollo de las ciencias naturales en ese momento, aventurarse en semejante afirmación podría ser desmesurado.

Pero si respecto de la síntesis única de la ley, Comte manifestó su vacilación, tratándose de probar suficientemente los contenidos de su filosofía de la historia, fue preciso y claro. La realidad de su "ley de los tres estados" no deriva de especulación o capricho. La historia de los pueblos ofrece su caudal de hechos objetivos para demostrarlo. Es perfectamente posible encontrar la información y las metodologías adecuadas que permitan efectuar un recorrido del periplo humano en el cual las determinaciones sucesivas que se han establecido aparecerán en todo su brillo y claridad. Ahora, si las condiciones particulares de un sujeto no le permiten realizar semejante desplazamiento a través de la historia, siempre se cuenta con un recurso final. El individuo interesado puede tomarse a sí mismo como objeto de indagación y comprobará cómo, dentro de él, en una lógica evolutiva física y psicológica, estas tres etapas se manifiestan. La primera infancia y su explosión de imaginerías y ficciones; la juventud empeñada en descubrir principios abstractos para adquirir manejo y comprensión de la realidad, y la madurez con su eficacia y practicidad. Por otra parte, además de este recurso a la historia colectiva o al desarrollo de una personalidad individual, el anhelo de sistematización de los conocimientos que ha acompañado a la humanidad en cada época, pone de manifiesto la realidad de un proceso evolutivo que da razón de esta avidez. El ordenamiento total de este gran conjunto de conocimientos teóricos y prácticos, sólo se concibe y realiza desde la vivencia concreta del estado científico.

Pero este último momento de la evolución histórica del hombre no es aún completamente posible. Nos hallamos en sus inmediaciones, pero no hemos terminado de apropiarnos de él. Es indispensable acometer dos empresas básicas, a saber: construir el cuerpo argumental y discursivo de una nueva ciencia, la física social o sociología, cuyo conjunto de fenómenos todavía no ha sido objeto de sistematización y estudio, y emprender el trabajo de jerarquizar las ciencias, completado cabalmente al constituir y delimitar la física social. Concluidos dichos asuntos, podemos considerarnos en capacidad de emprender la constitución de una sociedad genuinamente nueva, positiva, en donde las más antiguas aspiraciones del ser humano puedan encontrar eco y resolución. Será posible buscar, aprehender y establecer racionalmente las "leyes del espíritu humano", y diseñar una legislación suficiente, clara y definitiva. Estaremos también en capacidad de reformar y constituir una educación genuina, sostenida sobre la captación y comunicación del "espíritu de las ciencias". Ese espíritu, que debe acompañar a cada ciencia en particular, posibilitará además un orden jerárquico entre las disciplinas científicas. Dicha jerarquización se desarrollará de modo que en manos de la comunidad de sabios, cada ciencia en particular alcance su máximo nivel y genere, a su vez, condiciones de relación claras y precisas con las demás ciencias. Así, lejanos de los antiguos procedimientos de observación interior, que desde la psicología han provocado una verdadera anarquía de la conciencia humana, y entendiendo que los métodos deben ser operaciones individuales aplicadas a disciplinas tan individuales como ellos, será posible lá construcción de la sociedad positiva. Centrados en los hechos, desechando toda ilusión metafísica o ficticia, podremos alejar el individualismo anarquista y revolucionario que nos aqueja, y constituir una doctrina social común.

Comunión de principios conducirá a comunión de espíritus. Basta que la nueva ciencia natural, la física social, imponga sus principios y coordine con seguridad los elementos que le corresponden por naturaleza.

Se trata ahora de intentar la clasificación positiva de las ciencias. Los ensayos realizados hasta el momento contienen graves errores que los inhabilitan. O han sido producto de consideraciones caprichosas o enigmáticas, producto del desconocimiento real del clasificador, o han partido de un desarrollo parcial del universo científico. En efecto, solamente a partir del último momento de aproximación al espíritu positivo, es decir, desde el afianzamiento de la física social, es posible mirar hacia atrás y comprender la totalidad del proceso. Cada estadio del desarrollo humano ha comportado una consecuente fisonomía científica que podría ser punto de partida para la clasificación. No obstante, lo prioritario es que, medrando entre condiciones deplorables, en el centro de la superstición o la soberbia, las disciplinas científicas han "anticipado" el espíritu positivo. Su ordenación, por tanto, residirá en ese mayor o menor grado de aproximación a la positividad.

Con este precedente, se impone la realización de distinciones básicas que orienten en el proceso. Hay ciencias teóricas y ciencias aplicadas, hay ciencias abstractas y ciencias particulares. Y entre ellas se pueden establecer dos órdenes distintos: el orden histórico que las diversas ciencias han ocupado en su proceso de formación real, y el orden dogmático que supone el grado de dependencia o independencia de los contenidos concretos de esas ciencias respecto a los de las otras. Muy pronto Comte propone un criterio de clasificación al privilegiar lo abstracto sobre lo particular, lo teórico sobre lo práctico, y al intentar un equilibrio entre las ordenaciones históricas y las dogmáticas. Las ciencias aplicadas, numerosas y complejas, siempre terminan remitiéndose a las ciencias teóricas que las sostienen y fundamentan. Igual puede afirmarse de las disciplinas concretas, que dependen en último término de las resoluciones generales decretadas por las más abstractas y generales. La mineralogía, por ejemplo, a pesar de su especificidad e importancia, forzosamente llegará a recurrir a la física teórica o a la química abstracta, cuando sus propios recursos se vean impotentes frente a un problema concreto de la realidad. En lo que respecta a la ordenación equilibrada en términos temporales o de dependencia o independencia de contenidos, el recurso propuesto por Comte se inserta en las consideraciones sociológicas. A partir de la premisa básica de que una ciencia no puede ser asumida en su aparente y vacía independencia, sino que ha de involucrarse en un continuo espiritual y social que le otorga inteligencia y sentido, puede acometerse una clasificación total.

El resultado de las indagaciones de Comte redunda en la necesidad de ordenar seis ciencias finales, cuya especial naturaleza impide que sean remitidas unas a otras o reducidas entre sí. Sistematizadas a lo largo de tres grandes bloques, ciencia general, ciencias de los cuerpos brutos y ciencias de los cuerpos organizados, son las siguientes:

Ciencia general

1.   Matemática (abstracta: cálculo aritmético, algebraico, integral; concreta: geometría, mecánica racional).

Ciencias de los cuerpos brutos

2.   Física celeste o astronomía (geométrica, mecánica).

3.   Física terrestre o física mecánica (barología, termología, acústica, óptica, electrología).

4.   Química o física química (inorgánica, orgánica).

Ciencias de los cuerpos organizados

5.   Física orgánica o fisiología (estructura, clasificación; vegetal, animal, intelectual, afectiva).

6.   Física social o sociología (estática, dinámica).

Así, con excepción de las matemáticas, cuya especial naturaleza —aptitud para ser instrumento de trabajo de cualquier otra disciplina científica— supone un tratamiento especial, todas las demás ciencias, incluida la sociología, pueden ser consideradas como una forma de la física. La inclusión en este ordenamiento de la física social o sociología —denominación original de Comte—, supone la conclusión efectiva de su sistema. Los fenómenos sociales eran los únicos que hasta el momento se habían manifestado remisos a la determinación racional. Al considerarlos también sujetos de la visión positivista, vale decir, fenómenos aprehensibles en su inmediatez y en sus relaciones concretas, se ha cerrado el ciclo del tercer estado histórico propuesto en su filosofía de la historia. Teología, metafísica y ciencia, nada más. Ninguna otra evolución es concebible, no existe la posibilidad de instaurar un cuarto estado, pues el tercero y último se ha basado sobre la realidad, y nada puede existir fuera de ella. Se agota el proceso y con él la idea de progresar indefinidamente. Pueden presentarse modificaciones adjetivas y excepcionales, pero la estructura central se ha dado ya, de una vez y para siempre. La humanidad, en el estadio positivo, ha conseguido el anhelo que ha justificado su accidentado trasegar: una ciencia y un mundo positivos en donde el poder, en manos de sabios e industriales, haga posible un mundo en el cual se impongan el pacifismo, el orden y la jerarquía. La moral altruista, basada en la "estática" de la vida social y en la preeminencia de cánones únicos, claros y efectivos, garantizará el desarrollo proporcionado de la comunidad. Y el desarrollo de la física social y de las demás físicas, articuladas e instrumentadas con base en los fenómenos concretos y mediante las metodologías matemáticas, hará posible un mundo constituido sobre "el amor como principio, el orden como base, el progreso como fin".

El ciclo se ha cerrado y la filosofía positiva ha sido capaz de responder a las dos más grandes ansiedades de su siglo: el orden y el progreso.

El autor y la obra

Augusto Comte nació en 1798 en la localidad de Montpellier y murió en 1857 en París. Realizó sus primeros estudios en el Liceo de Montpellier, en su ciudad natal, y los continuó en la Escuela Politécnica de París. Este período de su formación intelectual señaló un fervoroso apasionamiento por las matemáticas, auténtica especialidad teórica de Comte. No obstante, esa primera experiencia parisiense fue corta, pues sus preferencias políticas en los agitados tiempos posteriores a la Revolución, llevaron en 1814 a su expulsión de la Escuela Politécnica, acusado de republicanismo.

Volvió a Montpellier y se inscribió en la escuela de medicina, en donde cursó estudios de anatomía y fisiología, pero regresó pronto a París, en donde inició una compleja relación intelectual con el conde de Saint-Simon, del que se desempeñó como secretario particular. En este período se familiarizó con las principales ocupaciones teóricas del conde, de donde surgió su afición por la historia y la política. Dicha experiencia resulta en la redacción conjunta del *Catecismo político de los industriales*, en la cual Comte se ocuparía de la parte ideológica. No obstante, surgirían diferencias, y a pesar de que la influencia de Saint-Simon y su visión socialista del Estado le sería determinante, Comte decidió separarse de él y aventurarse en la constitución de un pensamiento original.

Los años iniciales de su aventura filosófica coinciden con la primera manifestación de una grave afección nerviosa que lo acompañaría toda su vida. Aun con el riesgo de caer en exageraciones, muchos estudiosos y comentaristas atribuyen algunas características exaltadas y mesiánicas de su pensamiento a su creciente enfermedad mental. Hombre riguroso y obsesivo en el trabajo, cuando preparaba el *Curso de filosofía positiva* se entregó a una disciplina extremada que precipitó su crisis. Refiriéndose a ella, Comte afirmó que las 80 horas de trabajo ininterrumpido y la enorme tensión nerviosa le habían provocado una reacción inesperada. Lo cierto es que fue internado en una casa de salud bajo los cuidados del célebre médico Esquirol. Interrumpido el tratamiento, posiblemente por insuficiencia de recursos, Comte regresó a sus actividades precedido por un ominoso diagnóstico: "No curado. Megalomanía y depresiones melancólicas". Poco tiempo después de retornar a su vida cotidiana, se arrojó al Sena, aunque no recibió daño de consideración.

Terminada la redacción de su *Curso de filosofía positiva*, la obra de mayor aliento teórico que produjo, continuó sus labores intelectuales hasta que a los 42 años, afectado por la definitiva separación de su esposa, sufrió una segunda gran crisis mental. Pero entonces se le manifestó la necesidad de emplear todas sus fuerzas en la constitución de una nueva sociedad humana, labor para la que se sentía predestinado. Redacta su texto *Sistema de política positiva instituyendo la religión de la humanidad*, obra que marcaría un giro radical en su pensamiento. Se trataba de instituir una religiosidad positiva, despojada de todos los contenidos dogmáticos del cristianismo, que, sin embargo, mantuviera su formalidad moral y sus posibilidades de organización y control social. Dos años después de la separación de su esposa, Comte entra en contacto con Clotilde de Vaux, mujer que le influiría en gran manera. Apasionado con su compañía llega a considerarla la encarnación del Gran Ser y suma de toda divinidad sobre la Tierra. Su muerte, ocurrida al poco tiempo, le provoca gran pesadumbre y lo lleva a la redacción de una confesión anual que realiza sobre su tumba y de la cual se conservan doce *Santas Clotildes*, correspondientes a doce confesiones generales sucesivas.

Las manías persecutorias, los delirios de grandeza y el sentimiento de mesianismo alcanzan topes delirantes. Su trabajo sufre una tremenda transformación y llega incluso a considerar indebida la lectura de su *Curso de filosofía positiva*, por hallarlo demasiado frío e intelectual. Entonces, desde su *Política positiva* propone que "el sentimiento debe siempre dominar a la inteligencia".

Abandona sus clases y sobrevive gracias a la generosidad de amigos y estudiantes. Las crisis se suceden con mayor frecuencia y el 5 de septiembre de 1857, en su casa de la calle Monsieur Le Prince muere, en medio de visiones fantasmagóricas y estrepitosos delirios.

La influencia de Comte ha seguido un destino muy ambiguo. El conjunto doctrinal que en el siglo XX recibió el nombre de positivismo se aleja bastante de las prescripciones del introductor del término. Su reacción en contra de los excesos sentimentales del romanticismo ha sido una de las tendencias que han conseguido mantenerse, así como su posición antimetafísica. Sin embargo, relativamente cerca de las ideas de su fundador, el positivismo es una de las escuelas de pensamiento más extendidas en la contemporaneidad. Europa y América Latina han sido muy receptivas a sus formulaciones y en ambas latitudes surgieron numerosas sociedades, círculos y publicaciones positivistas. La visión objetivizada y pragmática, que ha elevado el sentido común a categoría filosófica, podría justificar tal entusiasmo. De otro lado, muchas de las corrientes filosóficas contemporáneas, la fenomenología, el existencialismo, las derivaciones del psicoanálisis, entre otras, han hecho del positivismo el blanco de sus ataques y refutaciones. Se condenan su simplicidad y su inmediatismo. A pesar de esto, y quizá a sus expensas, la corriente de pensamiento que generó la obra de Augusto Comte, al margen de las enormes distancias que la separan de las elaboraciones de su fundador, es determinante en medio del abigarrado panorama intelectual contemporáneo.

Las principales obras de Augusto Comte son las siguientes: *Curso de filosofía positiva, Sistema de política positiva instituyendo la religión de la humanidad, Discurso sobre el espíritu positivo, Síntesis subjetiva, Correspondencia con Clotilde de Vaux* y las *Santas Clotildes* (doce confesiones generales).

Comte

28

NATURALEZA Y CAUSA
DE LA RIQUEZA DE LAS NACIONES
Adam Smith

Como en muy pocos momentos en la historia de la humanidad, la época del surgimiento del capitalismo moderno puso al descubierto las enormes diferencias existentes entre individuos particulares y entre naciones enteras. En efecto, mientras unos disfrutaban de abundancia y acrecentaban su capital, otros se esforzaban por apenas sobrevivir. Esa situación, por encima de las consideraciones morales que pudiera suscitar, provoca en el estudioso la necesidad de indagar sus causas eficientes. ¿A partir de cuál principio es posible la acumulación primaria de capital? ¿En qué actividades, comportamientos y actitudes se basa? ¿Cuáles son, en fin, el origen y la causa, el secreto de la construcción del capital?

Estas preguntas intentará resolver el economista inglés Adam Smith a lo largo de los cinco grandes bloques de su obra. Interesado en rastrear desde las primeras manifestaciones de la actividad económica el génesis efectivo de la acumulación capitalista, Smith se remite a los comportamientos humanos básicos. Los hombres siempre, en toda circunstancia y lugar, han necesitado ocuparse de la perpetuación material de su vida. Por desgracia, sigue siendo la única actividad en la cual muchos seres humanos agotan su existencia. Entregados al trabajo, han tenido que habérselas con circunstancias concretas —climáticas, naturales, sociales, políticas, etc.— que los han absorbido por completo. Bajo la lógica implacable y precisa de trabajar para vivir y vivir para trabajar, han sucumbido sin otra opción. Pero aun en medio de circunstancias tan apremiantes, unos cuantos sujetos, y tras de ellos sus respectivas sociedades, han encontrado un camino que les ha permitido guardar excedentes de su producción y, a partir de esos excedentes, iniciar un proceso de enriquecimiento. ¿Cómo ha sido esto posible? Y, sobre todo, dada ya la condición acumulativa de riqueza, ¿cómo es repartida entre los miembros de la comunidad? ¿Qué criterios intervienen en la repartición? ¿Qué condiciones hacen la diferencia?

Una actividad básica, tendencia, instinto o vocación, se halla en el principio de dicho proceso: el trueque, la permuta, el cambio de una cosa por otra. Ese aumento de la capacidad productiva del trabajo, que permite que un mínimo rescoldo pueda ser sustraído a la penosa lógica de la sobrevivencia, asienta allí sus posibilidades. Pero a la hora de realizar una transacción, surge la necesidad de que exista algo, un objeto, cosa, bien o servicio que se pueda trocar. Y tal "mercancía", ¿de dónde ha salido? ¿Cuál es su origen? Pues hasta el momento el trabajo sólo redunda en la satisfacción rudimentaria e inmediata de las necesidades elementales. Guardar algo podría significar poco menos que la muerte y, sin embargo, algo tuvo que ser guardado, pues ello explica su presencia objetiva en el mercado. No se descarta la posibilidad de que tal excedente derive de la capacidad de constricción y sacrificio de un sujeto, que a fuerza de empecinamiento consigue "ahorrar" y destinar lo ahorrado al intercambio. Pero esa eventualidad no sobrepasa las condiciones personales, íntimas, excepcionales de un sujeto particular, que en ningún caso tiene capacidad de constituir su voluntad en comportamiento social generalizado. Y la riqueza que de pronto se acumula en una sociedad requiere, por sus mismas condiciones generales, un comportamiento igualmente general. Si no es, pues, el ahorro, ¿qué puede ser? En un momento determinado, dice Smith, los hombres aprendieron algo sumamente valioso, de lo cual se desprendería hacia el futuro la totalidad de su cultura: la división del trabajo.

Un objeto de trabajo, que en el seno de una colectividad primitiva compete a un solo hombre, de pronto involucra a muchos más. Entonces, contra lo que pudiera parecer a las mentalidades conservadoras, la efectividad del trabajo se multiplica proporcionalmente, y los excedentes afloran. Un operario que desempeña muchas veces en una jornada de trabajo, una función única, adquirirá gran maestría en su ejecución. Pero otros días, el mismo hombre tiene que realizar diversas fases de la producción de un objeto y esto, por fuerza, disminuye su habilidad en cada una. Ahora, pese a olvidar casi por completo aquellas que no le corresponden en particular, en esa precisa que es su responsabilidad adquiere una verdadera maestría. Considerando que en el mismo caso de especialización se encuentran tantos trabajadores como fases requiera la producción final del objeto, este será producido mucho más rápidamente, con el consiguiente abaratamiento de los costos. En la diferencia del valor de producción que separa un objeto trabajado por un solo trabajador y uno realizado por muchos, se encuentra el excedente disponible para comerciar. Pero existen otras condiciones relacionadas con la división del trabajo que favorecen el mejoramiento de la capacidad productora. El tiempo que se emplea en la producción individual es mucho mayor, pues entre cambio y cambio de función se incurre en desperdicios inevitables. La nueva situación, en cambio, evita tal dispersión y centra los recursos humanos y temporales para sacar de ellos el máximo provecho. Concomitante también con la división del trabajo, la especialización de las funciones de los distintos operarios, y el ahorro de tiempo resultante de ella, hacen posible una nueva y determinante situación: la utilización de las máquinas. El trabajo dividido, y de alguna manera ya mecanizado, abre los ojos del hombre a la tecnificación. El ingenio, aguzado en orden a la efectividad y la rapidez, encuentra esas regularidades que pueden ser objeto de mecanización industrial. A partir de ellas intenta y consigue la incursión de mecanismos en el proceso productivo, logra la sustitución de abundante mano de obra y acrecienta así los excedentes productivos.

Surge entonces una condición específica para que tales excedentes puedan constituirse en principio de acumulación de capital. Se puede haber conseguido una exitosa y ágil división del trabajo, de forma que una persona disponga de un considerable excedente que puede ofrecer en canje. Sin embargo, como resultado de esta especialización que le resultó tan productiva, el sujeto se ha visto imposibilitado de producir otros bienes básicos para la vida. Cuenta, por supuesto, con un mercado en el cual podría canjear los excedentes de su producción por otros excedentes de otras producciones, distintas de la suya y de las cuales depende su sobrevivencia. Obviamente, se trata de conseguir, entre trueque y trueque, la mayor ganancia posible, de manera que la riqueza se incremente y reproduzca. Los otros productores se encuentran en la misma situación y tienen, como él, la amplitud del mercado. Pero podría suceder que el sujeto en cuestión haya sido el único en emprender la división y especialización del trabajo, con miras al trueque y al enriquecimiento. En ese caso estaría perdido, pues no encontraría, a ningún costo, otros productos con los cuales canjear sus excedentes. Incapaz de procurarse objetos básicos para su sobrevivencia, perecería en medio de una acumulación de productos que en otras circunstancias lo hubieran enriquecido. Así pues, además de la división del trabajo, la acumulación originaria del capital requiere un mercado amplio y apropiado para su consolidación y desarrollo.

Aunque en principio tan nefasta posibilidad es factible, o cuando menos lo es teóricamente, el comportamiento concreto de las sociedades parece ser diferente. Las comunidades humanas, apropiadas de una rudimentaria división del trabajo, derivan lentamente hacia la construcción de una sociedad mercantil primaria. Se consiguen ciertos excedentes, se llevan al mercado, se intercambian con otros y se reinicia el ciclo. Pero a medida que dichos comportamientos son cada vez más favorables y generalizados, pronto aparece una seria dificultad: los intercambios, que durante tanto tiempo fueron exitosos, comienzan a manifestar su incapacidad para resolver las nuevas condiciones propiciadas por el creciente comercio y la cada vez mayor división del trabajo. No hay objetividad en el trueque. No hay precisión. Se incurre en errores, confusiones y despropósitos. ¿Qué cosa equivale a cuál otra? ¿Cuál es el criterio, el patrón común de comportamiento, que impida la arbitrariedad, el error y la consecuente violencia? En principio se intentó acudir a objetividades cotidianas en busca de un canon común. Se ensayó con ganado, conchas, sal, bacalao seco, tabaco, azúcar, pieles, etc., según las comunidades en cuestión y sus intereses. Pero esta medida, que aliviara de manera inmediata las crecientes afugias de los comerciantes, se manifestaría en breve lapso tan inadecuada como el trueque libre. Si se trataba, por ejemplo, de una vaca, ¿de qué vaca se hablaba? ¿Era grande?, ¿negra?, ¿herida?, ¿tenía o no cornamenta? Y lo que es más importante, ¿cómo puedo ajustar mis necesidades al equivalente preciso de la vaca? Puedo requerir un poco más de la mercancía que estoy trocando por ella, pero no puedo dar a cambio un "pedacito" más de vaca. ¿Qué hacer? Se necesita alcanzar una verdadera objetividad. Un criterio que valga por sí mismo y al cual se pueda acudir en todo caso y circunstancia. No importan las variaciones o modismos, la lengua, creencias, costumbres o artimañas, tal canon es siempre el mismo y puedo confiar en él. Respecto a su particular valor, puedo referir el de todas las otras mercancías, sean cuales fueren. Comenzaron entonces a usarse los metales, ornamentados con su valor autónomo —la plata y el oro valían por sí mismos—, y muy pronto se pasó por encima de esa condición inherente y se llegó al concepto abstracto de dinero. Las cosas tuvieron así dos valores, uno derivado del trabajo concreto empleado en su producción, y su equivalente en dinero. El más grande paso hacia la constitución de sociedades genuinamente capitalistas se había dado.

Pero la incursión de este instrumento de canje y relación trajo múltiples dificultades. El dinero podía utilizarse en el ámbito productivo —trabajo, salario, precio real o nominal de las cosas, etc.— o podía ser origen de sí mismo —usura y renta— y dar principio a una clase de acumulación irreal o ficticia. En cada caso las condiciones variaban y los hombres se encontraban ante situaciones cada vez más complejas. Un productor, por ejemplo, habiendo destinado un artículo en particular al mercado y considerando un precio adecuado al trabajo que le requirió su producción, podía encontrarse —y de hecho se encontraba— con las más grandes sorpresas. De pronto el mercado se hallaba literalmente inundado con el mismo artículo y el productor podía sentirse más que feliz si conseguía rescatar en sus transacciones el valor mínimo de producción. Pero también podía suceder que solamente él ofreciera su producción al mercado. Entonces, sus ganancias eran absolutamente desproporcionadas. Así las cosas, ¿en dónde quedaba la celebrada objetividad del dinero? ¿Cuál era, en última instancia, el criterio determinante del valor de una cosa?

Ahora bien, cuando en cierta fase de la labor productiva resultaba imposible la ejecución total de un artículo por parte de un solo operario, el productor, que arriesgaba su capital en el proceso y entraba en el albur de mercados y variaciones, debía contar con el trabajo de un sinnúmero de operarios. ¿Cuál era el precio del trabajo de los obreros para la buena marcha de la producción? ¿Cuál su papel en el proceso de comercialización y su participación en la ganancia obtenida en el intercambio? Mano de obra y capital, los dos polos indispensables a la producción, tendrían que contar con un criterio de relación objetivo. Un punto de referencia que legisle sus relaciones y las haga viables y productivas. Entre ellos surgen inmediatamente grandes distancias y diferencias. ¿Son estas indispensables y concomitantes al ejercicio de la economía y se consideran manifestación de humanidad? ¿O deben ser reglamentadas y controladas por un poder objetivo y externo? Consecuente con el espíritu de su tiempo, Smith toma partido por la libre regulación de los precios, tanto de mercancías como de mano de obra, por el flujo de la oferta y la demanda. La iniciativa privada, el comercio libre y exento de trabas estatales, es la única condición que permite la riqueza de las naciones. Las diferencias y desproporciones entre los distintos seres humanos, o entre los grupos nacionales, habrán de subsanarse a la postre, pues el libre concurso de la iniciativa particular y la objetividad descarnada del mercado terminarán por igualar las ventajas y las desventajas. Se trata de favorecer, alentar y exigir la iniciativa privada, de manera que sea ella la génesis de los privilegios y las desventajas. Salvo casos excepcionales, que no tiene sentido considerar a la hora de diseñar una teoría general, los seres humanos son muy semejantes entre sí, pertenecen a la misma especie y terminarán por construir un estado de vida más o menos regular. Los extremos, que también existen, deben ser tolerados y alentados, pues el afán de ganancia y enriquecimiento opera como motor eficaz y privilegiado del progreso y el perfeccionamiento de individuos y sociedades.

Referido al asunto de la renta, discrimina con claridad Smith los productos que generan siempre una renta de los que la generan a veces solamente. Entre ellos se establecen, así mismo, variaciones en la proporción de sus valores respecto a su capacidad de producir siempre, o a veces, renta. Tales determinaciones son básicas para la comprensión del comportamiento de la riqueza, así como las variaciones en el valor real de los metales preciosos y el efecto del progreso sobre el precio real de los artículos elaborados. El capital, conformado por la acumulación de riqueza, producto de la ganancia, puede ser de varias naturalezas, acumularse en distintas clases de capital y emplearse de diferentes maneras. El dinero, manifestación especial del capital, posibilita la acción productiva de quienes lo han acumulado y de aquellos a los cuales ha llegado en calidad de préstamo. El concepto de valor propio del dinero y del precio que este puede alcanzar es desarrollado con precisión. En cualquier caso, los distintos efectos de esta serie de manipulaciones y opciones productivas, que se ciernen sobre las comunidades nacionales y determinan su actuar productivo y sus relaciones con la tierra y el trabajo, son analizados con detenimiento.

Desarrollada esta serie de características que precisan el engranaje activo del capital y la creación y acumulación de riqueza, Smith se ocupa de seguir sus evoluciones en la historia. Diferentes épocas y naciones han ideado mecanismos propios de acumulación, que a la postre han resultado en la constitución de diferentes temperamentos y culturas nacionales. Pese a su enorme variedad a lo largo del tiempo, es posible establecer entre ellas una división tajante. Los pueblos han sido comerciantes o agricultores, y de estas ocupaciones ha seguido la construcción de dos sistemas económicos, sociales y políticos diferenciados y concretos. La balanza comercial, las relaciones entre exportación e importación, los sistemas impositivos, las colonias, los tratados de comercio y el régimen mercantilista, son asuntos tratados y comprendidos a la luz de tal diferenciación. Por fin, las reflexiones derivan hacia la determinación de los medios pecuniarios indispensables para satisfacer las necesidades de la convivencia civil y sus connaturales sistemas impositivos.

✎ El autor y la obra

Adam Smith nació en el año 1723 en la población de Kirkcaldy (Fifeshire, Escocia) y murió en 1790. Realizó estudios en Glasgow y en el Balliol College de Oxford. En 1748 se trasladó a Edimburgo, en donde, a más de dictar una serie de conferencias públicas, entró en relación con el filósofo David Hume, cuya influencia sería decisiva en el curso posterior de su pensamiento. Hacia 1751 la Universidad de Glasgow le encargó la cátedra de lógica, y un año más tarde lo nombró profesor de filosofía moral. No obstante, su creciente prestigio intelectual y sus cercanías con la nobleza lo llevaron en 1763 a dimitir de sus responsabilidades académicas. En efecto, encargado de la formación del duque de Buccleugh emprendió un largo viaje por el continente. En su recorrido por Francia y Suiza, especialmente, Smith entró en relación con los más importantes economistas de la época: François Quesnay, Jacques Necker y Anne Robert Jacques Turgot. Las reflexiones económicas que hasta el momento le ocupaban marginalmente, pues sus asuntos académicos lo inclinaban hacia la lógica y la moralidad, se vieron altamente estimuladas. A partir de allí y durante su estadía en Kirkcaldy, que se extendió de 1766 a 1776, se dedicó a la redacción de la obra más representativa de su pensamiento económico: *Estudio sobre la naturaleza y causa de la riqueza de las naciones*. En 1778 fue nombrado delegado de Aduanas en Edimburgo, y en 1787 asumió la rectoría de la Universidad de Glasgow.

Desde el punto de vista de la teoría económica, sus aportes, que se han calificado como la síntesis de la "teoría económica clásica", fueron el punto de partida para la posterior consolidación del modelo económico liberal de los siglos XVIII y XIX. Radical defensor de la iniciativa personal y de la propiedad privada, consideró la viabilidad de un sistema autorregulativo en el cual el conjunto de relaciones económicas y la dinámica misma del enriquecimiento terminarían por propiciar la generación de empleo y trabajo general. Sus investigaciones históricas, centradas en los comportamientos económicos e industriales de varias naciones europeas, lo llevaron a la más vehemente defensa de la libertad de comercio, empresa y acumulación, libre de toda interferencia estatal. En cada una de tales naciones, y en el conjunto general de todas ellas, los móviles genuinos del progreso y el desarrollo de la sociedad dependen de la apetencia individual por adquirir riqueza. Cada cual, entregado a su particular ambición, generará las iniciativas pertinentes que lo conduzcan a su realización, y en el mismo sentido, sus acciones abrirán el espacio para que la comunidad entera se vea dinamizada y dirigida hacia el progreso.

Este convencimiento, que podría —como de hecho lo fue en el siglo XIX— ser juzgado acremente como fundamentación de la más descarnada confrontación entre los hombres, desde su punto de vista no conduce sino a la constitución de una sociedad genuinamente humana. En sus mismas bases, garantizando la imposibilidad de procedimientos y estrategias de dudosa moralidad encaminadas a la consecución indiscriminada de riqueza, se ubican los principios éticos, que serían objeto de una compleja elaboración intelectual. En efecto, en su *Teoría de los sentimientos morales* desarrolla el concepto de "simpatía", desde el cual la vida práctica de los hombres y sus ocupaciones económicas pueden ser reglamentadas.

La cuestión más importante en filosofía moral, después de la indagación acerca de la naturaleza de la virtud, es la relativa al principio aprobatorio, al poder o facultad mentales que hacen que ciertos caracteres nos resulten agradables o desagradables, nos obliguen a preferir determinada manera de comportamiento a otra manera distinta, nos conducen a calificar de buena a la una y de mala a la otra y nos llevan a considerar a la primera como un objeto digno de aprobación, de honra y recompensa; de culpa, censura y castigo a la segunda.

Esta simpatía, generada a partir de una comunidad de sentimiento con el prójimo, otorga a los actos un carácter imparcial y desinteresado, desde el cual ha de ejercerse y juzgarse la actividad productiva. El egoísmo, el afán de utilidad desmedida, no tienen sentido dentro de ella, puesto que esas reacciones instintivas no se compadecen con la necesidad de cohesión íntima con el prójimo, sustento de la simpatía.

Las obras más importantes de Adam Smith son las siguientes: *Teoría de los sentimientos morales* (1759), *Estudio sobre la naturaleza y causa de la riqueza de las naciones* (1776), *Ensayos sobre el sujeto filosófico, el cual es precedido por la vida y escritos del autor* (1795), *Ensayos póstumos* (1795) y *Lecturas de jurisprudencia* (1796).

29

TEORÍA GENERAL DEL EMPLEO, EL INTERÉS Y EL DINERO

J. M. Keynes

La supuesta capacidad de autorregulación y equilibrio del capitalismo, sustentada en los trabajos teóricos de Adam Smith y de la teoría económica clásica en general, fue refutada por el transcurrir de la historia. En efecto, el auge y desarrollo de la Revolución Industrial —que Smith sólo pudo presenciar en sus brotes iniciales—, las nuevas condiciones del trabajo, el surgimiento de las masas obreras organizadas, la deplorable conflagración europea de 1914 y, sobre todo, la gran depresión económica mundial de los años treinta, provocaron una desconfianza generalizada en los principios económicos tradicionales. Esa confianza en que las condiciones íntimas del *laissez-faire* fueran capaces de garantizar empleo y producción para todos los hombres, había sido duramente confrontada. La realidad parecía comportarse de otra manera y la masa de seres humanos marginada de los sistemas de producción, desempleada e incapaz de reproducir sus propias condiciones de vida, suponía un duro golpe a las estructuras profundas del capitalismo.

El complejo panorama económico del siglo XX, sus enormes volúmenes productivos y laborales, sus abstracciones y automatizaciones, no significaban la caducidad de los principios básicos de la producción de riqueza. La clave seguía siendo el trabajo, la ocupación de las fuerzas humanas que con su capacidad transformadora sobre la realidad, consiguieran los medios básicos para permanecer vigentes. Se trataba de mantenerse con vida y lograr un excedente, una acumulación, una plusvalía —alma y nervio del sistema capitalista—, que permitiera el libre flujo de las fuerzas productivas. La propiedad privada de los medios de producción, y su correspondiente iniciativa para generar empresa y capital, deberían garantizar que tal ansiedad básica fuera satisfecha. La autoadaptación a las condiciones de producción y de mercado sería posible y con ella, el empleo total. Estando todos y cada uno de los individuos de una sociedad en capacidad de emplear sus fuerzas productivas, de trabajar, de contar con un empleo, la salud de la sociedad estaría garantizada. Pero la realidad se negaba a confirmar las previsiones de los economistas y era urgente hacer luz en el asunto.

Keynes, quien acomete tan grave empresa, comienza por restringir drásticamente el campo de acción de la teoría económica clásica, en contra de la opinión corriente, que atribuía a esa regulación un valor general, conveniente para cada circunstancia. Las determinaciones autorreguladoras, que conseguirían apropiar todas las condiciones, aun las más anómalas, en un continuo productivo total serían asunto de una teoría especial, aplicable a circunstancias también especiales. La posibilidad —tan acariciada— del empleo total sería una excepción intelectual, fruto de una excepción histórica concreta. Mientras tanto, en la mayoría de condiciones restantes, que diferían por completo de la idealidad teórica especial, el comportamiento de la economía era crudamente realista. El desenvolvimiento económico capitalista, en las condiciones de libre oferta y demanda, fluctuaba entre el empleo total y el paro definitivo. Aún más, pese a las múltiples movilizaciones y azares, que como ya queda dicho pueden alcanzar los topes máximos de trabajo y desocupación, el panorama típico, la media general, se alejaba bastante del ideal de empleo absoluto.

Se trata, pues, volviendo al principio básico de toda economía, del empleo. Se requiere ejercer una actividad productiva para sobrevivir y acumular, se necesita trabajar, emplearse. Aquí, varios interrogantes se imponen: ¿cuál es el origen del empleo? ¿De qué condiciones depende? ¿Cuáles son sus constantes y sus variables de posibilidad? Keynes, centrado en la organicidad muy específica del capitalismo, va a responder esa pregunta. Un sistema monetarista como el nuestro, dentro del cual la forma primordial de enriquecimiento deriva necesariamente de la acumulación de dinero, requiere que dicha fuerza económica decisiva se interese en la generación de empleo. En otras palabras, para que la comunidad social encuentre trabajo y pueda integrarse al sistema productivo capitalista, es imprescindible el dinamismo de la inversión. Sin inversión no hay empleo, sin empleo no hay producción ni consumo, sin consumo ni producción el capitalismo colapsa irremediablemente. Ahora bien, ¿cuáles pueden ser los móviles que conduzcan a los poseedores de dinero a incurrir en los riesgos implícitos a toda inversión? Hemos partido de que un sistema monetarista concibe la riqueza en términos de acumulación de dinero. Si un sujeto, o un grupo de sujetos, ha logrado acumular una respetable suma de dinero, es decir, ha conseguido la riqueza, ¿qué razones pueden inducirle a separarse de esa riqueza? La expectativa de aumentarla, dirá Keynes. Solamente el interés, que es el precio que ha de pagarse por utilizar el dinero de otros, podrá convencer a los adinerados de abandonar su "atesoramiento" e invertir. Dentro de unas condiciones muy específicas que les inspiren la suficiente confianza, los adinerados, seducidos por la expectativa de una pingüe ganancia, pondrán en circulación su "tesoro". Estabilidad política y social, tasas claras de interés, respaldo sólido a la suma interesada, precisión jurídica y legal, entre otras, son condiciones previas a toda inversión. Conseguido esto, puesto el dinero en posición de flujo productivo, podrán intentarse la generación de empleo, la reactivación productiva, el consumo y, en fin, la revitalización del capitalismo.

En contra, pues, de las posiciones más conservadoras, que consideran al ahorro como virtud cardinal de la actividad económica, Keynes, que lo denomina "atesoramiento", arremete contra él y contra sus supuestas propiedades equilibradoras. El enriquecimiento, como fruto de la mera acumulación de dinero, es nocivo para la productividad general y debe evitarse. Pero como no se trata de instaurar un régimen autoritario en el cual el Estado se abrogue la potestad de obligar a los atesoradores a poner en circulación sus excedentes —Keynes no pretende ni sostiene revoluciones socialistas—, habrá de diseñarse otra estrategia. Ya que no la fuerza, la persuasión. El pago, la compra, el intercambio de un bien por otro: la ya mencionada institución del interés. Los sectores productivos tendrán que pagar a los financieros un beneficio por el uso de sus capitales, y el pago ha de ser suficientemente atractivo para que el adinerado se exponga a los riesgos de la inversión, pero deberá, forzosamente, permitir que el fruto último del trabajo compense y supere tal precio. Si un productor debe pagar el dinero que va a invertir para crear riqueza, a un precio que resulte mayor que los beneficios finales de su trabajo, bien puede quedarse quieto. Su inmovilidad no le reportará beneficios, pero tampoco le provocará —al menos en teoría— pérdidas estruendosas. El dinero no debe costar tanto como para que imposibilite la producción, ni tan poco como para desestimular la inversión. El interés, entonces, es la clave de todo.

Así, las fluctuaciones del empleo dependen de las fluctuaciones de la inversión, y estas de las variaciones de las expectativas de rendimiento del capital. En tiempos difíciles, cuando las previsiones de los inversionistas son sombrías y el panorama de beneficios presenta graves peligros y pocas fuentes de ganancia real, el precio de la inversión sube con desmesura. El atesorador tendrá que ser muy incentivado para arriesgarse a comprometer su capital y el asunto se traduce en altísimos costos para el dinero. Y este interés elevado, como se ha descrito, compromete directamente la producción. Las fuerzas sociales se han enfrentado multitud de veces a circunstancias similares y en muchas ocasiones han salido avante. Finalmente, los riesgos resultan compartidos, pues el poseedor de capital está consciente de que el colapso de la producción lo llevaría a una situación lamentable. Como en las narraciones moralistas, se vería reducido a la paradójica situación del que se encuentra solo en medio de las ruinas de su civilización y sentado sobre un enorme cofre en donde guarda sus tesoros, tan seguros como inútiles. Llega el momento en que los esfuerzos por revitalizar la economía se hacen conjuntos. Pero puede suceder, como en la crisis de 1931, que tales previsiones sean insuficientes. El "premio" que se debe pagar por "desatesorar" el dinero es inconcebiblemente alto y los riesgos de inversión no posibilitan otra alternativa. Los rendimientos esperados como fruto de la producción estarían muy por debajo del precio del dinero requerido para intentarla, y el empleo decrece dramáticamente. Sin nuevas empresas que generen trabajo, las grandes masas desocupadas no accederán a ningún tipo de renta y los procesos productivos que aún sigan funcionando se encontrarán con la acumulación inútil de sus productos, carentes de consumidores. El ciclo, hermético y autodestructivo, se ha cerrado y la sociedad se enfrenta a la temible "depresión".

Las reflexiones que desarrolla Keynes en su *Teoría general del empleo, el interés y el dinero* resumen una sensible dosis de pesimismo. Las fuerzas de la sociedad capitalista pueden ser incapaces de controlar una dinámica que anida en su seno y que, en cualquier momento, podría desembocar en la catástrofe. Un mecanismo social tan frágil y complejo, basado sobre la variabilidad y amoralidad del interés, puede llegar a ser inmanejable. Dichos riesgos, experimentados en su verdadera y dramática realidad por el mundo occidental a raíz del descalabro de los años treinta, no pueden ser conjurados por la reiterada teoría del ahorro. La frugalidad individual, la competencia de liquidez y la reducción de gastos no redundan, como afirman los conservadores, en la disminución de los intereses y el aumento de la inversión sino, todo lo contrario, desembocan en la generalización del desempleo. Tales "actos antisociales", deberían ceder su espacio a una política de expansión económica, con insistencia en el aumento y generalización del poder adquisitivo y de la calidad de vida. Tal actitud expansiva del riesgo y la inversión redundaría en un aumento de la producción global y en la posibilidad del empleo total. Ocupados, productivos y en capacidad de consumir, los hombres podrán alimentar continuamente el sistema de libre inversión e iniciativa, con la única condición de que este no detenga su crecimiento ni entre en recesión. Dadas tales contingencias infortunadas, el colapso podría ser inevitable.

✍ *El autor y la obra*

John Maynard Keynes nació en Cambridge en 1883 y murió en 1946. Su primera formación intelectual la recibió en el King's College de su ciudad natal, en donde después fue nombrado *fellow*. Posteriormente ejerció diversos cargos en el Servicio Civil, incluido el de representante del Tesoro. Finalizada de la Primera Guerra Mundial, fue representante de su país a la Conferencia de París, en donde se tomaron decisiones fundamentales para el desenvolvimiento de la política europea. Esta participación en la Conferencia de París marcó el comienzo de su preeminencia internacional. En efecto, en desacuerdo con el sistema de reparaciones propuesto para Alemania, renunció a su condición y, en el año de 1919, dio a la luz pública uno de sus trabajos más importantes, en donde consignaba las críticas a las conclusiones de la conferencia, así como los lineamientos básicos de su pensamiento. *Las consecuencias económicas de la paz* sería el punto inicial de un sistema reflexivo de grandes alcances económicos y políticos para el siglo XX.

En 1936, casi en las puertas de la Segunda Guerra Mundial, Keynes publicó su obra fundamental. La *Teoría general del empleo, el interés y el dinero* puso de manifiesto ideas que provocaron reacciones inmediatas entre sus contemporáneos. De hecho, las décadas que siguieron a la Segunda Guerra Mundial resultaron directamente influidas por sus conceptos. En ellos, además de la refutación del optimismo "mecanicista" de la teoría económica clásica, se abre paso a la posibilidad de una regulación económica de tipo socialista. Por supuesto, la posición expresa del autor se distancia de tal posibilidad y se afianza, por el contrario, en el más radical liberalismo. Tal es el sentido de su trabajo y de la serie de recomendaciones que esboza, como posibles correctivos a las grandes crisis que amenazan el corazón mismo del sistema capitalista. Pero en la determinación de los efectos depresivos del "atesoramiento" y su capacidad de inhibir el empleo y, por tanto, de colapsar la economía global, se puede prever la posibilidad de establecer rígidos controles estatales. Keynes no da el paso y se opone a él, pero ante las acumulaciones de riqueza improductiva que derivan en la imposibilidad de la inversión y el trabajo, es posible asumir actitudes radicales. Los excedentes, desde la visión socialista extrema, son, antes que producto de una persona o de un grupo minoritario de personas, resultado del afán común de toda la sociedad y a ella deben volver. Así, dado el caso de que los atesoradores se nieguen a restituir a la comunidad el fruto de sus esfuerzos, pueden ser, en justicia, expropiados. La propiedad privada, pues, tendría límites y el Estado se encontraría en capacidad de constituirlos y determinarlos.

Pero la actividad intelectual de Keynes no se reduce a la teorización económica. Su formación profesional, por el contrario, le proporcionó los rudimentos para intentar una contribución al problema de la probabilidad. La tradición de Cambridge, su tierra natal, y en general del espíritu empirista inglés, considera la probabilidad en términos de relación. Así, en contra de otras vertientes teóricas que asumen lo probable como una condición autónoma, Keynes supone siempre la existencia de, como mínimo, dos series de proposiciones que se relacionan entre sí. La probabilidad expresa, en síntesis, el grado de ocurrencia de una proposición o fragmento de ella, respecto a la cercanía inminente de la otra. Sus reflexiones constituyen, además, una crítica a la llamada "razón insuficiente" y a la visión puramente estadística de la probabilidad. La frecuencia no es, desde sus términos, base suficiente para explicar la probabilidad, y esta puede ser expresada en términos no necesariamente numéricos. La certidumbre, desde dichas apreciaciones, viene siendo el máximo grado de probabilidad y supone una "teoría constructiva" que establezca reglas de comparación entre las probabilidades de diferentes argumentos. Al cabo, gracias a esta "teoría constructiva", puede conseguirse una sistematización de los procesos de inferencia probable y aun de inferencia cierta, mediante la conveniente constitución de una serie de relaciones lógicas entre las premisas y las conclusiones.

Algunas de sus obras más importantes son *Las consecuencias económicas de la guerra* (1919), *Teoría general del empleo, el interés y el dinero* (1936), *La revisión del tratado* (1922), *Una vía para la reforma monetaria* (1923), *Un corto vistazo a Rusia* (1925), *El fin del "laissez-faire"* (1926) y *El tratado monetario* (1930).

30

LA EVOLUCIÓN CREADORA
Henri Bergson

Si existe algún motivo que merezca una atención genuinamente filosófica, tal es, sin duda alguna, la vida. Pero al centrarnos en ella, nos podemos extraviar por los múltiples caminos acogidos por la tradición, que terminan convirtiendo en esquematizaciones y abstracciones meramente verbales, la inmediatez elemental y pura. Se trata, pues, de dirigir el pensamiento a la constitución de una filosofía de la vida, que refiera lo inmediato y originario, lo elemental, puro y concreto, que exceda las simplificaciones y esquemas por más complejos o sorprendentes que sean.

La primera característica que encuentra un ser consciente que se ocupe del problema de la vida, es la persistencia de la mudanza.

Todas las cosas existentes mudan, cambian, se modifican en su ámbito y peculiaridad. Poco importa la manera y el grado. Aun en la obstinada intención de algunos organismos, que pretenden mantenerse en un solo y único estado, es posible comprobar la presencia del cambio. Ahora bien, atravesando cada cosa de la realidad y convirtiéndose de tal manera en su determinación estructural más definitiva, el cambio mismo supone la manifestación de un principio básico: las cosas mudan incesantemente a lo ancho y largo de su duración. El escenario que permite la transformación es duración pura, y sobre la firmeza de esa persistencia se sostienen las posteriores evoluciones y movimientos. La duración explica la mutación y, por tanto, la existencia de las cosas. La duración, que es tiempo en permanente actualización y apertura, es sostén de la realidad.

La experiencia inmediata nos otorga una imagen más o menos clara del asunto. Conocemos la existencia de una serie de momentos que se acercan o alejan de nosotros, a la manera de fragmentos individuales, cuya sucesión constituye el principio del tiempo. Y, sin embargo, tal apreciación no tarda en manifestar sus inconveniencias. En efecto, el tiempo, que nuestra inteligencia representa a manera de discontinuidades sucesivas, se comporta de una manera definitivamente distinta. El pasado y el futuro se deslizan en una continuidad indisoluble dentro de la cual el pasado, que va acrecentándose y royendo las puertas el futuro, se encuentra siempre presente, conservado y activo, en cada acción presente que incorpora. Tendemos a reducir su movilidad unitaria, en repetidos escalones que fijamos y estructuramos de acuerdo con la necesidad de nuestro entendimiento. Así se hace comprensible y funcional lo que de otra manera supondría esfuerzos comprensivos inauditos, pero discontinuidad tan conveniente y cómoda queda reducida a su verdadera condición ficticia al comprobar la continuidad esencial de nuestra existencia psicológica profunda. Ella, que es duración absoluta, opera como un telón de fondo que posibilita y soporta las discontinuidades establecidas por la inteligencia.

Esa continuidad definitiva de la duración, a la que se encuentra sólidamente unida la certeza de que el pasado sobrevive y mantiene su vigencia en cada instante temporal, impide que una conciencia pase dos veces por el mismo estado. Poco importa que las condiciones, circunstancias, móviles y demás determinaciones que presidan una acción, puedan ser —o parecer— las mismas. El sujeto que actúa siempre será distinto. Cada instante nuevo de su transcurrir lo modifica y le aboca a una experiencia única, original e irrepetible. Nuestra duración no da marcha atrás, no conoce el camino de regreso. Por el contrario, supone la necesidad de una creación continua y novedosa, impredecible, mediante la cual nos vamos construyendo con cada acción. Un nuevo estado supone la modificación radical de nosotros mismos, que así transformados, estaremos ante la posibilidad —y la necesidad— de volver a gestarnos y a producirnos en una dirección, a la cual no es lícito imponer presupuesto alguno. En cada momento encontramos lo impredecible y genuinamente nuevo. Se imponen la más rotunda amplitud de posibilidades, el incondicionamiento, la libertad.

Somos, como seres conscientes, pura duración y novedad, pero según nuestros prejuicios más arraigados, podríamos creer que tal condición no es válida más que para nosotros mismos. Los objetos que nos rodean, incluso los otros seres vivos, animales y plantas, se comportarían de modo completamente diferente. Tales entidades son de una manera muy concreta y continúan siendo, siempre, lo que son. Las modificaciones que les podemos atribuir resultan del concurso de fuerzas exteriores que provocan la simple reacomodación de sus partes. Pero estas, así como la entidad sustancial que nos ocupa, siguen siendo las mismas. La duración, que es tiempo continuo que se nutre de sí mismo y se proyecta impredeciblemente, no los afecta. Los objetos están por fuera de su influjo, no se inscriben en la duración. Tal es nuestro prejuicio y lo ha sido a lo largo de una compleja tradición cultural. Pero al acercarnos con atención a la realidad del objeto y al conjunto de relaciones que lo conforman, vale decir al universo, comprobamos la futilidad de tal prejuicio. La ciencia ha considerado el tiempo como una categoría aplicable al mundo objetual, pero ese tiempo está muy lejos de contar con el dinamismo del que se aplica a la conciencia humana. Es, por el contrario, abstracto, numérico, formal. No constituye movimiento vital alguno, incluso cuando se considera aplicado a la totalidad del conjunto de cosas o entidades "inconscientes". El universo, que es esa totalidad objetual, parecería intemporal y detenido. No existe mayor absurdo. El universo, que contiene tanto a objetos inanimados como a seres vivos y conscientes, es transcurso y afluencia. El universo dura. Y en la misma medida en que cada cosa u objeto que forma parte del universo se solidariza con él y constituye en su interior relaciones indisolubles, cada cosa u objeto dura. Y durar es continuidad, apertura, impredecibilidad.

El universo es, pues, vida, duración que implica la potencia original, la cual provoca el movimiento del pasado que arremete contra el presente y arranca de él una forma nueva, que no guarda relación, proporción ni medida con sus antecedentes. Es impredecible. Y si esto puede afirmarse de cuerpos inorganizados, tanto más cuando contemplamos a los organismos vivos. En ellos, pese a las ilusiones de la percepción inmediata y a las manipulaciones del entendimiento científico, nos hallamos con una porción de la existencia absolutamente solidaria con el todo, al punto que puede confundirse con él. La corriente de vida, que al atravesar la materialidad se ha constituido en la infinita variación de organismos vivos individuales, no ha abdicado de sus condiciones esenciales. Es poderosa y única; continuidad indefinida que involucra a cada ser particular en el tiempo de vida que le es posible y lo incorpora a su propia vitalidad. Y, sin embargo, la cotidianidad nos confronta con la experiencia de individuos particulares que nos asaltan con la ilusión de su definición y unicidad. Nuestra percepción del mundo nos obliga a considerar la totalidad vital, aislada en cuerpos particulares, y la ciencia nos presenta una constelación de sistemas cerrados en sí mismos que parecieran no tener que ver con la totalidad. Es más, en gracia de comprensión e inteligencia, cada cuerpo, previamente aislado, es descompuesto en partes autónomas que se solidarizan funcionalmente en la totalidad. Hemos constituido al individuo, pero dentro de su particularidad, que pareciera refutar por completo la continuidad vital original, cada individuo incuba su contrario. En efecto, en contra de su deseo de identidad, manifiesta su necesidad de procreación. Roto en otros que lo sucedan y que le solucionen la ansiedad de perpetuación en el tiempo, se niega la unicidad, la diferenciación, la completud total en el espacio.

Se impone, pues, pese a todo, la preeminencia del continuo, de la duración. Pero hay otras instancias en donde la duración se hace manifiesta: los individuos están sometidos al transcurso de su tiempo y a sus inevitables consecuencias. Como todo lo que dura, los organismos envejecen. Ahora bien, con todo y la decrepitud implícita en la vejez, en ella se hace manifiesto el dinamismo esencial de la vida. Me hago viejo porque no puedo escapar a la duración, que es la condición existencial básica, pero esa misma duración se construye a partir de la continuidad insensible e infinitamente dividida del cambio de forma. Continuidad que me abarca, excede y proyecta hacia lo impredecible. Mi evolución, que es la evolución de todo ser viviente, es la actualización del pasado que persiste en el presente y abre dimensiones inauditas en el porvenir. Por tanto, mi explicación, en cuanto ser vivo, supone la totalidad de mi pasado, confluyendo y dinamizando el instante· que deseo comprender. No basta, para hacerse una idea cabal del ser vivo, con la consideración de una temporalidad fragmentada que permita remitir el presente a un instante abstracto anterior, que ha nacido y muerto, ofreciendo su discontinuidad a los análisis de las ecuaciones diferenciales. La vida se identifica con un continuo cambiante, que conserva la totalidad del pasado en el presente y que supone la duración verdadera e inalcanzable para los procedimientos analíticos de la inteligencia.

El envejecimiento, que es presencia de la duración en un ser vivo y, por consiguiente, evolución de una forma a otra en un continuo indefinido, supone necesariamente el concepto de evolución de las especies. Durar implica transformaciones y transformismos. Estos últimos significan la aparición de las especies vegetales o animales a partir de causas específicas. Y aunque el transformismo y el darwinismo, que explican las transformaciones vitales en términos de adaptación a nuevas condiciones y circunstancias, han llegado a una notoria penetración en las profundidades de la realidad, ninguno de los dos agota por completo el asunto. La simple composición de lo azaroso con lo azaroso no explica el hecho de la vida. Las direcciones que esta toma, en uno u otro sentido, no pueden ser comprendidas como la mera acción mecánica de las causas exteriores. Por el contrario, hay móviles internos, energías autónomas que constituyen motores suficientes y determinantes. Por otra parte, del porvenir no se puede prever nada distinto de lo que pueda parecerse al pasado, o a lo que desde el pasado pueda ser recompuesto. El establecimiento de leyes y regularidades, más o menos mecánicas, es absolutamente impropio. Cuando más, puede intentarse una explicación de un hecho, movimiento o transformación, a partir de la consumación del movimiento o transformación mismos. Siendo ya hechos cumplidos, se puede escudriñar el transcurso que pudo haber seguido la vida desde una de sus manifestaciones hasta otra. Pero la capacidad predictiva, agorera o profética es absolutamente imposible. De la vida y de la consciencia, sólo puede afirmarse que a cada instante crean algo. El sentido, modalidad o formación resultante, es impredecible.

La adaptación existe, y Lamarck, Darwin, Eimer, han propuesto explicaciones posibles y válidas. Sin embargo, un cambio hereditario que se acumula en un mismo sentido no puede ser explicado por la simple acumulación de circunstancias azarosas. El resultado final de las transformaciones, que conducirá a un organismo relativamente simple a una enorme complejidad funcional y formal, no puede ser el fruto de un esfuerzo individual, ni de unas condiciones específicas dadas. Tendría que involucrar a toda una especie y, más que al conjunto de individuos que la conforman, a una entidad, constructo, posibilidad o principio que reside en cada uno de ellos. Pero no se trata de una conformación material, fisiológica o funcional determinada. Es un germen, un ímpetu que cada sujeto tiene dentro y que comparte con todos sus congéneres y aun con todas las manifestaciones del continuo vital, del cual forma parte. Es el "*élan vital*", el impulso original que comunica la duración y continuidad de la vida, de organismo en organismo, a través de sus respectivos gérmenes o ímpetus. La evolución, que se abre en infinidad de líneas y posibilidades, conserva, aun en las que fracasan y desaparecen, la vocación de continuidad fundamental. Esta creatividad implícita e inagotable, arroja el pasado contra el porvenir y provoca explosiones de vida sorprendente e inacabable.

La vida es, pues, imprevisible. No puede someterse a las generalizaciones intelectuales de los filósofos, que han supuesto, a partir de sus análisis y reducciones, una finalidad previa que contiene la totalidad del proceso vital, o una regularidad mecánica previsible. Mecanicistas y finalistas tropiezan con la continuidad vital y deben renunciar a sus expectativas. En efecto, aquello de que "todo está dado o planteado de antemano", de manera que al hombre corresponde únicamente descifrar el código secreto de la realidad y encontrar su principio, su fin, sus condiciones, características y procedimientos, es inadmisible. La duración es el único concepto definido, la movilidad del tiempo que desde el pasado arremete y roe al futuro provocando reacciones inconcebibles. La creación, la invención, la imprevisión, constituyen los soportes y condiciones del universo, que finalmente es tiempo, cambio interior, irrepetibilidad. En caso de que una finalidad fuera pensable, esta trascendería la circunstancia de cualquier ente individual y referiría a la totalidad del fluido vital, al universo entero vivo y continuo. El anhelo tradicional de la filosofía, que en aras de su consecución ha planteado infinidad de querellas y enfrentamientos, debe ser reformulado. No se puede intentar la construcción de sistemas totales y autosuficientes. La vida no se pliega a ellos, pues repugna la totalidad y no comprende otra suficiencia que su impulso vital. Podemos, sí, aspirar a una coherencia mínima, a una armonía común que englobe las manifestaciones vitales. Pero tal organicidad nunca es completa ni puede aspirar a dar razón de todas las cosas y fenómenos. Las discordancias con el sistema intelectual son cotidianas y no deberían incomodarlo. Por el contrario, la vida común a todos los seres vivientes manifiesta infinidad de inconsistencias y lagunas, en la medida en que es posible y evidente la individualización. Nuestra inteligencia, que ha sido producto evolutivo de la vida, tiende a representarse causas finales que suponen la mera inteligencia natural o la anticipación del porvenir en el pasado en forma de idea regulativa y necesaria. En ambos casos encontramos puras abstracciones, con versiones unidimensionales, planas, de una realidad que es espacial, tridimensional y volumétrica. A pesar de ello, la constitución de una filosofía que privilegie la realidad sobre la inteligencia, es pensable. La duración será su concepto fundamental, la certeza de que el porvenir es la dilatación del presente y que al cabo, sin que signifique determinismo, podrá explicarlo. Y lo explicará —así como el presente explica el porvenir— considerándolo como un fin, más que como un resultado.

En procura de fines, mediante la acción de una "voluntad de vida" manifiesta en el "*élan vital*", y no de resultados, que son consecuencias mecánicas de causas tan mecánicas como ellas, la vida se ha fragmentado en diversidad de especies e individuos. ¿Cuál es la causa de este movimiento? ¿Cuáles los factores que explican la presencia de direcciones divergentes en la evolución de la vida? Bergson establece dos grandes series causales: por una parte, la vida entra a desempeñar una relación conflictiva y difícil con la materia bruta, que se opone a ella y la obliga a continuas transformaciones; por otra, la vida contiene un equilibrio inestable de tendencias que se manifiesta en una fuerza poderosa y explosiva. La evolución de la vida no ha seguido un solo sentido privilegiado. Muchas direcciones han conducido a resultados negativos, pero la consideración del conjunto de alternativas, por efímeras y erráticas que puedan parecer, sería condición para reconstruir, imitativamente, el principio indivisible básico, que ha motivado el movimiento. De cualquier manera, el llamado progreso, que no significa la imposibilidad del retroceso sino la marcha continuada en la dirección general determinada por el primer impulso, se ha hecho manifiesto en una enorme variedad de posibilidades. Esta diversidad se ha consolidado en dos grandes alternativas básicas: las plantas y los animales. A través de sus desarrollos, que siempre manifiestan la avidez original, el impulso vital, puede concretarse la creación renovadora incesante que forja nuevas formas de vida y nuevas posibilidades de comprensión y expresión intelectual.

Las manifestaciones orgánicas, pese a su complejidad o sencillez, presentan por lo general una estructura básica común a todas las otras manifestaciones con las que están emparentadas. En cada una, pues, se encuentran gérmenes, fermentos o supervivencias de las otras. Ateniéndonos a esa persistencia, es posible determinar una continuidad general, a la cual llamamos identidad o diferencia de los desarrollos divergentes de la vida. Desde esta perspectiva podemos intentar una diferenciación primaria: existen organismos que pueden crear materia orgánica a partir de los elementos minerales que extraen directamente de la tierra, del agua y de la luz solar. Otros, en cambio, deben tomar la materia orgánica que necesitan, de quienes, luego de extraerla y procesarla, la contienen en su organismo. A veces tienen que tomarla de otros como ellos, más débiles o pequeños, que en principio han recurrido a los productores básicos. Son las plantas y los animales, consumidores y consumidos, que tienen su especificidad y son capaces de resumir en cada individuo de su respectiva especie, los fundamentos diferenciales de la misma. Ahora bien, un elemento constitutivo de su respectiva identidad, y del cual depende en suma la condición de que unos sirvan de alimento para los otros, es su capacidad o incapacidad de transportarse. Movilidad e inmovilidad, conceptos que soportan consecuencias diferenciales, son compartidos por todos los miembros de la respectiva clase natural. Tales condiciones las comparten los dos reinos. En el principio de la unidad vital, lo animal es tan inmóvil como móvil lo vegetal, hasta que el equilibrio se rompe y aparece la diferencia. Ahora bien, las diferencias entre lo consciente y lo inconsciente, que habrán de constituirse en el ápice del proceso evolutivo, se encuentran aquí, en este primer momento, germinalmente manifiestas. El movimiento que puede ser reflejo o voluntario, y por tanto consciente o no, halla su origen lejano en estas estructuras básicas que no han optado definitivamente por una alternativa u otra. Hacen falta, por supuesto, las complejidades neurológicas, las médulas, los bulbos o los centros nerviosos correspondientes. Y, sin embargo, lo que termina siendo, de hecho y de alguna manera ya lo fue, pues de lo contrario no hubiera podido desarrollarse. Allí, en esa germinalidad en la cual los organismos son tanto móviles como inmóviles, encontramos los presupuestos que, convenientemente desdoblados, desarrollados y complejizados, van a constituirse en inconsciencia y libertad. En esa situación primaria, que comparte tanto la movilidad como la inmovilidad, el organismo más simple, que se mueve libremente es, en esa misma medida, consciente.

El animal más desarrollado —el hombre— y la planta más rudimentaria —los zoosporos de las aguas o los organismos monocelulares— se unifican en su posibilidad de la conciencia, a pesar de que los caminos que los separaron les impusieron sus naturalezas precisas y diferentes. Procedentes de un tronco común, las plantas y los animales se separaron al desarrollarse y encontrar, quizá para responder al mismo desafío, dos respuestas distintas que les garantizaran su comodidad. El animal, que optó por los nervios y los centros nerviosos, se hizo móvil y consciente, y la planta, que desarrolló la función clorofílica, permaneció inmóvil y con la conciencia dormida. La vida y asigna diferencias obligada por la ruda materialidad que orienta e impone diferencialmente. No obstante, el impulso primitivo vital, y su flujo de tendencias en desequilibrio, desempeñaron así mismo su papel. Esa fuerza explosiva que caracteriza a la vida y que supone una acumulación de energía en potencia que irrumpe súbitamente, no podía hacerse viable más que por el desarrollo de un mínimo complejo nervioso. Tal es la condición básica de la animalidad. Se trataba de conseguir el refinamiento orgánico necesario para acumular, destinar y conducir la energía potencial, que habría de hacerse acción y movimiento. Todo el complejo proceso de evolución del sistema nervioso se justificó en términos de aumentar la precisión y adaptación de los movimientos, así como en abrir el mayor compás de posibilidades. El organismo debía poder contar con un amplio repertorio de movilidad y un criterio de selección ajustado a las necesidades de su realidad. El sistema sensorio-motor se convirtió en el centro justificatorio de todo organismo animal, y en torno a él se ordenaron las demás determinaciones orgánicas. Pero como el papel de la vida es "insertar indeterminación en la materia", las diversas concreciones del "*élan vital*" asumieron infinidad de formas, sentidos y comportamientos. Esa gran movilidad, que es condición general de la vida, no significó mucha comodidad para los organismos individuales, que aceptan de mala gana tanta incertidumbre. De esta forma, los únicos dos esfuerzos relativamente exitosos, vertebrados y artrópodos, empeñados en el progreso de sus particulares sistemas sensorio-motores, precipitaron el desarrollo de una distinción definitiva: la inteligencia y el instinto. Así las cosas, desde la primitiva indiferenciación vital, pasando por el embotamiento vegetativo para concluir en lo instintivo e inteligente, el "*élan vital*" se desarrolló a sí mismo, siguiendo su impulso interior y la oposición de la materia. Las diversas formas, tan imprevistas en su emergencia concreta como explicables a la luz de la totalidad del proceso, se determinaron y disociaron por el simple hecho de crecer.

Como evidencias de un continuo vital, de una duración, como las otras manifestaciones en apariencia contrapuestas, el instinto y la inteligencia se contienen e implican mutuamente. No hay inteligencia en donde no se manifiesten atisbos de instinto, y no hay instinto que no se encuentre rodeado de un destello de inteligencia. No obstante, en la medida en que es preciso encontrar y diferenciar lo propio de cada uno, podemos afirmar que, en suma, la inteligencia, atributo humano, consiste en la facultad de construir instrumentos. Útiles con los cuales podemos producir nuevos útiles, y así indefinidamente. El instinto posibilita el uso, y aun la construcción, de instrumentos orgánicos, pero la facultad de usar y producir instrumentos inorgánicos es exclusiva de la inteligencia. Ahora bien, la inteligencia se halla emparentada y dirigida en especial hacia la consciencia, y el instinto hacia la inconsciencia. Por supuesto, una y otra se permean continuamente, de modo que el instinto soporta consciencia y la inteligencia, inconsciencia. La distinción es un problema de proporción y medida. Todo ser vivo cuenta con una consciencia que es, en síntesis,

> una diferencia aritmética entre la actividad virtual y la actividad real, y una medida del ángulo de separación entre la representación y la acción.

Y esa determinación, en la medida en que se hace prioritaria, dominante, supone un modo de conocer: la inteligencia capta formas; el instinto, materia.

Así, es más que factible determinar el ámbito de acción de cada sistema de conocimiento: la inteligencia, que es puramente formal, puede buscar pero no hallará nunca nada por sí sola. Únicamente puede representarse por sí misma la discontinuidad y la inmovilidad. El instinto, en cambio, es capaz de hallar lo que la inteligencia buscaría, pero no se propone nunca hacerlo. Moldeado con la misma naturaleza de la vida, se remite a lo concreto. Nunca se mueve en términos de generalizaciones. Consciencia e inteligencia, que se corresponden mayoritariamente, muestran una indudable habilidad en la manipulación de lo inerte, pero no pueden ocultar su ineptitud cuando se trata de lo vivo. Frente a la vitalidad, sea corporal o espiritual, se comportan con la torpeza del que se obstina en utilizar un instrumento de grueso calibre en una pieza de alta precisión. El instinto, en cambio, ajeno a los límites de la inteligencia, puede penetrar los del espíritu.

Ahora bien, esta corriente vital que se ha hecho consciencia e instinto, se inscribe en una totalidad. Esa totalidad, ese universo, ¿cómo puede ser explicado, interpretado y asumido? Generalmente, confrontados con la enormidad universal, se nos impone la experiencia de lo indecible y misterioso. Sea que concibamos el universo como un todo creado por una causa suficiente, o como manifestación total de un principio increado, se nos aparecen las mismas dificultades, que derivan de la falsedad de nuestro punto de partida: el universo no es un todo, no está hecho completamente. Por el contrario, se hace sin cesar y crece infinitamente con la agregación de mundos nuevos. Más aún, concibiendo la creación, pensamos en cosas creadas y en una cosa que crea. Pero tales definiciones no son más que productos de nuestra inteligencia analítica y rudimentaria. Las cosas no existen. Sólo hay acciones que fluyen en un continuo permanente. Unas de ellas, las que constituyen la evolución, se deshacen en su actuar; abandonan permanentemente las formas en que aparecían y asumen otras diversas. Otras acciones, en cambio, las que constituyen propiamente esas mismas formas que se mudan en la evolución, pero que en su estar presentes nos impresionan y persuaden de su identidad, son producto de la acción que se hace, que se constituye, que pretende identidad y diferencia, individualidad. Así, en nuestro mundo, como en los otros que existan, o puedan existir, las cosas no son de ninguna manera, sólo hay acción continua que se corta diametralmente y constituye las cosas, o las apariencias de cosas. Dios no es nada hecho: es vida incesante, acción indefinida, libertad. Y, sin embargo, la tendencia a considerar a nuestro alrededor un mundo de cosas es comprensible y explicable. El entendimiento practica un corte instantáneo en el fluir vital, que así inmovilizado, separado artificialmente del contexto, se nos aparece como una cosa. Cada una de ellas, cada corte, pueden parecernos enigmáticas y misteriosas, pero reincorporadas al flujo vital que las enmarca, adquieren todo su sentido y abandonan ese carácter enigmático que nos inquietaba. Por otra parte, la materia, que es contrapuesta a la vida, también, como ella, es un flujo indiviso. La vida, que la atraviesa, conforma en su confrontación a los seres vivos individuales. El "*élan vital*", que es fuerza vital, por tanto absoluta, debe enfrentarse a la fuerza de la materia, que le opone su propio movimiento, pero puede apoderarse de ella e imponer a su necesidad el mayor grado posible de indeterminación y libertad. Indeterminación y libertad que, siendo origen de la vida, son consciencia.

Corresponde al ser humano una particular modalidad de consciencia que depende tanto de su organización orgánica particular como del movimiento pleno de la vida que en él se sintetiza y resume: la inteligencia. Pero existe otra forma distinta que compensa la rudeza de esta modalidad: la intuición. La intuición camina en el sentido de la vida; la inteligencia, en el sentido contrario, vale decir, en el sentido de la materia. Y, en la misma medida en que la fluencia es total y la duración incluye todas las contingencias, el hombre experimenta fogonazos esporádicos de intuición que lo orientan e iluminan. Gracias a tales destellos se puede comprender cómo la unidad de la vida mental es definitiva y la intuición es el espíritu en su plenitud y, en cierto sentido, la vida misma. Corresponde a la filosofía hacer tabla rasa de lo que sólo es símbolo imaginativo, construcción ficticia de la inteligencia. Entonces, sostenida sobre la intuición, podrá comprender que la realidad misma, el mundo material, es un continuo, un flujo simple, un devenir. El movimiento evolutivo mismo nos permitirá hallar en los dominios de la vida y de la consciencia la duración real. Vida y consciencia, aprehendidas en su movimiento sustancial, podrán sustentar todas las formas de la realidad. Esta continuidad, vale decir, esta evolución, permitirá la determinación progresiva de la materialidad y la intelectualidad, así como su consolidación gradual definitiva.

El autor y la obra

Henri Bergson nació en 1859 en Auteuil, París, y murió en 1941. Fue profesor en los liceos de Angers (1881), Clermont-Ferrand (1883-1885), Henri IV de París (1889-1897), École Normale Supérieure (1897-1900) y Collège de France. Influido por el positivismo espiritualista, intentó encontrar orientación en los fenómenos, hasta que halló la médula vertebral de su pensamiento: el tiempo. La cosa que está frente a los ojos, que va a incorporar en su sentido positivo y a transformar luego de tal incorporación es, en principio, sujeto de duración. Ahora bien, enfrentado a esta orientación específica, recabó de inmediato en la incapacidad de la inteligencia para apropiarse del asunto que le interesaba. El tiempo requería una facultad que captara su sucesión y continuidad, mientras que la inteligencia, entregada a sus constructos, "espacializaba" ese fluir y lo convertía en una serie de momentos distintos. Pero este inconveniente no tenía que ver exclusivamente con sus especulaciones filosóficas. En efecto, la ciencia natural opera a través de espacializaciones que afectan la materia y, con ella, al tiempo. A partir de tales inquietudes, Bergson desarrolló un sistema filosófico de gran aliento que incluyó una teoría del conocimiento, una visión intuitivista de la realidad, una metafísica derivada de tales presupuestos y una teoría ética. Su trabajo intelectual gozó de gran prestigio y popularidad. Bergson fue distinguido con el premio Nobel de Literatura en 1927 y su obra más importante, *La evolución creadora*, fue objeto de una enorme difusión internacional. El llamado "vitalismo", que se instituyó a partir de sus trabajos y de los aportes de sus numerosos discípulos y simpatizantes, se constituyó en uno de los más importantes sectores del pensamiento contemporáneo.

Entre sus obras más representativas podemos mencionar: *Ensayo sobre los datos inmediatos de la consciencia* (1919), *Materia y memoria* (1909), *La risa* (1904), *Introducción a la metafísica* (1903), *La evolución creadora* (1907), *La energía espiritual* (1928) y *Duración y simultaneidad. A propósito de la teoría de Einstein* (1922).

Bergson

31

SER Y TIEMPO
Martin Heidegger

¿Tenemos hoy una respuesta a la pregunta que interroga por lo que queremos decir con la palabra "ente"? En manera alguna. Y así es cosa, pues, de hacer de nuevo la pregunta que interroga por el sentido del ser. ¿Seguimos, entonces, hoy siquiera perplejos por no poder comprender la expresión "ser"? En manera alguna. Y así es cosa, pues, de empezar, ante todo, por volver a despertar la comprensión para el sentido de esta pregunta. El desarrollo concreto de la pregunta que interroga por el sentido del término "ser", es la mira del siguiente tratado. La exégesis del tiempo, como el horizonte posible de toda comprensión del ser, es su meta provisional.

Este texto da comienzo a la exposición filosófica propiamente dicha, que sintetiza con solvencia las preocupaciones que motivaron la redacción de *Ser y tiempo*, obra fundamental del pensamiento de Martin Heidegger. En efecto, pese a que la cotidianidad discursiva está construida enteramente sobre la utilización del concepto de "ser", un examen detenido revela que de semejante uso masivo y generalizado no se sigue la más mínima comprensión. "Esto es, yo soy, aquello será, nosotros fuimos…" y las múltiples variaciones funcionales de la noción de ser, esconden el más profundo desconocimiento del sentido mismo del ser que se aplica y manipula. Siendo el más universal de los conceptos, es el más vacío. Pero la tradición filosófica y científica, que se ha construido sobre los alcances más o menos trivializados que supone su utilización, no considera pertinente ahondar en el asunto. Basta su uso pragmático y la comprensión utilitaria que todos tenemos de él.

Hemos olvidado su sentido y ese olvido no nos afecta en lo más mínimo. De alguna manera, la historia toda de la modernidad puede reducirse a la historia de ese olvido, el "olvido del sentido de una pregunta".

Pero dicha indolencia no es una característica general. En los primeros tiempos del espíritu filosófico, tal pregunta no era "una pregunta cualquiera". Por el contrario, la filosofía presocrática —a juzgar por los fragmentos que de ella tenemos—, y las elaboraciones sistemáticas posteriores, centraron sus esfuerzos en resolverla. Platón, Aristóteles y sus epígonos desarrollaron sus concepciones a partir del esfuerzo por resolver adecuadamente tan grave dificultad.

> [Pero] lo que en otro tiempo se arrancó a los fenómenos en el supremo esfuerzo del pensamiento, aunque fragmentariamente y en primeras arremetidas, está hace mucho trivializado.

Ese interrogante sustantivo sobre el cual se constituyó el cuerpo general del pensamiento se ha olvidado. La pregunta básica ha sido, en síntesis, escamoteada.

¿Cuáles fueron los motivos que hicieron posible un olvido semejante? Algo que involucra toda una tradición cultural debe, por fuerza, exceder las limitaciones fortuitas de los hombres. En efecto, de la misma naturaleza del problema se desprenden las causas que conducirán a su olvido. En primera instancia, siendo "el 'ser' el 'más universal' de los conceptos", el más extendido y básico de la experiencia conceptual humana, es casi ineludible caer en la errónea apreciación de que es el más claro de todos y que no necesita mayor discusión. Su uso generalizado en todas las instancias vitales del hombre, desde la más pura ingenuidad del sentido común hasta las más complejas construcciones abstractas, conduce a la confirmación de dicho prejuicio. Sólo puede tener un uso tan generalizado, en la misma medida de su claridad y simplicidad. Por el contrario, "el concepto del 'ser' es más bien el más oscuro".

La segunda generalización que justifica el olvido histórico del sentido de esta pregunta fundamental, consiste en afirmar que, siendo el "ser" el concepto más universal, no resulta, por tanto, definible.

Esa suerte de "delimitación" que encierra toda definición, no es aplicable a la universalidad más pura. Al definir, por necesidad nos remitimos al "género próximo y a la diferencia específica" y esa remisión no es posible respecto al "ser". Pero considerando la evidencia de esta dificultad, de ella sólo es posible concluir que al "ser" no se le puede considerar como un ente entre otros entes a los cuales pueda la inteligencia definir, pues cualquier cosa o entidad a la que pueda acceder mediante la experiencia, es susceptible de una definición que la "derive de conceptos más altos o la explique por más bajos". El "ser" no. ¿Qué conceptos pueden ser más altos o más bajos que él? Los procedimientos lógicos tradicionales no pueden dar razón de su especificidad. Pero esto no significa que el problema no exista. Por el contrario,

la indefinibilidad del ser no dispensa de reiterar la pregunta que interroga por su sentido, sino que intima justamente a ello.

La tercera razón que ha llevado a la situación de olvido, remitiéndose a las dos anteriores, consiste en considerar que "el 'ser' es el más comprensible de los conceptos". Ciertamente, "todo el mundo comprende esto: 'el cielo es azul'; 'yo soy una persona de buen humor', etc.", pero en esta comprensión de "término medio" que es, obviamente, superficial, sólo queda demostrada la incomprensión genuina que rodea a la cuestión. Vivimos, es verdad, en una cierta comprensión del ser, pero al mismo tiempo en una oscuridad profunda por su sentido último. Razón de más para insistir en interrogar por este sentido.

Aclarado el motivo fundamental y decididos a "desarrollar de una buena vez y de una manera suficiente la pregunta misma", encontramos un grave problema. Las maneras posibles de formular una pregunta que se refiera al ser, nos arrojan a la misma petición de principio, al mismo círculo vicioso: esa pregunta, por el hecho mismo de ser formulada, supondría tener como presupuesto un cierto sentido del ser que debería estar ya a disposición del que pregunta. De otra manera no podría siquiera formularse. Pero como se trata precisamente de superar esa "comprensión de término medio" que nos imposibilita acceder al sentido profundo de la interrogación, la dificultad se hace imperativa. ¿De dónde, pues, habrá de partir para que la determinación del sentido del ser no suponga un círculo vicioso? Concluimos que los modos constitutivos del preguntar, "dirigir la vista", "comprender", "apresar en conceptos", son los mismos modos de ser de un determinado ente. Así, acercándonos a ese "ente" cuyo modo de ser sea el de la pregunta que nos interesa, podemos intentar formularla a cabalidad y responderla. Este ente ejemplar, que debe ocupar el lugar de primer interrogado en el problema del ser, en la medida en que entre sus "determinaciones de ser" se halla precisamente la "comprensión del ser", es el llamado "ser-ahí". El hombre,

> que somos en cada caso nosotros mismos y que tiene entre otros rasgos la "posibilidad de ser" del preguntar, lo designamos con el término "ser ahí". El hacer en forma expresa y de "ver a través" de ella la pregunta que interroga por el sentido del ser, pide el previo y adecuado análisis de un ente (el "ser-ahí") poniendo la mira en su ser.

En suma, si quiero formular una pregunta adecuada por el sentido del ser, debo preguntar por el ser de un ente particular, que "siendo, comprende e interpreta el ser". Tal es el hombre, el "ser-ahí", el *dasein*. Ente muy distinto de todos los demás, pues "en su ser le va su ser", el cual, al dar curso a la comprensión de sí mismo, abre la realidad del ser.

En el camino de conseguir una adecuada determinación del "ser-ahí", se impone una precisión básica. Lejos de intentar, como ha sido tradicional hasta el momento, la aplicación automática de una idea cualquiera del ser al *dasein*, hemos de partir de las determinaciones fenoménicas mismas del "ser- ahí". Es la ciencia de los fenómenos, que significa "un asirse a los propios objetos de forma que todo aquello que se discute en torno a ellos, se muestre y se demuestre directamente", la que nos puede conducir. Tal es el sentido de la "analítica existenciaria", o la indagación de las condiciones fenoménicas concretas del "ser-ahí", por medio de la cual se buscará la comprensión del ser en general. Ahora bien, además de partir de los fenómenos y no de las ideas que pretenden ser explicaciones suficientes de dichos fenómenos, debemos rechazar cualquier otra idea filosófica que intente un acercamiento, por mínimo que sea, al ser. Tales ideas, en la historia de la filosofía, no han constituido en conjunto más que la cáscara que ha recubierto y ocultado el fenómeno del ser. El punto de partida será la más radical destrucción de cualquier ideología, filosofía o teoría ontológica. Es el ser del "ser-ahí" manifestado como fenómeno puro, lo único que nos puede orientar. Su verdad fenoménica conducirá a la "apertura del ser", a la "verdad trascendental" que buscamos.

Convenientemente determinados los métodos y alcances de la indagación, Heidegger procede a la realización de su exégesis a través del análisis preparatorio del "ser-ahí". ¿Cuáles son, pues, las estructuras originarias del "ser-ahí"? En principio, el *dasein* se manifiesta en su existencia, que es posibilidad de ser y "ser, en cada caso, mío". Ahora bien, esa existencia, que no se puede aprehender por medio de categorías, sino de existenciarios, está inscrita en un contexto que la contiene y determina, pero no en la forma de continente o estructura ajena o distante. Es ella misma. El ser del "ser-ahí" está, de hecho, arrojado en el mundo. Todas las determinaciones de ser del "ser-ahí"

deben contemplarse y entenderse a priori sobre la base de aquella constitución de ser que indicamos con el nombre de ser-en-el-mundo.

El "ser-ahí" se comprenderá desde su condición fundamental de "estar-en-el-mundo", lo que significa que esa condición es total e indiferenciada. No hay, pues, un ser que esté en un mundo. Tal condición esencial se da entera de una sola manera. Cualquier realismo, que significa privilegiar al mundo dentro del cual se está, o idealismo, que, por el contrario, supone la prevalencia de quien se encuentra dentro del mundo, son imposibles. Ahora bien, refiriéndose al mundo, no nos encontramos con un conjunto de cosas. Estas pueden o no estar incluidas, pero al decir "mundo" hablamos más bien de una condición básica de "mundanidad". El mundo inmediato del "ser-ahí" es el mundo circundante, que no coincide con la "res extensa" cartesiana. El espacio, que tal categoría supone, no está excluido del "mundo circundante", pero la condición definitiva de tal mundo es la de "mundanidad del mundo" en cuanto mundo-en-el-cual-estoy.

La circunmundanidad, o mundanidad del mundo, nos enfrenta a una nueva diferenciación. El "ser-ahí" que está-en-el-mundo,

encuentra que estando allí experimenta el "estar-presente" y el
"estar-a-la-mano". Es el fundamento del utensilio que, lejos de
constituirse en mera cosa con la cual se hace algo, se constituye en
ese mismo hacer. Así como el espacio no es primariamente "res
èxtensa", sino una suerte de "orientación-en" que me permite la
experiencia de acercarme y des-acercarme, el utensilio, antes de
ser objeto destinado a un uso específico, es una categoría relacional ontológica. La "utensibilidad" del utensilio no se inscribe en la
experiencia subjetiva histórica, sino que supone un modo de ser
previo a toda determinación. Estando-a-la-mano, en cambio, determina el ser del "ser-ahí". Este, arrojado al mundo, siendo-ser-en-el-
mundo, solidarizado con la mundanidad, se encuentra-a-la-mano
con entes que lo constituyen en el hacer mismo.

En-medio-del-mundo y a-la-mano con los entes que conforman
esa "mundanidad", el "ser-ahí" se formula una pregunta: ¿quién soy?
Y ese "yo mismo" que es la respuesta, le ubica en el camino de una
nueva determinación que le ha de ser definitiva. Sólo puedo ser,
estando-en-el-mundo, si "soy-con". Ser es, pues, para el "ser-ahí",
"ser-con". Su modo de ser es un horizonte que contiene la multiplicidad de los otros, en la misma medida en que el "ser-ahí" se encuentra arrojado en el mundo y su ser es básicamente ser en la
mundanidad. El solipsismo, la indiferencia, lejos de ser condiciones puramente psicológicas o dirigidas a condiciones de la historia,
corresponden a sendas imposibilidades ontológicas. El "ser-ahí"
tiene que estar-en-el-mundo y, forzosamente, "es-con". El "ser relativo a otros", que en la medida en que son, cada uno y respecti-
vamente, un "ser-ahí", aboca al ser del "ser-ahí" a la experiencia
fundamental de la preocupación. En efecto, o abandona su peculiaridad y la entrega en manos del "término medio" que le exige vivir
bajo el señorío de los otros y aceptarse como lejano a sí mismo, ausente del ser que los otros le han arrebatado, o asume la confrontación, la responsabilidad, la preocupación. Por supuesto, el *dasein*
puede intentar despreocuparse, abandonar su "sí mismo" y entre-
garlo en la continuidad media del "uno". Los otros terminan por
construirse en una unidad que responde a la pregunta ¿quién?

El "quién" no es este ni aquel; no uno mismo, ni algunos, ni la suma
de otros. El "quién" es cualquiera, es "uno".

Y desde ese "uno", que es degradación existenciaria del *dasein*, se articula el "modo de vivir" del "término medio".

En la utilización de los medios públicos de la comunicación, en el empleo de la prensa, es todo otro como el otro. Este "ser uno con otro" disuelve peculiarmente el peculiar "ser-ahí" en la forma de ser de los otros, de tal suerte que todavía se borra más lo característico y diferencial de los otros. En este "no sorprender", antes bien resultar inapresable, es donde despliega el "uno" su verdadera dictadura. Disfrutamos y gozamos como "se" goza; leemos, vemos y juzgamos de literatura y arte como "se" ve y juzga; incluso nos apartamos del "montón" como "se" apartan de él; encontramos sublevante lo que "se" encuentra sublevante. El "uno", que no es nadie determinado y que son todos, si bien no como suma, prescribe la forma de ser de la cotidianidad.

Ya a raíz de la primera y básica determinación del "ser-ahí", es decir, de la existencia, Heidegger mencionó la posibilidad de existir de manera auténtica o inauténtica. Como determinaciones posibles del existir, no hacían, sin embargo, diferencias tan grandes como para que generaran dos formas distintas de consolidación del "ser-ahí". En todo caso, el *dasein* seguía su camino. En este momento preciso, cuando el "ser-ahí", arrojado al mundo, comprueba su natural ser, referido a otros, es cuando la posibilidad de existir auténtica o inauténticamente se hace evidente. Podemos "despreocuparnos", "caer", y esta caída, por encima de toda consideración ética, corresponde a una posibilidad de ser del "ser-ahí". Es más, en-el-mundo, la fuerza poderosa del "uno" se impone y obliga. Aquello que "está bien", que se admite consensualmente y define lo que se puede o no, lo que se aprueba o rechaza, es absolutamente vigilante.

Todo privilegio resulta abatido sin meter ruido. Todo lo original es aplanado, como cosa sabida ha largo tiempo, de la noche a la mañana. Todo lo conquistado ardientemente se vuelve vulgar. Todo misterio pierde su fuerza. Esta cura del término medio desemboza una nueva tendencia esencial del "ser-ahí", que llamamos el aplanamiento de todas las posibilidades de ser.

Entregado y ausente de "sí mismo", el "ser-ahí" pierde, sin embargo, algo que anhelaba perder: la responsabilidad. Única forma auténtica de ser, de recobrarse a "sí-mismo" por "sí-mismo". De evitar la caída, la distracción, el "olvido de sí-mismo".

El "ser-ahí", por tanto, es un ser arrojado en el mundo, que vive esta condición como una caída. Cabe la posibilidad de "levantarse de esta caída". Pero tal cosa, que ha de significar al "ser-ahí" la posibilidad de construirse en libertad como "ser abierto", supone un precio muy elevado. Para conseguirlo, el "ser ahí" debe enfrentar la angustia. En efecto, "el angustiarse abre original y directamente el mundo como mundo" mediatizado por la experiencia tremenda que el *dasein* tiene al enfrentar la nada. Ahora bien, en distinto sentido del que ofrecen otras concepciones metafísicas en las cuales la nada se aprehende como una pura supresión del ser, en este caso se trata de una condición o elemento del *dasein*. El fenómeno privativo, la falta, la reducción a la inexistencia, sostiene la existencia de todas las cosas. No se trata, como en Leibniz, de indagar "¿por qué hay ser y no más bien nada?" Ahora el asunto se circunscribe a considerar que únicamente en la experiencia de la nada se hace posible el ser. Que todo lo que es, flota, se sostiene sobre la nada. Comprender el ser de "sí mismo", "levantarse de la caída", recobrarse desde el estancamiento del "uno" y del "se", solamente es posible cuando los hombres, a través de la angustia y del temor, pueden comprobarse en su "flotar en la nada". La angustia, que es conciencia de la nada, singulariza, separa del "público estado del uno" y determina la peculiaridad. Cuando el "ser-ahí" se precipita desde su encubrimiento cotidiano, desde su "estado de interpretado" por el "uno", consigue abrirse en un sentido original. Logra un encuentro fundamental consigo mismo.

En la angustia hay la posibilidad de un señalado abrir, porque la angustia singulariza. Esta singularización saca al "ser-ahí" de su caída y le hace patentes la propiedad y la impropiedad como posibilidades de su ser.

Propiedad e impropiedad que gracias a la angustia se hacen presentes en su pureza frente al "ser-ahí". Y este "ser-ahí" que hasta entonces las había encontrado desfiguradas por los "seres intramundanos", por los otros, por el "uno", las recobra como posibilidades abiertas y pendientes de su particular decisión. Al recuperar las características de propiedad e impropiedad, la dimensión de la responsabilidad, el "ser-ahí" cobra sentido de libertad.

Así las cosas, estas primeras determinaciones existenciarias del "ser-ahí", generadas a partir de la experiencia del fenómeno *dasein* que existe efectivamente, hacen posible adelantar y establecer las formas básicas de su estructura. Ya desarrollado el "encontrarse en", podemos añadir el "comprender" y el "habla". "Encontrarse en", como se ha dicho, no tiene nada que ver con una situación pragmática exterior o interior. No implica consideraciones psicológicas de ningún tipo. Se trata de la experiencia ontológica fundamental de "estar ahí", "arrojado" y enfrentado a la existencia propia que es, en todo caso, "estar-en-el-mundo". El "comprender", por su parte, señala la condición del "ser-ahí" que puede proyectarse a "sí-mismo", constituirse comprensivamente en el acto de su "poder-ser", hacerse según su voluntad. Por último, "el habla" es una de las posibilidades esenciales de "estar-en-el-mundo". Esta continuidad estructural, que puede ser analizada en sus componentes individuales, no se presenta originariamente separada. Por el contrario, manifiesta una totalidad fundamental. "Estar en", "comprender" y "habla" confluyen en una síntesis suprema y originaria que se hace evidente en el concepto de "cura" o "cuidado". En otras palabras, el "cuidado" es la unidad estructural que organiza las tres formas básicas del *dasein* y garantiza su unicidad básica. De esta manera la "cura", que es estructura del "ser-ahí", es su ser mismo. Y ello sucede así porque la "cura" o "cuidado" determina al "ser-ahí", como "ese ser en cuyo ser le va su ser". Toda la potencia de su ser, la emplea para ser. Es decir, el ser del "ser-ahí" se manifiesta como un "pre-ser-se", como un anticiparse a sí mismo en su ser. El ser del *dasein* consiste en su "'pre-ser-se-ya-en' como ser-cabe": el *dasein* anticipa su ser en el mundo, ya dentro de ese mundo.

El "ser-ahí", entonces, como "cuidado", desarrolla el concepto de temporalidad, pues en el anticiparse a sí mismo —que es la esencia del "cuidado"— funda y posibilita el tiempo. Ahora bien, el *dasein* como fenómeno trae dos grandes experiencias que confirman tal aserto: la muerte y la consciencia. Ambas son formas de la anticipación, del "pre-ser-se". El "ser-ahí" como fenómeno, siempre existe para sí mismo. Está "ante-sí". Mientras es, vale decir, a lo largo del tiempo de su vida, antes del final, "ser-ahí" se constituye en su propio "poder-ser". Es su posibilidad. En ningún momento deja de proyectarse, deja de "comprenderse", de anticipar sus posibilidades y cifrar su ser en lo que todavía no es pero que está en posibilidad de ser. Se "solicita" incesantemente, lo que significa que en el "ser-ahí" siempre sigue habiendo alguna cosa que falta. Sólo en el momento de la muerte, cuando la imposibilidad física de seguir siendo le niega la proyección, el "ser-ahí" logra la totalidad de su ser. Ya nada le falta. Está completo, íntegro. No necesita ir más allá de sí. Pero para que esto sea posible y el "ser-ahí" pueda experimentar la plenitud y dejar a un lado la carencia de su ser, es decir, pueda dejar de "pre-ser-se-ya-en, como ser-cabe", tiene que dejar de ser "experimentable como ente".

> La eliminación de la carencia de ser, conlleva la aniquilación de su ser. Mientras el "ser-ahí" es como ente, no ha alcanzado la propia totalidad; pero una vez que la haya alcanzado este logro comporta la pérdida absoluta del ser-en-el-mundo.

Así, la tensión entre el ser y el "poder-ser", la temporalidad ontológica básica que sostiene al ser del "ser-ahí" y, quizá, al ser en general, y que se manifiesta como "cura", que es tender hacia lo que no se es, anticiparse, sólo puede resolverse con la muerte.

> La muerte se revela como la posibilidad más peculiar, incondicional e insuperable del "ser-ahí".

Como seres esencialmente abiertos, y abiertos para nosotros mismos, es decir, en continuo trabajo de "poder-ser", la muerte nos finaliza. Solicitamos incesantemente lo que no somos y así, nos constituimos en ser-para-la-muerte, instancia única de poder ser en totalidad.

De la misma manera que —a propósito del "ser-con"— los hombres podían asumir su autenticidad en la angustia, o abandonarse a su caída en la "despreocupación" del "uno", aquí, frente a frente con la muerte, también es posible comportarnos auténtica o inauténticamente. Podemos intentar evadirnos ante ella o, por el contrario, anticiparnos a su posibilidad.

Al anticiparse a la muerte, que es algo indeterminadamente cierto, el "ser-ahí" se abre a una continuada amenaza procedente de su propio "ahí".

Pero el temor consecuente ante tal experiencia, se equilibra con la posibilidad abierta para el "ser-ahí" de ser él mismo en una apasionada libertad, ajena a toda ilusión, plena de angustia. Es la "libertad para la muerte".

La otra dimensión en donde es posible la constatación de la cura como anticipación del ser del "ser-ahí", además de la muerte, es la conciencia. Pero esta conciencia es asumida como un llamado a sí mismo, es decir, como otro "pre-ser-se" en la conciencia moral. Se trata de una vocación que el *dasein* se anticipa y a la cual puede, o no, ser fiel. De cualquier modo, muerte y conciencia, y a través de ellas el "cuidado", la anticipación, el "pre-ser-ser-ya-en, como ser-cabe", son consideraciones constitutivas de la temporalidad. Ahora bien, esta temporalidad es una determinación ontológica en el sentido del *dasein* que se "pre-ocupa" de su propia posibilidad de ser, como estar-en-el-mundo. El tiempo mundano deriva de tal temporalidad básica, y no esta de aquel. Y esta temporalidad se articula primeramente en el *dasein*, como anticipación de sí mismo. De ahí la prioridad del futuro en el ser del "ser-ahí". Cada uno de los elementos estructurales del *dasein*, el "estar en", el "comprender" y el "habla" manifiesta, según sus propios términos, tal anticipación: la temporalidad que es básicamente "cura", "pre-ser-se". Cada uno de ellos, así mismo, puede optar por vías auténticas o no auténticas. En cuanto auténtica, la temporalidad del "ser-ahí" es histórica. Esto no quiere decir que el "ser-ahí" tenga una historia, pues tal concepto es ontológico y se encuentra fuera de toda determinación causal, pero sí implica que el "ser-ahí" es histórico, que su "fenomenidad" se contiene en el transcurso.

El "ser-ahí" tiene fácticamente en cada caso su "historia" y puede tenerla porque el ser de este ente está constituido por la historicidad. El ser del "ser-ahí" se definió como cura. La cura se funda en la temporalidad. Dentro del círculo de esta debemos buscar, por tanto, un gestarse que haga de la existencia una existencia histórica.

Siendo, pues, la temporalidad auténtica, vale decir, finita, podemos concebir "algo como un destino", es decir, "algo como una auténtica historicidad".

El autor y la obra

Martin Heidegger nació en 1889 en Messkirch (Bade, en la Selva Negra) y murió en 1976. Su formación filosófica básica la recibió en la Universidad de Friburgo con Rickert y Husserl. La influencia de este último fue determinante, y entre los dos pensadores se estableció una creciente afinidad. En 1916, Heidegger fue ayudante de Husserl en Friburgo y unos años más tarde, en 1928, ocupó la cátedra que este dictaba. Doctorado en 1914, fue nombrado profesor titular dos años más tarde, habilitado con la presentación y defensa de su trabajo *La doctrina de las categorías y del significado en Duns Scoto*. En 1923 fue designado profesor en Marburgo. Cinco años más tarde, como ya quedó dicho, a raíz de la dimisión de Edmund Husserl de su cargo, Heidegger regresó a Friburgo y ocupó su lugar.

Pero este momento, en contra de lo esperado, marcará el principio de su alejamiento de las doctrinas del maestro. Dos años antes, cuando Heidegger terminó la redacción de su obra más importante, *Ser y tiempo*, todavía se hallaba tan ligado a Husserl que dedicó su obra a él "con admiración y amistad", y eligió como lugar de publicación el husserliano *Anuario de filosofía e investigación fenomenológica*. Sin embargo, poco más tarde, unos meses cuando mucho, las diferencias comenzaron a hacerse notorias. A raíz de la solicitud que los editores de la *Enciclopedia Británica* habían elevado a Husserl en 1925, en donde le pedían la redacción de un artículo que sintetizara el concepto de "fenomenología", este recurrió, como era de esperarse, a la colaboración de su amigo y discípulo. Pero la realización de la empresa no fue placentera. Heidegger había asimilado, a sus particulares concepciones, las tesis de la fenomenología original, que abrían distancias irreconciliables con su maestro.

En 1933 Heidegger, nombrado rector de la Universidad de Friburgo, dio comienzo a una breve y muy controvertida etapa de su vida, en la cual, a juzgar por su discurso de posesión como rector de la universidad, adhirió al nacional-socialismo. Un año más tarde dimitiría de su cargo para asumir desde entonces la más lejana circunspección. Al terminar la guerra se le depuró y pudo reiniciar sus enseñanzas, de modo privado en 1951, y oficial en 1952. No obstante, desde este momento hasta su retiro definitivo, su actividad académica fue intermitente. La circunstancia histórica determinante de su adhesión a la causa de Hitler, pese al alejamiento y distancia mantenidos desde 1934, ha sido motivo de permanente polémica. Sin embargo, la animosidad no fue más allá de las reacciones motivadas por su pensamiento original. A lo largo de su evolución intelectual, motivo de todo tipo de clasificaciones y esclarecimientos, sus concepciones filosóficas han sido principio vivo de disputas. Producción genial, para unos, puramente retórica y críptica para otros, el pensamiento heideggeriano es, sin duda, punto de referencia obligatorio de la contemporaneidad.

No obstante las discrepancias, es más o menos consensual que su producción teórica se parte en dos, un año después de la publicación de *Ser y tiempo*. 1927, año de la "conversión", da origen a la más general consideración que supone un "primer" y un "segundo" Heidegger. En el primero, más "sistemático" y "filosófico", se destaca la producción de *Ser y tiempo* y de la conferencia "Qué es metafísica", y en el segundo, entregado a una evolución que derivará hacia la comprensión del lenguaje como "casa del ser", y del "pensar conmemorativo", sus diversas producciones bordearán la poesía y la estética. Esta "discontinuidad", no obstante, estaba muy lejos de preocuparlo. Por el contrario, sostenido sobre la concepción del pensar como un trasladarse, cada una de sus obras es asumida como una "parada" de ese continuo trasegar. Ya hacia adelante, hacia atrás, a un lado u otro, el pensamiento se detiene un instante y se constituye en una síntesis provisional, acorde con ese momento preciso de su transcurrir. No se deben, por tanto, fidelidad ni coherencia. Estamos en el centro de un bosque y todas las rutas, que son perdidas, nos conducen a ninguna parte. "Lo permanente en el pensar es el camino".

De esta manera, la investigación recogida en *Ser y tiempo* es un punto individual en un continuo de esfuerzos intelectuales aledaños. Es un "alto" en un conjunto intelectual más amplio y diverso que ha sido recogido en muchas formulaciones: "el tiempo y el ser", "el ser y el lenguaje", "el ser como 'esenciador' del ser del hombre", "el juego del ser", "el pensar conmemorativo", etc.

Ser y tiempo fue concebido originalmente en dos partes: la primera, con un carácter puramente teórico, debía centrarse en una hermenéutica del *dasein* en la dirección de la temporalidad, determinando al tiempo como horizonte trascendental de la pregunta por el ser. La segunda parte, esencialmente histórico-crítica, debería ser una "destrucción fenomenológica de la ontología". Cada una de ellas debería constar de tres partes a su vez, dedicadas exclusivamente a los siguientes problemas: "análisis fundamental y preparatorio del ser-ahí; el ser-ahí y la temporalidad; el tiempo y el ser" (primera parte); "la doctrina de Kant acerca del esquematismo y del tiempo como anticipación del descubrimiento de los problemas de la temporareidad; el fundamento ontológico del *cogito sum* de Descartes y la supervivencia de la ontología medieval en los problemas de la *res cogitans*; el tratado de Aristóteles sobre el tiempo como fuente para discriminar la base fenoménica y los límites de la ontología antigua". El texto efectivamente publicado, que sería la primera mitad, no incluye toda la primera parte, sino únicamente sus dos primeras secciones. No obstante, el libro de Heidegger sobre Kant, y publicaciones referentes a la filosofía antigua, pueden considerarse como otras de sus secciones. Ahora bien, en lo que toca a la unidad integral del libro como tal, el mismo Heidegger manifestó reiteradamente su incapacidad de asumir el trabajo de constitución. El tiempo y el ser, ya no considerado como "ser-ahí", sino asumido en su más absoluta generalidad, le hubiera significado un cambio de dirección impredecible:

> Aquí todo debía invertirse. Sin embargo, la sección no se desarrolló porque el pensamiento fracasó al tratar de representar adecuadamente este cambio de dirección; el lenguaje de la metafísica no podía servir.

Y este problema del lenguaje, que él mismo alude como razón suficiente de su fracaso, y que luego, en su "última filosofía", llegaría a considerar fundativo del ser, es la mayor dificultad que un lector común encuentra al enfrentarse con la obra. En efecto, las estrategias lingüísticas utilizadas, los giros, retorcimientos, neologismos, combinaciones y demás, se interponen como una verdadera brecha ante la comprensión. No obstante, y en palabras de especialistas y críticos,

> de esta obra se puede decir que es la más influyente de la filosofía contemporánea y predecir que quedará incorporada a la historia de la filosofía como la original de uno de sus períodos, en el doble sentido de más nueva en relación con el pasado y de punto de partida de la evolución posterior a ella.

> (Comentario editorial a *Ser y tiempo*.
> Traducción de José Gaos. México, Fondo de Cultura Económica, 1980).

Aunque Heidegger rechazaría de manera reiterada y consciente el supuesto "existencialismo" de su pensamiento, los eruditos, investigadores e historiadores de la filosofía han terminado por incluir su trabajo en esa corriente. Fruto de la grave crisis histórica que atravesó el proyecto europeo a principios del siglo XX, el existencialismo se constituyó en una variante de pensamiento místico-irracional que pretende dar expresión a las pulsiones pesimistas de la cultura occidental. Tras la eclosión de la Primera Guerra Mundial, y en el interregno impreciso y riesgoso que condujo a la segunda gran guerra, los soportes racionalistas, positivos y progresistas de la modernidad se resintieron gravemente. Libertad, racionalidad, orden, verdad, belleza y otros conceptos fundativos del proyecto moderno, parecieron diluirse ante la avanzada del belicismo y de la anarquía. Así las cosas, las precisiones filosóficas que preconizan el reconocimiento de la finitud humana, la hegemonía de la posibilidad y la preeminencia de la existencia —y del individuo realmente existente— sobre la esencia, adquirieron plena vigencia. El sujeto particular, determinado por su condición finita y en medio de un mundo probable e incierto, resiente de manera inexorable todas las incertidumbres del futuro y la problematicidad de las relaciones que lo constituyen. Desde tal peculiaridad y constreñido por unas fuerzas que lo exceden, el hombre, que es siempre individuo, se ve sometido al tormento de estar con otros y a la inflexibilidad caótica e implacable de la naturaleza. Entre los principales representantes de esta tendencia intelectual encontramos a Max Scheller, Martin Heidegger —pese a las reticencias ya aludidas—, Karl Jaspers y J. P. Sartre.

Entre las obras más importantes de Heidegger podemos mencionar *La doctrina de las categorías y del significado en Duns Scoto* (1916), *Ser y tiempo* (1927), *¿Qué es la metafísica?* (1919), *Sobre la esencia del fundamento* (1929), *Kant y el problema de la metafísica* (1929), *Interpretaciones sobre la poesía de Hölderlin* (1937), *Doctrina de la verdad según Platón* (1942), *Sendas perdidas* (1950), *Introducción a la metafísica* (1953), *Carta sobre el humanismo* (1947), *¿Qué significa pensar?* (1954), *¿Qué es eso de la filosofía?* (1956) y *Nietzsche* (1961).

Heidegger

32

MI LUCHA
Adolfo Hitler

Un decreto bienhechor del destino me hizo nacer en Braunau, sobre el Inn. Esta pequeña ciudad se encuentra en la frontera de esos dos estados alemanes cuya reunión nos parece, a nosotros, los hombres de la joven generación, la obra que debemos realizar por todos los medios posibles. La Austria alemana debe volver a la gran madre patria alemana... Los hombres de una misma sangre deben pertenecer al mismo Reich... Por eso, la pequeña ciudad fronteriza de Braunau se me muestra como el símbolo de una gran misión.

Con estas palabras Adolfo Hitler da comienzo a una de las obras más polémicas de la historia humana: *Mi lucha*. En ellas se encuentra determinada con toda claridad, la misión a la cual se siente destinado y el sentido de su acción individual y política. Se trata de reconstruir la unidad perdida de Alemania y, sobre todo, de soportar esa unidad sobre un sustrato previo y superior: la comunidad de la sangre.

La redacción de este libro parte de un supuesto y de una actitud derivada de ese supuesto: él, como hombre particular, se encuentra señalado por un designio superior que enmarca el destino de la nación alemana y con él, el de la humanidad entera. Por tanto, el relato pormenorizado y reiterativo de su propia vida, ajeno a toda impertinencia u oportunismo, adquiere dimensión universal. El líder, el hombre elegido y único, el conductor de la vida que habrá, por fin, de separarse de la mediocridad y la degeneración, resume en su propia circunstancia el destino de su pueblo. El primer volumen de la obra, llamado "Balance", contiene la narración autobiográfica y las condiciones históricas inmediatas que enmarcaron tal evolución.

La primera circunstancia anotada, definitiva en términos simbólicos y políticos, constituye la redacción misma de la obra, realizada en prisión. En efecto, habiéndose convertido en jefe único del partido nacionalsocialista, Hitler, el 9 de noviembre de 1923, intentó un golpe de Estado que fracasó. Herido y capturado, fue sometido a juicio y condenado a prisión. La fortaleza de Landsberg del Lech, Baviera, en donde fue confinado, sirvió de escenario para que el viejo proyecto de redactar sus pensamientos y propósitos se hiciera realidad. La condena original de cinco años terminó reducida a sólo trece meses, tiempo suficiente para que Hitler, asistido por su secretario, pudiera concentrarse en la redacción.

Narra el autor cómo en aquella población de Braunau, sobre el Inn, tan simbólica, nació en 1899 el hombre "elegido por el cielo" para hacer histórica la voluntad suprema del creador, manifiesta en el comportamiento concreto de la naturaleza: la pureza racial. Realiza sus primeros —y mediocres, según sus palabras— estudios técnicos en la Realschule de Linz, donde manifiesta una evidente preferencia por el dibujo y la pintura. Decidido a distinguirse de alguna manera en la vida, y aborreciendo el destino mediocre y gris de su padre, vulgar funcionario austriaco, determina convertirse en artista pintor. Entonces, a los 13 años, recibe una influencia definitiva. Un viejo profesor de historia, abierto partidario del "pangermanismo", lo introduce en el culto de los "eternos valores" germánicos y en el desprecio por la casa de Habsburgo, traidora a la dignidad y a la tradición aria. Por esos mismos días, la audición del *Lohengrin* de Wagner lo impresiona en profundidad y le confirma en su vocación germanista.

Cuando la muerte de sus progenitores lo arroja, a los 15 años de edad, a la necesidad de valerse por sí mismo, decide trasladarse a la ciudad de Viena, centro de la actividad cultural y económica de Alemania, dispuesto a triunfar. Pero en contra de todas sus previsiones, las dificultades se sumaron unas a otras y lo que pretendía fuera el comienzo de su consagración, se convirtió en la más cruda orfandad. La Escuela de Bellas Artes de Viena le cerró sus puertas y el joven, que al no poder formarse como artista consideró la posibilidad de hacerse arquitecto, tuvo que resignarse a trabajar como obrero raso de construcción, a fin de ganar lo mínimo indispensable para su supervivencia. En medio de las más graves afugias económicas, mientras aguardaba la posibilidad de formarse intelectualmente, en el centro de una Viena "cada vez menos alemana", sus primeras posiciones se fueron conformando. En efecto, la ciudad de Viena, "esta gran ciudad cruel, que no atrae a los hombres a ella más que para triturarlos mejor", era la suma de todas las injusticias. La riqueza desmedida se confrontaba a diario con la penuria extrema, sin ningún tipo de recato. Por otra parte, a su alrededor y en número cada vez más creciente, quitándole las posibilidades de ocupación digna, de bienestar material y de formación profesional, infinidad de extranjeros se arracimaban. Polacos, checos, croatas dispuestos a trabajar a cualquier precio, arrebataban el pan de la boca a los alemanes legítimos, ante la indolencia de las autoridades. Y luego, en su condición de obrero raso, la experiencia más conmovedora de todas: la organización sindical obrera. Viena se había convertido en un fortín de la socialdemocracia marxista y todas sus patrañas: ¡arremeter contra todo, contra lo más sagrado y legítimo, contra los fundamentos esenciales de la patria y de la sociedad! Aunque de mil maneras lo invitaron e incluso lo conminaron a formar parte de sus organizaciones, nunca lo hizo. Por el contrario, llegó a oponerse a ellas de manera expresa y directa, por lo cual fue amenazado en su integridad física, y precisado a cambiar de trabajo.

La nación, invención de las clases capitalistas —¡cuántas veces iba a oír esta frase!—; la patria, instrumento de la burguesía para la explotación de la clase obrera; la autoridad de las leyes, medio de oprimir al proletariado; la escuela, institución destinada a producir un material humano de esclavos, y también de guardianes; la religión, principio de estúpida paciencia para uso de borregos, etc. No había nada puro que no fuese arrastrado por el fango.

Sin embargo, ¡qué gran éxito tenían! ¡Cómo crecían en número y poder, de manera que obligaban a todos los disidentes a unirse a ellos o a dejar el campo libre! Para alcanzar el poder político que los socialdemócratas tenían, no eran, pues, necesarias la pulcritud y firmeza en las ideas y acciones. Bastaba ejercer la fuerza, el "terror en el tajo, en la fábrica, en los lugares de reunión". Y, por supuesto, frente a una fuerza así, tan torpe y brutal, sólo cabía la oposición, el enfrentamiento, la guerra. Lucha en la cual era posible ganar, "a condición, sin embargo, de que se actúe con la misma brutalidad".

Y toda esa complejidad tan exitosa que se multiplica y fortalece a través de manifestaciones, mítines, propaganda y ejercicio indiscriminado de la violencia, ¿puede justificarse por sí misma? Esa causa tan endeble y espuria que proclama la disolución de todo lo sagrado, de todo lo que fortalece la sociedad humana, ¿tiene poder suficiente para alcanzar semejante desarrollo y crecimiento? O detrás de ella, de su negación del Estado, de la familia, de la autoridad legítima, de la religión, en fin, de todo lo puro y verdadero, ¿medra una causa distinta? ¿Otros intereses, esos sí consolidados y coherentes, que utilizan la vocinglería y la confusión para adelantar en su accionar nefasto? El desorden no puede engendrar nada más que desorden y los socialdemócratas, si algo tienen, es una excelente organización y un conjunto de estrategias acertadas. Semejantes efectividad y coherencia no pueden provenir de ellos mismos ni de sus aberraciones. Otros se ocultan tras de ellos. ¿Quiénes?

> Entonces se apoderaron de mí presentimientos inquietantes y un temor penoso. Me encontraba en presencia de una doctrina inspirada por el egoísmo y el odio, calculada para obtener matemáticamente la victoria, pero cuyo triunfo debía inferir a la humanidad un golpe mortal.

En medio de las calles atestadas de Viena, y entre la confusión y el desorden reinante, Hitler reparó de pronto en la presencia de un joven de negros rizos, vestido con un largo caftán. Todo se hizo claro entonces. Una suerte de iluminación divina se apoderó de él y le ofreció la respuesta a sus interrogantes: "El jefe de la socialdemocracia es el judío". Austerlitz, David, Adler, Ellenbogen, Marx, todos judíos y todos interesados en sustituir los principios aristocráticos por la ruindad de la masificación. El mundo, creado por Dios, se ha ordenado siempre en el sentido de la superioridad del más fuerte, del más capaz que impone sus privilegios sobre los frágiles, incompletos e incompetentes. Es la personalidad individual la que crea y constituye mundos, en ningún caso el peso mediocrizante de la masa. Es la pureza definitiva y primordial de la raza y de la sangre lo que actúa de acuerdo con el orden natural, y la posición contraria, la que defiende el mestizaje y la degeneración, pretende ocultar la voluntad eterna y constituirse en principio destructivo de la humanidad. No existe riesgo más grande,

> porque la naturaleza eterna se venga implacablemente cuando se desobedecen sus mandatos. Por eso, yo creo obrar según el espíritu del Todopoderoso, nuestro creador, pues defendiéndome contra el judío, combato para defender la obra del Señor.

Dos de los tres bastiones fundamentales de su pensamiento están ya claros: el pueblo alemán, la patria de sus mayores en donde la raza superior podría consolidarse y constituirse como principio de una nueva historia para la humanidad, debe enfrentar dos enemigos: el judaísmo, y su derivación servil y mentirosa, el marxismo.

Pero su experiencia vienesa, tan dolorosa como aleccionadora, le reservaba una última certidumbre. Al llegar allí, como tantos otros jóvenes de su generación, lo guiaba una simpatía política muy concreta. ¿Qué mejor gobierno puede darse a un pueblo, que aquel elaborado y construido por ese mismo pueblo? La democracia parlamentaria era una de las pocas cosas más o menos indiscutibles en política. Así, con este convencimiento y con la idea del parlamentarismo inglés —tan pulcro y efectivo— en la cabeza, su deambular por la "gran ciudad" lo llevó al recinto parlamentario. Entró, pues, al Reichsrat de Viena. Una persona ingresó allí, y otra salió.

> Una masa bullente de gentes que gesticulan, que se interpelan unos a otros en todos los tonos, y, dominándolo todo, un lamentable viejecito sudando a mares que agita violentamente su campanilla y que se esfuerza, ya con llamadas a la calma, ya con exhortaciones, en poner en el tono un poco de dignidad parlamentaria.

La sociedad tomaba allí decisiones fundamentales acerca de su destino, avaladas por la ¡sacrosanta "voluntad de las mayorías"! Y esas mayorías, sordas a cualquier otra motivación distinta de su más inmediato apetito, eran incapaces de concebir la voluntad genial del ser humano superior. Las democracias también, como el marxismo y el judaísmo, se oponen a los principios aristocráticos de la naturaleza, remplazándolos por un engendro de voluntad común en donde rezuman todas las mediocridades y torpezas de la masa.

Absurda idea la de que el genio pudiese ser fruto del sufragio universal.

El nuevo orden que ha de seguir la humanidad, si quiere sobrevivir y perseverar en el perfeccionamiento a que está llamada, sólo puede proceder de la visión individual de un genio auténtico. Nunca de la medianía y el promedio.

Se tiene más probabilidades de ver pasar un camello por el ojo de una aguja que de "descubrir" un gran hombre por medio de una elección.

Tal es el tercer convencimiento fundamental que adquirió durante su estadía en Viena. La democracia, preparación del marxismo y sus aberrantes disoluciones, está orquestada, como este, en la acción demoniaca y traidora del judío.

Pero no todas las enseñanzas vienesas fueron negativas. En medio de aquel fragor humano era posible sondear las verdaderas motivaciones del pueblo y, sobre todo, era factible seguir el trabajo político de algunos líderes excepcionales que pugnaban por comportarse de manera patriótica. Schönerer, jefe del partido nacionalista alemán, y Lueger, jefe del partido cristianosocial, fueron muy tenidos en cuenta. En uno se echaba de menos la presencia del problema obrero, social, y en el otro faltaba la visión pangermánica, nacionalista. Para acceder al fervor de las masas, arrebatarlas al marxismo, nacionalizarlas, era necesario contemplar sus problemas y contar con su simpatía. Pero dicha acción tendría que ser inscrita, por fuerza, en el contexto de la más pura nacionalidad, rechazando las veleidades internacionalistas y debilitadoras del marxismo. Se trataba, en suma, de constituir un nuevo partido político, el futuro Partido Obrero Alemán Nacionalsocialista.

Tras cinco años de estadía en Viena, en la primavera de 1912, Hitler abandona la ciudad y se traslada a Munich. "¡He aquí una ciudad alemana!" Tenía 23 años. Allí sus condiciones de vida material se hacen más amables y consigue sobrevivir con el fruto de la venta de sus acuarelas. Sigue, sin embargo, pendiente de su vieja intención de convertirse en arquitecto, pero entonces la guerra del catorce hace explosión y su vida toma otro rumbo. Saluda alborozado la emergencia de una confrontación "deseada por todo el pueblo" y, sobre todo, celebra, lleno de entusiasmo, la actitud de los obreros alemanes que de pronto, sin cuidarse de sus condicionamientos programáticos marxistas y su vocación de internacionalizar el conflicto de clases común a todos, cierran filas en torno de la causa patriótica. Enfrentados a un enemigo común, los alemanes se manifiestan vivos en su fervor y en su nacionalidad. Han olvidado "al montón de dirigentes judíos" y están dispuestos a morir por "el pueblo". Tan dispuestos a morir como él, que a pesar de estar comandado por el odioso Estado de los Habsburgo, antepone a todas sus previsiones el deseo de "morir en todo momento" por el imperio alemán. Se alista como voluntario en el 16 Regimiento de Infantería Bávara y se apresta a la guerra.

Pero llegan la dimisión y la derrota. Guillermo II abdica y se instaura la República de Weimar. Alemania, reducida e imposibilitada, se ve en la necesidad de firmar un armisticio que la humilla y el cabo Hitler, que ha ascendido por méritos desde soldado raso y gana la Cruz de Hierro, es informado de la situación. En un hospital de retaguardia, el 10 de noviembre de 1918, un viejo pastor informa a los enfermos de la derrota de Alemania y del fin del imperio.

Siguieron horribles jornadas y noches peores aún… En estas noches nació en mí el odio, el odio contra los autores del aquel acontecimiento… Al fin vi claramente que ahora había llegado lo que tan frecuentemente había intuido, pero que nunca había podido creer a sangre fría. El emperador Guillermo II era el primer emperador de Alemania que había tendido la mano para la reconciliación a los jefes del marxismo, sin sospechar que los embusteros carecían de honor. Mientras todavía conservaban la mano del emperador en la suya, la otra buscaba el puñal. Con el judío no hay que pactar, sino solamente decidir: todo o nada. En cuanto a mí, decidí hacerme hombre político.

Abandonados totalmente sus viejos proyectos arquitectóni-cos, da comienzo a una vertiginosa carrera política. Se hace "oficial educador" y entra en contacto con el pauperizado Partido Obrero Alemán. Muy pronto le imprime su vitalidad y el partido, que ha cambiado su nombre por el de Partido Obrero Alemán Nacional-socialista, pasa de las 111 personas con que agonizaba antes del en-cuentro, a contar con varios miles de afiliados. Sostenido sobre su recién descubierta gran oratoria, le asigna un programa oficial de 25 puntos y enrumba sus energías, tanto a engrosar las filas de sus adeptos y a consolidar sus recursos, como a enfrentar al marxismo y al judaísmo. Por fin, con la complicidad del general Lüdendorf, el 9 de noviembre de 1923 precipita el frustrado golpe de Estado de Munich, que lo lleva a la prisión.

El confinamiento no fue desfavorable para Hitler y su causa. Convertido por obra y gracia de la propaganda oficial en una espe-cie de héroe, desde la prisión consolidó convenientemente su pen-samiento y se preparó para la verdadera lucha. Gracias a los diligentes esfuerzos del joven Rodolfo Hess, su secretario, que fue encarcelado junto con él, y a una cierta señora Bechstein, que lo vi-sitaba diariamente y llevaba varias hojas manuscritas de su libro, destinadas a nutrir la fe de sus copartidarios, el poder de Hitler au-mentó vertiginosamente. A partir de allí, hasta su posterior ascenso al poder, los asuntos se encadenaron unos tras otros. Pero tal en-cumbramiento no puede ser objeto de la relación de su libro, que como ya queda dicho, fue redactado en aquel período de castigo. Lo que sí alcanzaría allí un desarrollo cabal y conveniente fue el de-sarrollo doctrinario de su propuesta, su *Weltanschauung* o concep-ción del mundo que expuso bajo el nombre de "El movimiento".

Un primer ensayo de constitución programática se dio al co-mienzo de la organización del partido nacionalsocialista. En efecto, en el centro de las expectativas y anhelos de una buena cantidad de ciudadanos alemanes, desairados por los recientes aconteci-mientos políticos del país y ávidos de nuevas alternativas, Hitler diseñó un programa de acción pública contenido en 25 grandes puntos. En materia interior su planteamiento contenía un proyec-to de regeneración racial, una reforma educativa, la denuncia de la corrupción parlamentaria, la sustitución del derecho romano, la proclamación de la necesidad de una vigorosa centralización del Reich y la afirmación de un "cristianismo positivo". En sus términos, era absolutamente necesaria la distinción entre los hombres de sangre alemana, únicos ciudadanos del Reich, y los foráneos. Las madres deberían ser fuertemente protegidas, lo mismo que sus hijos, y la educación habría de hacerse más pragmática y orientada hacia el fortalecimiento físico y, sobre todo, hacia la inoculación del concepto de Estado desde los primeros momentos del desarrollo del educando. El espíritu judeomaterialista de los políticos tradicionales, así como las mentiras voluntarias de la gran prensa burguesa, habrían de ser cercenados desde sus bases. Las reglamentaciones de la vida civil, de origen mediterráneo, habrían de ser remplazadas por una codificación genuinamente alemana y, en fin, a partir de la rotunda centralización del poder, la libertad de credo religioso sería posible, siempre y cuando no riñera con los principios fundamentales del pangermanismo. Dentro del mismo programa político, pero en materia de relaciones exteriores, se preconizaba la necesidad de reunir a todos los alemanes bajo la misma bandera, el derecho del pueblo alemán de ser tratado en condiciones igualitarias y dignas, lo cual había sido imposible a partir de las regulaciones pactadas en el armisticio y, finalmente, el derecho germánico de acceder a mercados coloniales adecuados a su peculiaridad productiva interna. En términos sociales se propugnaba por la construcción de una verdadera clase media, que anulara los extremos irreconciliables de extrema riqueza y miseria absoluta. Para ello proponía la supresión de la gran empresa y la industria pesada, a cambio del fortalecimiento de la producción artesanal y la reforma agraria. Consideraba la bondad de la expropiación gratuita por razones de utilidad común, la supresión de los intereses y la renta que no implicara trabajo, y el monopolio estatal de los grandes complejos productivos. Elemento fundamental de su propuesta era la distinción entre el capital "judío", financiero, prestamista y acaparador, y el capital industrial "creador", puramente ario.

Pero a la hora de la elaboración de un verdadero sistema teórico, de una cosmovisión, estas determinaciones programáticas del partido, con todo y haber calado en el ánimo de muchos alemanes, no daban abasto. El inconveniente fue oportunamente resuelto en esta segunda parte de *Mi lucha*, la cual, sin abandonar las definiciones programáticas del partido, las incorporó en un modelo reflexivo general. Se trataba de la constitución de un verdadero sistema filosófico, apto para la comprensión y elucidación de cada cosa y problema de los hombres concretos en su hacer cotidiano. Debería contar con una enorme claridad y, sobre todo, otorgar regulaciones tangibles que, a la manera de dogmas religiosos, se convirtieran en las "leyes básicas de la comunidad". Tal sistema de pensamiento, que abarca la totalidad del libro, se encuentra simplificado con gran claridad en el aparte denominado "El pueblo y la raza", verdadero manifiesto filosófico hitleriano.

La observación más superficial basta para mostrar cómo las formas innumerables que toma la voluntad de vivir de la naturaleza están sometidas a una ley fundamental y casi inviolable que les impone el proceso estrechamente limitado de la reproducción y la multiplicación. Ningún animal se acopla más que con un congénere de la misma especie: el abejaruco con el abejaruco, el pinzón con el pinzón, la cigüeña con la cigüeña [...] Solamente circunstancias extraordinarias pueden acarrear derogaciones de este principio [...] Pero entonces la naturaleza pone en juego todos sus medios para luchar contra estas derogaciones, y su protesta se manifiesta de la manera más clara, ya por el hecho de negar a las especies bastardas la facultad de reproducirse a su vez, ya delimitando estrechamente la fecundidad de los descendientes; en la mayor parte de los casos los priva de la facultad de resistir a las enfermedades o a los ataques de los enemigos. Esto es muy natural. Todo cruzamiento entre dos seres de desigual valor da como producto un término medio entre el valor de los dos padres... Tal acoplamiento está en contradicción con la voluntad de la naturaleza, que tiende a elevar el nivel de los seres. Este fin no puede ser alcanzado por la unión de individuos de valor diferente, sino solamente por la victoria completa y definitiva de los que representan el más alto valor. El papel del más fuerte es dominar al más débil, y no fundirse con él, sacrificando así su propia grandeza. Únicamente el débil de nacimiento puede encontrar cruel esta ley, pero es porque se trata de un hombre débil y limitado.

La naturaleza, pues, que considera la legitimidad del más fuerte y sobre ella se perpetúa, es la máxima entidad rectora de la historia de los hombres. Somos, pese a nuestra peculiaridad, parte del cosmos natural y debemos regirnos por sus leyes. Entre nosotros, como entre cualquier especie, debe primar el poderoso, el puro, el irreprochable y superior. No es necesario esforzarse demasiado para encontrarlo. Está ante nuestros ojos: es el ario.

El ario, "Prometeo de la humanidad", cuyo verdadero valor reside no tanto en sus facultades intelectuales como en el poder de su idealismo, es decir, en su facultad de "sacrificarse por la voluntad y por sus semejantes". El ario que, sin embargo, ha incurrido en la mayor equivocación: ha contradicho las reglas implacables de la naturaleza. Se ha rebajado al mestizaje. Ha provocado su degeneración y su ruina. Pero en tal degradación no se encuentra solo. Por el contrario, provocándola, animándola, sirviendo de motor y causa eficiente de su ruina, se encuentra el enemigo, el traidor, el judío. En efecto, a la cabeza de todas las corrupciones, este "negro" rumia su bajeza y se complace en la contemplación del caos que sus intrigas provocan en la raza de señores llamados a imperar sobre la Tierra.

> Fueron y siguen siendo judíos quienes trajeron al negro al Rin, siempre con el mismo pensamiento secreto y con el mismo fin evidente: destruir, por la degeneración resultante del mestizaje, esta raza blanca que odian; hacerla caer de su alto nivel de civilización y de organización política, y llegar a ser sus amos.

Es el gran conflicto que se desarrolla en la historia: la naturaleza, que es sabiduría y pureza, enfrentada a la ignominia, que es mestizaje y degeneración. Los arios, pugnando por recobrar su altura y su dignidad, y los judíos, mascullando secretas iniquidades para empujar a los hombres elegidos a la repugnante mezcla de su raza.

Así las cosas, es deber inaplazable y absoluto la defensa de la humanidad. Se debe, por tanto, construir un Estado que garantice la reconstitución del hombre ario y que lo defienda de las maquinaciones del demonio judío. El *volk*, es decir, el pueblo, constituido por una unidad racial que reposa en la unidad de sangre, deberá contar con un aparato administrativo, ordenador y punitivo al servicio

de su pureza esencial. Al servicio de la constitución y el desenvolvimiento de una comunidad de seres humanos de la misma especie, tanto en lo físico como en lo moral. Ahora bien, tal gestión
interna fundamental requiere, como condición de posibilidad básica, la simultánea construcción de un espacio en donde la raza suprema pueda desarrollarse adecuadamente. El Estado deberá proveer
tal espacio, que es tan espiritual como físico, y acudir a todas las
medidas necesarias para lograrlo.

Con el fin de garantizar la consecución del primer sentido se
imponen varias acciones inmediatas. Detener el avanzado proceso
de mestizaje para salvar ese arsenal de pureza nórdica que aún
subsiste y que se encuentra amenazado. El Estado racista impedirá,
pues, la propagación de los organismos inútiles, a través de la supresión efectiva o de su esterilización, e incentivará el nacimiento de
nuevos niños y niñas, genésicamente puros. Y en lo que toca a la población ya existente, pasando por encima de los vicios y malformaciones de los adultos, el Estado se encargará de ese "poderoso
ejército de nuestra juventud alemana" mediante dos recursos esenciales: la propaganda y la educación. Considerada como masa, no
como conjunto de hombres-individuos, esa colectividad deberá ser
dirigida para inocular en ella una serie de convicciones inquebranta-
bles. Se trata de provocar reacciones emocionales directas. La masa
se comporta de forma simple y ruda: está a favor o en contra. No le
importan ni le convienen razones o argumentos. Entre más bajo sea
el nivel intelectual, más hondamente calará en la conciencia masifica-
da y más efectiva será la reacción. Pero cuando se trata de individuos y
de su particularidad, entonces el Estado acudirá a la educación,
que implantará en cada sujeto un perfil absolutamente definido
que lo convertirá en un súbdito del Reich y posteriormente, el más
grande honor, en ciudadano. Primero cuerpos absolutamente sanos destinados a la procreación, luego la formación del carácter, que
ha de ser voluntarioso, osado y decidido y, por último, lo menos importante, la captación de conocimientos. Es indispensable aportarle
al Reich nuevos y poderosos "combatientes", no intelectuales.

> Es necesario que ni un solo muchacho, ni una sola muchacha, lle-
> guen a abandonar la escuela sin haber sido impuestos en el perfecto
> conocimiento de lo que son la pureza de la sangre y su necesidad.

Circunscrita de esta manera la labor del Estado en el orden interior, Hitler se ocupa de sus acciones exteriores, de su política externa. El pueblo ario ha de procurarse un espacio territorial proporcional a su grandeza, y como ello supone la expropiación y la querella, el Estado ha de comportarse estratégicamente para armarse y para rodearse de aliados que lo asistan en la guerra. El gran enemigo que habrá de oponerse a sus designios ha de ser, como hasta el momento lo ha sido, Francia. Por tanto, cualquier nación que resienta la vocación expansionista francesa, será una aliada provisional. Italia e Inglaterra, las primeras. Pero el objetivo de aplastar la soberbia gala es sólo un punto de partida. La nación aria requiere condiciones de expansión y desarrollo y no cejará hasta conseguirlas. Rusia, los Balcanes, el este, territorios todos que habrán de pertenecer a la gran Alemania. Se trata de la conquista del territorio, "fin de nuestra política exterior". Todo es cuestión de tiempo, voluntad y poder, porque

> un Estado que en una época de contaminación de las razas vela celosamente por la conservación de los mejores elementos de la suya debe convertirse un día en el dueño de la Tierra. Que los adheridos a nuestro movimiento no lo olviden nunca.

El autor y la obra

Adolfo Hitler nació en la ciudad de Braunau en 1889 y murió en 1945 en Berlín. Las principales características de su vida han sido descritas en su obra, a la que resta sólo añadir su final ascensión al poder y la gestación de una gran guerra de "purificación y conquista", que entre 1936 y 1945 asoló al continente europeo y transformó radicalmente el panorama social, político, económico y cultural del siglo XX.

Mi lucha, libro que no contiene en sí mismo grandes contribuciones al pensamiento humano ni interpretaciones especialmente originales, se convirtió en una obra importante en el desarrollo histórico contemporáneo. Inicialmente advertida sólo por un puñado de simpatizantes cercanos a su autor, a medida que los acontecimientos históricos se desarrollaban y el papel de Hitler adquiría preponderancia, llegó a convertirse en el más desconcertante fenómeno editorial de la historia reciente. En 1934 se vendieron un millón y medio de ejemplares; en 1936, dos millones y medio; tres millones doscientos mil en 1937; más de cuatro millones en vísperas de la guerra y más de seis millones en abril de 1940. No se trataba, obviamente, del interés generalizado por un pensamiento genuino, inquietante o profundo. Las legiones de compradores —que no de lectores— obedecían a razones menos refinadas y mucho más pragmáticas: *Mi lucha* era la síntesis intelectual de un proyecto imperialista contemporáneo. Ahora bien, el contenido mismo del libro posibilitaba tamaña desmesura. Destinado a la masa indiscriminada y esencial, los términos empleados, los razonamientos, ejemplos y, sobre todo, el aliento apasionado que expresaba, hacían prodigios. Hitler, primer especialista genuino en las aplicaciones de la imagen pública en la política, había encontrado una vía de acceso directo al pueblo raso. La coherencia, rigor intelectual, verosimilitud, honradez argumentativa y demás consideraciones, le tenían sin cuidado. Se trataba de conseguir la identificación emotiva, el apasionamiento acrítico y masivo. La verdad residía en las palabras del *Führer*, y ellas solas bastaban.

> Hitler estaba unido a su pueblo como por unas antenas que le informaban de lo que la multitud deseaba o temía, aprobaba o censuraba, creía o no creía. De este modo podía dirigir su propaganda con tanta seguridad como cinismo y con un desprecio hacia las masas no disfrazado.
>
> (A. Françoise Poncet, *Recuerdos de una Embajada en Berlín*)

Mi lucha está imbuida de este espíritu y la circunstancia inocultable de su éxito, antes que comprobar asuntos suficientemente demostrados por la historia, interrogan por la naturaleza profunda del espíritu humano, tan capaz de los actos más libres y creadores y al mismo tiempo tan cercana a la crueldad y a la estupidez.

33

LA REBELIÓN DE LAS MASAS

José Ortega y Gasset

En el llamado Siglo de las Luces, el siglo XVIII, ciertas minorías intelectuales, tras largas digresiones, y obedeciendo a causas que las excedían, pero de las cuales eran portavoces, terminaron por concluir que todos los hombres eran iguales. No se trataba de una igualdad inmediatista y ramplona. Bastaba tener ojos abiertos para comprobar que, aun entre los individuos más cercanos, las diferencias era inevitables. Miembros de una misma familia se distinguían entre sí por infinidad de características fisiológicas y espirituales, de manera que al hablar de igualdad, no se pretendía negar dichas evidencias. Ahora bien, aquello presente y vigente entre sujetos estrechamente emparentados, tenía que manifestarse, con mayor razón, en los demás seres humanos. La sociedad entera estaba conformada por individuos que afirmaban su particularidad más inmediata y se distinguían con toda claridad de sus congéneres. Pero había, no obstante tal diversidad, una instancia común que los identificaba. Un punto de referencia básico desde el cual podía afirmarse su igualdad esencial, su equivalencia. La mera circunstancia de nacer implicaba que el sujeto nacido, por el hecho de compartir las condiciones básicas de la especie humana, contaba con los mismos derechos de sus semejantes y, en esa misma medida, se igualaba con ellos.

Igualdad de derechos, pues, que significaba igualdad de condiciones y de posibilidades de afirmación práctica y real de la existencia. Estas fueron las ideas que la generación ilustrada iba a desarrollar a lo largo y ancho del Siglo de las Luces y que tantas consecuencias habrían de traer para la historia humana. Las grandes revoluciones sociales, que desde finales del siglo XVIII entrarían a conformar un nuevo ordenamiento planetario, vieron sus fundamentos intelectuales en semejante concepción, desarrollo, más o menos común en el ámbito occidental, de un concepto de Estado sostenido sobre la igualdad, la libertad, la fraternidad y sus connaturales libre empresa y lógica del mercado abierto y la competitividad. En cortas palabras: liberalismo democrático. Ahora bien, durante mucho tiempo las concepciones teóricas básicas estaban en la boca de un grupo selecto de intelectuales que se distinguían con claridad del "pueblo" raso, destinatario teórico de sus deliberaciones. Se decía y afirmaba, se polemizaba y combatía, se estaba —incluso— dispuesto a morir en aras de una concepción igualitaria de la sociedad, pero quienes protagonizaban empresa tan heroica provenían de minorías selectas. La gran masa de la población, entre tanto, trataba de adaptarse a las nuevas condiciones de la historia que la involucraban, y se esforzaba por comprender la reciente dimensión de sus derechos y por comportarse en consonancia.

Dos siglos más tarde las condiciones se hicieron radicalmente distintas. El esfuerzo intelectual de la elite ilustrada triunfó radicalmente y el hombre occidental se ha empapado tan profundamente del espíritu igualitario que aun en la circunstancia —tan frecuente, por otra parte— de hallarse en posición absolutamente opuesta, ejerce tal disensión desde la tenencia efectiva de esos mismos derechos originales que repudia. El pueblo dejó de "pensarse" soberano, para llegar a convencerse de su soberanía, y aunque aquella puede —como de hecho lo hace— pervertirse en las prácticas políticas concretas, en cada individuo impera la certidumbre de su derecho esencial. Las formulaciones institucionales abstractas, las legislaciones y juridicidades que postulan los derechos humanos y la igualdad ante la ley como sustentos teóricos de la vida común, no son tan importantes como esta concepción que anida en cada ser humano. La formulación jurídica externa presupone un convencimiento que va más allá de toda discusión y que obra de manera universal y necesaria.

Por otro lado, la experiencia histórica parece confirmar que el mundo de relaciones sociales, políticas, económicas y científicas que se constituye dentro del liberalismo democrático ha sido, hasta el momento, el mejor posible. Desde el siglo VI hasta el año 1800, es decir, a lo largo de doce centurias, Europa alcanza un tope máximo poblacional de 140 millones de habitantes. En cambio, desde 1800 hasta 1940, es decir, durante el período del liberalismo democrático, alcanza la cota de 460 millones. Por supuesto, la simple consideración numérica no es suficiente para intentar generalizaciones aventuradas, pero tal crecimiento demográfico ha sido acompañado de un evidente progreso en las condiciones de vida. El siglo XX ofrece a la población europea un incremento dramático en sus posibilidades de ejecución, proyección y deleite. El hombre posee en nuestro tiempo alternativas que no hubiera siquiera imaginado en otros días, lo cual deriva, supone y posibilita, avances desmesurados en el ámbito científico. Quizá esto no signifique necesariamente que los hombres de hoy vivan "mejor" que los de siglos anteriores, pero cuando menos apunta a que la tan señalada teoría de la decadencia occidental debe ser asumida de otra manera.

Situación semejante no ha sido, como ninguna situación histórica, fruto del puro azar o de la afirmación inapelable de un destino. Alcanzar altas cotas de desarrollo material y simbólico y, sobre todo, hacer posible una convivencia social relativamente armónica, supone el más lento y difícil proceso de conquista y apropiación. En la historia humana, desde la barbarie más indiscriminada y extendida hasta las infinitas variaciones de la civilidad se encuentran en la base de la conquista democrática liberal. La contribución histórica de los siglos XVIII y XIX resume la gesta cultural de la humanidad y, sin embargo, derivando del centro mismo de tal afianzamiento, surge un peligro supremo. El mayor en la historia de la modernidad, y aquel de cuyo influjo nefasto podría derivarse el derrumbamiento de la civilización contemporánea: la rebelión de las masas.

Sucede que la enorme explosión demográfica, resultado del indiscutible éxito del liberalismo en sus relaciones con la naturaleza y con la sociedad, provocó una situación absolutamente inédita. Tan grandes masas humanas, que literalmente inundaron a Europa en el curso de cien años, no pudieron ser incorporadas convenientemente a su tradición. Las estructuras educativas, comunicativas, emocionales y demás, no estaban diseñadas para impartir a tantos individuos recién llegados las complejidades espirituales que los habían hecho posibles. Su estado de desarrollo era quizá demasiado rudimentario o quizá, con el propósito de conseguir una apropiación genuina de la cultura, la prisa que hubiere sido necesaria, fuera incompatible por principio. Lo cierto fue que, de repente, en muy corto tiempo, Occidente se vio abarrotado de individuos que se ignoraban a sí mismos. Que no comprendían el arduo proceso de construcción y conquista de ese mundo al cual llegaban y en donde, desde su posición de recién venidos, no consideraban nada distinto de la situación efectiva y actual. Sanos, fuertes, positivos, abiertos y optimistas, eran profundamente simples. Desconocían y, sobre todo, querían desconocer el continuo del cual formaban parte. Inconscientes de la cultura, su actitud vital era la misma de los bárbaros primitivos que enfrentaban la realidad natural con ruda inmediatez. Así, en medio de una cultura refinada y compleja, los nuevos brotes de la humanidad se sumían en la más abyecta informidad cultural.

Tal es el origen de la "masa", entidad voluble y vana que constituye el modo de ser prioritario de las sociedades europeas —y occidentales— contemporáneas. "Masa", lejos de considerar un sentido de tipo político o partidista —aunque pueda incluirlo—, refiere en el pensamiento de Ortega y Gasset a las nociones de "multitud" o "vulgo". Su componente constitutivo, el "hombre-masa", lejos de la caracterización individual propia de su ser más primario, es aquel que no se valora a sí mismo, que no se construye en uno u otro sentido. Por el contrario, abdica de cualquier peculiaridad; el "hombre-masa" siente, decide, obra, piensa y expresa "como todo el mundo". Pero su condición definitiva, que le otorga todo su sentido y significación, es que, ante semejante característica, que llenaría de angustia a un hombre genuino, el "hombre-masa" se siente tranquilo. La considera normal, corriente y deseable. Sobre ella y a partir de ella, construye conscientemente su cotidianidad y su proyecto de vida. Su máxima satisfacción reside en fundirse con la multitud, en saberse y sentirse como todos los demás.

El observador menos sagaz comprenderá a simple vista que el mundo contemporáneo está invadido, en todas sus instancias, por la multitud. Cada lugar, espacio o entidad, han sido tomados por la muchedumbre. En otros días —muy recientes, por lo demás—, pese a la presencia de los grandes conglomerados, cada grupo ocupaba, en su condición particular, un lugar específico y de alguna manera, propio. Era posible hallarse con lugares "preferentes" destinados a las minorías. Hoy, en cambio, esas entidades son inexistentes, y aun en los lugares tradicionalmente restringidos, la masa impone su poder. Los "individuos selectos" se han visto desplazados. Ahora bien, como "individuo selecto" no se entiende al prepotente que se siente superior a los demás, sino al sujeto que trata de imponerse a sí mismo el imperio de sus deseos y su voluntad. Puede no conseguirlo, pero la mínima circunstancia de exigirse en términos de su propio proyecto, lo hace extraordinario. El "hombre-masa" no se exige nada. No pretende hacer con su vida ninguna cosa particular. No intenta construirse de ninguna manera. Para él, la vida consiste en vivir en cada instante lo que ese instante ya es. La perfección sobre sí mismo es inconcebible.

La seguridad y comodidad de un tipo de vida semejante redunda en que la masa no soporta nada distinto de ella misma. Cualquier mínima variación le resulta intolerable. Sabiéndose vulgar, el alma masiva se afirma en su vulgaridad, la defiende y afirma, y la pretende en todos los lugares y condiciones. Su voluntad es absolutista y expansiva. La masa arrolla todo lo diferente, egregio, individual, calificado y selecto. Quien que no sea, piense, sienta y se exprese como todo el mundo, es rechazado y se encuentra en peligro de perecer. En la tradición histórica occidental, que a través de siglos se ha sostenido sobre el dinamismo de las acciones individuales, sobre la personalidad distinguida de hombres únicos, esta condición desconcierta. Tendríamos que remontarnos —dice Ortega— a los tiempos de la decadencia imperial romana, en donde las masas y su arbitrariedad se impusieron y prepararon las condiciones de la fractura definitiva de su civilización. Tal resistencia a la variabilidad, semejante incapacidad de comprender lo otro, en caso de no modificarse, llevaría en menos de 30 años a la destrucción de la cultura europea. Las tecnologías y procedimientos de transformación natural, de que tanto nos enorgullecemos y que han supuesto los procesos de concepción y construcción más arduos y complejos, podrían olvidarse. Las regulaciones sociales, las estrategias de organización y convivencia, de las cuales dependemos, no correrían suerte distinta. Los nuevos "hombres-masa", que ignoran y desprecian los principios causales a los que deben la vida, las abocan a la destrucción. La actual abundancia de posibilidades se hará súbita escasez, la expansión de la vida se detendrá y contraerá, la impotencia volverá a ser la característica del existir cotidiano. La decadencia nos aplastará. La rebelión de las masas es la versión contemporánea de la invasión de los bárbaros.

El "hombre-masa" se caracteriza esencialmente por la afirmación en cada caso y circunstancia de sus apetencias vitales. No existen para él condición o presupuesto que justifiquen una pausa en la satisfacción de sus deseos primarios. Se trata de conseguir ya, de inmediato, sin cesación alguna, el objeto de su capricho. La tan reverenciada "acción inmediata" se impone sobre toda consideración. Por otra parte, junto a tal inmediatismo, sobreviene una segunda tendencia característica: el "hombre-masa" es absolutamente "ingrato" respecto a todo lo que hiciera posible su desahogada condición existencial. Ajeno a toda consideración distinta de su bienestar particular, la historia que le ha precedido y posibilitado no le importa. El mundo en el cual nació, tan exitoso, le ofrece las más sofisticadas estrategias tecnológicas a través de las cuales puede hallar placer. Con eso basta. Las dificultades que llevaron a estado tan halagüeño le tienen sin cuidado. No lo involucran. No le dicen nada. A él le basta exigir comodidades. Sus derechos sobre ellas son absolutos, intemporales e indefinidos. Así las cosas, en torno a tales actitudes se cierne el mayor peligro para la civilización.

Es admitido que la noción misma de civilización es indisoluble de la de voluntad de convivencia. Pueblos que han sido capaces de pasar por encima de la tiranía de las apetencias individuales y de la arbitrariedad estatal, han alcanzado altos grados de civilización. Pueblos, en fin, capaces de concebir y elaborar un principio de objetividad, ajeno a vaivenes y mudanzas, respecto al cual los hombres puedan actuar, en cada caso y con plena seguridad. La democracia liberal, en nuestros días, constituye el más civilizado de los proyectos políticos y sociales. En ella la voluntad de convivir ha llegado al extremo de garantizar la subsistencia de las minorías debilitadas y vencidas. Esas mismas minorías que en otros tiempos, en circunstancias de barbarie y habida cuenta de su fragilidad, serían inmediatamente exterminadas. Este esfuerzo civilizador contrasta dramáticamente con la actitud del "hombre-masa" que no puede, ni quiere, ni concibe, detenerse en su "acción inmediata", en su carrera desenfrenada por satisfacer sus apetitos. Lo que se oponga a su deseo, lo que manifieste su inconformidad, lo minoritario, debe desaparecer. La masa odia a muerte lo que no es ella. Y en ese odio irracional se refutan las posibilidades mismas de la convivencia, que hicieron posible la existencia histórica del "hombre-masa", y que fueron tan difíciles de conquistar.

Sin embargo, es evidente que el liberalismo, cuyos méritos no deben ser desconocidos, no es el mejor sistema posible. Es perfectible y deber ser perfeccionado. Pero el sistema mejor con que soñamos y que ha de llevar más lejos aún las condiciones de convivencia y el exitoso trato con la naturaleza, ha de ser su superación. Nunca su negación. El "hombre-masa" niega y desconoce el sistema que lo ha hecho posible y, por tanto, se encuentra incapacitado para proyectarlo históricamente. De su acción no puede seguirse cosa distinta al anacronismo y al retroceso. Cualquier otro modelo organizativo anterior al propuesto y desarrollado en los siglos XVIII y XIX, llevaría a una disminución garrafal de la vida. Esto es tan cierto como que una lanza es menos arma que un cañón. Por el contrario, Europa, y con ella todo el mundo occidental, ha de ser conducida a nuevas y superiores determinaciones históricas por genuinos hombres "contemporáneos", vale decir, por hombres capaces de reconocer en su situación temporal concreta la complejidad total de la cual forman parte. Tales hombres, que sienten bajo sus pies la pervivencia de todo un proceso histórico, que comprenden los alcances reales de la civilización de la cual forman parte —así como los altísimos precios colectivos que se han debido pagar—, no soportarán acciones ni actitudes arcaizantes y retrógradas. Si, en caso contrario, el destino de los pueblos europeos cae en las manos de hombres que no comprenden ni consideran los principios fundamentales de la civilización, de seres masificados que se revelan contra su condición fundamental y pretenden imponer su desinterés por las condiciones mínimas de convivencia, el crecimiento de posibilidades que ha experimentado la vida corre el riesgo de anularse a sí mismo. Ese es el sentido y el peligro de la "rebelión de las masas".

¿En qué consiste, pues, tal rebelión? En síntesis, como en cualquier otra, se trata de que las masas no aceptan su destino, se vuelven contra sí mismas. Por definición, una colectividad anonimizada, hecha puro promedio, despojada de toda iniciativa y originalidad, está llamada a guardar las distancias que esto significa y mantenerse lejana del poder. No puede pretender actuar por sí misma. No cuenta con la vocación, las energías, los instrumentos ni los criterios básicos para la más mínima acción. Pero llevada por la soberbia, la masa se comporta de manera activa y pugna por imponer su criterio en cuantas actividades tiene al alcance de la mano. Así, en contra de la actitud del hombre genuino, que se encuentra lejos de toda ínfula o pretensión de perfección, al "hombre-masa" no se le ocurre dudar de su personal plenitud. Por supuesto, su actitud cotidiana no va más allá de la pura reacción, y la acción verdadera, característica del hombre verdadero, que supone un sólido entrenamiento cotidiano, una permanente y constante tensión, no le implica para nada. Aun así, esta circunstancia no significa que el "hombre-masa" se sienta menos autorizado para proferir toda clase de opiniones y de manifestarse con total desenfado acerca de cualquier tópico que aparezca por su camino. Como en ninguna otra época histórica, el vulgo cree tener ideas acerca de todas las cosas, y no hay cuestión pública en la que no intervenga e imponga, sobre otras consideraciones, la "claridad" de sus "opiniones". Ahora bien, hay una circunstancia muy concreta que ronda dicha actitud y que le imprime su peculiar problematicidad. En contravía de las condiciones de la discusión tradicional, que suponen un sustrato básico formal, una objetividad más o menos abstracta a la cual recurrir en la confrontación y desde la cual intentar la construcción argumentativa, el "hombre-masa" repugna toda intermediación y esgrime como único criterio su vehemencia y su fuerza. La opinión que manifieste mayor causticidad es la triunfadora. Consecuencias, probabilidades y reglas no existen. Bastan la agresividad y la pasión. De esta manera, la conquista de ese conjunto de normas que permite el encauzamiento de las fuerzas en conflicto y, a través

de él, la convivencia de los seres humanos, se esfuma. La discusión desaparece y emerge la imposición. La civilización colapsa ante la barbarie.

Sin embargo, ese conflicto que pone en entredicho las bases del mundo contemporáneo, se oculta detrás de las manifestaciones de entusiasmo que despiertan las nuevas y sorprendentes consecuciones de la ciencia moderna. Pero no se trata de las difíciles abstracciones de la ciencia pura —la cual, como el arte, la política y en general cualquier disciplina pura, es despreciada— sino de las novedades tecnológicas aplicadas. Aparatos, dispositivos, objetos, cachivaches que se multiplican de manera desproporcionada y que ofrecen al "hombre-masa" la ilusión de hallarse en la mitad de un mundo hecho por y para su satisfacción. Orígenes, causas o condiciones de posibilidad del fetiche de moda no interesan. Son demasiado complicadas. Basta que exista, se pueda comprar, usar y abandonar. Allí se encuentra, en medio de la calle, desprendido del ser que lo ha pensado y construido, sin relación con él. Pareciera que ha estado allí siempre y que siempre estará. Ha dejado de ser objeto generado por una cultura. Se ha convertido en naturaleza. Y el ser humano masificado que se relaciona con él, se manifiesta y actúa como un primitivo emergido en un mundo tecnificado. Del tal mundo no sabe ni quiere saber nada. Curiosidad o necesidad de conocimiento son lejanas para él. El conjunto de objetos y curiosidades que le placen y que constituyen el alma de su realidad le importan en su pragmatismo, en su "acción inmediata". El civilizado es el mundo, su habitante es primitivo. La civilización que lo rodea y de la cual saca provecho, ha dejado de ser producto de la acción transformadora del hombre, se ha independizado, hecho autónoma, naturalizado.

Pero no se crea que esta degradada situación es asunto exclusivo de los hombres ignorantes o desinformados. La masa produce sus propios científicos masificados. Son los especialistas. Personajes que gozan de gran popularidad y cuyos puntos de vista y apreciaciones se consideran indudables. De todo el inacabable espectro del conocimiento posible, estos nuevos protagonistas del saber contemporáneo han hecho una determinada escogencia. Les interesa saber de una sola cosa o rama del conocimiento científico, y aun en ella, se ocupan de una determinada y mínima sección en la cual son, indiscutiblemente, grandes conocedores. El especialista maneja a las mil maravillas su pequeña porción del mundo, pero ignora lo relativo a todas las demás. Poseedor de un conocimiento muy concreto, que lo pone por fuera del ámbito de la ignorancia crasa, su saber es impotente cuando tiene que vérselas con cualquier asunto distinto de su objeto de investigación. Y sucede que para llevar esta situación tan paradójica a su más crudo extremo, el especialista, arrastrado por su petulancia y por el trato reverencial que le ofrendan los "hombres-masa" y las instituciones sociales que han sido construidas a su imagen y semejanza, considera que la autoridad que lo distingue en su parcela particular es suficiente en cualquier otro ámbito de la realidad natural y humana. En efecto, en política, arte, costumbres y usos sociales, relaciones afectivas, comportamientos psicológicos y demás, la indudable autoridad que lo distingue respecto a una determinada —y mínima— región del mundo, le parece suficiente. Habla, se manifiesta, concibe, determina, califica, exige y elige desde su alta dignidad, sin percatarse que por fuera de los estrechos márgenes de su ser especialista, su situación se distingue apenas de la del bárbaro. Aún más, siendo él mismo un conocedor experto en una determinada cuestión, respecto a todos esos asuntos que no le corresponden no puede concebir la existencia de otros especialistas cuyo saber concreto lo ilumine e instruya. Así, la sociedad contemporánea europea, ordenada en torno a tales sujetos y a su conocimiento de la realidad, se encuentra con una rotunda contradicción: nunca ha habido más "hombres de ciencia" que en la actualidad y, sin embargo, nunca ha habido menos hombres de verdad cultos.

Y ocurre que la noción general que abarca tanto a los sabios especializados como al hombre corriente, la de "hombre-masa", desde la conciencia exacerbada de su vulgaridad y por tanto desde el prurito de ser lo único posible sobre la Tierra, quiere abandonar su naturaleza. Se rebela contra ella y considera que, en la medida en que su existencia deriva de la victoria histórica de un modo democrático de concebir la realidad, la masa, que es mayoría indiscutible, debe convertirse en el Estado. No se trata, como hasta tiempos muy recientes, de que las grandes comunidades humanas decidan sobre su destino delegando su autonomía en la acción y el pensamiento excepcionales de sujetos igualmente distinguidos. La masa no concibe nada distinto de ella misma y, como se ha dicho, repugna al sujeto que se opone a ella y procura su desaparición. En poder de mayorías absolutas y refugiándose en ellas y en su capacidad de constituir realidades acordes con su capricho, se ocupa en la gestación de un Estado definitivamente autoritario. Desde ese Estado y a partir de su estrategia gubernamental, el individuo diferente, la minoría creadora, la instancia que se manifieste característica en contraposición al "término medio", deberán ser minimizados y suprimidos. Es la tiranía de la masa, que se ha rebelado contra su verdadera condición e impone su mediocridad y "barbarie" como razón final, como voluntad de Estado.

Este deprimente panorama de las sociedades europeas es explicable. Junto a las ya mencionadas consecuencias de la irrefrenable natalidad y la incapacidad culturizadora tradicional, encontramos una circunstancia histórica definitiva. Habida cuenta de la incapacidad europea de mantenerse en el centro del mundo, como era su costumbre, cunde la decepción. El mundo contemporáneo se inaugura con un dramático desplazamiento del eje rector de la humanidad. La vieja Europa, acostumbrada a mandar sobre el resto del mundo, y sobre sí misma, no puede amoldarse a la nueva lógica internacional y naufraga en medio del desencanto y la abulia. Las naciones europeas, incapaces de aunar sus fuerzas en torno a un objetivo determinado y "heroico", comienzan a resentir su condición de "provincianas" y "estrechas". Circunstancia inimaginable en otros días, hoy colabora en no poca manera, en la constitución de las masas y su rebeldía. Ese concepto de nación sobre el cual se instauraron los vigorosos países de otros días, ya no alcanza a responder las inquietudes contemporáneas. El proyecto de convivencia común que hizo posible el concurso de hombres y mujeres convencidos de la bondad y de la necesidad de su confluencia, ya no dice mucho. Razas y lenguas aglutinadas, fronteras finalmente establecidas, modos comunes de responder a los desafíos de la naturaleza y de la sociedad, sólo aportan desaliento y nostalgia. Ese hacer común que mira hacia el tiempo por venir, llena de entusiasmo a las naciones y las arroja a la conquista de un destino, ya no se halla presente en el panorama espiritual europeo. Se necesita, entonces, hallar otro propósito, un nuevo anhelo colectivo, otra meta común que provoque en todos la movilización y el esfuerzo. ¿Cuál podría ser? La ilusión de trascender las fronteras y constituir una gran unidad continental, unos Estados Unidos de Europa, en donde todas las inconsistencias, desánimos y fatigas actuales hallen resolución. No existe otro camino. Las múltiples —y lamentables— erupciones de nacionalismo que han abocado a la guerra, el desastre y la barbarie, son argumentos a favor de la unión. El mismo panorama común de masificación y mediocridad, la fatiga de la cultura, que se ha señalado como el principio del fin de la gesta occidental, apunta a la necesidad de un remedio definitivo. Orientados hacia la constitución de una gran unidad, de una idea nacional que guíe las acciones y deseos de todos los europeos, se conseguirá la superación de las graves condiciones históricas contemporáneas y, sobre todo, se hallará el medio de conjurar el enorme peligro de las masas y de su rebelión.

El autor y la obra

José Ortega y Gasset nació en Madrid en 1883 y murió en 1966. Formado en la Universidad de Marburgo bajo la dirección del filósofo Hermann Cohen, sus estructuras intelectuales básicas se enfilan en la dirección del neokantismo. No obstante, en contra de los supuestos filosóficos marburguianos, su pensamiento maduro se distanció del neokantismo y adquirió la fisonomía peculiar que lo caracteriza.

Desde 1910 hasta 1923, período que ha dado en llamar "perspectivismo", Ortega indica que la sustancia última del mundo es una perspectiva. No pretende, en síntesis, afirmar como los idealistas la hegemonía del sujeto, ni como los realistas el predominio del mundo de la realidad. Por el contrario, el sujeto es una "pantalla" que capta, selecciona y filtra las impresiones, desde su condición de ser real y vivo.

El hombre no es una abstracción, es, fundamentalmente, una vida. Y esa vida, desde su apreciación, más allá de lo puramente biológico, se inscribe en un contexto cultural que la posibilita y determina. La función cultural no es adjetiva o exterior. Es una función vital que obedece a leyes objetivas y que, en la medida de su capacidad de constituir lo vivo, se hace "transvital" o cultural. La razón, que es parte fundamental de ese continuo dinámico que se establece entre lo transvital y lo vital, deja de ser algo externo a la vida y se convierte en una función de la vida misma. En cuanto designa todos los actos que "dan razón de", la razón se constituye en una de sus formas de operar, hacer y manifestar.

De este momento de su desarrollo intelectual deriva una de sus afirmaciones más popularizadas: "Yo soy yo y mi circunstancia". La vida, que es mismidad, supone el concurso de todo lo que la excede, hasta el punto que podría afirmarse —como en efecto sucedió— que la vida es "razón vital". El conocimiento está arraigado en la vida y la vida supone y necesita del conocimiento para ser. La razón abandona sus implicaciones racionalistas o intuitivistas y se constituye en razón vital, en modo de ser de la vida. La filosofía es una disciplina que parte de que toda razón es viviente y el hombre es, en esencia, una realidad que tiene que usar la razón para vivir. Ahora bien, esa vida, que se emparenta estrechamente con la razón, no es una cosa o un espíritu. En rigor, la vida no es nada. Su ser consiste en hacerse a sí misma, en un "auto-fabricar-se" sin cesar, que se dirige hacia su propio destino. Podríamos, en cuanto seres vivos, acudir a esa necesidad de convertirnos en quienes somos, a través del arduo proceso de autoconstrucción, o podríamos, por el contrario, perdernos. Nos es posible alejarnos de nuestra autenticidad, de nuestra realidad. Y sin embargo, la suma final de nuestra mayor o menor capacidad de hacernos según nuestra propia naturaleza, es lo único disponible que tenemos. Ninguna otra cosa está a nuestro alcance. No hay trascendencia alguna distinta de la vida misma, que es su propio fin y su auténtico propósito.

Junto a estas reflexiones, que han dado lugar al llamado "raciovitalismo" orteguiano, los intereses teóricos del autor se extendieron a muchos ámbitos. El asunto del ser y su relación con la realidad, por ejemplo, tomó en sus términos un cariz muy específico. Según sus deliberaciones y estudios, no es el ser el que anticipa la realidad, sino la realidad la que precede al ser. Se trata de una interpretación, una suerte de "invención" entre las tantas que han acompañado al hombre a lo largo de su historia. Historia que ha demostrado cómo el hombre vive dentro de una sociedad que ejerce presión sobre él de una forma u otra. Lo salva de su soledad y lobreguez, pero lo llega a constreñir y apresar. El hombre, pues, que no tiene propiamente hablando una naturaleza, sino una historia, se articula históricamente en sociedades que son, respecto a él, a su condición de individuo, algo inauténtico. Así, incapaz de transformar radicalmente su condición, pues la vida —realidad en donde radican todas las demás realidades— lo obliga a la socialidad, encuentra una solución intermedia.

Existe un tercer término que se sitúa entre el individuo y la sociedad como tal: las relaciones interindividuales o personales. El hombre ama, odia, se amista o enemista de otro hombre u hombres, lo cual le devuelve en algo la autenticidad perdida en medio de la masa. La persona en sus relaciones con la sociedad podría encontrar así un punto de equilibrio, que ordene toda la complejidad relacional con miras a la consecución de una genuina autenticidad y libertad.

Entre su extensa producción bibliográfica podemos distinguir *Meditaciones del Quijote* (1914), *El Espectador I* (1916), *España invertebrada. Bosquejo de algunos pensamientos históricos* (1921), *La deshumanización del arte e ideas sobre la novela* (1925), *Tríptico I. Mirabeau o el político* (1927), *Kant (1724-1924); reflexiones de centenario* (1929), *La rebelión de las masas* (1930), *Estudios sobre el amor* (1940), *Papeles sobre Velázquez y Goya* (1950), *Velázquez* (1955), *Idea del teatro* (1958) y *Unas lecciones de metafísica* (1966).

34

TRACTATUS
LOGICO-PHILOSOPHICUS
Ludwig Wittgenstein

Escrito de una manera aforística —condición que ilustra con claridad su naturaleza intelectual más íntima—, el *Tractatus logico-philosophicus* se articula alrededor de siete grandes temas o proposiciones fundamentales. Tales líneas de reflexión, pese al desarrollo sistemático a que son sometidas a lo largo del texto, ejercen más bien un papel de conducción y sostén. En efecto, los grandes asuntos que ocupan el pensamiento del autor, hallan en ellas, y a través suyo, vías expeditas de afirmación y elaboración. Encontramos, pues, una teoría de la lógica consolidada alrededor de las nociones de "sentido" y "significado", una teoría del mundo como conjunto de hechos atómicos, una teoría de la relación existente entre el lenguaje y el mundo, una teoría de las leyes científicas y una teoría lógica de la probabilidad, entreveradas y posibilitadas, como queda dicho, a lo largo de una exposición discriminada en siete grandes consideraciones, así:

1. El mundo consiste en todo aquello que acontece.

2. Aquello que acontece, el hecho, es el subsistir de las cosas.

3. El pensamiento es la imagen lógica de los hechos.

4. El pensamiento es la proposición dotada de sentido.

5. La proposición es una función de verdad de las proposiciones elementales. La proposición elemental es una función de verdad de sí misma.

6. La forma general de las funciones de verdad consiste en la siguiente confluencia de elementos: el conjunto de todas las proposiciones elementales negadas; la función de verdad del conjunto

de todas las proposiciones elementales negadas, que consiste en su negación; la función de verdad que resulta de negar el resultado de la negación.

7.	De todo aquello de lo que no se puede hablar, se debe callar.

Tales puntos, desarrollados mediante un sistema de afirmaciones y comentarios clasificados según un criterio de ramificaciones aritméticas, permiten el desenvolvimiento de las grandes tesis filosóficas mencionadas.

No se exagera al considerar que el grueso de las preocupaciones y posturas de Wittgenstein, en este y en sus demás trabajos, gira en torno del problema del lenguaje. Las nociones de "sentido" y "significado", tan arduamente desarrolladas en el texto, el concepto de lógica, la constitución de la ciencia y de la probabilidad, y en fin, el mundo entero de lo posible, se encuentra determinado por los límites del lenguaje. De esta manera, en el desarrollo de la teoría atómica del lenguaje, que sostiene la representación de un hecho como una reproducción a escala del mismo, se puede comprender y anticipar el sentido de muchas de sus proposiciones.

El desarrollo de la teoría atómica del lenguaje del *Tractatus* parte de la posición crítica que el actor asume frente a la noción de "evento" o de "hecho atómico" propuesta por el filósofo inglés Bertrand Russell. En su texto *Principia mathematica*, Russell considera la existencia de hechos básicos, últimos e irreductibles, que pertenecen al orden objetivo del mundo, y que a partir de tal objetividad existencial aparecen en el lenguaje. La función lingüística de "nombrar" se sostiene, pues, sobre la realidad de los hechos atómicos, verdadero material del mundo. Ahora bien, este nombrar se hace concreto, en principio, en la forma de las operaciones matemáticas y lógicas. Los "eventos", el material objetivo de la realidad, se hacen lenguaje en tales proposiciones, que de esta manera derivan su dignidad y su posibilidad de ser, de la "generalidad accidental", del mundo empírico. Las cosas realmente existentes, en su condición de perpetuo hacerse y deshacerse, en su multiplicidad e inmediatez, construyen una primera forma de generalidad relativa a ese mismo dinamismo. Y la generalidad, que en este caso es variabilidad, resulta básica al intentar la comprensión del lenguaje. Pero la accidentalidad no es la única forma de la generalidad y en esto consiste, según Wittgenstein, el gran error de Russell. Existen conceptos formales que constituyen su propio tipo de generalidad, sin que esta generalidad sea sinónimo de variación. Es la "generalidad esencial" de las formas, o conceptos formales, despojados de materialidad, ajenos a la influencia del mundo empírico y, por tanto, capaces de una independencia absoluta respecto a los accidentes del mundo objetual. Al otro lado, opuestas a las formas esenciales, se encuentran las funciones lógicas que, por supuesto, residen en la variación, en el cambio, en el accidente, en las relaciones. Allí también hay generalidad puesto que es posible, y la lógica tradicional lo ha demostrado, hallar algo constante en la variación. Pero esta constancia, esta permanencia en medio de la más rotunda accidentalidad, no puede menos que compartir la naturaleza accidental del ámbito que le es propio. Y esa accidentalidad no es territorio sólido sobre el cual construir un lenguaje genuino. En cambio, a partir de la generalidad esencial, tal propósito, que es el propósito de Wittgenstein, y el de la filosofía y las ciencias contemporáneas, es perfectamente posible. Lógica y matemática, primeras formaciones del lenguaje que dice algo sobre el mundo, no derivan de ese mundo que quieren referir. Allí, en esos "eventos", o "hechos atómicos", se impone la dependencia como condición determinante e inevitable. En cambio, en los "conceptos formales", que son esenciales —vale decir, que no obedecen a variación alguna—, encontramos la independencia, la claridad y la autonomía. El número, la sucesión y, en fin, todos los elementos matemáticos y lógicos son independientes de la experiencia y se originan, en cambio, en la naturaleza misma del lenguaje, como condiciones de posibilidad. Las matemáticas y la lógica, pues, construidas a partir de operaciones realizadas sobre conceptos formales, repugnan la experiencia y, por consiguiente, no pueden ser afirmadas. Sólo se afirma lo empírico, lo susceptible de contrastación experimental. Lo formal se muestra. Se hace manifiesto sin más requerimientos que su propia realidad. Así, antes que la noción russeliana de "evento", Wittgenstein adelanta su propia noción de "hecho atómico" ajeno a todo empirismo, es decir, trascendental.

Ahora bien, este "atomismo" que sostiene las matemáticas y la lógica, no se aparta de la noción primaria de atomismo, derivada de la tradición filosófica moderna. En efecto, ya se trate de posibilitar esa "relación interna de los significados" en que consisten las matemáticas, o de las relaciones de signos lógicos que se hallan desde siempre en el mundo y son indecibles, al considerar la teoría atómica se está considerando un límite último de posibilidad. Hay algo que, a priori, no puede ser reducido, dividido o minimizado. De hacerlo, se caería en la situación abominable e insostenible de la uniformidad indiferenciada. Ese caos primigenio, tan presente y definitivo en buena parte de las tradiciones religiosas y metafísicas, es repugnante a la hora de intentar conocimiento y acción. Se requiere, pues, un punto mínimo, un elemento originario que sostenga y constituya el mundo, un átomo. Así, la totalidad de organizaciones mundanas, con toda su prolijidad e infinitud, puede ser explicada en términos de sus elementos básicos y las relaciones que puedan establecerse entre ellos. Conocer los átomos y sus combinaciones es conocer el mundo. Pero en contra de las posiciones tradicionales que ven un sustrato material empírico en ese átomo, y que por tanto conciben la posibilidad de conocimiento total del mundo a partir de la aprehensión efectiva de esa materialidad indivisible y de su manipulación, Wittgenstein no se aparta de su noción atómica trascendental. El hecho sustancial, primario, indivisible, no se afinca en la objetividad empírica. Es una forma. Un concepto puro, formal. El horizonte de posibilidad del átomo, de sus infinitas combinaciones y del conocimiento total del mundo, es el lenguaje.

Conocer entonces el lenguaje, es conocer la realidad. El lenguaje es el espejo de la realidad. El mundo, su aparecer efectivo y concreto, se reduce al conjunto de hechos atómicos estructurados y en permanente relación biunívoca con las representaciones humanas, dentro de un espacio formal, lógico. Los objetos que llenan nuestra cotidianidad no son más que el resultado de ciertas modalidades de combinación de los hechos atómicos. Hechos que, por otra parte, son inagotables, lo mismo que los objetos en los cuales se consolidan las múltiples configuraciones. "El objeto es fijo, la configuración es variable".

De manera que el conocimiento del modo en que se realizan las diversas combinaciones atómicas posibles, nos permite conocer cómo funciona el mecanismo de la lógica, "única categoría verdaderamente humana".

Y, sin embargo, una pregunta es posible. Una pregunta que nos enfrenta a esa última proposición desmesurada que aventura el autor como el séptimo eje de sus reflexiones: "De aquello de lo que no se puede hablar, se debe callar".

En efecto, considerando ya como válida la aseveración de que el objeto, la cosa cotidiana con la cual me enfrento, se constituye como configuración a partir de "hechos atómicos", configuración que se hace lenguaje en una representación particular, puedo preguntarme por el origen de tal representación. Todo representar es representar algo. ¿Qué cosa es ese algo representado mediante la representación? No será, por supuesto, otra representación, pues dicha eventualidad, además de arrojarnos de bruces a la imposibilidad de la regresión *ad infinitus*, tropieza con el fundamento argumentativo básico. Partimos, en efecto, de un átomo indiviso que cubría con su "formalidad" todos los entes posibles, de manera que cada representación particular, siendo un modo de la configuración, remite al concepto de "hecho atómico", último referente de realidad. Ese algo representado que me inquieta no puede ser una representación, de manera que me hallo ante la más grande dificultad. Se trata de la "cosa en sí" kantiana, del ser absoluto de Hegel, de lo que "es en cuanto que es" de la metafísica tradicional. En cualquier caso, se trata de la exigencia de abandonar la forma esencial del lenguaje y de entrar en contacto con la cosa empírica. Nos encontramos frente a los límites de la lógica y del lenguaje. Por otra parte, esa misma lógica —a la cual podríamos pedir asistencia en trance tan apurado—, siendo trascendental, o sea, refiriendo relaciones formales vacías, al ser obligada a reflexionar lógicamente acerca de sí misma, se ve imposibilitada de saltar sobre su propia condición. No puede colocarse por fuera, pues cualquier posición que adopte le significa jugar en sus propios términos. No puede convertirse en su propio objeto de reflexión. Así las cosas, no nos queda otro recurso que enmudecer.

Pero tal eventualidad sólo puede ocurrir, estrictamente hablando, cuando las diversas configuraciones posibles hayan sido dadas; cuando todos los objetos posibles de conocer ya hayan sido conocidos, de manera que el lenguaje se agote y su dinamismo no encuentre otro camino que el de referirse a sí mismo. Sólo así, teóricamente, la preocupación de la lógica y del lenguaje por su propia condición puede hacerse real. Agotadas las múltiples formas de representación de los diversos objetos posibles y los conjuntos posibles de objetos, la lógica puede ocuparse de sí misma y llevarnos al silencio. Pero tal cosa es imposible y lo que verdaderamente ocurre es la inagotable ocupación de los hombres en representarse la realidad que les incumbe en términos científicos. Esta aplicación de las estructuras del lenguaje al mundo de la naturaleza y de la práctica transformativa va a ocupar buena parte de los esfuerzos intelectuales del *Tractatus*.

El complejo conjunto de reflexiones lógicas y lingüísticas que ha elaborado lo coloca ante una imposibilidad fundamental. Esa acepción —tan corriente— de ley natural, como constructo que pertenece a la objetividad del mundo, al comportamiento íntimo de los hechos naturales, no es concebible para él. Conocer, desde estas concepciones, es arrancar a la naturaleza sus regularidades y constituciones, que pueden ser expresadas en forma de leyes naturales. Por el contrario, consecuente con sus concepciones de los hechos atómicos, de las estructuras precategoriales del lenguaje y del lenguaje mismo, Wittgenstein considera que la naturaleza no posee leyes. Son nuestras estructuras lógicas básicas, manifiestas en una "intuición a priori" de las formas, las que se aplican a la naturaleza con éxito, originando el espejismo de las llamadas "leyes" de la naturaleza. Así las cosas, las afirmaciones constitutivas de una teoría no remiten a datos empíricos sino a las estructuras generales a partir de las cuales se pueden constituir los hechos en cuestión. Espacio, tiempo, color, etc., no son resultado de la "abstracción" de las experiencias sensibles afincadas en el mundo empírico, sino consideraciones autónomas derivadas de una estructura de orden lógico. De la misma manera, refiriéndose al espinoso asunto de la inducción, o posibilidad lógica de construir generalidades a partir de datos particulares, la posición del *Tractatus* resulta contundente: no es la confirmación experimental y observable la que hace posible el proceso inductivo.

La inferencia —que constituye buena parte del corpus cognoscitivo y científico— es enfrentada como un problema lógico, formal, trascendental. En síntesis, las leyes y procedimientos científicos están relacionados con el examen del concepto de relación y no con la confirmación empírica.

Ahora bien, esas formas construidas lógicamente deben contar forzosamente con unos principios que las fundamenten. ¿Cuáles son, entonces, esos principios lógicos que fundamentan las leyes científicas? El análisis riguroso de las proposiciones científicas lleva a Wittgenstein a concluir que las clasificaciones que ordenan las múltiples proposiciones posibles, resultan incapaces de dar razón cabal de su naturaleza. No son descriptivas, ni lógicas, ni carentes de sentido. No son tampoco proposiciones generales. Su condición tiene que ver más bien con la conformación de ciertas "funciones proposicionales", antes que con la constitución de proposiciones genuinas. La ley científica es, desde su perspectiva logicista, un "modelo" que sirve para construir proposiciones, pero que no dice nada de la realidad. Las leyes naturales son prototipos lógicos mediante los cuales es posible la construcción de aseveraciones dotadas de significado, sobre cosas que están por fuera de nuestra experiencia. Se trata, en suma, de indicar cómo hay que describir los hechos. El científico entonces se ocupa de comprobar cuáles son las descripciones correctas y cuáles no, mientras el metodólogo estudia las reglas de formación y transformación del lenguaje científico. Pero en la misma medida en que la ley natural se constituye en prototipo lógico y, por tanto, en puro ejercicio del lenguaje, ese mismo lenguaje entra a formar parte sustancial de la constitución y del sentido de la ley. Las expresiones del lenguaje deben construirse de acuerdo con las formas que tratan de referir el mundo de las cosas, cosas que son posibles de aprehender, de ocupar lugar en una ley, en la medida en que puedan ser aprehendidas formalmente por el lenguaje.

Los otros tópicos mencionados —la teoría lógica de la probabilidad, la teoría de la lógica y demás— son tratados extensamente en el libro, a partir del desarrollo de los mismos presupuestos básicos. La existencia de las proposiciones atómicas, la existencia de funciones de verdad de estas proposiciones atómicas, la ausencia de un metalenguaje y de un devenir en la lógica, etc., dan consistencia al universo intelectual del *Tractatus* y anticipan las futuras concepciones de Wittgenstein. No obstante, pese a su complejidad y amplitud, el texto íntegro viene a consolidar una consideración básica y definitiva: el mundo humano, que es el mundo total, está afincado en el lenguaje y encuentra sus límites allí donde el lenguaje es incapaz de avanzar. No podemos abandonar los límites del lenguaje y tal aspiración nos aboca a contradicciones ilímites. Se trata de construir nuestra realidad en el margen real de las proposiciones verificables, en el ámbito del conocimiento y el lenguaje, aun cuando —tal y como irá a desarrollar en otros momentos de su pensamiento— las experiencias místicas y poéticas nos arrojen a la profundidad de lo indecible y nos demuestren cómo ser humano, también consiste en confrontar valerosamente el silencio.

El autor y la obra

Ludwig Wittgenstein nació en Viena el 26 de abril de 1899 y murió el 27 de abril de 1957. Formado en el seno de una familia acaudalada de origen judío, su primera educación —de la cual habría de quejarse en su momento— se dirigió a proveerle de estructuras técnicas y científicas acordes con el talante familiar. En efecto, sus primeros estudios realizados en Austria le llevaron a matricularse en la Escuela Técnica Superior de Berlín, con el ánimo de recibirse como ingeniero. La industria siderúrgica de la familia Wittgenstein así lo requería. No obstante, en esta primera época de formación tecnológica en Berlín, el joven entró en contacto con la gran tradición cultural austriaca y alemana, que a la postre redundaría en la constitución de su vocación genuina.

Sin embargo, el futuro filósofo encontró sus verdaderos puntos de referencia fuera de su país de origen. El contacto con la obra de Bertrand Russell y la lectura de los textos de Frege, lo inclinaron al cultivo de la lógica matemática y a la preocupación por los fundamentos de la aritmética. Pero sus condiciones de carácter le impedían la adhesión a una tradición intelectual única, de modo que Wittgenstein, conservando las preocupaciones originales que halló en contacto con los maestros mencionados, entró en fecunda relación intelectual con otras escuelas del pensamiento occidental. Schopenhauer, con su reconstrucción "voluntarista" de la filosofía crítica de Kant, y León Tolstoi, hombre moral y poético, se cuentan entre sus influjos definitivos. La presencia de la noción schopenhaueriana del mundo y la objetividad, es perfectamente clara en su *Tractatus logico-philosophicus*, publicado en 1922, mientras que la influencia del novelista ruso se hizo evidente en su ejercicio de la cotidianidad.

Residenciado brevemente en Noruega, el advenimiento de la Primera Guerra Mundial precipitó su regreso y su reclutamiento en el ejército austriaco. No obstante, su experiencia militar fue efímera, pues pronto cayó prisionero y fue confinado en Montecassino, en el lapso comprendido entre 1914 y 1916. Pero su estancia allí no fue estéril. De tal confinamiento resultó la redacción de su *Diario filosófico 1914-1916*, en donde concreta muchas de sus apreciaciones. De regreso a Austria una vez terminada la guerra, la influencia de Tolstoi se hace notar, y en contra del sentido común y ante la extrañeza de sus deudos, renuncia a la herencia familiar y pide traslado a una localidad rural remota en donde espera llevar adelante sus designios. Se trataba de conseguir la elaboración de un modelo educativo novedoso que disminuyera las distancias entre el estudiante y el maestro y posibilitara un mayor aprendizaje. Wittgenstein se aplicó al diseño de su método que, condensado en cartilla, fue adoptado oficialmente por las autoridades educativas. Pero el balance general de su proyecto lo decepcionó. Todas sus previsiones, estrategias y recursos fueron impotentes ante la incomprensión y malquerencia de los padres de familia, que desconfiaban de las novedades y barruntaban malas intenciones en su trabajo. Más temprano de lo planeado se vio impelido a regresar a Viena, en donde llevado por su necesidad de sencillez y austeridad ingresó, por un corto tiempo, en un monasterio.

Entre tanto, la publicación del *Tractatus* que incluía junto al texto alemán, una traducción inglesa, había suscitado un creciente interés por su persona y su obra. Russell, quien había redactado la introducción del texto, lo llamó a La Haya con el ánimo de discutir algunas cosas con él, y aunque la entrevista se realizó y entre los dos hombres se impuso una honda simpatía, las nuevas posiciones místicas de Wittgenstein y su intolerancia intelectual impidieron que la experiencia fuera más fructífera. De regreso otra vez en Viena, entró en contacto con un grupo de pensadores interesados en asuntos lógicos y lingüísticos —grupo que al cabo se convertiría en el célebre Círculo de Viena—, pero fatigado de las interminables polémicas intelectuales, manifestó su intención de alejarse definitivamente de las inmediaciones de la filosofía, decisión que no se convirtió en realidad. Russell, quien no le había perdido de vista, lo conminó a trasladarse a Cambridge, en donde, tras largas dudas y deliberaciones, se estableció. El ambiente intelectual que lo rodeaba, el influjo de su amigo y maestro y su propia vocación indudable, lo llevaron a volver a interesarse por los temas filosóficos del lenguaje y de la lógica. Retornó a impartir lecciones y a pronunciar conferencias, y se ocupó en la redacción de nuevos trabajos intelectuales.

Luego de la Segunda Guerra Mundial, Wittgenstein realizó un viaje a Estados Unidos con el propósito de visitar a su amigo Norman Malcolm. Entró en contacto entonces con algunos de los más notorios pensadores estadounidenses, como Max Black y Stuart Brown, cuyo influjo le fue decisivo, pero reiterados quebrantos de salud precipitaron su regreso a Cambridge, en donde moriría el 27 de abril de 1951.

La obra de Wittgenstein adquirió muy pronto gran notoriedad e influjo sobre el pensamiento contemporáneo. Diversas tendencias filosóficas consideraron su trabajo como principio de legitimidad y desarrollo. Los neopositivistas vieron en su rigor lingüístico una confirmación de sus propias perspectivas racionalistas y su necesidad de proposiciones verificables, mientras las tendencias "atomistas" reivindicaban sus concepciones atómicas del lenguaje. Otras interpretaciones, que privilegiaban su reducción al silencio y la opción poética y mística, también reconocieron en su perspectiva el trabajo de Wittgenstein, situándolo en la perspectiva de la acción ética. De cualquier manera, sus reflexiones, que abrirían la nutrida tradición contemporánea referida a los problemas filosóficos del lenguaje, se cuentan entre las más influyentes y definitivas del siglo XX.

Otras obras, además de las ya mencionadas, y publicadas póstumamente, son los *Cuadernos azul y marrón* (1953), *Investigaciones filosóficas* (1953), *Notas filosóficas* (1954), *Notas sobre la fundamentación de las matemáticas* (1956) y *Lecciones y conversaciones sobre estética, psicología y creencia religiosa* (1966).

35

EPISTEMOLOGÍA GENÉTICA
Jean Piaget

Todas las epistemologías, las antiempiristas incluidas, suscitan cuestiones de hecho y adoptan, por tanto, posiciones psicológicas implícitas, aunque sin verificación afectiva, verificación que se impone un buen método. Ahora bien, si la afirmación que hemos adelantado es válida por lo que respecta a las epistemologías estáticas, también lo es a fortiori por lo que hace a las teorías del conocimiento-proceso.

En esta afirmación bien puede sintetizarse el estado de cosas que encontró Piaget en el ámbito de la filosofía del conocimiento y la actitud con la cual él comprometería en adelante su esfuerzo intelectual. En efecto, la tradición filosófica clásica, en su afán de dar solución al espinoso asunto de la naturaleza, condición y posibilidad del saber, había desarrollado una serie de concepciones que habrían de ser enjuiciadas a la luz de las nuevas condiciones históricas del siglo XX. Fuera la visión trascendental de Platón y su concepción ideal del saber humano, el racionalismo universal cartesiano, o las ideas a priori de Kant, se trataba de establecer el conocimiento a partir de entidades, facultades o instancias más o menos definitivas. Cada caso concreto, independientemente de sus peculiaridades, tendría que ser cobijado en su integridad bajo aquellas u otras determinaciones universales. Ahora bien, por encima de las notables diferencias que pueden establecerse entre tales concepciones epistemológicas y entre otras tantas acuñadas por la tradición, todas ellas comparten dos condiciones esenciales: conciben el conocimiento en término de resultados y no de procesos, y parten de la realidad de una serie de constructos que, pese a ser los cimientos sobre los cuales sostienen toda la complejidad de sus determinaciones teóricas, nunca han sido sometidos a una mínima comprobación.

Esta situación fue parcialmente modificada a partir de las grandes transformaciones históricas contemporáneas. En efecto, el siglo XX y todas sus conmociones obligaron a las ciencias a una difícil transformación en sus procedimientos y manipulaciones y, sobre todo, en la concepción misma del saber que manejaban. La historia, el proceso, el movimiento, la falsación, el error y otras categorías afines, tomaron el lugar de los resultados y la verdad tradicionales. El conocimiento abandonó sus pretensiones de universalidad e infalibilidad y abrió espacio a una concepción historicista sostenida sobre la mutación, el cambio y la probabilidad. Ese universo total, que sostenía explícita o implícitamente todas las grandes sistematizaciones filosóficas clásicas, dio paso a una nueva cosmovisión que operaba en términos de consenso, provisionalidad y falsación. Una proposición científica, lejos de operar en los estrechos márgenes de la "verdad universal", no aspiraba más que a dar razón provisional de los fenómenos que le competían, partiendo de su propia condición instrumental y de la inminencia de la "crisis". Pero junto a esta diferencia tan notable respecto al mundo de la tradición, la otra característica del conocimiento científico, arriba mencionada, mantenía su vigencia: trátese de "ciencia normal" o de ciencia procesual, aquellas construcciones internas sobre las cuales se sostenía la inteligencia cabal del proceso de conocimiento, seguían siendo indudables e intocables. Construcciones puramente teóricas ajenas a toda comprobación. Puros argumentos de poder. Verdades reveladas.

Trátese de la "reminiscencia de las ideas", el carácter universal de la razón o la existencia de las ideas a priori, en cada caso el respectivo filósofo y sus prosélitos no llegaron a concebir la necesidad de "comprobar" que esas estructuras básicas se hallaban efectivamente en cada sujeto humano.

Y, sin embargo, quiérase o no, se trata de una cuestión de hechos. En el caso de la reminiscencia platónica o de la razón universal, esta cuestión es relativamente simple: resulta evidente que antes de conferir tales "facultades" a "todos" los seres humanos normales, convendría examinarlos; y este examen muestra rápidamente las dificultades de la hipótesis. En el caso de las formas a priori, el análisis de los hechos es más delicado, puesto que no basta examinar la conciencia de los sujetos, sino que hay que ver sus condiciones previas, y por hipótesis, el psicólogo que quisiera estudiarlas las utilizaría como condiciones previas de su investigación.

Platón nos dice que "conocer es recordar", Descartes nos habla del cogito universal, Kant afirma la existencia de las "formas a priori" que constituyen cada conciencia particular, y todos construyen enormes complejidades a partir de afirmaciones semejantes. Sin embargo, no obstante las implicaciones de su exigencia, todos nos piden una actitud de fe en sus aseveraciones. Pero, más allá de argumentaciones y persuasiones, ¿es cierto que existe ese *topos uranos* que duerme en cada uno y cuyo recuerdo nos conduce al saber? ¿Es verdadera la presunción del *cogito* en cada ser humano? ¿En dónde, en qué lugar de la conciencia profunda duermen las "formas a priori" del tiempo, el espacio y el esquematismo trascendental, entre otras? ¿Cómo comprobarlo? ¿Quién podrá hacerlo? Tales "situaciones de hecho", que constituyen el basamento de las más prestigiosas teorías del conocimiento, deben ser confrontadas y dicho trabajo, que ha de ser asumido con la mayor seriedad y determinación, se hace impostergable. Tal es el sentido y responsabilidad de la llamada "epistemología genética", que habrá de

tomarse en serio a la psicología y proporcionar verificaciones en todas las cuestiones de hecho que necesariamente suscita toda epistemología, sustituyendo la psicología especulativa o implícita con que se contenta en general, por análisis controlables.

Con el ánimo de llevar adelante este objetivo y de superar las viejas condiciones de inferioridad y descrédito que ha sufrido la psicología en la tradición epistemológica clásica, el primer paso es reglamentar una metodología. En efecto, considerando que la "epistemología es la teoría del conocimiento válido", y a partir de la condición contemporánea que ha determinado que tal conocimiento no es nunca un "estado" sino un "proceso", la epistemología ha de ser una disciplina eminentemente interdisciplinaria. Se trata de conferir validez y explicación al hecho de conocimiento concreto. De esta manera, las disciplinas que se ocupan de tales asuntos de forma especializada, son insuficientes. Ni la lógica, que tiene que ver con las condiciones de validez de una proposición o de un conjunto de proposiciones, ni la "psicología de las funciones cognoscitivas", que explica cómo opera en cada sujeto lo que llamamos conocimiento, son capaces de responder por la totalidad del problema. Se trata de la explicación cabal de un proceso de apropiación de lo real, que junto a las determinaciones existentes entre sujeto y objeto, debe dar cuenta de condiciones de validez y modos de operación y posibilidad.

Considerando el conocimiento como un proceso en continuo trance de perfección y desarrollo, la investigación ha de situarse desde una perspectiva genética, lo cual supone una regla sustancial de colaboración. El psicólogo debe ocuparse del desarrollo de las facultades subjetivas que hacen posible la adquisición e incremento del conocimiento; el lógico se hará cargo de los niveles de validez formal que equilibren y consoliden los diversos niveles activos que concluyan los psicólogos, y los científicos especialistas se ocuparán de los contenidos y alcances del campo determinado. Se añaden los esfuerzos de los matemáticos, que establecerán los vínculos entre las proposiciones lógicas y el campo en cuestión, y los de los cibernéticos, que "aseguran el vínculo entre la psicología y la lógica".

> Es en función —y solamente en función— de esta colaboración como podrán ser respetadas tanto las exigencias de hecho como las de validez.

Un ejemplo de la manera como esta integración puede hacerse posible es el siguiente: existen dos problemas fundamentales del aprendizaje, que son los de la llamada transitividad y de la conservación cualitativa. En cuanto al primero, a partir de un momento en particular, un sujeto sano podrá comprender que si A<B y B<C, A<C; en una fase de desarrollo anterior, dicha transitividad se le habría hecho incomprensible. El segundo se relaciona con el hecho de que si se vierte una cantidad de líquido A de un vaso bajo

y ancho en un vaso alto y estrecho, el líquido tomará la forma A. Sólo a partir de un momento determinado de su desarrollo, el niño podrá comprender que pese a los cambios de "apariencia", el agua seguirá siendo la misma. No obstante, las normas de transitividad y conservación cualitativa, que durante algún tiempo no parecían formar parte del repertorio interno del sujeto, a partir de los 7 u 8 años harán su aparición. Se alcanzan, pues, normas de conocimiento. Normas que, como se sabe, obtienen un grado superior de validez e involucran el interés de los científicos experimentales. ¿Cómo es esto posible?

No existe la posibilidad de que una sola disciplina de conocimiento dé razón de tal complejidad. El sujeto llega a las normas de transitividad y conservación cualitativa a raíz de la maduración de estructuras psicológicas internas muy específicas. El psicólogo no estará en capacidad de juzgar en cuanto al alcance cognoscitivo de tales normas que el niño ha alcanzado en un momento particular de su desarrollo. No corresponde al ámbito de sus intereses y capacidades. Pero en lo que toca a considerar los ámbitos desde los cuales explicar la presencia misma de las normas, está en todo su derecho. Puede tratarse únicamente de la experiencia, o del lenguaje; quizá involucre diversas construcciones semióticas o simbólicas, sintácticas o semánticas, o puede tratarse

[del] producto de una estructuración en parte endógena y que procede por medio de equilibrios y autorregulaciones progresivas (que es lo que corresponde a la verdad).

En cualquier caso, la autoridad competente que dictamine respecto a tales exigencias de hecho, es la del psicólogo.

Pero de la adecuada determinación del asunto no se desprenden sus condiciones de validez. Los equilibrios y autorregulaciones que defiende el psicólogo no implican que los contenidos considerados sean capaces o incapaces de la universalidad a la que aspiran las proposiciones científicas.

Es asunto del lógico determinar el valor de dichas normas y los caracteres de progreso epistémico o de regresión que presenten los desarrollos cognoscitivos estudiados por el psicólogo.

Finalmente, el científico profesional que se hará cargo de tales descubrimientos a la luz de sus particulares intereses, dará buena cuenta de la situación planteada por lógicos y psicólogos y podrá extraer conclusiones y avanzar en su respectiva área de trabajo.

Siempre recordaré a este respecto el placer experimentado por Einstein en Princeton cuando le conté el dato de la no conservación de la cantidad de líquido en el momento de una transvasación para el caso de niños de 4 a 6 años...

En efecto, el estado de desarrollo contemporáneo de las ciencias experimentales, tan rezagadas respecto a las lógico-matemáticas, se comprende mucho mejor a la luz de las enormes dificultades de aprehensión de tales reglas de conocimiento general en los primeros años de la infancia.

El desarrollo concreto de esa interdisciplinariedad, cuyo ejemplo de aplicación acabamos de reseñar, se ha hecho actos de conocimiento a propósito de los conceptos de número y espacio, de tiempo y velocidad, de objeto permanente y de azar. En cada uno de los citados problemas, la contribución integral de especialistas ha conducido al esclarecimiento de una serie de dificultades que hasta el momento habían desafiado el trabajo de filósofos y epistemólogos profesionales. El concepto de número, que había sido objeto de atención de personalidades como Whitehead y Russell, entre otros, termina por esclarecerse como la

síntesis de la inclusión de clases y del orden serial, o sea, como una nueva combinación, pero a partir de caracteres puramente lógicos.

El tiempo, por su parte, se encuentra en relación de necesidad con la experiencia de la velocidad y de la espacialidad.

La observación nos muestra que existe una intuición primitiva de la velocidad, independiente de toda duración y que resulta del primado del orden [...] Es la noción del adelantamiento cinemático.

El objeto permanente y sus correlatos de conservación e identidad suponen

una composición operatoria de las transformaciones, que inserta la identidad en un más amplio marco de reversibilidad y de compensaciones cuantitativas con las síntesis que constituyen el número y la medida.

Y finalmente, la noción de azar, "fundamental desde el punto de vista epistemológico", supone que

el sujeto llegue a construir estructuras de operaciones reversibles para que se dé cuenta de la existencia de procesos que escapan a este modelo y que no son deducibles.

Tales afirmaciones, que son objeto de complejos y pormenorizados análisis en el texto de Piaget, conducen a través de sus argumentaciones y momentos explicativos a concluir que el método de colaboración es válido y necesario para establecer los mecanismos del conocimiento en su origen y en su desarrollo. En cualquier caso, los métodos aplicados por la tradición filosófica clásica, la reducción a una *tabula rasa*, la deducción de estructuras fundamentales, incluso la contemporánea *epogé* o "reducción trascendental" de los fenomenólogos, parten de la fe en unos supuestos, que comportan la apropiación más o menos tácita de ciertos contenidos psicológicos casi por completo despreciados. La propuesta contenida en "la epistemología genética" se sostiene sobre el análisis consciente y deliberado de tales constructos psicológicos, asumidos desde la concreción experimental de los actos de conocimiento, de los sujetos que ejecutan tales actos, y de los actos mismos. Espacio, tiempo, causalidad, número y otras tantas categorías que en el pasado se habían reducido a la reflexión hipotética, deductiva o dogmática, adquieren, a partir de la psicología genética, un carácter experimental y constatable. Los procedimientos de control y las metodologías interdisciplinarias ubicaron en el tiempo y en el espacio a muchas de las nociones hipostasiadas por la tradición, les afirmaron en una "génesis", en un desarrollo y en un sentido de concreción.

Cierto es que todavía hay que vencer un considerable número de tenaces prejuicios, cuando uno se ocupa de epistemología lógica, matemática o física, para hacer comprender que puede resultar útil una vinculación con una disciplina tan restringida y de apariencia tan poco sólida como es la "psicología infantil" o la "psicología del desarrollo". Pero la realidad es que muchos especialistas, cada vez más, han mostrado interés por nuestro Centro Internacional de Epistemología Genética y han colaborado en nuestras publicaciones. Veintidós volúmenes han aparecido ya en nuestra colección de *Études d'épistémologie génétique* y cuatro volúmenes están en prensa. Tratan de la formación de las estructuras lógicas, la construcción del número, el espacio y las funciones, etc., la lectura de la experiencia y la lógica de los aprendizajes, las nociones de orden, velocidad y tiempo, las relaciones entre la cibernética y la epistemología, etc.

El esfuerzo intelectual de Piaget y su equipo de colaboradores trata de comprender científicamente, desde la experimentación, el control y la multidisciplinariedad, los sustratos más profundos y misteriosos del conocimiento humano.

✑ *El autor y la obra*

Jean Piaget nació en Neuchâtel (Suiza) en 1896. Su primera formación la llevó a cabo en el Instituto J. J. Rousseau de Ginebra, en donde cursó estudios de ciencias naturales y posteriormente de psicología. En 1922 se hizo profesor de dicho instituto y posteriormente sucedió a E. Claparéde en el cargo de director. El prestigio de Piaget se derivó, en principio, de sus ocupaciones y descubrimientos en el ámbito de la psicología infantil. No obstante, sus quehaceres intelectuales derivaron muy pronto fuera de esos estrictos límites, y se integró a las reflexiones filosóficas en torno del conocimiento, sus posibilidades y condiciones de constitución. La lógica y la epistemología fueron disciplinas en las cuales Piaget encontraría un campo de acción más polémico y determinante.

Integrado a los grandes problemas tradicionales de la gnoseología, en particular a la interrogación kantiana de "¿cómo es posible el conocimiento?", Piaget enfrenta la constitución de una "psicología genética", que dé razón de esa génesis tan problemática, de ese origen del conocimiento humano. La relación entre objeto y sujeto, norma y hecho, lógica y epistemología, es asunto que habrá de examinar y desarrollar. Y, sin embargo, su posición, absolutamente lejana de la trascendentalidad del filósofo alemán, se asentará en el hecho mismo del conocimiento, comprendido como acción dinámica de un organismo que se relaciona con su medio y es capaz de responder a los interrogantes y desafíos que le devienen de él. El conocimiento es incorporación de un objeto a un esquema de acción, el cual es, a su vez, producto de una diferenciación sucesiva que se revela mediante un proceso de génesis y maduración. Cada organismo genera, a partir de su propia autorregulación, una sucesión de niveles que le permiten integrarse a un continuo de asimilación y acomodación constantes. Así en los momentos de conocimiento orgánico primario, como en las instancias "superiores" lógicas y matemáticas, que se definen como la toma de conciencia de las condiciones de la acción humana sobre un objeto cualquiera. De esta manera, tratándose de dar razón del problema del conocimiento, Piaget se ocupa de la construcción real de los conocimientos a través de sus distintos niveles de acomodación, y desde las posibilidades de un método genético-histórico.

> Los procesos cognoscitivos aparecen como la resultante de la autorregulación orgánica cuyos mecanismos esenciales reflejan, y como los órganos más diferenciados de esta regulación en el seno de las interacciones con el exterior, de tal suerte que terminan en el hombre por extenderla al universo entero.

La epistemología genética equivale, entonces, a una comprensión de las estructuras generales de las ciencias y de los métodos usados por ellas, desde la perspectiva de la "construcción operacional", vale decir, de la acción en cada caso vital del organismo y de la organización vital considerada en su conjunto.

Entre sus numerosas obras podemos citar *Tratado de lógica* (1949), *Introducción a la epistemología genética* (1950), *De la psicología genética a la epistemología* (1952), *El mito del origen sensorial de los conocimientos científicos* (1957), *Sobre la relación de las ciencias con la filosofía* (1947), *De la lógica infantil a la construcción de las estructuras formales* (1955), *Seis estudios de psicología* (1967) y *Sabiduría e ilusiones de la filosofía* (1970).

LAS ESTRUCTURAS ELEMENTALES DEL PARENTESCO
Claude Lévi-Strauss

[Existe un] conjunto complejo de creencias, costumbres, estipulaciones e instituciones que se designan brevemente con el nombre de prohibición del incesto. La prohibición del incesto presenta, sin el menor equívoco y reunidos de modo indisoluble, los dos caracteres en los que reconocemos los atributos contradictorios de dos órdenes excluyentes: constituye una regla, pero la única regla social que posee, a la vez, un carácter de universalidad.

L a anterior es la delimitación, explícita y concreta, del problema que analiza Claude Lévi-Strauss a lo largo de este texto, considerado fundamental en su producción teórica, y que ha de enfrentar uno de los problemas determinantes de la experiencia humana. En efecto, como él lo afirmaría expresamente, el problema del incesto no es uno más entre los que se pueden articular en la existencia de los hombres. Por el contrario,

la prohibición del incesto se encuentra, a la vez, en el umbral de la cultura, en la cultura y, en cierto sentido, como trataremos de mostrarlo, es la cultura misma.

Como acaba de ser afirmado, el asunto específico de la prohibición de cierto tipo de emparentamiento supone una distinción previa y fundamental: los seres humanos nos encontramos en la más incómoda de las situaciones posibles. Lejanos ya de la causalidad universal de la naturaleza, no nos asentamos en un espacio puramente arbitrario o cultural. Ya no nos es posible el comportamiento absolutamente "sabio" del organismo que responde a los desafíos de su entorno, y a su propio desarrollo, mediante la puesta en acción de un mecanismo que le es dado de manera suficiente, total y previa. Únicamente el individuo defectuoso o enfermo entra en contradicción consigo mismo, pues, en la medida en que las condiciones ambientales básicas desde las cuales se programó y constituyó el esquema de acciones se mantenga, en cada caso un organismo natural sabrá qué hacer y cómo comportarse. No así el hombre, cuya indefensión e ignorancia lo obligan a diseñar un conjunto de arbitrariedades, cuya normatividad le es tan necesaria como repulsiva. Es la cultura, que se sostiene sobre la fuerza reglamentadora de la norma y que trata de orientar al individuo en medio de un mundo indescifrable, que debe ser traducido a partir de una determinada normatividad, tan necesaria e imprescindible como falible y superable. Y pese a la solidez de tales razonamientos y a la comprobación de que aún en los momentos de mayor "primitivismo" las normas actúan como caracterizadoras del hecho humano, la distinción tajante entre un "estado de naturaleza" y un "estado de cultura" es más o menos imposible. Las distinciones entre una y otra condición, a propósito del hombre, tropiezan con grandes dificultades.

> Es imposible referirse, sin incurrir en contradicción, a una fase de la evolución de la humanidad durante la cual esta, aun en ausencia de toda organización social, no haya desarrollado formas de actividad que son parte integrante de la cultura.

Trátese del Neardenthal, del Cromagnon, del primer *sapiens*, del *sapiens sapiens* o del refinado habitante de la cultura contemporánea, "el hombre es un ser biológico al par que un individuo social", y cualquier intento que trate de discriminar los bordes de cada una de estas categorías tropieza con la mayor imprecisión. Muchos intentos se han aventurado para clarificar el asunto, desde cuando Locke se preguntara en su momento por el origen real del miedo infantil a la oscuridad, hasta las modernas manipulaciones comportamentales de sujetos animales y humanos. ¿Se trata —a propósito de Locke y su inquietud— de un miedo ingénito del niño, que a partir de sus propias constituciones psicobiológicas llega a temer a la oscuridad, o del resultado lógico y necesario de las narraciones y comportamientos tendenciosos de los mayores que lo rodean? En cualquier caso, el investigador, aceptando o negando cualquiera de las hipótesis señaladas, tendrá que coincidir en que la naturaleza y la cultura se integran tan fuertemente en el comportamiento de los seres humanos, que en medio de tan firme solidaridad cualquier opción es puramente arbitraria.

> La cultura no está simplemente yuxtapuesta ni simplemente superpuesta a la vida. En un sentido la sustituye; en otro, la utiliza y la transforma para realizar una síntesis de un nuevo orden.

Pero los tiempos más recientes, descontentos con semejante descripción, han acudido a los nuevos y revolucionarios mecanismos experimentales en búsqueda de una solución. Surgen entonces los procedimientos controlables en los cuales un sujeto, un niño recién nacido, es sometido a total soledad con el ánimo de comprobar en él qué tipo de comportamiento puede considerarse genuinamente suyo, ajeno a toda intromisión cultural. En sana lógica, el experimento proporcionará forzosamente los resultados más válidos; sin embargo, las dificultades se presentan: las conclusiones de la observación pueden derivar tanto de la ausencia efectiva de cultura en el recién nacido, como de la inmadurez de sus estructuras orgánicas. No hay modo de saberlo, pues el período de observación no puede exceder un cierto margen temporal; de lo contrario, la ausencia de contacto con los otros —la madre, esencialmente— sería la más artificial de las condiciones, a partir de la cual sólo se podrían alcanzar conclusiones igualmente artificiales. Imposibilitada esta vía, quedaría por considerar su opuesta. El animal habría de contener dentro de su estructura orgánica natural un cierto margen de apertura, dentro del cual fuera posible entrever las inminentes construcciones culturales de lo humano. Pero tampoco esta vía posibilita avances significativos. Trátese de insectos, aves, mamíferos o primates superiores, el límite en donde podría hallarse el principio de la cultura es imposible de precisar. Puede incluso llegarse a comprobar, como en el caso de los babuinos, que las estructuras orgánicas que harían posible la aparición del lenguaje —la más cultural de las construcciones— se encuentran presentes. Y aun así, el valor sígnico de las conductas lingüísticas no puede ser comunicado ni establecido. Existen comportamientos colectivos en los cuales

> no encontramos siquiera un esbozo de lo que podría denominarse el modo cultural universal: lenguaje, herramientas, instituciones sociales y sistemas de valores estéticos, morales o religiosos.

Pero incluso respecto de comportamientos que, como el poder y la sexualidad, supondrían la existencia de la "norma", la observación no se encuentra más que con una cierta arbitrariedad caótica e indeterminada, que no se asemeja en lo más mínimo a la socialidad normativa de lo humano.

Y precisamente en esta ausencia de normas que imposibilita la extracción de "conclusiones válidas a partir de la experiencia", podemos hallar una mínima claridad. Al hablar de lo natural, nos referimos a una indeterminación comportamental de los sujetos, que desconociendo toda norma general articulan, sin embargo, toda su vida alrededor de regulaciones absolutamente universales. En lo humano, por el contrario, siendo imposible la experiencia de lo universal, que es atributo de la naturaleza, surge la vivencia de la "norma" como sucedáneo del orden universal y característica de la experiencia cultural. Universalidad y normatividad, categorías absolutamente opuestas e irreconciliables —como síntesis de las grandes constituciones natural y cultural—, que a pesar de todo coinciden abruptamente en uno de los comportamientos más constitutivos de la vida humana: la prohibición del incesto. Producto de la norma y, por consiguiente, puramente convencional, esta regulación se halla presente, de manera universal y operando en cada caso según formas peculiares, en todas las comunidades humanas de la historia.

Otra condición confirma la especial categoría del incesto como experiencia sintetizadora de cultura. Se trata de la regulación, mediante el "carácter coercitivo de las leyes y las instituciones", del comportamiento más genuinamente universal de todos: el instinto sexual. En esta tendencia genésica, la más poderosa manifestación dentro de lo humano de la necesidad natural, "puede y debe operarse, forzosamente, el tránsito entre los dos órdenes". Naturaleza y cultura, cuyos límites y contigüidades se han manifestado tan reacios a la comprensión intelectual, encuentran de hecho en las regulaciones del parentesco, el punto de encuentro y conformación. Nuestra condición dual de seres tanto biológicos como culturales, se encuentra aquí plenamente contenida y confirmada. Esa universalidad de las tendencias y de los instintos, que alcanza su más alto grado en la pulsión sexual, halla en las prohibiciones y reglamentaciones culturales del incesto, omnipresentes en la experiencia humana, su oportunidad de tránsito y conversión cualitativa. La prohibición del incesto es, pues, como lo demuestra la historia, señal de humanidad, síntoma de transición y contacto entre lo natural y lo normativo, señal y resumen de toda cultura.

Ahora bien, ¿cuáles son los orígenes de dicha prohibición? Referirse a tales condiciones supone, de manera más amplia y objetiva, desarrollar una reflexión en torno a las determinaciones del parentesco. Cada grupo humano, enfrentado a aquel comportamiento básico del cual deriva su propia conservación y desarrollo, ha constituido una normatividad. ¿Quiénes pueden y quiénes no pueden convertirse en cónyuges? De eso se trata. Al respecto, las reflexiones antropológicas han distinguido dos momentos fundamentales: las estructuras elementales y las estructuras complejas.

Entendemos por estructuras elementales del parentesco los sistemas cuya nomenclatura permite determinar en forma inmediata el círculo de los parientes y de los allegados; vale decir, los sistemas que prescriben el matrimonio con cierto tipo de parientes o, si se prefiere, aquellos sistemas que al definir a todos los miembros del grupo como parientes, distinguen en ellos dos categorías: los cónyuges posibles y los cónyuges prohibidos. Reservamos la expresión "estructuras complejas" para aquellos sistemas que se limitan a definir el círculo de parientes y dejan a otros mecanismos, económicos o psicológicos, la tarea de determinar el cónyuge.

Ahora bien, ni tratándose de la permisividad o apertura de las "estructuras complejas", que dejan más o menos al arbitrio personal, como en el caso de nuestras sociedades contemporáneas, la escogencia del cónyuge, nos encontramos con una total indiferencia social. Ni en los más estrictos modelos de contención existe la imposibilidad total de la elección. En ambos casos, sin embargo, encontramos totalidades estructurales que involucran "las reglas de matrimonio, la nomenclatura, el sistema de los privilegios y de las prohibiciones" a una misma realidad: "la estructura del sistema que se considera". Un conjunto de elementos y de relaciones entre esos elementos, que subyaciendo a las experiencias empíricas concretas, a los comportamientos efectivos de hombres y sociedades, dan razón cabal de esos comportamientos individuales y colectivos. Fenómenos de este tipo, que llevan el carácter de universalidad propio de los fenómenos naturales y a pesar de ello no abandonan su condición de hecho cultural, sólo pueden ser asumidos desde la metodología estructural.

Y precisamente este "método estructural", tan útil en las investigaciones fonológicas de Jakobson y de Trubetzkoy, permitirá a Lévi-Strauss superar el empirismo funcional en que se empantanaban las explicaciones tradicionales del problema del incesto. No se trata, como ha de desarrollar prolijamente en su texto, de la pervivencia de razones puramente biológicas acuñadas en forma de preceptos sociales. En efecto, Lewis H. Morgan y Henry Maine consideran que la norma que prohíbe el incesto es una reflexión social sobre un hecho biológico. Se trataría de convertir en norma colectiva el temor que se siente al comprobar los hechos detestables que se siguen de la unión consanguínea. Y, sin embargo, tal afirmación, aparentemente sólida, sólo aparece consignada en la tradición moderna en el siglo XVI. Pero antes de aquel siglo, existía —y muy poderosamente— la prohibición del incesto. Por otra parte, en aquellas sociedades primarias en donde se constata el tabú, no era posible, dadas sus condiciones de vida rudimentaria, provisional e inmediata, la condensación de conocimientos suficientes para atribuir una secuencia de causa-efecto que pudiera señalar la tara como resultado de la consanguihidad. Así, y tal como lo demuestra el conocimiento científico contemporáneo —el estudio de E. M. East sobre la reproducción del maíz—, esos indeseables "efectos genéticos recesivos" que se hacen manifiestos como producto de la unión incestuosa, son efectivamente reales, pero

estos supuestos peligros jamás se habrían manifestado si la humanidad hubiera sido endógama desde su origen: en este caso nos encontraríamos, sin duda, en presencia de razas humanas tan constantes y definitivamente fijadas como los linajes endógamos del maíz después de la eliminación de los factores de variabilidad. El peligro temporario de las uniones endógamas, suponiendo que existe, es en verdad el resultado de una tradición de exogamia o pangamia, y no su causa.

Así las cosas, el origen genuino de la prohibición del incesto ha de ser buscado en otro ámbito.

A fin de responder adecuadamente a tal asunto, el método estructural, que ha de seguir el autor en su exposición, supone y provoca una reflexión básica: la estructura de las relaciones de parentesco obedece, antes que a cualquier otra cosa, a su naturaleza esencialmente comunicativa. En efecto, en contra de la concepción puramente negativa que ve en la prohibición del incesto, núcleo de las relaciones de parentesco, una simple prohibición convencional o arbitraria, Lévi-Strauss la considera desde el punto de vista de un "sistema de intercambio". Por supuesto, tal intercambio se hace concreto bajo formas cada vez más complejas, diversas e incluso ocultas. Puede ser directo, como en el caso del matrimonio con la prima bilateral, o indirecto, en sus dos formas de relación matrimonial con la prima unilateral. Puede aparecer como una operación al contado o a largo plazo, como una operación explícita o implícita; puede ser cerrado o abierto; puede suponer o no una suerte de hipoteca o garantía de carácter fiduciario, etc., pero en todo caso es siempre un intercambio.

La prohibición del incesto no es tanto una regla que prohíbe casarse con la madre, la hermana o la hija, sino más bien una regla que obliga a dar a otros a la madre, la hermana o la hija. Es la regla del don por excelencia.

Se trata, en fin, de asegurar, por medio de la prohibición del matrimonio en los determinados grados prohibidos, la circulación total, permanente y continua de "esos bienes por excelencia del grupo: sus mujeres y sus hijas". Es, pues, antes que inhibición o negatividad, condición de socialidad y desarrollo. En la exigencia de la exogamia, se operativiza esa condición básica que conduce al hombre desde su organización biológica más elemental hasta la socialidad y la cultura. Pues siendo determinante cultural la posibilidad de saber de sí mismos entrando en contacto con otros, el lenguaje y la exogamia cumplen la misma función y comparten igual naturaleza: son vínculos de comunicación que integran al hombre con su grupo y lo ponen en contacto con otros.

La exogamia es el único medio que permite mantener el grupo como grupo, evitar el fraccionamiento y el aprisionamiento indefinido que acarrearía la práctica de los matrimonios consanguíneos: si se recurriera a ellos con persistencia, o aunque sólo fuera de modo demasiado frecuente, esos matrimonios no tardarían en hacer "estallar" el grupo social en una multitud de familias, que formarían otros tantos sistemas cerrados, mónadas sin puertas ni ventanas.

Hacer posible la socialidad, permitir el acceso de los hombres a mujeres lejanas, en la misma medida en que se posibilita la unión de mujeres cercanas con hombres distantes, es el papel de la prohibición del incesto. Se salvaguarda la vitalidad del grupo a través de una transacción: la alianza matrimonial, que aunque supone una infelicidad inicial, la imposibilidad de sumirse en "sí mismos", posibilita la vida de la sociedad. Palabras y mujeres, dones preciados sobre todos los otros, han de someterse a la misma suerte: convertirse en cosa de todos. Se trataba de la transformación de los símbolos lingüísticos y sexuales en cosas intercambiables. Multitud de encadenamientos simbólicos, expresados en mitos y narraciones legendarias, giran en torno de tan dolorosa situación. En cada uno de ellos se puede comprender cómo sólo interiorizando en cada cual el "terror" instintivo a la unión incestuosa, se puede garantizar el respeto a una norma que, posibilitando la continuidad cultural, sumía al hombre individual en la más dolorosa contradicción.

Hasta hoy la humanidad soñó con captar y fijar ese instante fugitivo en el que fue permitido creer que se podía engañar la ley del intercambio, ganar sin perder, gozar sin compartir. En los dos extremos del mundo, en los dos extremos del tiempo, el mito sumerio de la edad de oro y el mito andamán de la vida futura se contestan: uno al situar el fin de la felicidad primitiva en el momento en que la confusión de las lenguas transformó las palabras en la cosa de todos; el otro, al describir la beatitud del más allá como un cielo en el que las mujeres ya no se cambiarán; es decir, arrojando, en un futuro o en un pasado igualmente inalcanzables, la dulzura, por siempre negada al hombre social, de un mundo en el que se podría vivir "entre sí".

✎ *El autor y la obra*

Claude Lévi-Strauss nace en Bruselas en 1908. Ejerce sucesivamente como profesor en Brasil y en Estados Unidos y desde 1959 enseña antropología en el Collège de France. Formado en medio de la gran polémica intelectual europea de la posguerra, sus planteamientos teóricos tienden a responder por la necesidad de abandonar las especulaciones abstractas y entrar en contacto con la realidad. Se trataba, como sostenían los principales pensadores de la época desde la revista *Les temps modernes*, dirigida por Jean Paul Sartre, de elegir y tomar posición frente a una realidad que ya no permitía las viejas disquisiciones idealistas. El pensamiento del joven Marx, retomado a raíz de la preocupación histórica de los filósofos humanistas, que trataban de integrar su práctica intelectual y vital con las necesidades de la acción real, propendía por identificar la condición del revolucionario, no tanto con el sujeto perteneciente a una determinada clase social, sino con el ser genéricamente libre. Tales perspectivas, acuñadas en torno del llamado "marxismo abierto", generaron encontradas reacciones entre los miembros de la ortodoxia marxista. Tomando el lugar de discusiones amplias y constructivas, los enfrentamientos pronto dieron paso a la más cruda distinción entre unos y otros, sostenida sobre posiciones afectivas y partidistas. Empobrecido de tal manera el ámbito intelectual europeo, Lévi-Strauss, en el año de 1949, dio a luz su primera obra cardinal, *Las estructuras elementales del parentesco*. En ella, y a partir de su experiencia estadounidense en la cual alternó en propósitos y realizaciones con personajes de la talla de Jakobson y Trubetzkoy, destacó los fundamentos de una teoría estructural del parentesco y, a través de ella, abrió campo para su más acariciado propósito:

Este es el principio de mi investigación: transformar las "ciencias humanas" en ciencias, y en ciencias articuladas al igual que las ciencias exactas y naturales.

Lejos de la polémica más o menos estéril que se ventilaba en los principales escenarios intelectuales europeos, Lévi-Strauss intentó la configuración de un modo genuinamente científico de comprender al hombre.

Heredero, como queda dicho, de las elaboraciones estructurales fonológicas de Jakobson, Lévi-Strauss consideró que las infinitas variaciones empíricas acuñadas en torno al asunto humano podrían —y deberían— ordenarse alrededor de un núcleo sustantivo, vale decir, de una estructura. Tal configuración, parte efectiva de lo real, no aparece, sin embargo, en el plano de las manifestaciones visibles. Toda relación humana y étnica está, pues, conformada por un "nudo" de estructuras que se mantienen, en todo caso, muy diferenciadas de las relaciones sociales empíricamente observables. Ellas, las estructuras, constituyen la realidad del asunto, aunque su observación no sea posible de manera inmediata y plausible. Es tarea del investigador y de su método estructural, abstraer en "el campo" tales configuraciones esenciales que fungen como verdaderos sustratos constitutivos de la realidad. El estudio científico de las configuraciones étnicas supone, por tanto, la necesidad de determinar dichas estructuras y su correspondiente funcionamiento. El desarrollo histórico de las sociedades, es decir, en sus términos, su comportamiento "diacrónico", se subordina a la comprensión de la "sincronía" de las estructuras sociales, que atravesando el tiempo y el espacio, esclarecen y clarifican la concreción social específica. Así las cosas, la evolución de una sociedad deja de ser una secuela de accidentes más o menos privada de significados, para manifestarse organizada en torno a un mecanismo central que sostiene y otorga coherencia. Ahora bien, tal mecanismo no se halla, por definición, en manos de hombres individuales y de sus azarosas condiciones y comportamientos. Por el contrario, la lógica y la capacidad evolutiva del sistema dependen de las estructuras, las cuales, lejos de obedecer a motivaciones particulares, las enmarcan y determinan aun desde su condición de discreción e invisibilidad.

Estas reflexiones dieron pábulo a la principal motivación del trabajo de Lévi-Strauss, que tiene que ver con fundar la antropología —y en general las ciencias sociales— como ciencia rigurosa. Frente a la tendencia absolutista y totalizadora de las antiguas visiones filosóficas del hecho humano, el científico ha de comportarse a partir de la investigación de campo y el método estructural. Se trata, en suma, de contradecir un supuesto que durante mucho tiempo ha presidido todo esfuerzo intelectual referido al hombre: la certidumbre de la originalidad del hecho humano y de los estudios humanistas. Aquella "visión total" de la realidad humana que había sido el telón de fondo de la mayor parte de trabajos intelectuales de la modernidad, ha de ser puesta en tela de juicio a la luz de las nuevas implicaciones y contigüidades entre las ciencias humanas y las ciencias naturales.

Esa gran distinción entre naturaleza y sociedad, tan cara a las viejas reflexiones filosóficas, habría de ser puesta en la mira de la crítica y la nueva ciencia social. El hombre, en suma, no es ese ser tan específico y único del que tanto se ha hablado. Su naturaleza irrepetible tiene, por el contrario, mucho en común con la realidad natural y, por consiguiente, apremia reducirlo a él y a los estudios que de él se ocupan, a sus verdaderas dimensiones. De tan urgente ajuste, todos, sin excepción, saldrán beneficiados. La presencia de estructuras sincrónicas y la posibilidad de establecer un método estructural que ponga en contacto los acontecimientos empíricos diacrónicos con la formalidad universal, podrá orientar en un nuevo sentido las indagaciones humanistas.

Pese a las reiteradas e incisivas críticas esgrimidas en contra de las pretensiones de Lévi-Strauss, muchas de las cuales coinciden en afirmar cómo aquellos substratos ahistóricos que él llama estructuras vienen siendo correlatos semánticos de las realidades metafísicas trascendentes que tanto le repugnan, su obra ha sido una de las más influyentes en el ámbito del pensamiento contemporáneo. En efecto, buscar la realidad detrás de las apariencias, aun en los términos en que él lo procura, se aproxima peligrosamente a la negación de la realidad empírica en favor de una realidad superior y trascendental. Pareciera que, en sus propias palabras, "ese huésped presente entre nosotros, aunque nadie haya soñado con invitarlo a nuestras discusiones: el espíritu humano", con todo su correlato de totalidad y universalidad, se niega a desaparecer.

Entre su muy nutrida producción intelectual podemos señalar *La vida familiar de los indios nambikwara* (1948), *Las estructuras elementales del parentesco* (1949), *Tristes trópicos* (1955), *Antropología estructural* (1958), *Elogio de la antropología* (1960), *El totemismo en la actualidad* (1965), *El pensamiento salvaje* (1964) y *Mitológicas I, II, III y IV* (1964, 1967, 1968, 1971).

Portada de uno de los libros de Lévi-Strauss

EL HOMBRE UNIDIMENSIONAL
Herbert Marcuse

La mejor satisfacción de las necesidades es ciertamente el contenido y el fin de toda liberación, pero, al progresar hacia este fin, la misma libertad debe llegar a ser una necesidad instintiva y, en cuanto tal, debe mediatizar las demás necesidades, tanto las necesidades mediatizadas como las necesidades inmediatas.

De esta manera, en atención a nuestra naturaleza primordial que se aleja de la pura naturalidad, del reino de las causas y los efectos unívocos y específicos, la libertad es el sentido que nos comprende y determina. Cualquier otra consideración ha de ser comprendida a partir de esta condición básica y sólo ella cuenta con las dignidades suficientes para la evaluación y el juicio de una modalidad social. Así las cosas, cuando miramos las nuevas formas organizativas de la sociedad industrial, pese a la creciente conformidad común, a la presencia universal de la "conciencia feliz", al "éxito" en las relaciones con la naturaleza y la productividad, no podemos engañarnos. Más allá de las apariencias y los prejuicios, la "sociedad opulenta" conquistada por el capitalismo industrial contemporáneo, se ha constituido en la organización más cerrada y autoritaria de que se tenga memoria. Porque en el lugar en donde, en otros tiempos históricos, campeaban el terror, la intimidación y el despotismo como fuente de autoridad y poder, la sociedad industrializada ha entronizado la conformidad, la abulia, el "control" y la "administración" de todas las pulsiones instintivas y contradictorias. Negadas, asimiladas, absorbidas las fuerzas del dinamismo histórico, la realidad se ha tornado absolutamente simple. Multidimensional, en sus orígenes existenciales, amplia por condición y necesidad, la historia, sometida al imperio de la asimilación y el confort, ha reducido drásticamente sus posibilidades. Se ha hecho "unidimensional". Ha secado, en su propio seno y en aras del funcionalismo y la productividad, la contradicción, condición del movimiento y de la vitalidad.

La democracia consolida la dominación más firmemente que el absolutismo, y libertad administrada y represión instintiva llegan a ser las fuentes renovadas de la productividad.

Más allá de la supresión de los agentes efectivos de la disensión y el inconformismo, la sociedad unidimensional ha conseguido algo que a la luz de la historia parecía imposible: reprimir y anular toda posibilidad de crítica genuina.

Ahora bien, ese mundo habitado por hombres "unidimensionales", "felices", integrados perfectamente a un sistema de relaciones que penetra en todos los ámbitos de sus vidas, supone la más cruda realidad. Para que esos innumerables seres humanos que han abdicado de su condición de humanidad legítima —vale decir, de su libertad— puedan perpetuar su equívoca condición de "cosa" útil y satisfecha, el mundo en el cual tal situación es posible supone un exterior. Y ese "afuera", ese otro que lo determina y concreta, se constituye como una verdadera negación de sus aspiraciones. En efecto, si dentro de la claridad, eficacia y productividad de la sociedad industrializada los hombres olvidan su dignidad en medio de las ilusiones de una servidumbre "cómoda, suave, razonable y democrática", por fuera de ella expanden y universalizan un proceso de destrucción en el ámbito planetario.

A la destrucción desmesurada de Vietnam, del hombre y de la naturaleza, del hábitat y de la nutrición, corresponden el despilfarro lucrativo de las materias primas, de los materiales y fuerzas de trabajo, la polución, igualmente lucrativa, de la atmósfera y del agua en la rica metrópolis del capitalismo.

La tecnología que ha hecho posible conquistar las fuerzas sociales centrífugas, indisciplinadas e irreverentes, debe entregar algo a cambio de semejante rendición. Ya no es el terror, argumento universalmente utilizado en las etapas preindustriales, sino la

eficacia abrumadora y la calidad de vida. Por supuesto, la practicidad de semejante propuesta se sostiene sobre otra practicidad aún
más abrumadora y simplista: la posibilidad del despilfarro; la omnipresencia del deseo cumplido, de la avidez satisfecha, de la inacabable apropiación de necesidades falsas. Sólo así puede resignarse
la conciencia crítica a la entrega y el facilismo. Únicamente en el
abandono de la voluntad, engañada en medio de la presunta "libre
escogencia" de bienes y servicios, y en la conquista del lucro, puede abandonarse la vocación fundamental del ser humano. Pero este mundo que se ha apropiado de "las nuevas formas de control",
que ha conseguido anular la contradicción y el erotismo como
fuerzas renovadoras y ha logrado convertir en racional su propia
irracionalidad, se sostiene sobre la anulación garrafal del mundo
externo, sobre la abyecta expoliación de la naturaleza que debe
proveer la abundancia que haga posible el despilfarro, la "relación
libidinosa con la mercancía, con los artefactos motorizados agresi-
vos, con la estética falsa del supermercado".

Y sucede que esta lógica de relaciones interiores y exteriores,
lleva de manera más o menos explícita una vocación de imperia-
lismo. Se trata de poner en movimiento una "totalidad" que se haga cargo de las manifestaciones de vida humana en todos los
rincones del planeta. Se "exporta" una forma de vida que significa
la universalización de los valores sustanciales de la industrialidad
democrática. Negocios y política, beneficios, utilidades, publicidad, prestigio, máquinas y, sobre todo, necesidades, vienen a convertirse en una avanzada radical que impone en todas partes una
idea de libertad falsa y su represión connatural. El erotismo, llamado por definición a convertirse en potencia básica de vida, en
instinto vital infatigable, se reduce a la más ruda manipulación ge-
nital; la capacidad creativa del hombre a partir de la cual se hacen
posibles la crítica y la poetización, vale decir, la construcción de "otra
dimensión", se liquida a sí misma en la lógica de la integración.

> Esta liquidación de la cultura bidimensional no tiene lugar a través
> de la negación y el rechazo de los "valores culturales", sino a través
> de su incorporación total al orden establecido, mediante su repro-
> ducción y distribución en una escala masiva.

Las comunicaciones masivas consiguen reunir de manera armónica, e incluso inadvertida, al arte, la política, la religión y la filosofía con los avisos comerciales, y de esta manera las hermanan con un destino común, indiferenciado e integrador: la condición de mercancía. Asimiladas estas potencias abstractas del espíritu humano —que por definición podrían transgredir en cualquier momento los muy concretos límites del "bien vivir" y del "correcto desear"— en la lógica global del mercado, se avanza hacia un designio fundamental: la construcción de una totalidad inmune a todo cambio. Se trata de universalizar una forma de razón, desde la cual las diversas pulsiones "irracionales" del hombre sean absorbidas e integradas en la lógica implacable del intercambio productivo. Ese presupuesto de toda socialidad que consiste, esencialmente, en proveer una serie de regulaciones capaces de contener la insocialidad básica de los hombres, su instintividad demoledora y anarquizante, dentro de formas y regulaciones, llegaría a su más alto desarrollo en esta sociedad. Cualquier ímpetu impropio será constreñido en el interior del más imponente aparato represivo de la historia: el confort, el progreso y la satisfacción inmediatista de las necesidades creadas. Las pulsiones tanáticas y eróticas, con sus connaturales desmesuras, podrán asimilarse dentro de la lógica reductora que, ofreciendo comodidad y satisfacción, anula las contradicciones y las incorpora a su propia racionalidad y a su reduccionismo lingüístico:

> El desarrollo detenido en fórmulas hipnóticas que se autovalidan; la inmunidad contra la contradicción; la identificación de las cosas (y las personas) con su función; estas tendencias revelan a la mente unidimensional en el lenguaje que habla.

Ahora bien, el presupuesto fundamental de la "sociedad unidimensional" que le permite proponer su reduccionismo como "deber ser" inobjetable y universal, es su presunta racionalidad. Ahora, dentro de las "sociedades opulentas" y en el camino que se traza desde ellas, el cual habrá de ser seguido tarde o temprano por todos los pueblos de la Tierra, el faro es la fuerza omnipresente de la razón. Lejanos ya los días ominosos en que los hombres se trenzaban en inútiles confrontaciones sentimentales, instintivas o anárquicas, las nuevas condiciones de la tecnología hacen posible la racionalidad sobre la Tierra. Subjetividades, imprecisiones, prejuicios, supersticiones y demás vaguedades desaparecen bajo la luz reveladora del funcionalismo y de la razón práctica. El resultado concreto de la historia es la mejor comprobación de esta verdad: las fuerzas que en otro momento se manifestaban dentro del sistema social e imponían sus incertidumbres, han sido suprimidas en la sociedad opulenta y en esa misma medida es posible "repartir" los bienes

en una escala cada vez mayor, y usar la conquista científica de la naturaleza para la conquista científica del hombre.

La vieja aspiración de la inmovilidad ha sido por fin posible y con ella el progreso y la satisfacción dejaron de ser simples "ideas regulativas" para encontrar su sitio concreto en la realidad histórica. Los contrarios han sido suprimidos en una unidad final y racionalizada. Las viejas formulaciones "metafísicas" que afirmaban la necesidad absoluta de la confrontación entre opuestos, han sido refutadas. Las oposiciones han hallado integración. La crítica ya no tiene sentido. De esta manera, la sociedad industrial avanzada ha alcanzado el logro más significativo de la historia social humana: contener el cambio social y orientar las fuerzas sociales en términos de una racionalidad que involucra todas las esferas del hacer humano. Los dinamismos políticos, simbólicos y pragmáticos se orientan en el único sentido de preservar y mejorar el statu quo, y con ese fin los antiguos antagonistas se aúnan en dirección de la razón técnica y funcionalista. Y, sin embargo, el protagonista de tal situación no manifiesta de manera alguna felicidad y salud verdaderas en su actuar cotidiano. Por el contrario, su aparente prosperidad, además de sostenerse, como ya queda dicho, por la devastación "exterior" del hombre y de la naturaleza, supone la más alta abyección interior e inmediata. En efecto, todas las decisiones fundamentales que competen a su vida y su muerte, a su seguridad personal, social y nacional, se toman en lugares inaccesibles para el individuo. Puede hallarse aquel en posesión de instrumentos de control más eficaces y "abstractos", en condiciones de trabajo que le eximen de los viejos y pesados sobreesfuerzos mentales y musculares, en posibilidad de nivelar sus niveles de consumo y, sin embargo, no sabe nada de sí mismo y no puede orientar su vida en manera alguna.

Los esclavos de la sociedad industrial desarrollada son esclavos sublimados, pero son esclavos, porque la esclavitud está determinada no por la obediencia ni por la rudeza del trabajo, sino por el *status* de instrumento y la reducción del hombre al estado de cosa. Esta es la forma más pura de servidumbre: existir como instrumento, como cosa.

El hecho de que ese ser-cosa pueda "elegir" sus objetos de consumo y viva en la práctica una vida "bonita, limpia, móvil", no lo rescata de su indignidad. Por el contrario, esa "pomposa racionalidad" que se hace concreta en su manera eficaz y provechosa de vivir, viene a aparecer, pese a su enorme difusión y aceptación popular, como la mayor irracionalidad. El mundo verdadero del hombre unidimensional desenmascara la naturaleza profunda de su constitución espiritual y la del mundo en el cual vive.

Urge entonces desarrollar una "teoría crítica de la sociedad" que provoque y posibilite la bidimensionalidad, el enfrentamiento, la dialéctica que debe ser, y es ya de hecho, el fundamento de todo lo existente. La circunstancia de que en el mundo unidimensional no se pueda establecer la diferencia entre la necesidad genuina y la falsa, entre la conciencia verdadera y la conciencia errónea, entre el interés inmediato y el interés real, no significa que tal distinción no sea indispensable. Todo lo contrario, la vida misma de los hombres, el futuro de la vida sobre la Tierra dependen precisamente de que esta necesidad de limitar lo verdadero de lo aparente sea sentida genuinamente. Tal conciencia de cambio ha de ser profundamente deseada y defendida, no sólo como la pura rebelión juvenil, tan vital y profunda como incapaz de transformaciones históricas estructurales, sino desde la conciencia plena de la irracionalidad del mundo unidimensional. El nuevo sujeto histórico, que podría intentar la pacificación del mundo y la libertad efectiva de los hombres, tendrá que comprender en toda su extensión la falacia de sostener un mundo próspero y claro sobre situaciones abiertamente aberrantes:

La unión de una creciente productividad y una creciente destructividad; la inminente amenaza de aniquilación; la capitulación del pensamiento; la esperanza y el temor a las decisiones de los poderes existentes; la preservación de la miseria frente a una riqueza sin precedentes.

Tales y otras condiciones de la industrialidad son argumentos más que suficientes para comprender cómo la flamante racionalidad tecnológica contemporánea, lejos de ser racional o neutral en su condición de puro instrumento optimizador de la productividad, arrastra consigo y con sus realizaciones la más acre irracionalidad y estupidez.

Se impone, pues, la necesidad de conquistar un mundo posible para el hombre, en donde se reconstituyan la contradicción y la apertura y en donde sean pensables la pacificación y la libertad. No obstante, la lógica irracional del hombre unidimensional, su incapacidad de separarse de sus estrechas claridades, podría imposibilitar todo cambio verdadero. Esa resistencia a las modificaciones y sus consecuencias sociales e individuales, la reducción de la vida simbólica y filosófica, la "lógica de la protesta derrotada", el "cierre del universo del discurso", podrían significar que el capitalismo esté efectivamente inmunizado contra cualquier modificación estructural. Y, sin embargo, quedan abiertas dos opciones: la dimensión estética en donde la imaginación, irracional desde la racionalidad industrial, puede hacerse real gracias a los recursos que esa misma industrialidad pone cotidianamente en sus manos, y la presencia en el ámbito histórico de los "proscritos y los extraños", los explotados y los perseguidos de otras razas y de otros colores, los parados y los que no pueden ser empleados.

Así como en la confrontación de Vietnam, aquel "crimen contra la humanidad", los "condenados de la Tierra" opusieron su muerte y su desolación al poder omnímodo del imperio, otros tantos pueblos y seres humanos, que existen por fuera de la democracia, pueden oponer su vida a la persistencia de instituciones y procedimientos aberrantes. Estando por fuera del sistema, siendo ajenos, su hacer, aun sin las complejidades de la conciencia, es revolucionario y transformador. Son los bárbaros contemporáneos que contradicen, contra todo pronóstico, la totalidad del control unidimensional del mundo. Los resultados de tal confrontación son impredecibles y sombríos. La misma denominación de "bárbaro", con toda su carga de valor, podría muy bien ser aplicada a los pulcros hombres unidimensionales que naufragan en medio de su civilidad. De cualquier manera, abierta cuando menos la posibilidad de que los dos extremos históricos se encuentren esta vez y los hombres más depauperados y explotados armonicen con los más prósperos y desarrollados de la modernidad, tendremos que coincidir con las palabras que Walter Benjamin escribiera en los principios de la era fascista:

Sólo gracias a aquellos sin esperanza nos es dada la esperanza.

El autor y la obra

Herbert Marcuse nació en Berlín en 1898 en el seno de una familia judía y murió en 1979. En 1920 abandonó su ciudad natal y se residenció en Friburgo de Brisgovia, interesado en seguir los estudios de filosofía y asistir a las lecciones que en aquella época impartía allí Martin Heidegger. Adelantó su formación intelectual y en 1932 publicó una tesis sobre Hegel. Esta familiaridad con el pensamiento dialéctico hegeliano y su posterior cercanía con las teorías freudianas y marxistas explican en buena medida el talante de su trabajo filosófico.

El advenimiento del nazismo y el riesgo consecuente con su condición de judío le impele a exiliarse en Suiza y Francia. Posteriormente abandonará Europa y desarrollará una carrera docente e investigativa en Estados Unidos. Allí, en las universidades de Columbia, Harvard y Brandeis, y posteriormente en la de California, emprenderá la constitución de un pensamiento original con tendencias claramente sociales, y la redacción de sus obras más significativas.

Alrededor de la noción de movimiento dialéctico, desarrollada en su tesis de grado, que privilegia el concepto de contradicción y lo instituye como principio fundamental de la existencia de todas las cosas, Marcuse elabora una comprensión de las sociedades contemporáneas y de los acontecimientos más significativos de la historia reciente. Esta preeminencia de los procesos, las dinámicas y las contradicciones, enriquecida con una serie de nociones extraídas del psicoanálisis y del marxismo, le van a posibilitar comprender y juzgar con acritud la lógica del capitalismo industrial. Testigo presencial y en buena medida instigador de los grandes movimientos contraculturales de los años sesenta, el hippismo norteamericano y el mayo del 68 francés, su obra alcanzó gran popularidad entre los medios estudiantiles y fue símbolo de una generación interesada en la transformación radical de la realidad. Vietnam, el Tercer Mundo, la represión y explotación, la liberación sexual, la paz y otros tópicos que sintetizan la última etapa de la modernidad, forman parte integral de su obra. En ella ocupa lugar preferente la exigencia de distinción entre la realidad verdadera y la errónea, entre lo genuino y lo creado. Marcuse se preocupa por oponer la condición problemática y abierta de la libertad y de la paz a la practicidad inmediatista y funcional de la sociedad unidimensional. Eros, tánatos, sublimación, principio de rendimiento y otros conceptos, acuñados directamente por su pensamiento o integrados desde las perspectivas de otros autores, contribuyen a la conformación de una totalidad intelectual que en muchas oportunidades ha sido desatendida. En efecto, la circunstancia histórica que lo rodeó y elevó su pensamiento a la mayor popularidad, significó en muchas ocasiones una lamentable simplificación de sus contenidos intelectuales. No obstante, la perspectiva temporal con la cual es posible acercarnos hoy a su obra, le restituye todas sus condiciones filosóficas y, ante todo, pone de presente la oportunidad del intelectual que reflexiona sobre la inminencia de su destino particular y social, sobre su historia concreta, a partir de la solvencia y la solidez del conocimiento universal.

Entre sus obras podemos destacar *Razón y revolución* (1941), *Eros y civilización* (1955), *El marxismo soviético* (1958) y *El hombre unidimensional* (1964).

LAS PALABRAS Y LAS COSAS
Michel Foucault

Jorge Luis Borges, en su texto *El lenguaje analítico de John Wilkins*, afirma que "cierta enciclopedia china" dice:

> Los animales se dividen en a) pertenecientes al emperador, b) embalsamados, c) amaestrados, d) lechones, e) sirenas, f) fabulosos, g) perros sueltos, h) incluidos en esta clasificación, i) que se agitan como locos, j) innumerables, k) dibujados con un pincel finísimo de pelo de camello, l) etcétera, m) que acaban de romper el jarrón, n) que de lejos parecen moscas.

Y esta clasificación, que a primera vista no parece brindarnos más que las peripecias imaginativas de un narrador prodigioso, muy pronto nos arroja a un espacio desde el cual tendremos que reconocer forzosamente una limitación fundamental. En efecto, el texto de Borges nos coloca en la más incómoda posición: las palabras que aquí se dicen, se leen y degustan, pese a ocupar un lugar en el espacio convencional del lenguaje, no pueden pensarse. Refieren una cierta taxonomía, una ordenación, un código íntimo de regularidades, acercamientos y vecindades que no podemos concebir.

> En el asombro de esta taxonomía, lo que se ve de golpe, lo que, por medio del apólogo, se nos muestra como encanto exótico de otro pensamiento, es el límite del nuestro: la imposibilidad de pensar esto.

De manera que, confrontados con una clasificación semejante, las múltiples experiencias que podemos vivenciar —la repugnancia, la risa, la rabia, el asombro— nos abocan a la comprobación de que dentro de nuestras estructuras mentales primarias subsiste una instancia posibilitadora sustancial. Así pues, debajo de las organicidades concretas de la vida diaria y sus tantos modos de manifestación, opera un núcleo que abre y cierra el ámbito de los enunciados posibles. Hablar, clasificar, cambiar, representar, vivir, en fin, en cada una de sus imprevisibles posibilidades, supone una experiencia básica. Una *episteme*. Y es precisamente esta *episteme*, que se manifiesta como la experiencia desnuda del orden, anterior y previa a cualquier determinación histórica posible, la que se resiente cuando confrontamos una clasificación tan anómala como la que nos propone Borges. La imposibilidad de "pensar esto" señala, sin más, ese centro neurálgico desde el cual podemos construir una totalidad de relaciones ideológicas y pragmáticas y que en este caso muy particular, en las inmediaciones de semejante taxonomía, nos revela sus limitaciones. Acostumbrados como estamos a las magias de nuestra peculiar manera de ordenación, nos comportamos en la práctica como si tal modalidad fuera absoluta. Por otra parte, referida nuestra experiencia a las maneras ordenadoras explícitas, ese "código fundamental", esa "forma" estructural que posibilita las infinitas manifestaciones particulares, se nos escapa. Cuando ingresamos en la imposibilidad latente en el texto borgiano, antes que cualquier cosa comprobamos las limitaciones de nuestra ordenación y, sobre todo, caemos en la cuenta de que antes que los numerosos vericuetos clasificatorios que constituyen nuestra experiencia, existe un "nodo", un sistema, una tupida red de operaciones intelectuales que los sostienen. Precisar, describir y determinar la naturaleza, génesis, alcances y comportamiento de ese núcleo epistémico, de esa *episteme*, es el propósito de *Las palabras y las cosas*:

Existe en toda cultura, entre el uso de lo que pudiéramos llamar los códigos ordenadores y las reflexiones sobre orden, una experiencia desnuda del orden y sin modos de ser. Se trata de mostrar en qué ha podido convertirse, a partir del siglo XVI, en una cultura como la nuestra: de qué manera, remontando, como contra la corriente, el lenguaje tal como era hablado, los seres naturales tal como eran percibidos y reunidos, los cambios tal como eran practicados, ha

manifestado nuestra cultura que hay un orden y que a las modalidades de este orden deben sus leyes los cambios, su regularidad los seres vivos, su encadenamiento y su valor representativo las palabras; qué modalidades del orden han sido reconocidas, puestas, anudadas con el espacio y el tiempo, para formar el pedestal positivo de los conocimientos, tal y como se despliegan en la gramática y en la filología, en la historia natural y en la biología, en el estudio de las riquezas y en la economía política.

Y es que en la determinación exhaustiva y consciente del orden, vale decir de la experiencia de "lo mismo", se sintetizan todas las posibilidades históricas. El saber, la acción, el intercambio, la dimensión estética, la experiencia de la anomalía, derivan estrictamente de la manera como una cultura ha diseñado sus sistemas ordenadores. Por otra parte, y como condición misma de su existencia, "lo mismo", desde su racionalidad e ímpetus universales, abre el espacio sombrío de "lo otro", con el cual entra en relaciones conflictivas y autoritarias. La dinámica íntegra de la sociedad puede aprehenderse como la tensión, permanente e inagotable, de estas dos nociones básicas del orden y el desorden. Ahora bien, pese a que desde su condición de constructos posibilitadores y básicos de toda existencia, dan sostén y fundamento a la prolijidad histórica, tales *epistemes* se hallan sujetas al cambio. Son arbitrariedades, convenciones, constructos sometidos al tiempo, a la transformación, a la historia. De esta manera, nuestra experiencia ordenadora contemporánea, que Foucault llama en propiedad "moderna", supone un cambio radical de ordenación a partir de la *episteme* propia del universo clásico. La cultura occidental, desde la perspectiva del autor, manifiesta en esta última transformación, una de las dos grandes "discontinuidades" de su historia. La primera, y no menos estruendosa, sucedió cuando en los albores del siglo XVII se inaugura la época clásica; y la segunda, la más reciente y la que nos corresponde en propiedad, es esta en la cual los valores clásicos, sostenidos precisamente sobre una regulación estructural determinada, han perdido validez.

Existen elementos comunes a toda estructura ordenadora, a saber: la experiencia de la semejanza y los signos mediante los cuales es posible reconocer y manipular tal semejanza. Por medio de dichos elementos podemos intentar la construcción de un mundo, su limitación y la escritura de las cosas que lo constituyen. A partir de ellos el lenguaje se hace posible y se establece una relación peculiar con las cosas. La semejanza ha operado como elemento constructor de la cultura occidental:

El mundo se enrollaba sobre sí mismo: la tierra repetía el cielo, los rostros se reflejaban en las estrellas y la hierba ocultaba en sus tallos los secretos que servían al hombre. La pintura imitaba el espacio. Y la representación —ya fuera fiesta o saber— se daba como repetición: teatro de la vida o teatro del mundo, he ahí el título de cualquier lenguaje, su manera de anunciarse y de formular su derecho a hablar.

Pero en la medida en que su condición abstracta o conceptual requiere vínculos que las relacionen con la realidad más inmediata, tales concreciones son estudiadas y determinadas bajo el nombre de las "cuatro similitudes". En efecto, la "convenientia", la "aemulatio", la "analogía" y la "simpatía" articulan en concreto esas relaciones de semejanza que permiten establecer una red "sintáctica" en el mundo. A partir de tal interrelación es posible ajustar unos seres a otros, determinar el grado de sus vecindades, su modalidad, alcances y consecuencias. En estricto sentido, conocer tales contigüidades es conocer el mundo. Ahora bien, el investigador no se encuentra enfrentado a un enigma insoluble. La realidad propone una serie de indicios que permite que las "similitudes ocultas" aparezcan en la superficie de las cosas. Si ello no fuera posible, los hombres se encontrarían en la más grave impotencia. Es posible conocer el mundo porque los hombres tienen acceso al universo de huellas e indicios de la similitud. Se trata sólo de aguzar la observación, captar su presencia y a partir de ella intentar una prolija hermenéutica que otorgue a cada cosa su sentido y su lugar en un contexto general. De esta manera, sabiendo que "no hay semejanza sin signatura. El mundo de lo similar sólo puede ser un mundo marcado", se puede intentar la construcción de un "gran texto único" en el cual, a partir de las relaciones entre lo similar y el signo que lo denota, entre el verbo y la naturaleza, todas las cosas ocupan su lugar. El entrecruzamiento infinito entre las denominaciones y las cosas, propone, sin embargo, a partir de la semejanza, un sistema legible mediante el cual los hombres pueden acometer la inteligencia suficiente del mundo.

Ese es el presupuesto básico, el orden estructural, la *episteme* de la época clásica. En efecto, desde el convencimiento de que la realidad puede reducirse en su infinitud a un texto unitario y autosuficiente, los hombres, desde mediados del siglo XVII hasta principios del XIX, intentaron la construcción de su saber. La gramática, la historia natural, el estudio de la riqueza, la noción de historia, devienen de este supuesto fundamental, de esta estructura básica de ordenación de lo semejante. Ahora bien, el alma misma desde la cual se intenta la construcción de un saber tal, de un mundo así organizado y constituido, y que desde su peculiaridad intelectual supone una relación específica con las similitudes y las signaturas, tiene un nombre: "teoría de la representación". Y es precisamente esta teoría la que, operado el cambio de *episteme* que sufre el mundo occidental en el siglo XIX, se desplaza e invalida. La modernidad significa, en síntesis, el advenimiento de una época en que la representación deja de ser una estructura referida al mundo a través de la semejanza, y se instaura en la conciencia de sí misma. Se trata, como en las *Meninas* de Velázquez, cuyo análisis fue ampliamente desarrollado por Foucault, de

una representación de la representación clásica y la definición del espacio que ella abre.

Espacio este en donde similitudes y signaturas y todas las consecuentes conductas prácticas y teóricas clásicas que se ordenaban a representar el mundo mediante las palabras, abren un ámbito en donde el mundo deja de ser referido en su inmediatez y los signos se refieren a sí mismos,

desaparece la teoría de la representación como fundamento general de todos los órdenes posibles; se desvanece el lenguaje en cuanto tabla espontánea y cuadrícula primera de las cosas, como enlace indispensable entre la representación y los seres; una historicidad profunda penetra en el corazón de las cosas, las aísla y las define en su coherencia propia, les impone aquellas formas del orden implícitas en la continuidad del tiempo.

Si la época clásica, desde su peculiaridad basada en la semejanza, había intentado una comprensión textual total articulada en las diversas disciplinas tradicionales del conocimiento, la modernidad va a instaurar su orden sobre la historia. La continuidad y discontinuidad, el flujo, la mutación, el tiempo, son los recursos intelectuales que van a ocupar el lugar que antaño tenían los instrumentos clasificadores clásicos. Los cambios y la moneda, entidades cuyo estudio es puramente clásico, van a ser remplazados por las teorías de la producción. En las primeras, las herramientas de análisis se circunscriben a las categorías de semejanza y signatura; en las segundas, la evolución histórica y las contradicciones dialécticas ocupan su lugar. Así mismo, la clasificación taxonómica de la vida cede su espacio a la noción de organismo y el lenguaje pierde su carácter hegemónico en cuanto vínculo definitivo con las cosas, para comprenderse desde su historicidad a partir de la ciencia lingüística. Pero sobre todo, y en contra de los "ingenuos" que han considerado que el hombre es asunto investigativo de la más vieja data, la modernidad, segunda gran "discontinuidad" epistémica de Occidente, introduce al ser humano en el ámbito del conocimiento. Este peculiar "humanismo", mezcla anómala de ciencia antropológica y reflexión filosófica, irrumpe en la modernidad estrepitosamente.

Sin embargo, reconforta y tranquiliza pensar que el hombre es sólo una invención reciente, una figura que no tiene ni dos siglos, un simple pliegue en nuestro saber y que desaparecerá en cuanto este encuentre una forma nueva.

En esta y en otras afirmaciones se encuentra convalidada la hipótesis central de *Las palabras y las cosas*, que propone una nueva experiencia de orden, propiamente moderna, sostenida ya no sobre la semejanza, sino sobre la historicidad. El orden clásico y la teoría de la representación que lo fundamenta, pese a sus pretensiones de universalidad absoluta, de "eternidad", que por otra parte son pretensiones de toda ordenación consolidada, es sólo uno entre todos los órdenes posibles. No es el único ni el mejor. Así mismo, nuestra modernidad, la experiencia de la historia y, sobre todo, el ámbito de privilegio que se le confiere al ser humano, por encima de sus ambiciones y pruritos, tampoco es única, inmodificable y absoluta. La *episteme* que hace posible nuestra vivencia de orden y de desorden, y con ella de interpretación concreta de la realidad, está sometida al tiempo y a sus transformaciones. El nuevo espacio de la representación que se retrata a sí misma, tan genialmente anticipada por Diego Velázquez en las postrimerías del barroco, es aquel que nos contiene y corresponde, y derivará a partir de sí mismo en formas insospechadas. *Las palabras y las cosas* se ocupa tan sólo de mostrar cómo fue posible la discontinuidad epistémica que nos condujo desde la semejanza clásica hasta la autorrepresentatividad moderna. Sus determinaciones, análisis y sugerencias nos ubican en la vivencia de un nuevo constructo fundamental y en el proceso que, en todo ámbito de actividad histórica, fue necesario para llegar a él. Ahora bien, por supuesto, el transcurso, que es punto de llegada y posibilitador de la continuidad moderna, es a su vez punto de partida y generador de nueva y desconocida realidad.

El autor y la obra

Michel Foucault nació en Poitiers en 1926 y murió en 1984. Fue profesor en la Facultad de Letras de Clermont-Ferrand y posteriormente en el Collège de France. Se le considera —a pesar de sus reticencias particulares— como uno de los autores más representativos del estructuralismo. En efecto, junto con Lévi-Strauss, Roland Barthes y Gaston Bachelard, entre otros, intentó la construcción de un pensamiento consolidado a partir de la consideración de estructuras básicas, desde las cuales se puede pretender la comprensión de los hechos históricos específicos. Ahora bien, su particular interpretación de estas estructuras, consolidada en su concepto de *episteme*, lo distancia no poco de las concepciones generales del estructuralismo y le proporciona a su pensamiento una fuerte individualidad.

Situándose en las fronteras, un tanto imprecisas e inseguras, de la epistemología y la historia de la cultura, el propósito central de la obra de Foucault es reconstruir el proceso epistémico que desde la instauración clásica del siglo XVII nos ha constituido hasta nuestros días. Así, en la experiencia fundamental del orden o de "lo mismo", asunto tratado en *Las palabras y las cosas,* o en la experiencia de lo desordenado y anómalo, de "lo otro", desarrollada en la *Historia de la locura en la época clásica,* el propósito es el de determinar los procesos de desplazamiento de una visibilidad a otra. Y, sin embargo, en contra de la primera y más generalizada impresión, su trabajo se distancia radicalmente de lo histórico. No son encadenamientos de datos, disputas en torno a fuentes, interpretaciones y metodologías lo que le preocupa. Por el contrario, todas esas determinaciones descansan sobre constructos fundamentales que son asunto de una "arqueología del saber", título de uno de sus últimos trabajos en el cual se definen y sostienen los presupuestos conceptuales y metodológicos básicos de su pensamiento. Se trata de mostrar "el espacio general del saber" y las "condiciones de posibilidad" que explican la discontinuidad o transcurrir entre tales espacios generales o *epistemes.*

Entre sus trabajos más importantes podemos señalar *Enfermedad mental y personalidad* (1961), *Historia de la locura en la época clásica* (1966), *El nacimiento de la clínica. Arqueología del examen médico* (1967), *Las palabras y las cosas. Una arqueología de las ciencias humanas* (1968), *La arqueología del saber* (1970), *Vigilar y castigar* (1975) e *Historia de la sexualidad* (1975).

Foucault